L'ÉNIGME SACRÉE

Des mêmes auteurs
aux Éditions J'ai lu

Le message, *J'ai lu 7674*

MICHAEL BAIGENT,
RICHARD LEIGH, HENRY LINCOLN

L'ÉNIGME SACRÉE

TRADUIT DE L'ANGLAIS
PAR BRIGITTE CHABROL

Collection dirigée
par Ahmed Djouder

Titre original :

THE HOLY BLOOD AND THE HOLY GRAIL

Le jour du mi-été tranquille
Brule au centre de l'estoile,
Où miroitée la mare dedans
Son cœur doré Nymphaea montre clair.
Nostres dames adorées
Dans l'heure fleurie
Dissoudent les ombres ténébreuses du temps.

Jehan l'ASCUIZ

Remerciements

Nous remercions tout particulièrement Ann Evans, sans qui ce livre n'aurait pu voir le jour. Nous remercions aussi : Jehan l'Ascuiz, Robert Beer, Ean Begg, Dave Bennett, Colin Bloy, Juliet Burke, Henri Buthion, Jean-Luc Chaumeil, Philippe de Chérisey, Jonathan Clowes, Shirley Collins, Chris Cornford, Painton Cowan, Roy Davies, Jean-Pierre Deloux, Liz Flower, Janice Glaholm, John Glover, Liz Greene, Margaret Hill, Renee Hinchley, Judy Holland, Paul Johnstone, Patrick Lichfield, Douglas Lockhart, Guy Lovel, Jane McGillivray, Andrew Maxwell-Hyslop, Pam Morris, Les Olbinson, Bob Roberts, David Rolfe, John Saul, Gérard de Sède, Rosalie Siegel, John Sinclair, Jeanne Thomason, Louis Vazart, Colin Waldeck, Anthony Wall, Andy Whitaker, l'ensemble du personnel de la Salle de Lecture du British Museum ainsi que les habitants de Rennes-le-Château.

Introduction

C'est en 1969, et par le plus grand des hasards, que sur la route des Cévennes où je me rendais en vacances je fis la découverte d'un petit ouvrage apparemment anodin. N'eût été l'étrange omission que je remarquai au cours de ma lecture, je l'aurais relégué au rang de tous ceux qui, après chaque été, s'accumulent dans un placard, attendant d'être relus.

Un « trésor » avait, semble-t-il, été trouvé aux environs de 1890 par un prêtre de village alors qu'il déchiffrait des parchemins découverts sous les assises de son église. Deux de ces documents étaient reproduits dans le livre, mais je n'y rencontrai aucune trace des « messages secrets » qu'ils étaient censés contenir. Avaient-ils de nouveau été perdus ? Pourtant, une étude rapide des documents m'autorisait à dire qu'un des messages cachés au moins avait certainement été décelé par l'auteur ; leur ayant accordé toute l'attention voulue lors de ses travaux, il n'avait pu manquer d'y faire la même découverte que moi. Pourquoi, dans ces conditions, n'avoir pas livré au public une révélation dont il se montre toujours friand ?

Au cours des mois suivants, l'étrangeté de cette omission et la perspective d'éventuelles surprises me ramenèrent plus d'une fois à la brochure. Je me trouvais confronté à un véritable puzzle auquel venait s'ajouter l'incompréhensible silence de l'auteur. Que de mystères, que de messages avaient été enterrés à Rennes-le-Château avec ces parchemins ! Ne méritaient-ils pas mieux que ces quelques instants de curiosité volés çà et là, au hasard de mes obligations d'écrivain pour la télévision ?

C'est ainsi qu'à la fin de l'automne 1970 je présentai l'anecdote comme un possible sujet de documentaire à Paul Johnstone, producteur à la BBC de la série historique et archéologique « Chroniques ». Il accepta sans hésiter et je me rendis aussitôt à Paris pour élaborer en compagnie de l'auteur du livre français un projet de court métrage.

Je le rencontrai pendant la semaine de Noël 1970, et sans perdre une seconde lui posai la question qui me brûlait les lèvres depuis plus d'un an : « Pourquoi n'avez-vous pas publié le message dissimulé dans les parchemins ? » Sa réponse me stupéfia : « Quel message ? » me demanda-t-il.

Il était inconcevable que ce message élémentaire lui eût échappé. À quel jeu jouait-il, et pourquoi ? Brusquement, je n'eus plus envie de lui révéler ce que j'avais découvert de mon côté. Une joute verbale s'ensuivit, des plus elliptiques, au terme de laquelle apparut cependant de manière tout à fait évidente que nous avions bel et bien tous deux connaissance du message. « Pourquoi ne pas l'avoir publié ? » demandai-je de nouveau. La réponse vint, délibérée : « Parce que nous avons pensé qu'il serait intéressant, pour quelqu'un comme vous, par exemple, de le découvrir tout seul. »

À ces mots, aussi énigmatiques que les mystérieux documents du prêtre, j'acquis immédiatement la conviction que le secret de Rennes-le-Château était beaucoup plus qu'une simple histoire de trésor perdu.

Au printemps 1971, nous commençâmes donc, mon directeur Andrew Maxwell-Hyslop et moi-même, à préparer un court métrage d'une vingtaine de minutes ; c'est alors que l'auteur français se mit à nous envoyer de nouvelles informations.

D'abord, le texte entier d'un message codé, qui parlait des peintres Poussin et Teniers. Fascinant ! Le code semblait horriblement compliqué, et nous apprîmes qu'il avait été décrypté par les services spéciaux de l'armée française à l'aide d'ordinateurs. Pourtant, plus j'étudiais ce code, plus cette hypothèse me semblait improbable, pour ne pas dire suspecte : impression que confirmèrent les experts de l'Intelligence Service après consultation, un ordinateur ne pouvant en aucun cas, selon eux, traiter ce code secret. Celui-ci devenait donc indéchiffrable ; mais quelqu'un, quelque part, devait en posséder la clé.

À cet instant arriva de France la seconde bombe. Une tombe identique à celle qui figure dans la célèbre peinture de Poussin *Les bergers d'Arcadie* avait été découverte ; nous en recevrions les détails dès que possible. Quelques jours plus tard en effet nous étions en possession des photographies, convaincus cette fois que notre petit documentaire sur un mystère local insignifiant était en train de prendre des dimensions inattendues. Paul Johnstone décida donc de le remplacer par un long métrage destiné à la série « Chroniques », qui ne sortirait qu'au printemps suivant, nous donnant tout le temps de nous pencher sur l'affaire.

Le trésor perdu de Jérusalem ? fut présenté au public en février 1972, et les vives réactions qu'il suscita nous démontrèrent à quel point les imaginations avaient été frappées. Mais elles en demandaient plus, beaucoup plus, et il allait falloir les contenter.

En 1974, nous étions en mesure de présenter un second film, *Le Prêtre, le Peintre et le Démon*, et une fois encore le public s'enthousiasma. Mais notre démarche était devenue si complexe, si loin s'étendaient ses ramifications que, de toute évidence, elle allait très vite excéder les possibilités d'une seule personne. Pour une investigation unique, pour une voie choisie, que d'informations négligées ou abandonnées ! C'était toute une équipe qu'il nous fallait. Fort heureusement, au cours de l'année 1975, le hasard, qui une fois déjà avait si bien fait les choses, m'autorisa à penser que le travail accompli ne serait pas inutile, et que nous pourrions le poursuivre.

Je rencontrai en effet Richard Leigh à l'université d'été. Romancier, nouvelliste, spécialiste des littératures comparées et possédant une connaissance profonde de l'histoire, de la philosophie, de la psychologie et de l'ésotérisme, il avait aussi enseigné dans des universités canadiennes, anglaises et américaines.

Comme, au cours de nos passionnantes discussions, je lui parlais des Templiers qui tenaient une place capitale dans l'histoire de Rennes-le-Château, Richard Leigh me confia qu'il s'intéressait aussi à cet ordre médiéval, et avait entrepris à son sujet des recherches importantes. Je lui fis part alors des anomalies découvertes au cours de mes travaux et il n'hésita pas à m'éclairer de toute sa science, mais pour le reste s'étonna comme moi. Enfin, conquis par mon projet, il me proposa son aide concernant les Templiers et me présenta à Michael Baigent qui venait de quitter une brillante carrière de journaliste pour se consacrer lui aussi entièrement à des recherches sur l'ordre du Temple et à un film qu'il projetait sur le sujet.

Pouvais-je espérer meilleurs collaborateurs, plus compétents, plus enthousiastes, ou imaginer plus enivrante sensation de renouveau et de dynamisme que celle qu'ils apportèrent avec eux ?

Le premier résultat tangible de notre collaboration allait s'appeler *L'ombre des Templiers* ; c'était un troisième film sur Rennes-le-Château, produit par Roy Davies en 1979.

L'enquête nous avait menés jusqu'aux bases mêmes sur lesquelles reposait tout le mystère de Rennes-le-Château, et pourtant ce n'était qu'un tout petit début. Au-delà, derrière les apparences, existait quelque chose de beaucoup plus surprenant, de beaucoup plus significatif, dépassant de loin tout ce que nous avions pu imaginer lorsque nous avions commencé nos recherches sur le plaisant petit mystère soulevé en France par le curé d'un humble village de montagne.

En 1972 j'avais terminé mon premier film sur ces mots : « Quelque chose de très extraordinaire va être révélé… et il le sera dans un avenir proche. »

Aujourd'hui cet ouvrage explicite ce « quelque chose ». Il raconte aussi l'histoire d'une fascinante découverte.

H. L.
17 janvier 1981

Cartes

1. Les principaux lieux de notre investigation en France

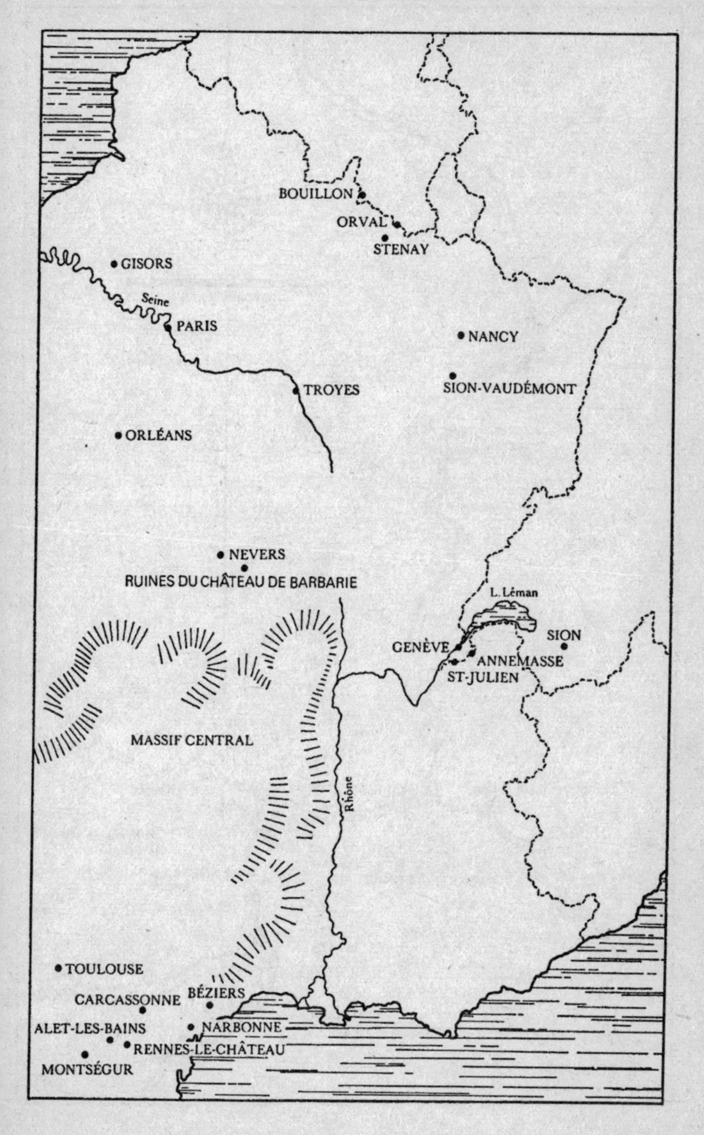

2. Rennes-le-Château et ses environs

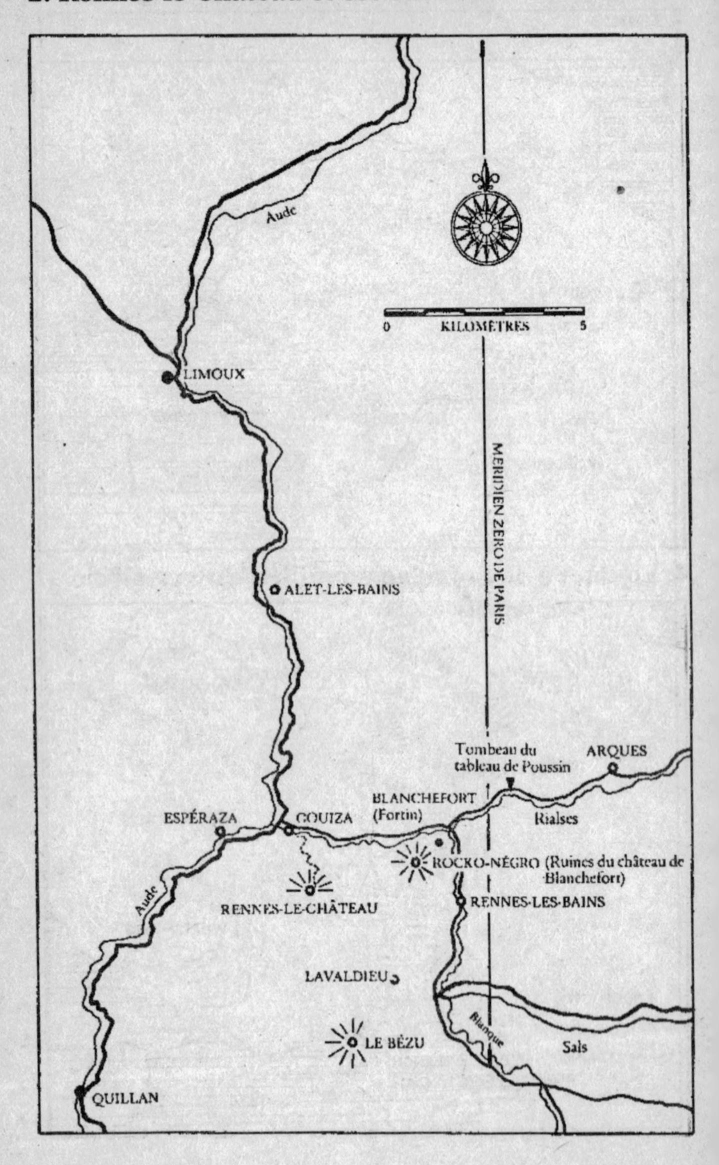

3. Le Languedoc des cathares

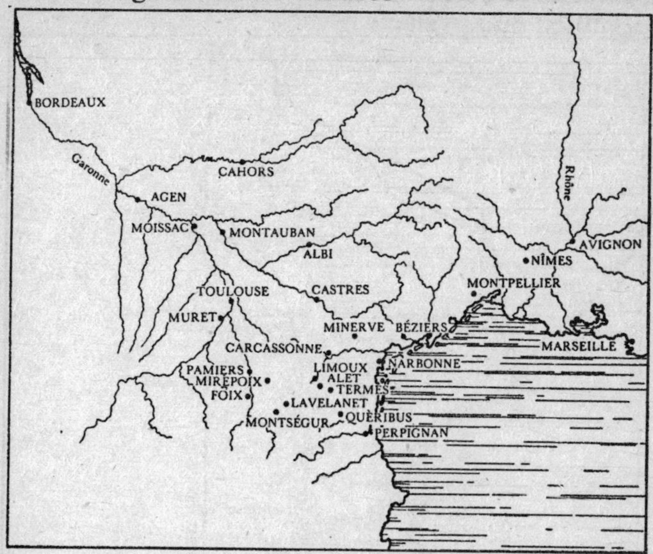

4. Le duché de Lorraine au milieu du XVIe siècle

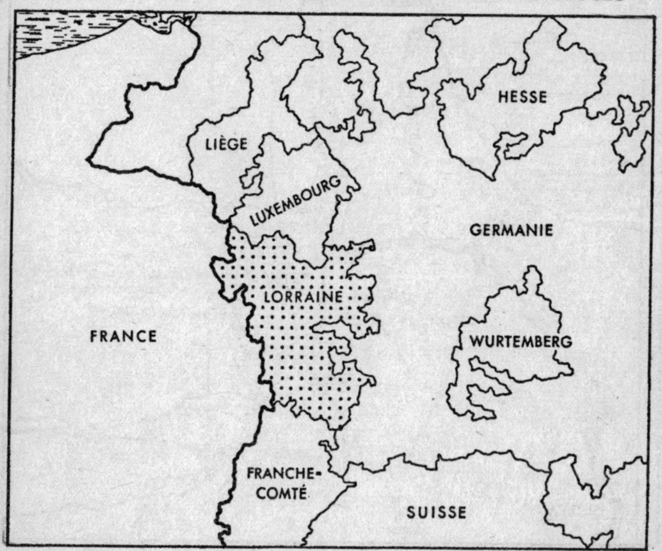

5. Principales villes et châteaux de la Terre sainte au milieu du XIIe siècle

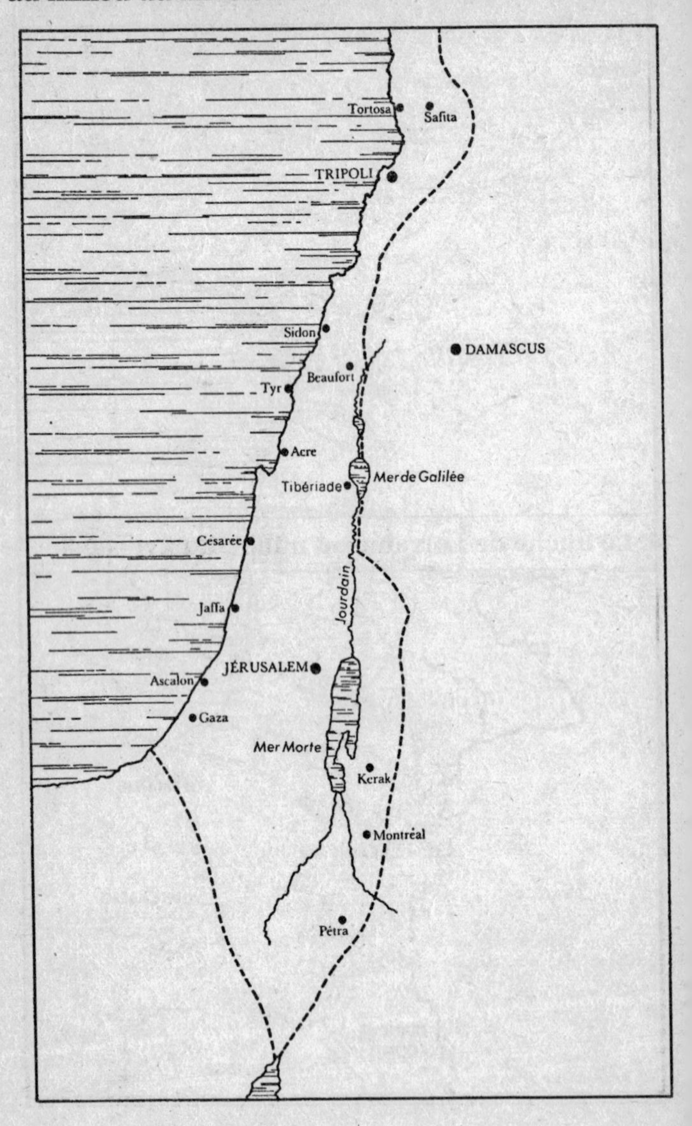

6. Jérusalem : le Temple et le mont Sion au milieu du XIIe siècle

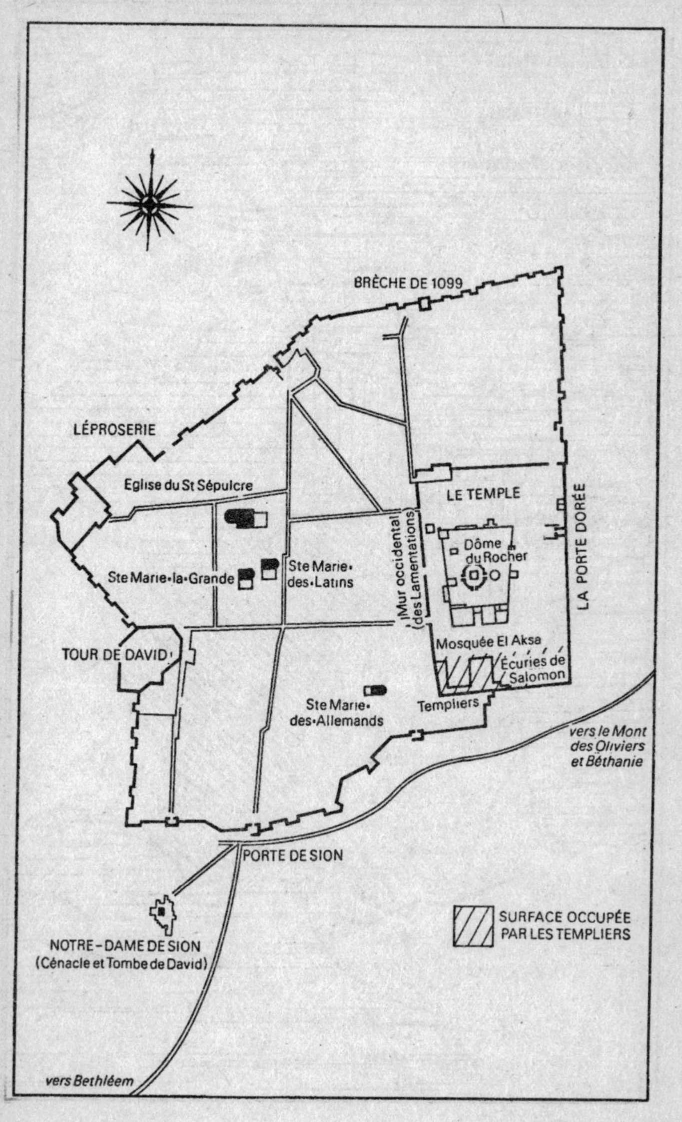

7. Les royaumes mérovingiens

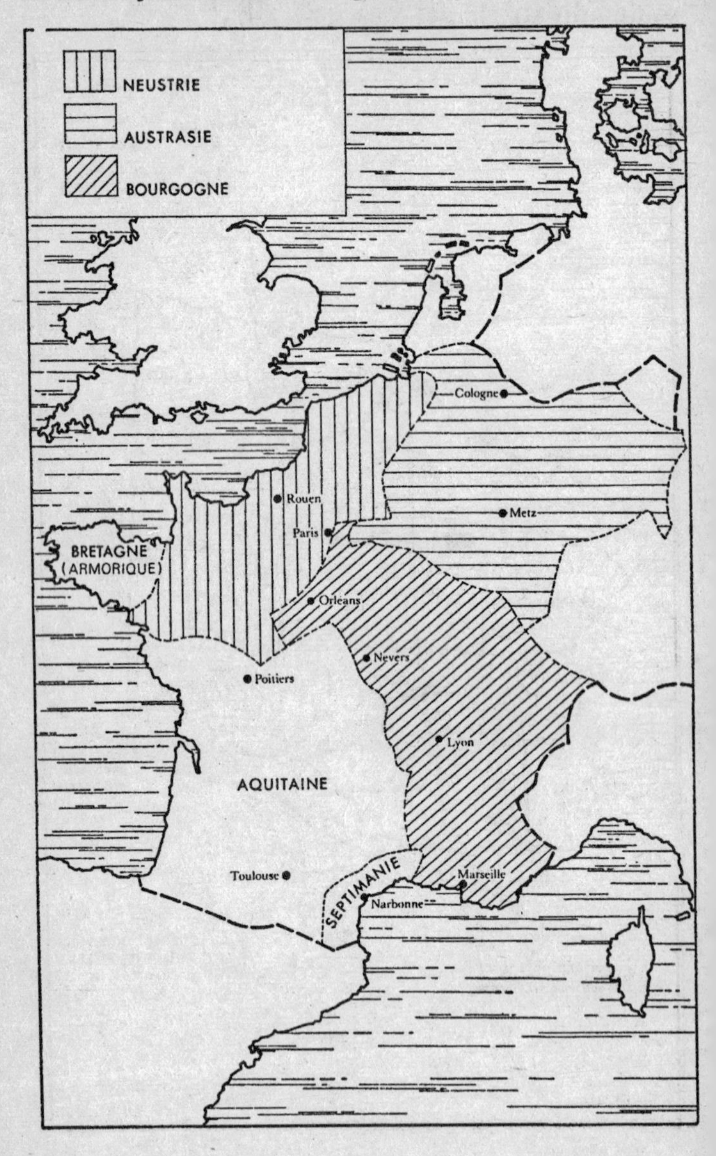

8. La Judée et le chemin de l'exil, le seul possible, emprunté par la tribu de Benjamin

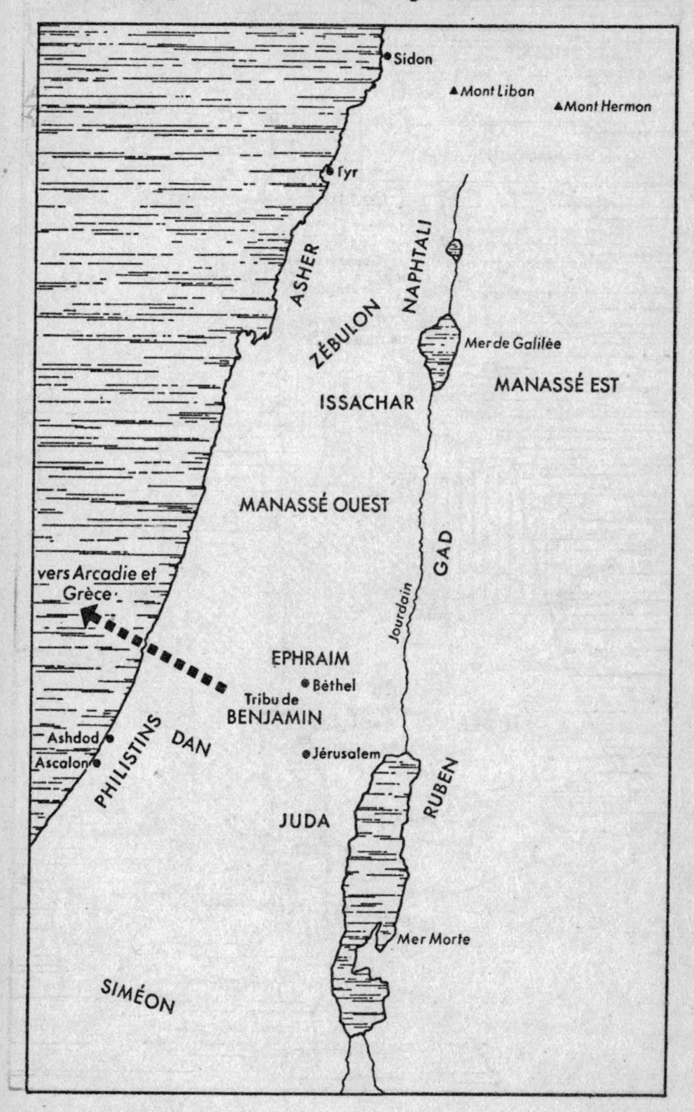

9. La Palestine au temps de Jésus

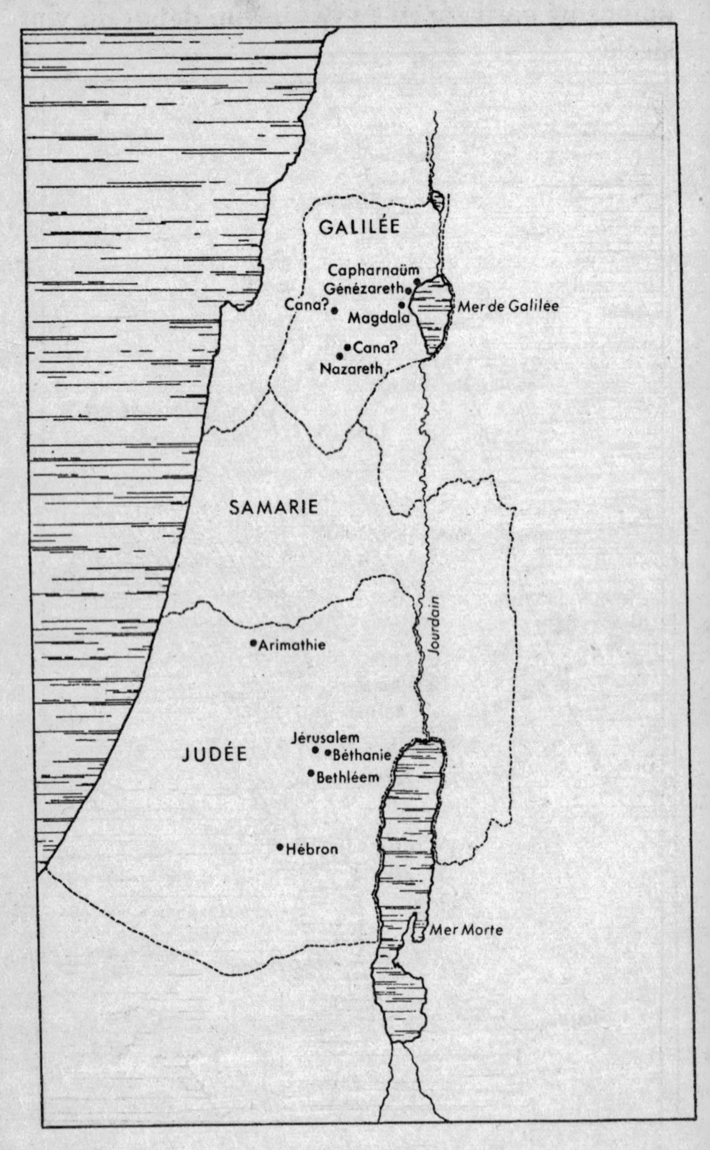

10. Zone d'implantation juive en France (Septimanie) et au nord-est de l'Espagne au début du VIIIe siècle

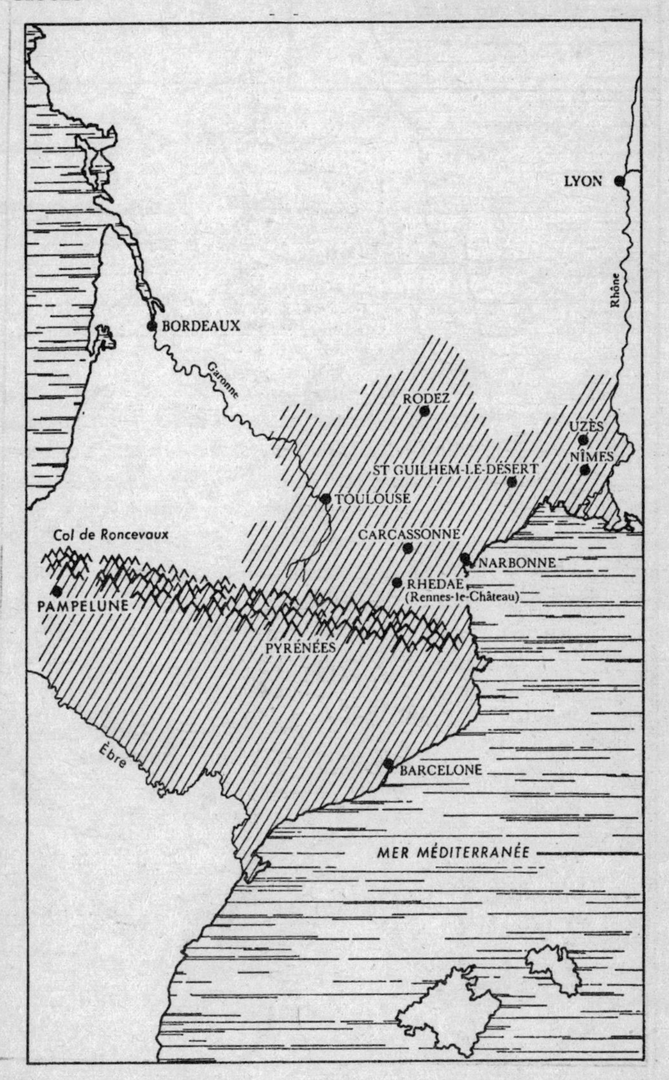

CARTE DES ANCIENS
PAYS DU RAZES ET DES COMTÉS
AU VIII ET IX SIECLE D'APRES
DREPANIUS FLORIUS
S.Cecilia
S Stephanus
Saxiacum
S. Petrus
Exitorium
Menerba
Ventajo
Castrum Martasti
Caunæ
ad Tolosam
Moschelingus
Vicus
Rivus
Alzona
Alzau
S.Laurentius (conchæ)
Lauranum
Salesingus
Villa Sicca
Tresmals
Mons Regalis
COMTÉ de CARCASSONNE
Carcassona
Flexus
Fanum Jovis
Via Romana
Fons cooper
Alanianum
S.Hilarius
Grassa
S.Laurentius
Limosus
S.Polycarpus
S.Martin Rotondus
Electum
Rhedæ
COMTÉ de RHEDÆ
Cubariae
Petrapertusa
S.Martinus
Joconum
Axacum
S.Felix
Formiguera
S.Pon

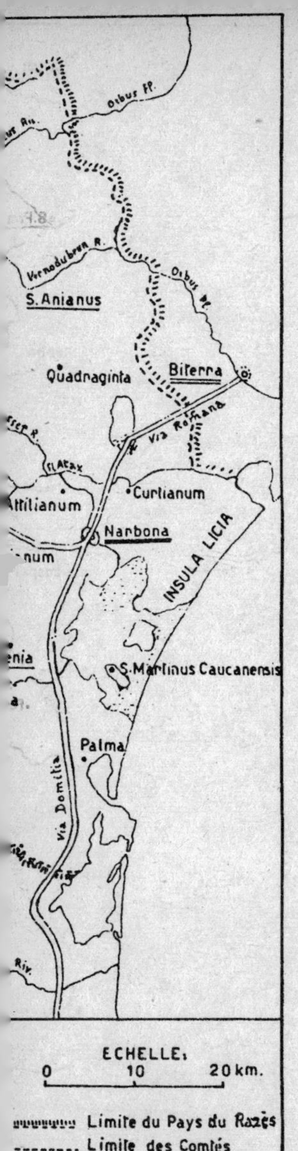

11. Le Razès

Aux VIIIe et IXe siècles la Septimanie devient le Razès divisé en trois comtés : Narbonne, Carcassonne et Rennes. Le comté de Rhedae ou Rennes portait aussi le nom de « Razès wisigoth ». Ultérieurement, le Razès formera l'Occitanie, puis la province du Languedoc

Généalogies

1. Les ducs de Guise et de Lorraine

Extrait de l'ouvrage de Philippe Toscan du Plantier.

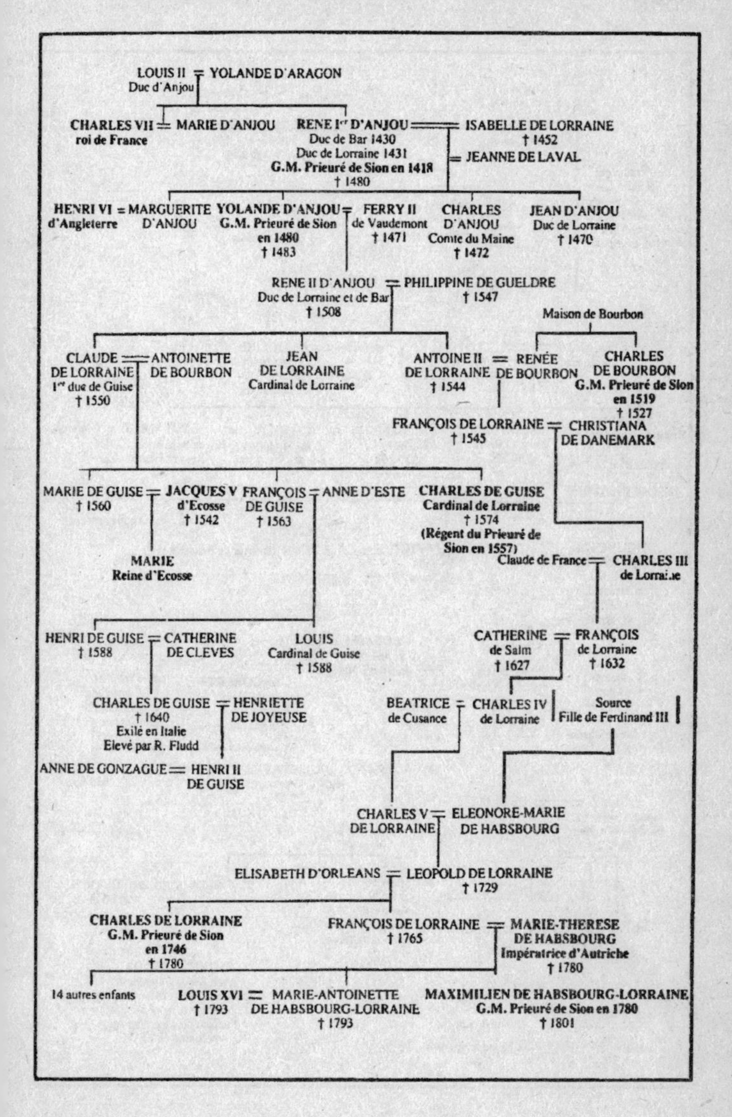

2. La dynastie mérovingienne : les rois

Extrait de l'ouvrage d'Henri Lobineau (Henri de Lénoncourt).

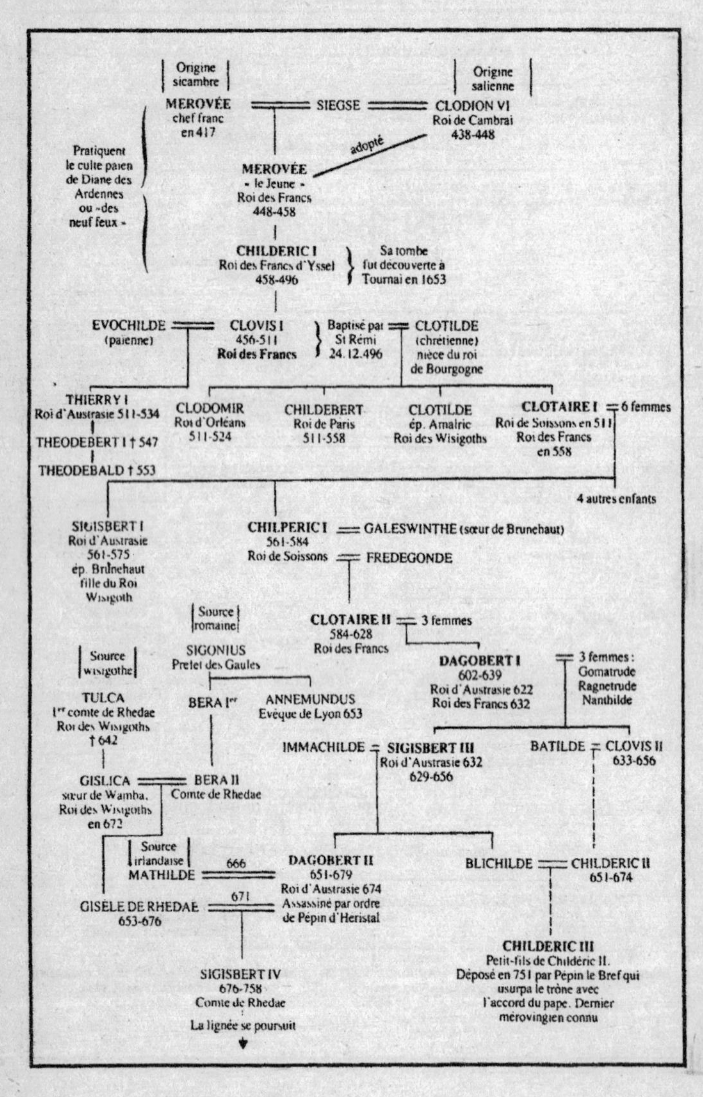

3. La dynastie mérovingienne : les comtes de Rhedae

Extrait de l'ouvrage de Philippe Toscan du Plantier d'après les travaux de H. Lobineau, l'abbé Pichon et du Dr Hervé.

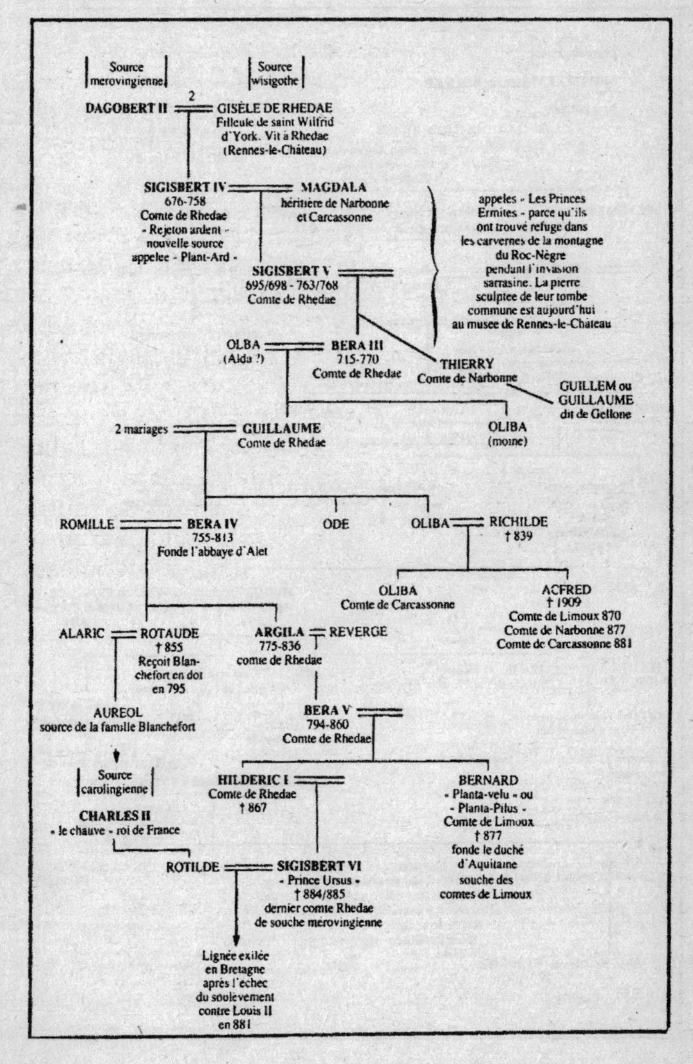

4. La dynastie mérovingienne : les rois perdus

Extrait de l'œuvre d'Henri Lobineau (Henri de Lénoncourt).

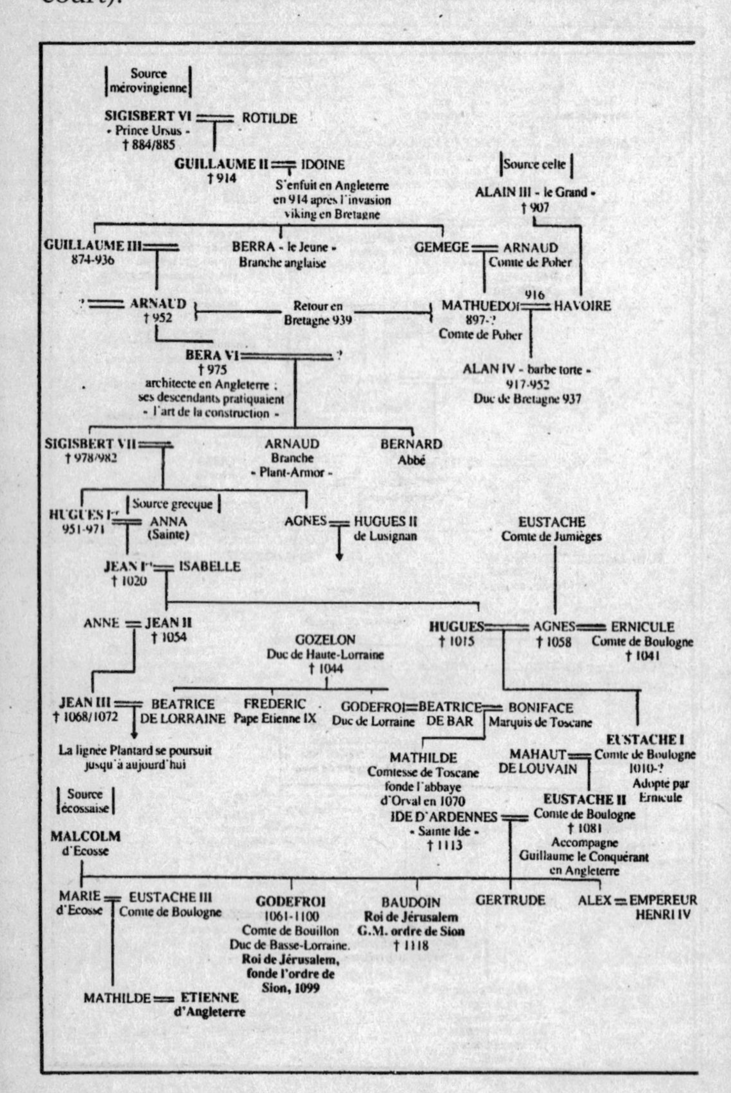

5. Les familles de Gisors, Payen et Saint-Clair

Extrait de l'œuvre d'Henri Lobineau (Henri de Lénoncourt).

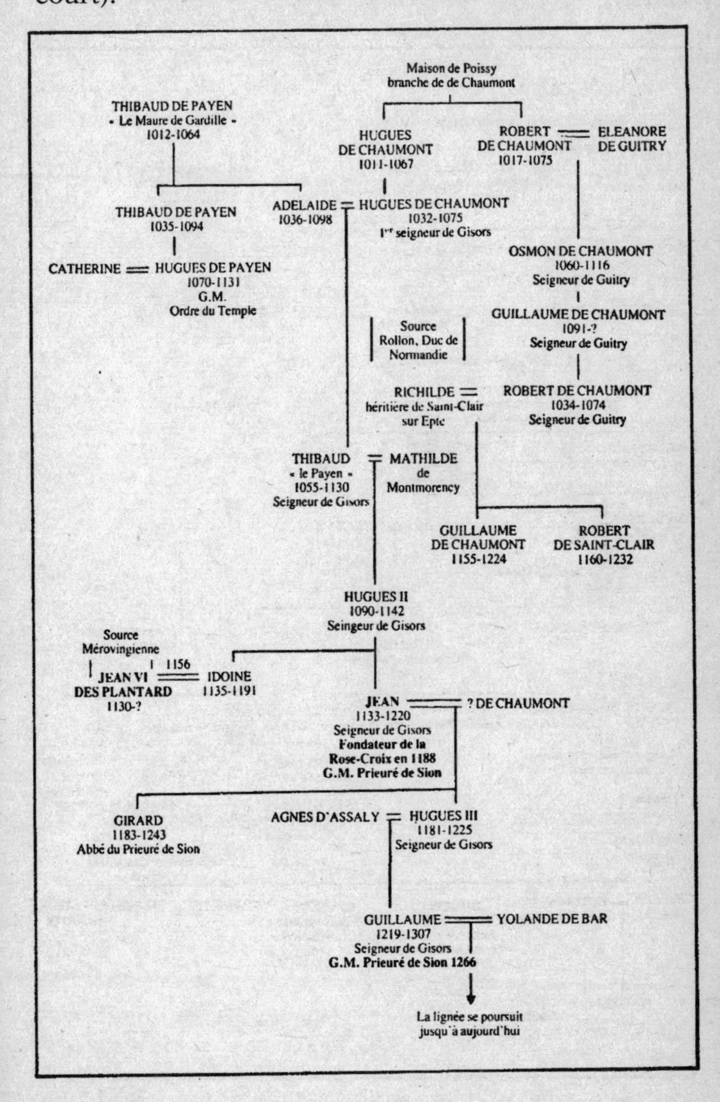

I

Le Mystère

1

Le village du mystère

Nous ne savions précisément, au début de notre recherche, ni en quoi elle consisterait réellement ni dans quelle direction l'orienter. Sans théorie, sans hypothèse, sans rien à démontrer, nous désirions simplement résoudre une curieuse petite énigme de la fin du XIXe siècle. Aucune conclusion n'était prévisible et c'est petit à petit, comme d'elles-mêmes, qu'elles s'imposèrent une à une à notre curiosité.

Nous pensions tout d'abord avoir affaire à un mystère d'ordre strictement local, intrigant certes, mais réduit aux limites d'un modeste village du sud de la France, son intérêt restant des plus académiques, malgré des implications historiques certaines. Peut-être notre investigation aiderait-elle, tout au plus, à éclairer certains aspects de l'histoire d'Occident... Nous étions en tout cas bien loin de penser alors qu'elle nous obligerait à la reconsidérer entièrement, plus encore, que nos découvertes auraient des répercussions, pour le moins explosives, jusque dans notre monde d'aujourd'hui.

Bref, notre quête débuta sur une énigme toute simple, apparemment à peine différente des nombreuses histoires de trésor et autres « mystères inexpliqués » dont abondent les anciens folklores de toute région rurale. Une version en avait paru en France, soulevant un immense intérêt, mais elle n'avait pas eu de suite et présentait d'ailleurs, comme nous devions l'apprendre ultérieurement, beaucoup d'erreurs.

Voici donc l'histoire telle qu'elle fut publiée dans les années 1960, et telle que nous en avons, à notre tour, pris connaissance[1].

Rennes-le-Château et Bérenger Saunière

Le 1er juin 1885, la petite paroisse de Rennes-le-Château reçoit un nouveau prêtre. Bérenger Saunière a trente-trois ans[2]. Il est beau, robuste, énergique, très intelligent. Au séminaire, peu de temps auparavant, il a donné l'impression d'être destiné à une brillante carrière, beaucoup plus brillante que celle qui l'attend dans ce village perdu au pied des Pyrénées orientales. A-t-il mécontenté ses supérieurs ? On l'ignore, mais il doit renoncer à toute idée d'avancement, et c'est probablement pour se débarrasser de lui qu'on l'envoie à Rennes-le-Château.

Deux cents âmes seulement y vivent alors. C'est un petit hameau perché en haut d'une colline, à une quarantaine de kilomètres de Carcassonne. Pour n'importe qui d'autre, ce coin perdu, éloigné de toute civilisation et de toute forme de vie indispensable à un esprit curieux, serait synonyme d'exil, et c'est assurément un coup sévère porté à l'ambition de Saunière. Mais, natif de la région, né et élevé à quelques kilomètres au village de Montazels, il sait trouver des compensations à sa nouvelle situation et se sent vite chez lui dans le paysage familier de Rennes-le-Château.

Entre 1885 et 1891, le revenu du prêtre est quelque peu supérieur à une soixantaine de francs annuels. Sans être l'opulence, c'est mieux que le traitement habituel d'un curé de campagne français à la fin du XIXe siècle. Ajoutée aux dons en nature de ses paroissiens, cette somme suffit à peu près aux besoins de la vie quotidienne, à condition bien sûr de ne pas faire d'extravagance.

C'est le cas de Bérenger Saunière qui passe ainsi six années sereines. Il chasse et pêche dans les montagnes et les torrents de son enfance, lit, se perfectionne en latin, apprend le grec, essaie l'hébreu. Il a une servante, jeune paysanne de dix-huit ans du nom de Marie Denarnaud, qui restera jusqu'à la fin sa compagne et sa confidente. Il se rend aussi fréquemment chez son ami l'abbé Henri Boudet, curé du village voisin de Rennes-les-Bains ; ensemble ils se plongent dans les mystérieux et turbulents méandres de l'histoire de leur région, partout présente autour d'eux.

À quelques kilomètres au sud-est de Rennes-le-Château, au sommet de la colline de Bézu, se trouvent les ruines d'une forteresse médiévale, ancienne commanderie des Templiers. Dans une autre direction, peu éloignés et juchés aussi sur une éminence, les restes de la demeure ancestrale de Bertrand de Blanchefort, quatrième grand maître de l'ordre du Temple au milieu du XIIe siècle. Rennes-le-Château est sur la route des anciens pèlerinages reliant le nord de l'Europe à Saint-Jacques-de-Compostelle en Espagne, et sa région entière regorge de légendes et d'échos d'un passé aussi riche que dramatique et sanguinaire.

C'est à cette époque que Saunière songe à restaurer l'église du village ; construite vers le VIIIe ou IXe siècle, elle s'élève sur les fondations d'une très ancienne construction wisigothe, et se trouve en cette fin du XIXe siècle dans un état de délabrement presque désespéré.

En 1891, encouragé par son ami Boudet, Saunière emprunte un peu d'argent à ses paroissiens et entreprend une très modeste restauration. Au cours de ses travaux il doit déplacer la pierre d'autel qui repose sur deux colonnes d'époque wisigothe ; l'une d'elles est creuse et le prêtre y découvre, à l'intérieur de tubes de bois scellés, quatre parchemins. Trois actes comportent des généalogies, l'un daté de 1243 qui porte le sceau de Blanche de Castille, le second de l'an 1608 de François Pierre d'Hautpoul, le troisième de Henri d'Hautpoul du 24 avril 1695. Le quatrième acte recto/verso provient du chanoine Jean Paul de Negre de Fondargent et daterait de 1753.

Il semble que ces actes furent cachés aux environs de 1790 par un prédécesseur de Saunière dans la paroisse de Rennes-le-Château, l'abbé Antoine Bigou.

L'abbé Bigou a aussi été le chapelain privé de la famille Blanchefort qui, à la veille de la Révolution, figurait encore parmi les plus gros propriétaires terriens locaux.

Ce dernier parchemin est apparemment constitué de textes latins extraits du Nouveau Testament. Mais sur le recto les mots sont disposés de façon incohérente, sans espace libre, et des lettres superflues y ont été insérées ; quant au verso, il présente des lignes tronquées dans le plus grand désordre tandis que certaines lettres ont été placées au-dessus des autres. Il s'agit manifestement là d'une suite de codes secrets dont certains sont complexes, impossibles à déchiffrer si l'on n'est pas en possession de la clé. C'est leur interprétation qui figurera plus tard dans les ouvrages consacrés à Rennes-le-Château et dans les deux films réalisés pour la BBC ; elle se présentera ainsi :

> BERGÈRE PAS DE TENTATION QUE POUSSIN TENIERS GARDENT LA CLEF PAX DCLXXXI PAR LA CROIX ET CE CHEVAL DE DIEU J'ACHÈVE CE DAEMON DE GARDIEN À MIDI POMMES BLEUES

Si ce langage est d'une obscurité décourageante, d'autres le seront moins, notamment dans le second parchemin où, dans la suite des lettres placées au-dessus des autres, apparaîtra le message suivant :

À DAGOBERT II ROI ET À SION EST CE TRÉSOR ET IL EST LA MORT

On ignore tout des réactions de Saunière devant ces signes mystérieux, il y a de cela maintenant près de cent ans ; si ce n'est que, conscient d'avoir découvert quelque chose d'important et avec le consentement du maire du village, il porte les documents à l'évêque de Carcassonne. Là encore on ne sait rien des réflexions de l'éminent homme d'Église à la vue des parchemins mais il envoie aussitôt le prêtre à Paris, à ses frais, avec mission de les confier à certaines hautes autorités ecclésiastiques. Parmi celles-ci figurent l'abbé Bieil, directeur du séminaire de Saint-Sulpice, et son cousin Émile Hoffet qui se prépare à la prêtrise. Il n'a que vingt ans, mais possède déjà une solide réputation d'érudit en linguistique, cryptographie et paléographie ; par ailleurs, et malgré sa vocation pastorale, nul n'ignore son penchant pour la pensée ésotérique, ni les relations étroites qu'il entretient avec plusieurs sociétés secrètes et les sectes adeptes des sciences occultes, alors nombreuses à Paris. Il est ainsi introduit dans un cercle culturel qui compte parmi ses membres Stéphane Mallarmé, Maurice Maeterlinck, Claude Debussy et la célèbre cantatrice Emma Calvé, haute prêtresse de ce milieu plus ou moins clandestin de la capitale.

Saunière passe donc trois semaines à Paris. Si l'on ignore les propos suscités par les documents, on sait néanmoins que le prêtre de campagne est accueilli à bras ouverts par le petit cercle d'Émile Hoffet ; les bavardages laissent même entendre qu'il devient vite l'amant d'Emma Calvé, et que celle-ci en tombe complètement « entichée ». Il est vrai qu'au cours des années suivantes elle lui rendra régulièrement visite à Rennes-le-Château et que récemment encore on pouvait voir, gravées dans les rochers de la montagne, leurs initiales entrelacées sur fond de cœur.

Au cours de son séjour à Paris, Saunière se rend au Louvre. Ces visites ont-elles quelque rapport avec les trois peintures dont il cherche alors les reproductions ? Il s'agit, croit-on, d'un portrait anonyme du pape Célestin V qui régna brièvement à la fin du XIIIe siècle, d'une œuvre de David Teniers père ou fils[3] et du célèbre tableau de Nicolas Poussin, *Les bergers d'Arcadie*.

Dès son retour à Rennes-le-Château Saunière reprend ses travaux de restauration. Bientôt il exhume une curieuse dalle sculptée, du VIIe ou du VIIIe siècle, ayant probablement dissimulé une ancienne crypte. Mais d'autres faits sont plus singuliers encore : dans le cimetière par exemple se trouve la sépulture de Marie, marquise d'Hautpoul de Blanchefort, marquée d'une pierre tombale placée là un siècle auparavant par l'ancien curé Antoine Bigou. Or l'inscription, qui présente des erreurs délibérées d'orthographe et de présentation, est l'anagramme exacte du message de l'un des deux vieux parchemins apparemment composés par le prêtre ; si en effet on change les lettres de place, on retrouve la mystérieuse allusion à Poussin et à Teniers.

Ignorant que les inscriptions figurant sur la tombe de la marquise de Blanchefort ont déjà été recopiées ailleurs, Saunière les fait disparaître, et cette profanation n'est pas le seul point étrange de son comportement. Dès lors, accompagné de sa fidèle servante, il arpente à pied la campagne environnante, à la recherche de pierres qui semblent présenter aussi peu de valeur que d'intérêt. Il se lance dans une correspondance effrénée avec l'Europe entière et des destinataires tous parfaitement inconnus, qui lui donnent l'occasion de rassembler une importante collection de timbres, les plus médiocres qui soient. Puis il entame avec diverses banques des négociations peu claires ; l'une d'entre elles va même jusqu'à envoyer de Paris un représentant qui fait tout le voyage de Rennes-le-Château dans l'unique but de se pencher sur les affaires de l'abbé Saunière.

En seuls frais de timbres-poste, Saunière engage déjà des sommes appréciables, dépassant de beaucoup ses modestes possibilités. Mais, à partir de 1896, il se lance dans des dépenses inexplicables et sans précédent qui, à sa mort en 1917, se monteront à plusieurs millions.

Une partie d'entre elles sont consacrées à de louables travaux destinés à améliorer la vie du village, une route, des adductions d'eau. D'autres sont plus discutables, comme celles qui servent à l'érection de la tour Magdala sur l'à-pic de la montagne, ou à la construction d'une énorme bâtisse, la villa Bethania, que Saunière n'aura jamais l'occasion d'habiter. Quant à l'église, elle connaît une nouvelle décoration, mais des plus bizarres.

Une inscription latine est gravée sur le linteau du porche, où l'on peut lire :

TERRIBILIS EST LOCUS ISTE
(CE LIEU EST TERRIBLE)

Immédiatement à l'entrée s'élève une statue hideuse, grossière représentation d'Asmodée, gardien des secrets et des trésors cachés, et bâtisseur, au dire d'une légende judaïque, du Temple de Salomon. Sur les murs de l'église un chemin de croix, vulgaire et agressif, chaque station se caractérisant par un détail choquant, rajouté et erroné, mais toujours plus ou moins éloigné des récits des Écritures reconnus par l'Église. Ainsi sur la huitième peinture figure un enfant enveloppé d'un plaid écossais et, sur la quatorzième, le corps de Jésus porté dans la tombe sur fond de ciel nocturne sombre, éclairé par la pleine lune, comme si Saunière avait voulu suggérer quelque chose. Mais quoi ? Que cette mise au tombeau a eu lieu après la tombée du jour, plusieurs heures après celle indiquée par la Bible ? Ou bien que le corps est non pas déposé dans la tombe, mais qu'on est en train de l'en sortir ?

Non content de cette curieuse décoration, Saunière continue ses dépenses extravagantes, collectionnant les chines les plus rares, les tissus les plus précieux, les marbres antiques. Il crée une orangerie et un jardin zoologique, rassemble une magnifique bibliothèque; peu avant sa mort il projette même de construire, pour abriter ses livres, une sorte d'immense tour de Babel, du haut de laquelle il prononcera ses prêches. Quant à ses paroissiens, loin de les négliger, il leur offre cadeaux, banquets, et se conduit à leur égard comme un grand seigneur médiéval régnant sur ses sujets au cœur d'une inexpugnable forteresse de montagne. Il y reçoit aussi des invités de marque : outre Emma Calvé, un secrétaire d'État à la Culture et, plus étonnant pour ce simple prêtre de campagne, l'archiduc Johann de Habsbourg, cousin de l'empereur d'Autriche François-Joseph. Des relevés bancaires révéleront plus tard que Saunière et l'archiduc ont ouvert le même jour deux comptes consécutifs, et que le second a versé au premier une somme substantielle.

Les autorités ecclésiastiques commencent par fermer les yeux. Mais après la mort de l'ancien supérieur de Saunière à Carcassonne le nouvel évêque exige des explications. Saunière refuse, avec hauteur et une certaine impudence, d'avouer l'origine de ses fonds puis d'effectuer la mutation demandée par l'évêque. Celui-ci, sans plus de preuves, l'accuse alors de simonie et le fait suspendre par un tribunal local. Saunière en appelle au Vatican qui le disculpe aussitôt et le rétablit dans sa charge...

Le 17 janvier 1917, Saunière, dans sa soixante-cinquième année, a une attaque, mais cette date est suspecte. C'est en effet la même qui apparaît sur l'une des deux pierres tombales de la marquise de Blanchefort, celle-là même que le prêtre a effacée, et c'est aussi le jour de la fête de saint Sulpice que l'on va retrouver tout au long de cette histoire; or c'est au séminaire de Saint-Sulpice que Saunière a remis ses documents aux mains de l'abbé Bieil et d'Émile Hoffet. Le plus curieux en ce qui concerne cette attaque du 17 janvier est que cinq jours auparavant, le 12, ses paroissiens ont constaté que leur curé semblait en excellente santé ; pourtant ce même 12 janvier, selon un reçu en notre possession, Marie a commandé un cercueil pour son maître...

Le prêtre de la paroisse voisine est appelé pour entendre la dernière confession du mourant et lui administrer l'extrême-onction. Il s'enferme dans la chambre mais en ressort peu après, dans un état tout à fait anormal selon un témoin oculaire. Un autre affirme que jamais plus on ne le verra sourire, un troisième enfin qu'il tomba dans un état dépressif qui devait durer plusieurs mois. Peut-être ces récits sont-ils exagérés, mais ce qui est certain, c'est que le prêtre refusa les derniers sacrements à son confrère...

Le 22 janvier, Saunière meurt donc sans avoir reçu l'absolution. Le matin suivant son corps est assis dans un fauteuil sur la terrasse de la villa Bethania, vêtu d'une robe magnifique ornée de glands cramoisis, et de nombreux visiteurs, parmi lesquels quelques-uns ne sont pas identifiés, défilent un à un, certains d'entre eux arrachant même à ses vêtements des glands souvenirs. Jamais aucune explication ne sera fournie de cette étrange cérémonie dont s'étonnent encore aujourd'hui les habitants du village.

L'ouverture du testament de Saunière est, on s'en doute, attendue avec impatience. Mais à la surprise et à la déception générales il y déclare ne rien posséder. A-t-il donné toute sa fortune à Marie Denarnaud, qui a partagé sa vie et ses secrets pendant trente-deux ans, ou bien la plus grande partie de cette fortune a-t-elle été, dès les débuts, portée au nom de la servante ?

Toujours est-il qu'après le décès de son maître celle-ci continuera à vivre confortablement à la villa Bethania, jusqu'en 1946. Après la Seconde Guerre mondiale, le gouvernement émet une nouvelle monnaie et, redoutant les fraudeurs, les collaborateurs et les profiteurs de guerre, oblige tous les citoyens français à déclarer leurs revenus. Peu soucieuse de devoir s'expliquer,

Marie préfère choisir la pauvreté et on l'aperçoit dans le jardin de la villa, brûlant de grosses liasses de vieux billets.

Elle passera dans une relative austérité les sept années suivantes ; ayant vendu la villa Bethania, elle promet au nouveau propriétaire, Noël Corbu, de lui confier avant sa mort un « secret » qui le rendra non seulement riche, mais puissant. Le 29 janvier 1953, elle a comme son maître une attaque que rien ne laissait prévoir, et meurt peu après, emportant son secret dans la tombe.

Les éventuels trésors

Voilà dans ses grandes lignes l'histoire publiée au cours des années 1960, et telle que nous en prenons connaissance. C'est donc aux questions qu'elle soulève dans sa forme que nous décidons de nous attaquer aussitôt.

Quelle est tout d'abord la source des revenus de Saunière ? D'où provient une fortune aussi soudaine et importante ? L'explication est-elle banale, ou implique-t-elle quelque élément inattendu ? Poussés par l'attrait d'un mystère de qualité, nous entamons nos recherches.

Si l'on en croit les curieux qui nous ont précédés, Saunière a de toute évidence trouvé un trésor. Interprétation simple et plausible, l'histoire du village et de ses environs justifiant par plus d'un aspect l'existence de cachettes pouvant renfermer or et bijoux.

Dans les temps reculés, le site de Rennes-le-Château a été considéré comme sacré par les Celtes, et le village lui-même, alors appelé Rhedae, tient son nom d'une de leurs tribus. Puis, à l'époque romaine, une florissante communauté s'y est installée, le lieu étant devenu célèbre pour ses mines et ses sources chaudes ; là aussi il a été considéré comme sacré, et certains vestiges de temples païens en subsisteront.

Au VIe siècle, le village en haut de sa colline abrite, pense-t-on, trente mille habitants. Peut-être est-il la capitale du nord de l'empire bâti par les Wisigoths – Teutons venus de l'est qui, après avoir pillé Rome, envahissent le sud de la Gaule et s'installent de part et d'autre des Pyrénées.

Au cours des cinq siècles suivants, la ville est le siège de l'important comté de Razès. Puis, au début du XIIIe siècle, une armée de chevaliers descend brusquement du nord sur le Languedoc pour anéantir l'hérésie cathare ; elle s'empare de tout ce qu'elle trouve sur son chemin et, au cours de cette croisade dite des Albigeois, le fief de Rennes-le-Château, capturé, change de mains plusieurs fois. Cent vingt-cinq ans plus tard, aux environs de 1360, la population locale est décimée par la peste ; peu après, la petite ville est détruite par une bande de pillards catalans[4].

De mirobolantes histoires de trésors interviennent dans un grand nombre de ces vicissitudes historiques. Les hérétiques cathares passaient, on s'en souvient, pour être en possession d'un trésor fabuleux, sacré même, qui selon certaines légendes n'était rien de moins que le Saint Graal. Cette ombre grandiose aurait ainsi poussé Richard Wagner à accomplir un pèlerinage à Rennes-le-Château avant de composer son dernier opéra, *Parsifal*, et les troupes allemandes à se livrer, pendant l'occupation de 1940-1944, à d'inutiles fouilles dans le voisinage. Mais ce n'est pas tout, car le fantôme du trésor perdu des Templiers hante aussi la contrée où le grand maître de l'ordre, Bertrand de Blanchefort, a fait creuser de mystérieuses excavations. Tous les récits s'accordent à dire en effet qu'elles étaient de nature clandestine, et l'œuvre de mineurs venus tout exprès de Germanie. La présence de ce trésor dans les environs de Rennes-le-Château suffirait alors à expliquer l'allusion à Sion figurant sur les parchemins trouvés par Saunière.

On peut aussi imaginer que d'autres trésors reposent sous cette terre. Entre le Ve et le VIIIe siècles, une grande partie de la France actuelle se trouve en effet sous la férule mérovingienne. Rennes-le-Château, à l'époque de Dagobert II, est un bastion wisigoth et le roi lui-même a épousé une princesse wisigothe. Certains documents parlent de richesses amassées en vue de ses conquêtes militaires, et cachées dans les environs de la petite ville. Si Saunière a découvert le trésor royal, les allusions à Dagobert contenues dans les messages chiffrés s'expliquent d'elles-mêmes.

Cathares. Templiers. Dagobert II... Et peut-être aussi un autre trésor possible – le vaste butin entassé par les Wisigoths au cours de leur tempétueuse avance à travers l'Europe ? Butin d'un ordre différent, tout à la fois symbolique et matériel, né du légendaire trésor du Temple de Jérusalem et touchant toute la tradition religieuse occidentale ? Hypothèse qui, plus que celle des Templiers, justifierait les références à Sion.

En l'an 66 de notre ère, la Palestine se soulève en effet contre le joug romain ; quatre ans plus tard, en 70, Jérusalem est rasée par les légions impériales de Titus. Le Temple est pillé, le contenu du Saint des Saints emporté à Rome et avec lui, comme le montre l'arc triomphal de Titus, le chandelier d'or à sept branches, objet sacré du culte juif, et peut-être aussi l'Arche d'Alliance.

Trois siècles et demi plus tard, en 410, Rome à son tour est saccagée par les Wisigoths d'Alaric le Grand qui vide la Ville éternelle de toutes ses richesses. L'écrivain Procopius évoque dans son *Histoire des guerres* l'envahisseur emportant les trésors de Salomon, roi des Hébreux, spectacle insigne, ajoute-t-il, en raison des nombreuses émeraudes qui les composaient et parce que dans les temps anciens ils avaient été enlevés de Jérusalem par les Romains[5].

Peut-être un trésor est-il donc à la source de la fortune inexpliquée de Saunière, un trésor qui aurait par exemple changé de mains à travers les siècles, passant successivement du Temple de Jérusalem aux Romains puis aux Wisigoths, enfin aux Cathares ou aux Chevaliers du Temple – ou encore aux deux à la fois ? Ainsi aurait-il pu appartenir et à Dagobert II et à Sion ?

Parvenus à ce point de nos recherches, nous constatons que nous sommes, toujours et encore, au cœur d'une histoire de trésor. Or les histoires de trésor, même s'il s'agit du Temple de Jérusalem, même si elles se révèlent très fabuleuses, n'ont jamais qu'une signification et un intérêt relativement limités. Elles sont courantes à l'heure actuelle, plus ou moins excitantes, dramatiques ou mystérieuses, et arrivent tout au plus à jeter une certaine lumière sur le passé. C'est tout ! Très peu ont des répercussions, politiques ou autres, sur le présent – à moins… à moins que le trésor en question ne comporte, lui-même, un secret.

Nous ne mettons nullement en doute, pour l'instant, le fait que Saunière ait découvert un trésor, mais nous sommes sûrs qu'à celui-ci, quel qu'il soit, vient s'en ajouter un autre, historique, d'une extrême importance pour son temps, et peut-être aussi pour le nôtre. L'argent, l'or et les bijoux ne peuvent, c'est évident, suffire à eux seuls à éclairer certains aspects de l'énigme, notamment l'introduction du prêtre dans le cercle fermé de Hoffet, ses relations avec Debussy, sa liaison avec Emma Calvé. Ils n'expliquent pas plus l'intérêt particulier manifesté par l'Église, ni l'indulgence du Vatican à l'égard du prêtre indocile, ni le refus d'extrême-onction, ni la visite d'un archiduc de Habsbourg dans un hameau reculé des Pyrénées[6]. L'argent enfin, ni l'or ni les bijoux ne suffisent à justifier cette atmosphère de mystification qui entoure toute l'affaire, depuis les messages chiffrés jusqu'à Marie Denarnaud brûlant son héritage…

Si explication il y a, elle est capitale, et dépasse de beaucoup le cadre d'un petit curé de campagne de la fin du XIXe siècle. Ce secret explose à Rennes-le-Château, et en une immense vague de fond s'étend au monde entier. Peut-être cette richesse de Saunière possède-t-elle une origine autre que matérielle ? Peut-être est-elle due par exemple à une certaine et mystérieuse connaissance, auquel cas l'une et l'autre s'échangent : la richesse contre la connaissance, la première servant à payer la seconde pour obtenir le silence ?

Saunière a-t-il ainsi reçu de l'argent de Johann de Habsbourg pour lui avoir livré un secret d'une nature apparemment plus religieuse que politique ? Ses relations avec l'Autrichien ont en tout cas été, au dire de chacun, cordiales. Pourquoi par contre une certaine institution a-t-elle semblé le redouter et le traiter avec un ménagement évident – nous voulons parler du Vatican ? Saunière se serait-il laissé aller à un chantage à son endroit ? Mais une telle entreprise aurait assurément été hasardeuse pour un homme seul à moins d'avoir été soutenu par une personnalité inattaquable au regard de l'Église – un archiduc de Habsbourg par exemple, ce dernier n'étant dans ce cas qu'un intermédiaire, chargé de donner au prêtre de l'argent provenant des coffres de Rome[7] ?

L'intrigue

En 1972 paraît donc *Le trésor perdu de Jérusalem ?*, premier de nos trois films consacrés à Saunière et au mystère de Rennes-le-Château. Il n'affirme rien qui soit sujet à controverse, ne spécule sur aucun « secret explosif » ni chantage de haut niveau, ne mentionne même pas le nom d'Émile Hoffet. Il se contente simplement de retracer l'histoire sous sa forme la plus simple.

Nous recevons aussitôt un véritable déluge de lettres. Certaines se livrent à de séduisantes spéculations, d'autres sont élogieuses, d'autres complètement délirantes. L'une d'entre elles cependant, que son auteur, un prêtre anglican à la retraite, nous demande de ne pas publier, retient notre attention pour la façon autoritaire et catégorique dont il présente ses assertions, sans aucun souci d'élaboration ou de crédibilité. Le trésor, affirme-t-il *ex abrupto*, ne contient ni or ni pierres précieuses : il contient la preuve formelle que la Crucifixion n'a pas eu lieu et que Jésus était encore vivant en l'an 45 de notre ère...

Hypothèse absurde... telle est notre réaction à la lecture du message. Quelle « preuve formelle » peut avoir en la matière même un athée convaincu ? Tout ce que nous tentons d'imaginer en matière de « preuve », mieux encore de « preuve formelle », s'avère appartenir au domaine de l'incroyable ou de la pure fantaisie, et doit par conséquent être rejeté. Pourtant l'extravagance de cette affirmation réclame des éclaircissements ; il y a une adresse sur la lettre et nous nous y rendons.

Devant nous, notre interlocuteur se montre réticent et comme gêné de nous avoir écrit. Il se refuse à tout commentaire sur son allusion à une « preuve formelle », et c'est avec le plus grand mal que nous obtenons un mince complément d'information : cette preuve, ou tout au moins son existence, lui a été livrée par un autre ecclésiastique anglican, Canon Alfred Leslie Lilley.

Mort en 1940, Lilley est un auteur connu qui, toute sa vie, a maintenu des contacts étroits avec le Mouvement Catholique Moderniste, primitivement situé à Saint-Sulpice ; jeune, il a travaillé à Paris où il est entré en relation avec Émile Hoffet. Ainsi le cercle se referme ; s'il existe un lien, un seul, entre Lilley et Hoffet, on ne peut rejeter d'emblée le contenu des affirmations du prêtre.

Une même certitude de quelque secret monumental nous frappe lorsque nous débutons nos investigations sur la vie du peintre Nicolas Poussin qui revient souvent dans l'histoire de Saunière. En 1656, Poussin, qui vit à Rome, reçoit la visite de l'abbé Louis Fouquet, frère du célèbre surintendant des Finances de Louis XIV. Une lettre s'ensuit, dans laquelle l'abbé narre à son frère Nicolas sa rencontre avec le peintre, et dont une partie mérite d'être citée :

> « M. Poussin et moi, nous avons projeté de certaines choses qui vous donneront par M. Poussin des avantages, si vous ne les voulez pas mespriser, que les roys auroient grand peine à tirer de luy et qu'après luy peut-estre personne au monde ne recouvrera jamais dans les siècles à venir, et, ce qui plus est, cela seroit sans beaucoup de dépense et pourroit mesme tourner à profit, et ce sont choses si fort à rechercher que quy que ce soit sur la terre maintenant ne peut avoir une meilleure fortune, ni peut-estre esgale[8]. »

Aucun historien, aucun biographe de Poussin ni de Fouquet n'a jamais su donner une explication satisfaisante de cette lettre qui sous-entend manifestement quelque fait d'exceptionnelle importance. Notons cependant que, peu après, Nicolas Fouquet est arrêté puis emprisonné à vie. Un mystère total entoure depuis son nom, certains persistant à voir en lui l'homme au Masque de fer. Toujours est-il que, après lecture de sa correspondance, Louis XIV fera en sorte d'obtenir la toile de Poussin intitulée *Les bergers d'Arcadie*, puis l'enfermera à Versailles dans ses appartements privés...

Quelle que soit sa qualité artistique, cette peinture semble cependant des plus anodines. Au premier plan trois bergers et une bergère réunis autour d'une tombe antique contemplent l'inscription sculptée dans la pierre : « ET IN ARCADIA EGO » ; à l'arrière-plan, un de ces paysages montagneux qu'affectionne le peintre – entièrement mythique et produit de son imagination, si l'on en croit Anthony Blunt et d'autres spécialistes de Poussin. Et cependant... En 1970, une tombe est découverte, identique en tout point à celle du tableau, forme, dimensions, orientation, végétation, et jusqu'à l'affleurement de roches sur lequel un des bergers appuie son pied. Cette tombe se trouve à l'orée du village d'Arques, à moins de dix kilomètres de Rennes-le-Château et à quelque cinq kilomètres du château de Blanchefort. Au-delà, le paysage est rigoureusement le même que celui peint par Poussin ; au sommet d'une colline, on distingue au loin Rennes-le-Château.

Rien n'indique l'âge de cette tombe. En admettant même qu'elle ait été élevée récemment, par quel hasard son maître d'œuvre l'aurait-il conçue à ce point semblable à celle de Poussin ? Il est donc beaucoup plus probable qu'elle existait déjà du temps du peintre, et que c'est lui qui la reproduisit exactement dans son tableau. Elle serait déjà mentionnée d'ailleurs dans un mémoire de 1709 [9] et les paysans, là-bas, disent l'avoir toujours connue, comme leurs parents et leurs grands-parents.

Les archives du village d'Arques nous apprennent également que le coin de terre où se trouve la tombe appartenait, jusqu'à sa mort en 1950, à un Américain de Boston, Louis Lawrence. Lorsqu'il l'ouvrit en 1920, elle était vide et il y enterra sa femme et sa belle-mère.

Au cours du tournage des films que nous préparons sur Rennes-le-Château, nous passons une matinée entière à photographier la tombe, puis nous partons déjeuner. Lorsque nous revenons trois heures plus tard, celle-ci a été sauvagement saccagée : quelqu'un a manifestement tenté de l'ouvrir...

Si cette tombe a, autrefois, comporté une inscription, il y a longtemps qu'elle n'existe plus. Quant à celle qui figure sur la peinture de Poussin, elle est tout ce qu'il y a de plus conventionnel, dans son évocation de la mort présente jusque dans cette douce Arcadie, paradis pastoral des mythes classiques. Un détail pourtant retient l'attention : l'absence de verbe.

« ET IN ARCADIA EGO »

dit-elle seulement. Pourquoi ? Pour une raison philosophique – pour effacer délibérément toute notion de temps, toute indication de passé, de présent et de futur et, ainsi, suggérer l'éternité – ou au contraire pour une raison d'ordre purement pratique ?

Mais ce n'est pas en vain que les parchemins trouvés par Saunière abondent dans l'art de l'anagramme. Cette petite phrase sans verbe pouvait bien elle aussi, pourquoi pas ? être une anagramme réduite à un nombre de lettres précises.

C'était l'avis de l'un de nos téléspectateurs qui, après ce premier film, nous communiqua le résultat de l'ingénieux exercice de langue latine auquel il s'était livré :

I TEGO ARCANA DEI
VA ! JE RECÈLE LES SECRETS DE DIEU

Nous étions quant à nous bien loin de penser, alors, à quel point ce serait vrai. Pour l'heure, cette « trouvaille » nous amusait, sans plus, et nous ne songions même pas à la prendre au sérieux…

2

La grande hérésie des Cathares

Nos investigations s'engagèrent alors dans une voie déjà familière, celle de l'hérésie cathare, ou albigeoise, et de la croisade qu'elle provoqua au XIIIe siècle ; de toute évidence elle semblait jouer un grand rôle dans le mystère de Rennes-le-Château. Les hérétiques y avaient été nombreux au Moyen Âge, ses environs avaient beaucoup souffert de la répression brutale qui les avait frappés, et le sang baignant son histoire colorait aujourd'hui encore sa terre et ses collines, comme la pensée cathare colore encore l'âme de ses habitants. Un « pape cathare » n'avait-il pas vécu jusqu'à sa mort, en 1978, au village d'Arques ?

Natif de cette contrée, tout imprégné dès son enfance de son histoire et de son folklore, Saunière ne peut ignorer la tradition cathare, ni que la ville de Rennes-le-Château a été, au cours des XIIe et XIIIe siècles, l'un de ses plus importants bastions. Il connaît les légendes qui courent sur le Saint Graal, et sait que peut-être Richard Wagner est venu jusque-là pour en savoir davantage sur le fabuleux trésor.

En 1890, Jules Doinel, bibliothécaire à Carcassonne, fonde une Église néo-cathare[1], puis il adhère à la Société des Arts et des Sciences de la ville, dont il est élu secrétaire en 1898 ; parmi les membres de cette brillante association culturelle figure l'abbé Henri Boudet. Et, dans l'entourage proche de Doinel, on rencontre Emma Calvé. Ainsi le curé de Rennes-le-Château a-t-il dû faire la connaissance du bibliothécaire de Carcassonne.

Que les Cathares soient liés au mystère de Rennes-le-Château ne fait pas l'ombre d'un doute. Dans l'un des parchemins trouvés par Saunière, huit petites lettres différentes des autres parsèment le texte, trois en haut, cinq en bas ; réunies, elles forment les mots « REX MUNDI », terme immédiatement identifiable par tous les familiers de la pensée cathare.

C'est donc bien dans cette voie que nous devons maintenant nous engager. Croyances, tradition, histoire, milieu cathares vont donner au mystère de nouvelles et vastes dimensions.

La croisade des Albigeois

En 1209, une armée de trente mille chevaliers et fantassins descend comme un ouragan sur le Languedoc, venue du nord et d'Île-de-France. Les années suivantes voient l'ensemble du pays ravagé, les moissons détruites, les villes et les cités rasées, la population passée au fil de l'épée. Une telle extermination, à une telle échelle, constitue probablement le premier exemple de « génocide » de l'histoire de l'Europe moderne. Dans la seule ville de Béziers, on peut avancer le chiffre de quinze mille hommes, femmes et enfants, dont un grand nombre assassiné à l'intérieur de l'église. « Tuez-les tous, Dieu reconnaîtra les siens ! » aurait répondu le légat du pape Innocent III au chevalier qui lui demandait comment distinguer les hérétiques des bons catholiques. Authentiques ou non, ces mots illustrent bien le fanatisme et l'intransigeance qui présidèrent à cette sanglante croisade ; « Ni âge ni sexe ni condition, rien ne fut épargné », écrira ce même légat rendant compte à Rome de sa mission.

Béziers mise à sac, l'armée des croisés continue sa marche sauvage à travers le Languedoc, ne laissant derrière elle que sang et ruines. Perpignan, Narbonne, Carcassonne, Toulouse tombent l'une après l'autre ; hameaux, villages et châteaux sont brûlés et saccagés.

Cette « croisade des Albigeois », l'une des plus longues et des plus cruelles de l'Histoire, relève des mêmes lois que les Croisades d'au-delà des mers : un pape l'a demandée, une même croix rouge figure sur les mêmes tuniques blanches, une même récompense, au ciel et sur terre, attend les croisés de France et ceux de Terre sainte : en haut le salut, ici-bas le butin.

Pourquoi un tel acharnement, une destruction aussi systématique ? Pourquoi ce beau terroir brusquement renvoyé à la barbarie qui sévit encore dans de nombreuses régions d'Europe ?

Au début du XIIIe siècle, le Languedoc ne fait pas partie de la France. C'est un fief indépendant, de langue et de civilisation plus proches des royaumes espagnols de León, Aragon et Castille que de l'Île-de-France. Une poignée de familles nobles le dirige, parmi lesquelles se distinguent les comtes de Toulouse et la puissante maison de Trencavel. Quant à sa culture, elle est l'une des plus raffinées de toute la Chrétienté, à l'exception peut-être de Byzance, avec laquelle elle a d'ailleurs beaucoup de points communs.

La philosophie y est tenue en haute estime, la poésie et l'amour courtois y sont exaltés comme les activités intellectuelles par excellence, au sein d'une société élégante et « polie » ; le grec, l'arabe et l'hébreu y ont une place de choix, tandis qu'à Lunel et Narbonne des écoles étudient l'ancienne tradition ésotérique du judaïsme, la Cabale.

Contrairement aussi à ce que l'on observe ailleurs en Europe, une tolérance religieuse certaine est de rigueur sous le ciel clément de cette civilisation occitane. Peut-être parce que l'Église romaine corrompue, intransigeante et insuffisante, y jouit de peu de prestige – paroisses sans messes, sans prêtres, ou prêtres préférant d'autres activités plus lucratives à celles de leur sacerdoce –, peut-être aussi parce que cette contrée, par sa situation géographique, reste essentiellement ouverte aux divers courants culturels qui la pénètrent : lambeaux de pensée islamique et judaïque en provenance du carrefour commercial et maritime qu'est Marseille, influences diverses venues d'Italie du Nord ou se frayant un passage à travers les Pyrénées.

Mais cette civilisation, toute brillante qu'elle soit, comporte aussi ses propres faiblesses, dont le manque d'unité n'est pas la moindre. Lorsque l'Église, soucieuse d'y rétablir son autorité, décidera d'agir, le Languedoc se révélera en effet particulièrement vulnérable, et impropre à supporter son impitoyable assaut. D'autant plus impitoyable qu'au cœur de cette séduisante culture sévit l'hérésie la plus menaçante de tout le Moyen Âge, l'hérésie albigeoise, issue d'une véritable Église, avec hiérarchie et concile, qui connaît jusque dans les grandes villes d'Allemagne, de Flandre et de Champagne une diffusion et un succès surprenants.

Divers noms désignent ces hérétiques. Mais soit parce que en 1165 ils ont été condamnés par le tribunal ecclésiastique de la ville d'Albi, soit parce que celle-ci est longtemps restée un de leurs centres les plus importants, celui d'Albigeois a été presque universellement adopté. On les appelle aussi Cathares, Cathari, Patarini en Italie, et quelquefois du nom d'hérétiques antérieurs, Ariens, Marcionites, Manichéens.

Ces termes sont, de toute façon, loin de pouvoir recouvrir une réalité unique et cohérente, les hérétiques albigeois comprenant en effet une multitude de sectes diverses attachées à certains principes de fond, mais divergentes sur tel ou tel point de détail.

Leur religion est, comme beaucoup, fondée sur un dualisme, ici très poussé. L'univers est le théâtre d'un conflit entre deux grands principes irréductibles, le principe spirituel du Bien et le principe matériel du Mal ; pour donner la victoire au parti du Bien, de la Lumière, il faut rompre avec la matière, domaine souillé du Mal et des Ténèbres, du dieu « usurpateur », du Mauvais appelé « Rex Mundi », le Roi du Monde. Il faut être pauvre, chaste et pur disent les prêcheurs cathares, les « Parfaits », transcender la matière impure, renoncer à toute idée de « pouvoir », pour n'accepter que celle d'Amour. Alors seulement l'âme peut atteindre le salut et la perfection ; sinon, au travers d'une série de transmigrations, elle se réincarnera jusqu'à ce que, libérée, elle puisse parvenir à la pureté parfaite.

Pour ce faire, l'homme, créé par Satan, ne peut être affranchi que par la connaissance personnelle, expérience ou « gnose » qui le met en contact direct avec Dieu, sans intermédiaire humain ni notion de foi. C'est dire que les Cathares rejettent toute hiérarchie ecclésiastique et l'ensemble des dogmes de l'Église catholique romaine.

Aux yeux de celle-ci, le point le plus noir de l'hérésie cathare est son attitude vis-à-vis de Jésus. Certes celui-ci a accepté de descendre dans le monde sensible, essentiellement impur, pour enseigner aux âmes le chemin de la lumière ; mais il n'avait que l'apparence d'un corps, n'était en somme qu'une vision se soumettant apparemment aux lois terrestres, mais ne s'y rattachant nullement. Il ne pouvait en tout cas être le Fils de Dieu, et n'était, au mieux, que Son image, le plus parfait des anges, ou un prophète.

Or le Démon ayant cherché à le faire mourir sur une croix, celle-ci est, par excellence, l'instrument du Mal, et ne doit nullement être un objet de vénération, car Jésus n'a pu réellement souffrir et mourir sur cette croix.

L'Église de Rome – Roma, inverse du principe de l'Amour, Amor, que représente ce Jésus – est donc l'Église du Diable, enfoncée dans l'hérésie. Tout ce qui vient d'elle est néfaste et ses sacrements n'ont aucune valeur puisque l'eau du Baptême et le pain de l'hostie sont faits d'une matière impure.

Les Cathares cependant, en dépit de la force de leurs convictions, ne sont ni des violents ni des fanatiques, et c'est là l'une des raisons de leur succès. Ce sont des sages épris de simplicité et désireux de sauver les âmes, des mystiques probablement instruits de quelque grand secret cosmique, certains points de leur doctrine, restés obscurs, pouvant laisser penser qu'elle comportait un enseignement ésotérique.

Ils condamnent également le mariage, la chair et la procréation qui, loin de servir le principe de l'Amour, ne relèvent que du « Rex Mundi ». Mais comme les Cathares sont, pour la plupart, des hommes et des femmes ordinaires – sauf pour les Parfaits et les Parfaites, d'une très haute rigueur morale –, la sexualité n'est pas entièrement bannie de leur vie. Pour la leur pardonner, un sacrement spécifiquement cathare, le *Consolamentum*, leur est accordé à l'article de la mort, les contraignant pour le temps qu'il leur reste à vivre à une chasteté absolue. Il n'est donc pas faux d'imaginer qu'ils pratiquaient une sorte de contrôle des naissances, et même d'avortement[2]; croyance à laquelle faisaient probablement allusion certains inquisiteurs accusant les hérétiques de « pratiques sexuelles dénaturées », plutôt qu'à la sodomie dont les incriminaient leurs ennemis sous le prétexte qu'ils allaient toujours deux par deux porter la bonne parole.

Leur vie était, on le voit, toute de dévotion, de bonté et d'austérité. Leurs cérémonies, leurs prières ne se déroulaient pas dans des temples ou dans des églises, mais dans des maisons particulières et des granges, ou sous les halles du village. Chaque Parfait offrait ses biens à la communauté pour se consacrer à un idéal de méditation, d'enseignement et de soins aux malades; pour eux, Cathares, ils représentaient véritablement l'Église d'Amour, beaucoup plus proche en conséquence de l'enseignement des Apôtres que ne l'était l'Église de Rome, s'adonnant à tous les vices du siècle.

Tel est, dans ses grandes lignes, le mouvement religieux qui, au détriment de l'Église catholique, s'étend du Languedoc aux provinces adjacentes. Beaucoup de familles nobles vont aussitôt y adhérer, soit parce qu'elles en apprécient la tolérance, soit parce qu'elles ne supportent plus la corruption de l'Église, sa décadence et son insuffisance notoires. Quoi qu'il en soit, trente pour cent des Parfaits sont issus de la noblesse languedocienne. En 1145, un demi-siècle avant la croisade des Albigeois, saint Bernard venu en personne combattre les Cathares ne manque pas d'ailleurs de s'étonner : ils sont nombreux certes, mais « il n'y a certainement pas de sermons plus chrétiens que les leurs, et leurs mœurs sont pures[3] ».

Toujours est-il qu'en 1200, de plus en plus inquiète des progrès de l'hérésie et parfaitement consciente de l'envie que suscite dans le Nord cette riche province occitane, l'Église décide d'intervenir à la première occasion. Elle ne tarde pas à se présenter : le 14 janvier 1208, le légat du pape Pierre de Castelnau est assassiné et, bien que l'hérésie cathare soit des plus étrangères à ce meurtre, Rome donne le signal de la levée de boucliers.

En juillet 1209, une armée massive se réunit à Lyon sous les ordres de l'abbé de Cîteaux et se met en route pour le sud. Simon de Montfort, guerrier éprouvé et vassal du roi de France, prend la tête des opérations militaires, décidé à ne reculer devant rien pour réduire à néant ce pays hérétique. Il est aidé dans sa sainte mission par Dominique de Guzman, jeune et ardent missionnaire espagnol, fondateur en 1216 de l'ordre monastique qui porte son nom et dont les représentants siégeront aux tribunaux de l'Inquisition. Les Cathares ne seront pas les seules victimes de cette regrettable et tristement célèbre institution ; il faut y joindre aussi la large population juive indigène du Languedoc, que protégeaient les familles nobles de la contrée.

En 1218, Simon de Montfort est tué pendant le siège de Toulouse, mais les massacres vont pourtant continuer, à l'exception de quelques instants de répit, pendant un quart de siècle encore. En 1243 enfin, toute résistance est anéantie ; les plus grandes villes, les plus importants bastions cathares se sont soumis, en dehors de quelques points isolés. Parmi eux, la majestueuse, l'orgueilleuse citadelle de Montségur, défiant le ciel du haut de son rocher, et que la rumeur populaire désigne comme le quartier général de l'hérésie.

Malgré l'acharnement des croisés, le siège de la forteresse, coûteux et épuisant, durera six mois. Mais en mars 1244, Montségur capitule à son tour : l'hérésie cathare a officiellement cessé d'exister dans le sud de la France. Officiellement seulement, et Emmanuel Le Roy Ladurie peut à juste titre, dans son beau *Montaillou, village occitan*, évoquer l'activité des Cathares bien longtemps encore après la chute de Montségur. De petits noyaux persistent à « pulluler çà et là », à l'abri des montagnes ou dans des grottes, fidèles à leurs croyances, poursuivant une guérilla inlassable contre leurs persécuteurs. C'est ainsi qu'une poignée d'entre eux va survivre dans les environs de Rennes-le-Château.

Le trésor cathare

Tout au long de la croisade et bien après, une aura de mystère entoure les Cathares, qui aujourd'hui encore n'a pas entièrement disparu. Exaltés par les plus folles légendes, auréolés d'un clair-obscur propre aux grands secrets de l'histoire du monde, ils restent l'une des énigmes les plus attachantes du passé de la France, et une foule de questions subsistent toujours à leur endroit.

Leur origine d'abord. Certains y voient des descendants des Bogomiles, secte hérétique répandue en Bulgarie aux Xe et XIe siècles ayant émigré ensuite vers l'ouest. Le Languedoc en accueillit sans doute alors un certain nombre ; pourtant il semble que les Cathares possédaient des racines profondément ancrées dans le sol de France depuis longtemps déjà, certaines d'entre elles ayant pris souche lors d'hérésies antérieures, au tout début de l'ère chrétienne[4].

Certains détails à leur propos sont troublants, comme cette anecdote du chroniqueur Jean de Joinville, conseiller du roi Louis IX (Saint Louis), au XIIIe siècle : « Le saint roi me conta que plusieurs gens d'entre les Albigeois vinrent au comte de Monfort… et lui dirent qu'il vînt voir le corps de Notre-Seigneur, qui était devenu en sang et en chair entre les mains du prêtre. Et il leur dit : "Allez le voir, vous qui ne le croyez pas ; car moi, je le crois fermement, tout comme la Sainte Église nous raconte le sacrement de l'autel[5]." » Curieusement, Joinville ne revient pas sur ce singulier passage, et l'anecdote reste énigmatique. À quelle sorte de rituel est-il donc fait allusion ? Dans la mesure où les Cathares déniaient toute valeur au sacrement de l'Eucharistie, que demandaient-ils au comte de Montfort de constater, et pourquoi ?

Autre énigme, et non des moindres : celle de leur trésor. Les Cathares, on le sait de source sûre, étaient extrêmement riches, et leur richesse se justifiait facilement par les dons en grand nombre et de toute nature qu'ils acceptaient, géraient et redistribuaient en accomplissant leurs œuvres. Mais il y a autre chose, car dès les débuts de la croisade, déjà, on murmurait que ce haut lieu de leur foi, ce formidable vaisseau de pierre qu'était le château de Montségur, renfermait une richesse, non point matérielle, mais d'essence mystique. Or, à la chute de la forteresse, rien de semblable ne fut décelé… Toutefois on ne peut ignorer les incidents étranges qui devaient marquer le siège, puis la capitulation de Montségur.

Résumons les faits : au printemps 1243, une nombreuse armée de chevaliers et d'hommes d'armes français encercle l'énorme assise rocheuse, interdisant aux assiégés toute entrée et toute sortie. La manœuvre est simple : la place forte, haut perchée, ne pouvant communiquer avec le dehors, sera réduite par la faim et la soif.

Or malgré leur supériorité numérique, les effectifs ne suffisent pas à cerner complètement le pied de la montagne. Par ailleurs il y a des désertions et, bien entendu, une complicité telle entre la population du pays, ou même certains assiégeants, et les assiégés que ces derniers réussissent à traverser les lignes pour rapporter des vivres, ou à recevoir des secours extérieurs de partisans dévoués à leur cause.

Au mois de janvier suivant, trois mois avant la chute de la citadelle, deux Parfaits quittent ses murailles, emportant avec eux la majeure partie du trésor matériel des Cathares (or, argent et une grande quantité de monnaie) qu'ils transportent dans une grotte fortifiée dans la profondeur des montagnes, puis dans un autre château fort : jamais plus on n'en entendra parler...

Le 1er mars, Montségur se rend, avec les quelque cinq cents personnes qui y sont enfermées ; cent cinquante ou deux cents d'entre elles sont des Parfaits, les autres sont le seigneur du château, des chevaliers, écuyers, soldats ou sergents d'armes et leurs familles.

Les pourparlers s'engagent aussitôt, et les conditions de la capitulation s'avèrent étonnamment avantageuses : les hérétiques de Montségur obtiennent le pardon pour l'ensemble de leurs fautes passées, et les hommes d'armes sont autorisés à se retirer avec armes, bagages et argent. Quant aux Parfaits, ils devront comparaître devant les tribunaux de l'Inquisition pour confesser leurs fautes et, dans la mesure où ils accepteront d'abjurer leur foi, ils demeureront libres et ne seront soumis qu'à des peines légères. Dans le cas contraire, ils seront livrés au bûcher.

Les assiégés demandent alors une trêve de quinze jours que, dans un inexplicable élan de générosité, les vainqueurs leur octroient. En échange, les premiers offrent volontairement des otages, qui seront exécutés à la moindre tentative de fuite. Mais personne ne tente de quitter la forteresse, et pendant deux semaines les habitants de Montségur vont ensemble se préparer à mourir ; car à l'abjuration ils préfèrent tous le martyre. Est-ce par conviction ou parce qu'ils refusent d'avouer aux inquisiteurs ce qu'on leur demande d'avouer ? Une vingtaine d'entre eux reçoivent même le *Consolamentum* ; devenus Parfaits à leur tour, ils vont délibérément au-devant d'une mort certaine.

La trêve expire le 15 mars. À l'aube, deux cents Parfaits environ, dont aucun n'a accepté de renier sa foi, sont rassemblés à l'intérieur d'une haute palissade de pieux « tout contre le pied de la montagne », où flambent déjà d'innombrables fagots de bois, car pour un aussi grand nombre de victimes on n'a pas eu le temps de dresser des poteaux individuels. Au crépuscule, il ne restera plus rien ; seuls quelques tas de cendres brûlantes continueront longtemps à fumer dans la nuit.

Quatre hommes pourtant échappent au bûcher. Ce sont les quatre Parfaits que les défenseurs restés dans la citadelle ont cachés dans un souterrain, au péril de leur vie, pendant que les autres hérétiques quittaient le château pour les flammes. La nuit du 16 mars, ils s'évadent au moyen de cordes suspendues au-dessus de la façade occidentale du pic[6]. Pourquoi cette fuite, aussi dangereuse pour eux que pour le reste de la garnison ? De quelle importante mission sont-ils chargés, pour avoir choisi cette périlleuse évasion nocturne alors qu'ils pouvaient le lendemain quitter librement la forteresse ?

Ces hommes, témoigne le vieux chevalier languedocien Arnaud-Roger de Mirepoix, emportent avec eux ce qui reste dans le château du trésor des Cathares. Or la plus grande partie de celui-ci n'a-t-elle pas déjà été évacuée de Montségur trois mois auparavant ? Peut-on en outre, suspendu à plus de cent mètres au-dessus du vide, se charger de métaux précieux ou de pièces de monnaie lourdes et encombrantes ?

Les quatre fugitifs emportent donc avec eux autre chose qu'un bien matériel. Peut-être quelque précieuse information, dissimulée dans un manuscrit, une relique ou un objet saint, ne devant à aucun prix tomber dans des mains étrangères... Mais alors pourquoi ne pas l'avoir emporté plus tôt pour le mettre à l'abri lorsqu'il en était encore temps ? Pourquoi l'avoir gardé dans la forteresse jusqu'à cet ultime et dangereux instant ?

C'est autour de la trêve, demandée et obtenue, que semble le mieux s'ébaucher la réponse à cette énigme. Une trêve de quinze jours en effet, tellement nécessaire aux assiégés qu'elle justifie à leurs yeux la livraison de plusieurs otages. Trêve qui servira à repousser d'autant l'inévitable, à gagner du temps. Non pas n'importe quel laps de temps, mais une période délimitée, spécifique, leur permettant d'atteindre une date, l'équinoxe de printemps, fête rituelle de la religion cathare, qui coïncide avec la Pâque chrétienne.

Or les Cathares, qui mettent en doute la Crucifixion, n'ont aucune raison d'attacher de l'importance à la Résurrection. Pourtant on sait avec certitude que le 14 mars, veille de l'expiration de la trêve, une fête eut lieu dans la citadelle encerclée[7]. Cette date n'a certainement pas été choisie au hasard, non plus que la cérémonie à l'issue de laquelle six femmes et une douzaine d'hommes, chevaliers et sergents d'armes, ont aspiré à entrer dans l'Église cathare. L'une et l'autre ont-elles quelque rapport avec le mystérieux « objet » qui quittera clandestinement Montségur deux nuits plus tard ? Ce dernier était-il, par suite, indispensable au déroulement des cérémonies ? A-t-il joué un rôle dans la conversion des nouveaux hérétiques ? Son caractère précieux exigeait-il, à ce point, la complicité de ceux qui veillèrent à son départ au péril de leur vie ? Toutes ces questions se résument à une seule : quel était donc exactement ce légendaire et tout à la fois extraordinaire trésor des Cathares ?

C'est alors que nous revinrent à l'esprit les multiples légendes existant sur les liens étroits qui, aux XIIe et XIIIe siècles, unissaient les Cathares et le Saint Graal[8]. Jusqu'alors, nous n'y avions attaché que peu d'importance, ignorant même si cette précieuse coupe avait jamais existé et, dans l'affirmative, quel intérêt elle pouvait avoir pour la religion cathare.

Or de nombreux témoignages existent ; d'aucuns vont même jusqu'à prétendre que les romans du Graal – ceux de Chrétien de Troyes par exemple, et de Wolfram von Eschenbach en Allemagne – sont une interpolation, au cœur de l'orthodoxie chrétienne, de la pensée cathare dissimulée dans l'allégorie poétique. Cette assertion comporte une part de vérité ; au cours de la croisade des Albigeois, en effet, les représentants de Rome condamnèrent les romans du Graal, pernicieux à leurs yeux sinon hérétiques, en raison du dualisme très particulier qu'ils exprimaient.

Qui plus est, Wolfram, le poète allemand, situe dans les Pyrénées le château où est conservée la coupe sacrée, et Richard Wagner semble avoir donné son adhésion à cette thèse. Ce château serait Munsalvaesche, version germanisée de Montsalvat, qui est un terme cathare. Dans l'un des poèmes d'Eschenbach, en outre, le seigneur du château du Graal se nomme Perilla ; or le seigneur de Montségur était Raymond de Péreille, plus souvent orthographié dans les documents de l'époque sous sa forme latine de Perella[9].

Si ces coïncidences nous frappent, elles ont aussi frappé Saunière, plus imprégné que nous encore du folklore de son terroir. Et comme il en connaît bien la géographie, il sait que Montségur n'est pas loin, et que son destin tragique hante encore les imaginations ; il sait aussi que l'ombre grandiose de la forteresse séculaire pourrait très vraisemblablement dissimuler un secret.

Au lendemain de la trêve, quatre hommes se sont enfuis de la citadelle condamnée, emportant avec eux leur précieux chargement. Or celui-ci n'a-t-il pas déjà quitté les hautes murailles trois mois auparavant ? Se pourrait-il donc que sa seconde partie, celle que découvrira plus tard l'abbé Saunière, consistât avant tout en une sorte de révélation ? Et que cette révélation se trouvât liée, de quelque incompréhensible façon, au Saint Graal ? Et dans ce cas les romans du Graal n'auraient-ils pas une signification autre que celle qu'on veut bien leur accorder ?

Mais où se trouve ce trésor ? Dans les grottes fortifiées d'Ornolac, en Ariège, selon la tradition, où un groupe de Cathares sera massacré peu après la tragédie. Mais rien n'a été retrouvé à Ornolac, si ce n'est des ossements. Pourquoi alors ne pas penser à Rennes-le-Château, situé à une demi-journée de cheval à peine de Montségur, ou à l'une des nombreuses cavernes, pratiquement introuvables, qui criblent les montagnes environnantes ? Et, dans ces conditions, pourquoi le « secret de Montségur » ne serait-il pas aussi celui de l'abbé Saunière ?...

Qu'il s'agisse des Cathares ou qu'il s'agisse de Saunière, l'un et l'autre trésors suggèrent assurément beaucoup plus que ce que l'on désigne généralement sous ce terme ; et dans les deux cas se discerne une sorte d'indice, une information relative au christianisme – à ses doctrines et à sa théologie, peut-être à son histoire et à ses origines. Les Cathares, ou peut-être certains d'entre eux seulement, en auraient-ils été dépositaires, provoquant la haine et la vengeance implacables de Rome ? Était-ce cette même information qu'évoquait l'ecclésiastique anglais dans sa lettre lorsqu'il parlait de « preuve formelle » ?

Encore une fois, nous avions le sentiment de nous être livrés aux spéculations les plus extravagantes, sur un terrain particulièrement dangereux et ambigu, notre connaissance des Cathares se réduisant finalement à peu de chose, et toutes hypothèses étant extrêmement difficiles à établir.

C'est alors que notre investigation nous mena sur une nouvelle voie plus énigmatique encore, plus ténébreuse aussi : celle des Chevaliers du Temple.

3

Les moines guerriers

Ombres familières et chères à l'Histoire que ces Chevaliers du Temple ! Orgueilleuses formes blanches, croisées de rouge, lancées au grand galop sur les routes de la Terre sainte... Soldats du Christ toujours intrépides, souvent fanatiques, mettant à son service leur foi et leurs forces pour prendre aux Croisades la part héroïque que l'on sait. Les Chevaliers du Temple, ce sont ces moines guerriers, mais plus encore les membres d'un ordre mystérieux, d'une association aux multiples et quelquefois inquiétants visages, dont les intrigues, les desseins, l'action et les conspirations sont, aujourd'hui encore, entourés d'interrogations et d'ambiguïté.

Que de rêves n'ont-ils pas suscités ! Que d'étonnements, que de descriptions... Si Walter Scott, dans *Ivanohé*, les dépeint comme des despotes hypocrites et arrogants, abusant sans vergogne de leur puissance et de leurs richesses, manipulant à leur gré hommes et royaumes, d'autres écrivains du XIXe siècle y voient même des suppôts de Satan, profanateurs, idolâtres et hérétiques, spéculateurs aussi et alchimistes. Aujourd'hui pourtant certains les considèrent comme de malheureuses victimes, simples pions sur le haut échiquier de l'Église et de l'État, d'autres encore, dans la tradition de la franc-maçonnerie, comme avant tout des mystiques, adeptes d'une science connue d'eux seuls, dont ils gardaient jalousement les arcanes.

Si, sur le plan historique, on ne nie ni le courage des Templiers au cours des Croisades, ni leur contribution à l'élaboration de la culture occidentale des XIIe et XIIIe siècles, si l'on se doit de reconnaître la puissance et l'influence qui furent les leurs au cœur de la Chrétienté, comme le rôle essentiel qu'ils jouèrent dans l'Histoire, on hésite pourtant à définir leur véritable personnalité. Qui étaient-ils vraiment et que cachaient-ils donc derrière cette respectable façade ? Pourquoi tant de doutes et de questions, pourquoi tant de légendes autour de ces énigmatiques « soldats du Christ » ? Pourquoi enfin, derrière les versions officielles adoptées par les historiens de tout bord, cette sensation persistante de l'existence d'une autre vérité soigneusement dissimulée ?

Les Chevaliers du Temple – Le récit historique

Entre 1175 et 1185, l'historien Guillaume de Tyr fait, le premier, allusion aux Templiers dans son *Historia rerum transmarinarum* qui retrace la vie du royaume franc de Palestine depuis sa fondation. Mais celui-ci existe déjà depuis soixante-dix ans, l'ordre du Temple depuis plus de cinquante, et l'écrivain, qui n'a personnellement pas assisté à ces hauts faits d'outre-mer, fait donc appel à des témoignages de seconde, ou même de troisième main. Aucun chroniqueur ne se trouvait en effet sur place, entre 1127 et 1144, pour en laisser une relation écrite, et l'auteur utilisant la tradition orale, les récits populaires et autres modes de transmission similaires, on peut à juste titre s'interroger sur la relativité de leur crédibilité.

Faute de mieux, il s'agit néanmoins là d'une base indispensable à la connaissance des événements d'Orient, d'une information indiscutablement utile sur laquelle reposeront, il faut bien l'admettre, tous les récits ultérieurs sur les Templiers. Elle n'en demeure pas moins sujette à caution en raison de l'insuffisance des sources et de la fragilité des assertions, malheureusement acceptée par trop d'historiens comme vérité unique et intangible[1].

Selon Guillaume de Tyr donc l'ordre des « Pauvres Chevaliers du Christ et du Temple de Salomon » est fondé en 1118 par Hugues de Payns, chevalier champenois et vassal du comte de Champagne[2], dans un but essentiellement désintéressé. Devant les dangers que représente alors tout pèlerinage en Terre sainte, Hugues et huit de ses compagnons se présentent devant Baudouin Ier, roi de Jérusalem, dont le frère, Godefroi de Bouillon, s'est emparé de la Ville sainte dix-neuf ans auparavant. Ils lui proposent leurs services pour protéger les pèlerins contre les Infidèles, assurer la police des routes qui mènent aux Lieux saints et la garde du Saint-Sépulcre[3].

Si nobles sont les desseins des pauvres et généreux chevaliers que le roi, chef religieux du nouveau royaume et représentant du pape, met à leur disposition une aile entière de son palais, située sur les fondations de l'ancien Temple de Salomon. Ainsi l'ordre deviendra-t-il celui du Temple.

Au cours des neuf années suivantes, les neuf chevaliers n'admettent aucun nouveau membre parmi eux. Ils vivent dans une pauvreté telle que leurs sceaux les montrent chevauchant à deux une même monture, selon la devise qui est alors la leur : dénuement et charité ; mais il ne faut pas manquer de noter à ce propos que ce sceau, souvent considéré comme le plus représentatif des premiers jours de l'ordre, date en fait d'un siècle plus tard, époque à laquelle les Templiers n'étaient guère démunis, en admettant qu'ils l'eussent jamais été...

Voici donc les chevaliers, toujours selon Guillaume de Tyr, installés dans le palais royal de Jérusalem, entrant et sortant pour se livrer à leur sainte mission contre les ennemis de Dieu. Non loin d'eux vit le chapelain du roi et son historien officiel, Foucher de Chartres, qui lui, loin d'attendre cinquante ans pour écrire, se livre au jour le jour au compte rendu du règne de son maître.

Or, très curieusement, le chroniqueur ne mentionne ni Hugues de Payns, ni ses compagnons, ni aucun Chevalier du Temple. Un étrange silence officiel entoure donc les activités de l'ordre pendant les premiers temps de son existence ; nulle part, ni alors ni plus tard, on ne trouve la moindre allusion à son action protectrice auprès des pèlerins, ni même à sa présence dans l'entourage du roi. Comment d'ailleurs une aussi petite poignée d'hommes pouvait-elle espérer remplir à elle seule une mission de cette importance : neuf chevaliers pour protéger l'ensemble des routes de Terre sainte ! Seulement neuf pour tous ces pèlerins et contre tant de dangers ! Si vraiment c'étaient là leurs objectifs, n'auraient-ils pas dû s'adjoindre de nouveaux membres ? Et pourtant Guillaume de Tyr est formel sur ce point : aucune admission n'eut lieu au cours des neuf années qui suivirent la fondation de l'ordre.

Dans le même temps néanmoins, le bruit de leur renommée atteint les limites de l'Europe où les autorités ecclésiastiques les louent hautement, eux et leur courage. En 1128 ou peu après, un texte de Bernard de Clairvaux, qui est alors la voix la plus respectée de toute la Chrétienté, rend un vibrant hommage aux vertus de la nouvelle chevalerie, déclarant que les Templiers sont l'exemple même et l'apothéose des valeurs chrétiennes.

À l'issue de ces neuf années, en 1127, Hugues de Payns et quelques-uns de ses compagnons se rendent d'ailleurs en Occident où ils sont accueillis triomphalement. L'année suivante, le pape ordonne la réunion d'un concile qui se tient à Troyes, cour des comtes de Champagne, suzerains de Hugues, sous la direction spirituelle du même saint Bernard. Les Templiers y sont officiellement reconnus comme membres d'un ordre tout à la fois militaire et religieux ; Hugues de Payns reçoit en cette occasion le titre de « grand maître » de cette communauté de moines soldats, de guerriers mystiques qui, alliant l'austère discipline du cloître à un zèle martial proche du fanatisme, formeront selon les termes employés alors la « milice du Christ ». Saint Bernard enfin définit avec enthousiasme les statuts du nouvel ordre et sa règle, simple et sévère, inspirée de celle des cisterciens.

Les Templiers sont soumis à la pauvreté, à la chasteté et à l'obéissance. Ils doivent se couper les cheveux mais non la barbe, marque distinctive facilement reconnaissable à une époque où la plupart des hommes se rasaient ; quant à la nourriture, aux vêtements et autres détails de la vie quotidienne, ils reflètent le double aspect, monastique et militaire, de leur idéal. Tous les « Chevaliers du Christ » doivent porter des habits, robes ou capes, blancs[4] qui évolueront jusqu'à devenir le célèbre manteau inséparable de leur nom et d'un symbolisme manifeste : le serviteur de Dieu abandonne une vie de ténèbres pour offrir à son créateur une vie toute de pureté et de lumière[5].

La règle enfin prévoit une hiérarchie administrative détaillée et un ensemble de lois allant de l'équipement et de l'utilisation des biens mis à leur disposition jusqu'au comportement sur les champs de bataille, strictement défini. Le Templier fait prisonnier ne demandera ni grâce ni rachat, mais devra combattre jusqu'à la mort ; il ne sera pas davantage autorisé à faire retraite, sauf si le nombre de ses assaillants est supérieur à trois.

C'est alors qu'en 1139[6] une bulle du pape Innocent II, ancien moine cistercien de Clairvaux et grand protégé de saint Bernard, accorde aux Templiers des privilèges considérables : l'ordre, placé sous la tutelle exclusive du Saint-Siège, ne relève plus que du seul pape. En d'autres termes il est désormais totalement indépendant de tout pouvoir séculier ou ecclésiastique, de tout prince, roi ou prélat, de toute autorité politique ou religieuse. Ainsi l'ordre du Temple peut-il désormais devenir un empire international autonome, un État n'ayant de comptes à rendre qu'à lui-même ; là résidera l'une de ses premières forces mais aussi l'une de ses principales ambiguïtés.

Au cours des deux décennies suivant le concile de Troyes, l'ordre connaît une extraordinaire expansion, non seulement en nombre, car il attire à lui les plus jeunes fils de toutes les familles de la noblesse européenne, mais également en richesses. Les dons en argent, terres et biens ne cessent en effet d'affluer de tous les coins de la Chrétienté puisque, à la suite de Hugues de Payns, tous les chevaliers doivent faire don à l'ordre de la totalité de leurs possessions.

C'est ainsi que tout naturellement et dans un délai très rapide l'ordre des Templiers se trouve propriétaire d'un nombre impressionnant de domaines en France, en Angleterre, en Flandre, en Espagne et au Portugal; d'autres viendront s'y ajouter peu après en Italie, en Autriche, en Allemagne, en Hongrie, ainsi qu'en Terre sainte et en Orient. Bref, individuellement les chevaliers ne sont pas riches puisqu'ils ont fait vœu de pauvreté, mais ils acceptent et amassent, au nom de leur ordre, tout ce qu'on leur offre. Celui-ci voit donc ses richesses augmenter dans des proportions considérables, d'autant plus qu'il a pour politique fondamentale de ne jamais laisser sortir l'argent : il reçoit mais ne donne pas, et est de plus exempté de dîmes. Ainsi lorsqu'en 1130 Hugues de Payns regagne la Palestine il laisse derrière lui, à la garde des nouveaux chevaliers, de vastes enclaves sur l'ensemble du territoire européen.

En 1146 sous le pontificat d'Eugène III, une croix rouge « pattée » vient s'ajouter au manteau blanc des Templiers, et c'est sous cette glorieuse et déjà très célèbre bannière qu'ils participent, aux côtés du roi de France Louis VII, à la IIe croisade. Le pape leur a accordé comme blason cette croix d'étoffe vermeille, à gauche au-dessus du cœur; ce « signe triomphal » leur sera « un bouclier pour qu'ils ne fuient devant aucun Infidèle »; les chevaliers d'ailleurs ne fuient jamais et se montrent en tout point dignes de leur réputation, fiers jusqu'à l'arrogance, courageux jusqu'à la témérité, admirablement disciplinés, n'ayant d'égale aucune troupe au monde. Le roi de France a même reconnu en personne et par écrit que, si l'expédition contre les Turcs, mal conçue et mal menée, n'a pas dégénéré en débâcle totale, c'est entièrement grâce aux Templiers et à eux seuls.

Cent ans passent, au cours desquels l'ordre du Temple devient une puissance véritablement internationale. Il est maintenant engagé dans toutes les actions diplomatiques, s'interfère entre la noblesse et la monarchie des diverses cours d'Europe, fait la loi en Terre sainte et en Angleterre, tente de réconcilier Henri II Plantagenêt et son archevêque Thomas Becket ; il participe aussi aux parlements de Londres en la personne de son grand maître qui assistera, aux côtés du roi Jean sans Terre, à la signature de la Grande Charte[7]. Bref il fait entendre dans toute une partie de la Chrétienté une voix plus écoutée que celle des prieurs et des abbés. Ainsi lorsque, en 1252, Henri III d'Angleterre ose défier les Templiers et menace de confisquer leurs biens, on assiste de la part du grand maître de l'ordre à une réponse hautaine qui, dans son audace, donne à réfléchir sur ses véritables pouvoirs. Qu'on en juge par ce dialogue : « Vous, Templiers..., apostrophe d'abord le roi, avez tant de libertés et de chartes que vos immenses possessions vous remplissent d'orgueil et d'arrogance. Ce qui a été imprudemment donné doit donc être prudemment repris, et ce qui a été accordé de façon inconsidérée doit être retiré de façon réfléchie. »

Ces propos attirent cette réplique cinglante du grand maître : « Que dis-tu, ô Roi ? Loin de toi ces paroles malséantes et douloureuses à entendre. Aussi longtemps que tu exerceras la justice, tu régneras ; mais si tu l'enfreins, tu cesseras d'être Roi[8]. »

L'influence des Templiers ne se limite cependant pas

à la Chrétienté et, malgré leur hostilité sur les champs de bataille, ils entretiennent des rapports étroits avec le monde musulman. Ils respectent au plus haut point les chefs sarrasins et établissent des liens secrets avec la célèbre secte des Haschischin, leurs confrères en fanatisme religieux ; on dit même que ces derniers sont à leur service clandestin et leur paient un tribut...

Mais il y a beaucoup plus encore, car à la guerre, à la diplomatie et aux intrigues politiques les Templiers ajoutent une autre activité, et non des moindres, celle de la banque.

Grâce au solide réseau de commanderies – cinq mille, au XIIIe siècle, avec leurs dépendances –, implantées un peu partout en Europe et au Proche-Orient, les Templiers peuvent en effet assurer, à de modestes taux d'intérêt, non seulement la garde des fonds qu'on leur confie, mais aussi leurs transferts, d'un lieu à l'autre, d'un prêteur à un emprunteur ou d'un pèlerin disparu à ses héritiers – tous mouvements qui n'étaient jusque-là effectués qu'à grands risques et par les seuls Italiens. Ainsi l'argent déposé dans l'une des forteresses du Temple peut-il être retiré dans une autre sur simple présentation du reçu, revêtu du sceau de l'ordre, remis au moment du dépôt.

Monarques, princes, particuliers, orfèvres et marchands vont donc devenir les clients et les débiteurs de ces nouveaux banquiers, premiers « agents de change » de notre civilisation et – pourquoi pas ? – inventeurs du « chèque » que nous utilisons aujourd'hui[9].

Quant à l'énorme forteresse qu'ils ont fait construire à Paris, elle deviendra vite le grand centre des finances européennes, et son trésorier un personnage considérable dans la vie administrative de la capitale française ; il gère les finances royales et, en l'absence du souverain, a pour mission de recevoir les sommes provenant de l'administration de ses domaines.

Les Templiers jouent enfin un rôle important dans la vie intellectuelle de leur époque. Ouverts aux cultures islamique et judaïque, ils le sont aussi aux sciences et aux idées nouvelles, comme aux nouveaux modes de connaissance, et possèdent le monopole des technologies les meilleures et les plus avancées de leur siècle. Armuriers, tanneurs, tailleurs de pierre, topographes, architectes et ingénieurs militaires, ils contribuent à l'élaboration des cartes, à la construction des routes, à la navigation. Ils possèdent leurs propres ports, leurs chantiers navals, et leur flotte, commerciale et militaire, sera parmi les premières à utiliser le compas magnétique. Soldats confrontés aux blessures et aux maladies les plus diverses, ils n'hésitent pas par ailleurs à faire usage des drogues, entretiennent dans leurs propres hôpitaux leurs propres médecins et leurs propres chirurgiens, et ont en matière d'hygiène et de certaines maladies nerveuses des conceptions extrêmement modernes[10].

Voilà donc, trop rapidement ébauché, un aperçu des activités des Chevaliers du Temple ; ils sont riches, puissants et intelligents, ils réussissent là où ils entreprennent, toutes qualités qui engendrent souvent très vite l'arrogance, la brutalité, l'avidité et la corruption. Ce sera, hélas, le cas de cette confrérie : l'expression « boire » ou « jurer comme un Templier » date de cette époque et restera. Plus grave encore on murmure avec de plus en plus d'insistance que l'ordre recrute des chevaliers excommuniés...

Or tandis que se fixe en Europe cette image, déjà équivoque, des soldats du Christ, la situation en Terre sainte se détériore sérieusement. Baudouin IV de Jérusalem meurt en 1185, et dans la confusion qui s'ensuit Gérard de Ridefort, grand maître de l'ordre, trahissant le serment fait au monarque mourant, mène le royaume franc de Palestine au bord de la guerre civile. Par ailleurs la légèreté de son attitude à l'égard des Sarrasins précipite la rupture d'une trêve déjà ancienne, et provoque la reprise des hostilités. En juillet 1187, Ridefort conduit donc ses Templiers aux côtés de l'armée des croisés dans la désastreuse bataille de Hattin ; les forces chrétiennes sont vaincues et deux mois plus tard

Jérusalem se retrouve, après cent ans, de nouveau aux mains des Sarrasins.

Au cours du siècle suivant la situation ne va cesser de se dégrader et en 1291 le royaume d'outre-mer est définitivement perdu, laissant la Terre sainte tout entière sous le contrôle musulman. Seule reste encore aux chrétiens la forteresse de Saint-Jean d'Acre, qu'ils doivent finalement abandonner au mois de mai de la même année malgré l'héroïsme admirable des Templiers. Le grand maître Guillaume de Beaujeu, gravement blessé, a combattu jusqu'à la mort et, tandis que femmes et enfants sont évacués dans les galères de l'ordre, les chevaliers choisissent de poursuivre désespérément la lutte. Aussi lorsque le dernier mur de la citadelle s'écroulera, il enterrera sans distinction sous ses décombres assiégeants et assiégés.

Les chevaliers au blanc manteau tentent alors de s'établir à Chypre ; mais dépouillés de la Terre sainte, donc de leur « raison d'être », et en l'absence de tout pays infidèle, un tant soit peu accessible, à conquérir, ils y renoncent et tournent leurs regards vers l'Europe dans l'espoir d'y trouver quelque justification à leur existence.

Un siècle auparavant ils ont présidé à la fondation d'un autre ordre de chevalerie, mi-religieux mi-militaire aussi, celui des Chevaliers Teutoniques. Peu nombreux au Proche-Orient, ceux-ci ont préféré au milieu du XIIIe siècle s'intéresser aux frontières nord-est de la Chrétienté, et y fonder un royaume indépendant, l'Ordenstaat, sur la Baltique orientale, de la Prusse au golfe de Finlande et l'actuel territoire russe.

L'Ordenstaat retient quelque temps l'attention des Templiers qui rêvent d'établir, à leur instar, un État totalement autonome et assuré d'immunité, où ils jouiraient en paix de leur souveraineté sans avoir à rendre de comptes à quiconque. Mais contrairement à leurs confrères teutons, et habitués comme ils le sont au luxe qu'autorise la richesse, les Templiers apprécient peu le climat rude de l'Europe orientale ; ils lui préfèrent une terre plus accueillante, plus conforme à leurs goûts et à leur éducation. Ainsi choisiront-ils le Languedoc[11].

Depuis les tout premiers temps de son existence, le Temple entretient avec les Cathares, particulièrement ceux de cette région, des rapports très étroits. Beaucoup de gros propriétaires terriens, cathares eux-mêmes ou sympathisants, ont donné à l'ordre d'importants domaines et, si l'on ne sait comment interpréter la rumeur selon laquelle l'un de ses fondateurs aurait été cathare, il est hors de doute que la famille de Bertrand de Blanchefort, quatrième grand maître de l'ordre, l'était bel et bien ; quarante ans après sa mort en effet, ses descendants combattront aux côtés d'autres seigneurs cathares contre les troupes de Simon de Montfort[12].

Témoins ostensiblement neutres de la lutte répressive contre les Albigeois, les Templiers se contentent de déclarer qu'il n'est qu'une seule véritable croisade, celle contre les Sarrasins. Selon certains récits contemporains, leurs citadelles servent cependant d'abri aux hérétiques[13], et il leur arrive même de prendre les armes en leur faveur. Il semble en effet, d'après les écrits datant des débuts de la croisade des Albigeois, qu'un grand nombre de Cathares vinrent alors grossir les rangs des Templiers, décourageant ainsi les croisés de Simon de Montfort. Il semble aussi que parmi ceux de leurs hauts dignitaires figurent des noms à consonance indiscutablement cathare[14]. Enrôlés parmi les Templiers, ces membres de la noblesse languedocienne préféraient le plus souvent et selon toute vraisemblance demeurer dans leur région où ils formaient une base puissante, stable et fidèle à l'ordre.

C'est aussi en Languedoc que les Templiers vont se trouver confrontés à un système de pensées et d'influences bien éloignées de l'orthodoxie romaine catholique. Non seulement un grand nombre d'entre eux, ayant voyagé ou ayant été faits prisonniers, parlent couramment l'arabe, mais beaucoup partagent avec les communautés juives locales des intérêts culturels ou financiers grâce auxquels ils s'ouvrent à la civilisation judaïque, tout en continuant de s'initier aux arcanes et au dualisme de la doctrine cathare.

C'est alors qu'en 1306 le roi de France Philippe le Bel décide soudain de se débarrasser des Templiers. Arrogants, indisciplinés, ils représentent une force militaire bien supérieure à la sienne. Certes il utilise ses services, mais elle peut se révéler dangereuse dans la mesure où ses membres ne relèvent que de la seule autorité du pape. Or le roi sait qu'il contrôle mal ces banquiers armés auxquels il doit beaucoup d'argent. Il a dû aussi leur demander asile dans leur forteresse lors d'une insurrection de la foule parisienne. Il y a pire encore : ils viennent d'avoir l'audace insensée de lui refuser son admission parmi eux ! Autant d'humiliations, ajoutées à la convoitise qu'il a de leurs richesses et à la crainte de les voir former un État indépendant, qui le poussent à agir brutalement : l'hérésie servira de justification.

L'année précédente Philippe le Bel a fait monter sur le trône papal, vacant depuis la mort très douteuse des deux papes Boniface VIII et Benoît XI, son propre candidat, l'archevêque de Bordeaux. Clément V ne peut donc désormais rien lui refuser. Le roi de France, on le voit, a soigneusement dressé son plan. En partie grâce aux espions qu'il a introduits parmi les Templiers, en partie grâce aux révélations volontaires d'un commandeur renégat, il a dressé une liste d'accusations qui lui permet de donner à l'ordre un coup fatal, efficace et définitif ; puis il fait distribuer dans l'ensemble du pays des ordres d'arrestation sous scellés qui devront être ouverts simultanément à l'aube du vendredi 13 octobre 1307. Ce jour-là tous les Templiers de France sont arrêtés et emprisonnés, leurs biens confisqués, leurs commanderies placées sous séquestre royal. Malheureusement, bien que l'effet de surprise escompté par le roi ait parfaitement réussi, l'immense fortune convoitée lui échappe : il ne la trouve nulle part, et le fabuleux

« trésor des Templiers » prend place à son tour dans la longue liste des grandes énigmes de l'Histoire.

Mais cette offensive de Philippe le Bel était-elle vraiment inattendue, et ne doit-on pas plutôt penser que les Templiers en furent prévenus à temps ? Peu avant son arrestation on sait, par exemple, que le grand maître Jacques de Molay parvint à brûler des ouvrages et des règlements relatifs à son ordre ; de son côté le trésorier de Paris, comme s'il redoutait une catastrophe imminente, n'avait-il pas peu avant ostensiblement reconnu comme très « sage » le départ de l'ordre de tout chevalier qui en manifesterait le désir ? Enfin au même moment n'avait-il pas circulé dans toutes les commanderies de France l'ordre de ne livrer aucune information sur les habitudes et les rites des chevaliers ?

Bref qu'ils aient été prévenus des événements ou qu'ils s'en soient doutés, les Templiers prennent donc une série de mesures et de précautions bien précises [15]. Tandis que certains se laissent arrêter sans opposer la moindre résistance comme s'ils en avaient reçu la consigne, d'autres, appartenant probablement à l'entourage immédiat du trésorier de l'ordre, organisent savamment la fuite d'archives et de documents. Des rumeurs circulent alors selon lesquelles le trésor du Temple aurait été emporté, de nuit, hors de la commanderie de Paris, peu avant les arrestations, puis transporté en chariot jusqu'à la côte, peut-être à La Rochelle, base navale de l'ordre, et de là chargé dans dix-huit galères dont on n'entendra jamais plus parler... Si l'on ignore tout de la véracité de ces bruits, on est en revanche, par voie de conséquence, obligé de constater que la flotte des Templiers dut échapper aux poursuites du roi car il n'existe aucune allusion pouvant laisser supposer qu'un tel butin ait été jamais retrouvé... Les bateaux s'évanouirent à tout jamais avec leur mystérieuse cargaison, qui entra elle aussi dans la légende [16].

Cependant en France, les Templiers sont soumis à la

question et dans de nombreux cas à la torture; au cours des procès qui se succèdent sans interruption, ils avouent tout ce qu'on leur demande et même plus, au point que les bruits les plus extraordinaires se répandent à leur propos. Ils adoreraient un dieu du nom de Baphomet, se prosterneraient, au cours de leurs cérémonies secrètes, devant une tête d'homme barbue qui leur parlerait et les investirait de pouvoirs occultes, déclarent des témoins non autorisés que l'on ne reverra jamais. D'autres accusations, des plus vagues, pèsent contre eux, celles d'infanticide, d'avortement, d'homosexualité, de pratiques obscènes lors des cérémonies d'initiation; et, les plus graves, à peine vraisemblables, dans le cas de ces soldats du Christ qui ont combattu les Infidèles et offert leur vie pour leur foi, celles d'avoir renié leur Dieu et craché sur la croix.

Le sort des Templiers est pourtant fixé, et la haine de Philippe le Bel à leur égard ne connaît pas de limites. Beaucoup sont brûlés, plus encore emprisonnés et torturés, tandis que le roi s'obstine à exiger du pape des mesures définitives à leur encontre. Après avoir en vain tenté de résister, le souverain pontife capitule en 1312, et ordonne la suppression pure et simple de l'ordre du Temple.

Enquêtes et procès se poursuivront néanmoins pendant deux ans encore sur les terres du roi de France. En mai 1314 enfin, le grand maître Jacques de Molay et Geoffroi de Charnay, précepteur de Normandie, montent à leur tour sur le bûcher. Avec eux les Templiers cessent donc officiellement d'exister sur la scène de l'Histoire, mais, là encore, ce n'est pas tout à fait vrai.

Philippe le Bel a pourtant usé de son influence sur la Chrétienté tout entière pour qu'aucun Templier en quelque lieu qu'il se trouve ne soit épargné. Or ce zèle laisse songeur... Vouloir débarrasser son pays de cette présence encombrante, soit; mais ailleurs? Pourquoi cette obstination? Lui-même n'était pas un modèle de vertu, et l'on s'étonne qu'un roi ayant si complaisamment concerté la mort de deux papes se soit laissé toucher par de supposées infractions aux lois de la religion. Craignait-il alors une vengeance, si l'ordre subsistait hors des limites de la France ? Ou bien faut-il chercher ailleurs les véritables raisons de son impitoyable rigueur ?

Son acharnement à détruire les Templiers n'est pourtant pas immédiatement couronné de succès. Ainsi son gendre Édouard II d'Angleterre se prononce-t-il d'abord en faveur de l'ordre et contre sa destruction ; puis, sous la pression du pape et de son beau-père, il consent sans grande conviction à changer d'attitude. Beaucoup de Templiers sont donc arrêtés un peu partout dans le royaume anglais, et soumis à de légères peines d'emprisonnement, bien moins cruelles que celles que connaissent au même moment leurs frères français ; quant à leurs biens, ils sont transférés aux Chevaliers Hospitaliers de Saint-Jean.

L'Écosse, alors en guerre avec l'Angleterre, se soucie quant à elle assez peu de ces péripéties. La bulle papale anéantissant l'ordre des Templiers n'y sera jamais promulguée, et les chevaliers anglais et français pourront y trouver un refuge sûr. En 1314, ces derniers combattront aux côtés de Robert Bruce à la bataille de Bannockburn et selon la légende, apparemment authentifiée par l'Histoire, ils formeront en terre écossaise, au cours des quatre siècles suivants, une communauté solide. Lorsqu'en 1689 John Claverhouse, vicomte de Dundee, sera tué sur le champ de bataille de Killiecrankie, on découvrira en effet qu'il portait sur lui la grande croix de l'ordre du Temple antérieure à l'an 1307 [17].

En Lorraine, qui fait alors partie de l'Allemagne, les Templiers sont protégés par le duc qui les gouverne. Quelques-uns sont jugés et déclarés innocents, mais pour la plupart, et sur le conseil de leur précepteur, ils se coupent la barbe, revêtent un costume séculier et s'assimilent à la population locale.

En Allemagne, ils menacent de prendre les armes et

sont déclarés innocents. Lors de la dissolution officielle de l'ordre, ils se disperseront parmi les Hospitaliers de Saint-Jean et les Chevaliers Teutoniques. Il en sera de même en Espagne, tandis qu'au Portugal les Templiers changent de nom et deviennent les Chevaliers du Christ ; on les y retrouvera jusqu'au XVIe siècle dans un grand nombre d'activités maritimes. Rappelons à ce propos que Vasco de Gama était un Chevalier du Christ et qu'Henri le Navigateur, dont les bateaux naviguaient sous la célèbre grande croix pattée rouge, était grand maître de l'ordre. C'est d'ailleurs sous cette même croix aussi que trois caravelles de Christophe Colomb traverseront l'Atlantique à la conquête du Nouveau Monde, sa femme étant apparemment la fille d'un ancien Chevalier du Christ, et lui-même ayant eu accès aux documents et aux chartes de son beau-père.

C'est ainsi qu'un peu partout en Europe les Templiers survécurent à l'hécatombe de 1307. Ce n'est qu'en 1522 cependant que leurs descendants prussiens, les Chevaliers Teutoniques, alors sécularisés, renoncèrent définitivement à leurs liens avec Rome pour s'engager, derrière le rebelle Martin Luther, sur la voie de l'hérésie. Deux siècles après leur dissolution et bien qu'indirectement, les Templiers prenaient ainsi leur revanche sur l'Église qui les avait trahis.

Les Chevaliers du Temple – Le mystère

Voilà donc, dans sa forme très abrégée, l'histoire de l'ordre telle qu'elle est officiellement présentée et acceptée, et telle que nous l'ont en effet livrée nos recherches. Mais il apparaît très vite qu'elle comporte une autre dimension, plus obscure, et que cette physionomie cachée, cet aspect ambigu des chevaliers au blanc manteau ont, en fait, toujours existé.

Que de contradictions, tout d'abord, à l'égard de ces

hommes, dans la bouche de leurs contemporains ! On les dit sorciers, magiciens, alchimistes, membres d'une secte secrète, revêtus même de pouvoirs occultes. Déjà en 1208, au début de la croisade des Albigeois, le pape Innocent III dénonce ouvertement leur comportement et les accuse explicitement de se livrer à la nécromancie. Beaucoup au contraire leur vouent une admiration enthousiaste, tel le poète Wolfram von Eschenbach qui, à la fin du XIIe siècle, accomplit le voyage d'outre-mer pour les voir à l'œuvre ; son roman épique *Parzival* les pare alors des plus exaltantes vertus, les décrivant comme gardiens du Saint Graal, de son château et de sa famille [18].

La mystique qui les auréole ne va d'ailleurs pas disparaître avec eux, bien au contraire. Lors de son exécution dans l'Îlot aux Juifs en mars 1314, tandis que son corps s'amenuise lentement sous la flamme, la voix de Jacques de Molay s'élève, citant le pape Clément et le roi Philippe à comparaître devant le tribunal de Dieu. Dans le mois qui suit, le pape meurt d'une supposée et soudaine attaque de dysenterie, et avant la fin de l'année Philippe le Bel rend l'âme à son tour, dans des circonstances demeurées obscures.

Point n'est besoin d'explication surnaturelle à ces deux événements. Les Templiers connaissaient parfaitement l'usage des poisons, et il y avait autour d'eux suffisamment de bonnes volontés – chevaliers en fuite travaillant en sous-main, sympathisants de l'ordre ou parents de leurs frères persécutés – pour les aider à accomplir leur vengeance. Mais l'apparente réalisation des paroles du grand maître suffit à accréditer la légende selon laquelle l'ordre était bien investi de pouvoirs occultes ; mieux encore, qu'il avait jeté une malédiction sur la future lignée du roi de France, dont les effets se répercuteraient très loin dans l'Histoire.

Au cours du XVIIIe siècle, diverses fraternités plus ou moins secrètes vénéreront les Templiers comme des précurseurs et des initiés mystiques ; de nombreux francs-maçons se diront leurs héritiers, et certains rites maçonniques seront considérés comme directement issus de l'ordre, et gardiens des mêmes secrets. Filiation discutable dans certains cas, mais possible dans d'autres si l'on envisage par exemple que l'ordre ait pu subsister en Écosse.

Mais le mystérieux halo entourant les Templiers devait atteindre des proportions mythiques en 1789 avec la Révolution française, et leur réalité historique sombrer alors dans l'épaisseur du roman et de l'affabulation. Ils sont alchimistes, illuminés, occultistes, mages initiés à la sagesse suprême, maîtres maçons… bref surhommes revêtus d'un impressionnant arsenal de pouvoirs et de connaissances ; ou bien encore héros et martyrs, annonciateurs de l'esprit anticlérical qui marquera cette époque. Ainsi en conspirant contre Louis XVI, beaucoup de francs-maçons penseront participer à la réalisation de la malédiction lancée par Jacques de Molay contre le lignage royal. Quand en effet, la tête du roi tomba sous la guillotine, on dit qu'un inconnu se précipita sur l'échafaud, plongea sa main dans le sang encore chaud du monarque, puis la brandit vers la foule en hurlant : « Jacques de Molay, te voici vengé ! »

Mais en dépit de la Révolution française les Templiers n'ont rien perdu de leur mystérieux attrait. Trois organisations, prétendant remonter à 1314, portent aujourd'hui ce nom, mais leur authenticité n'a jamais été établie. Certaines loges maçonniques ont adopté le grade de « templier », ainsi que des rituels et une terminologie supposés être ceux de l'ordre initial. À la fin du XIXe siècle un funeste « Ordre des Nouveaux Templiers » est même fondé en Allemagne et en Autriche, en choisissant le svastika comme l'un de ses emblèmes. La théosophe russo-allemande H.P. Blavatsky et le philosophe autrichien Rudolf Steiner, fondateur de l'anthroposophie, évoquent dans leurs œuvres une « tradition de sagesse » qui, par l'intermédiaire des Rosicruciens, trouverait son origine chez les Cathares et les Templiers, eux-mêmes dépositaires des plus anciens secrets. Aux États-Unis, enfin, les adolescents sont admis dans la « Société De Molay », sans qu'eux ni leurs aînés sachent rien sur la provenance de ce nom ; sans parler des obscurs « Rotary Clubs » qui, en Angleterre et ailleurs en Occident, s'honorant du titre de Templiers, réunissent sous cette très vague bannière d'importantes personnalités. La liste est longue, on le voit, et certainement pas exhaustive ; du haut du royaume céleste conquis à la pointe de son épée, gageons que Hugues de Payns doit considérer avec perplexité les chevaliers chauves et bedonnants qu'il a engendrés, et très probablement s'étonne-t-il de la vitalité de son héritage.

Héritage particulièrement tenace en France où les Templiers, à l'image du monstre du Loch Ness en Grande-Bretagne, sont à la source d'une véritable industrie. À Paris, libraires et maisons d'édition offrent une multitude d'ouvrages et de traités relatifs à l'ordre, les uns valables, les autres à la limite de l'absurde. Au cours de ce dernier quart de siècle en effet, les hypothèses les plus extravagantes ont été avancées au sujet des Templiers, dont certaines pourtant ne sont pas sans fondement.

Ici on leur attribue, au moins pour une large part, la construction des cathédrales gothiques, là on les rend responsables de la flambée d'énergie et de génie qui a donné naissance à l'architecture médiévale. Ailleurs on démontre que les Templiers avaient, dès 1269, établi des liens commerciaux avec les Amériques et que leur fortune provenait des mines d'argent du Mexique. Ailleurs encore qu'ils possédaient une sorte de secret concernant les origines de la Chrétienté ; qu'ils étaient gnostiques, qu'ils étaient hérétiques, qu'ils étaient traîtres ayant rallié l'islam. On affirma aussi qu'ils avaient cherché à établir une unité créatrice entre les sangs, les races et les religions – une politique de fusion entre les pensées islamique, chrétienne et judaïque. Et encore, et toujours, comme l'affirmait déjà Wolfram von Eschenbach presque huit siècles auparavant, qu'ils étaient les gardiens du Saint Graal – quel que fût ce dernier.

Hypothèses prêtant souvent à sourire mais qui, une fois de plus, servent à prouver, s'il en était besoin, qu'un grand nombre d'interrogations pèsent sur les Templiers, et que leur nom ne se dissocie pas d'une fascinante atmosphère d'énigme jamais élucidée. Énigme que l'on pourrait qualifier d'« ésotérique », car des sculptures symboliques trouvées dans les commanderies de l'ordre suggèrent abondamment que certains de ses hauts dignitaires s'adonnaient à des disciplines telles que l'astrologie, l'alchimie, la géométrie sacrée, la numérologie, et bien sûr l'astronomie, inséparable de l'astrologie au cours des XIIe et XIIIe siècles, et réputée alors éminemment hermétique.

Ce ne sont pourtant pas ces folles conjectures qui allaient nous intriguer le plus, ni l'aspect ésotérique de certaines d'entre elles. C'est au contraire quelque chose de beaucoup plus banal et prosaïque : cette accumulation de contradictions, d'improbabilités et d'illogismes se superposant comme un écran opaque à l'histoire officielle des Templiers. Peut-être, en effet, avaient-ils été dépositaires d'un secret ; mais il existait dans leur cas une autre réalité, plus profondément implantée dans les courants religieux et politiques de leur époque. Et c'est dans ce sens que nous devions orienter nos recherches.

Commençons donc, sans nous soucier de chronologie stricte, par la chute de l'ordre et les accusations portées contre ses membres. Beaucoup d'ouvrages ont déjà traité le sujet, et force nous est de reconnaître, à la suite de leurs auteurs, qu'elles ont leur raison d'être.

Soumis par exemple aux interrogatoires de l'Inquisition, un grand nombre de chevaliers font allusion à un certain « Baphomet », trop souvent et en des lieux trop éloignés les uns des autres pour qu'on puisse y voir une invention individuelle ou le nom d'une simple commanderie. Il s'agit en fait de quelque chose de tout à fait différent, mais en même temps rien ne nous permet de deviner qui pouvait être ce Baphomet, ce qu'il représentait, ni quels étaient son rôle et sa signification.

Son nom semble entouré d'un respect proche de l'idolâtrie ; il évoque parfois ces sculptures démoniaques, semblables à des gargouilles, trouvées dans les diverses commanderies ; d'autres fois on imagine à son propos une apparition de tête barbue. Mais, contrairement à ce que peuvent penser certains historiens, le nom de « Baphomet » n'est pas une déformation de celui de « Muhammad », mais plutôt du nom arabe *abufihamet*, prononcé en maure espagnol *bufihimat*, qui signifie « père de la compréhension », « père de la sagesse », « père » en arabe impliquant la notion de « source[19] ». Si telle est l'origine de Baphomet, ce nom ferait probablement référence à quelque principe divin ou surnaturel. Mais en quoi alors se différencierait-il des autres principes identiques ? Si Baphomet n'est autre que Dieu ou Allah, pourquoi les Templiers prennent-ils la peine de lui donner un autre nom ? S'il ne l'est pas, qu'est-il ou qui est-il ?

Tous les témoignages s'accordent à reconnaître qu'une tête intervient dans les cérémonies des Templiers, et qu'on la retrouve régulièrement dans les comptes rendus de l'Inquisition. Sa signification, comme celle de Baphomet, reste pourtant obscure ; peut-être appartient-elle au domaine de l'alchimie, car l'une des phases du processus alchimique, située avant la transmutation de la pierre philosophale, a pour nom « caput mortuum » (« tête morte ») ou « nigredo » (« noircissement »). Selon d'autres, cette tête serait celle d'Hugues de Payns lui-même, dont le blason portait trois têtes noires sur champ d'or.

On peut aussi rapprocher cette tête du célèbre suaire

de Turin qui semble avoir été en possession des Templiers entre 1204 et 1307 ; en effet une tête présentant des ressemblances frappantes avec celle du suaire a été trouvée dans la commanderie de Templecombe dans le Somerset. On a voulu y voir celle de Jean-Baptiste, et certains ont alors suggéré que les Templiers avaient été contaminés par l'hérésie johannite ou mandéenne dénonçant Jésus comme un faux prophète et reconnaissant le Baptiste comme le véritable messie. Or les Templiers, au cours de leurs activités au Proche-Orient, étaient certainement entrés en contact avec cette secte, et les tendances johannites de l'ordre ne sont pas à exclure, sans que l'on sache pourtant si elles correspondaient de sa part à une conviction profonde ou à une démarche purement politique.

Une tête figure aussi, mais sous une forme différente, dans les interrogatoires qui suivent les arrestations de 1307. Selon les rapports de l'Inquisition, on trouva parmi les biens confisqués au Temple de Paris un reliquaire en forme de tête de femme. Son sommet s'ouvrait, et contenait ce qui sembla être des reliques d'une forme particulière :

> « Un grand chef d'argent doré, fort beau, ayant figure de femme ; à l'intérieur étaient deux os de la tête, enveloppés et cousus dans un drap de lin blanc, recouvert encore d'un autre drap rouge ; une cédule s'y trouvait cousue et il y avait écrit : CAPUT LVIIIm. Ces os, notons-le, étaient ceux d'une femme assez petite[20]. »

Curieuse relique donc, dans le contexte de cette rigide institution, monastique et militaire, qu'était l'ordre du Temple ! Pourtant un chevalier, soumis à la question et confronté à la tête féminine, déclara qu'elle n'avait rien à voir avec la tête d'homme barbu utilisée dans les rites de l'ordre. Cette « Caput LVIIIm » (« Tête 58m ») reste par conséquent une énigme, à moins que la lettre « m » ne soit en réalité le signe utilisé pour le symbole astrologique de la Vierge ♍ qui, stylisé, présente quelque similitude[21].

Mais cette fameuse tête figure encore dans une autre anecdote curieuse, traditionnellement associée aux Templiers, et qui vaut elle aussi la peine d'être narrée dans l'une de ses nombreuses variantes :

> « Un Templier, seigneur de Sidon, aimait une grande dame de Maraclea ; mais celle-ci, mourant en pleine jeunesse, lui fut brutalement arrachée. La nuit même de son inhumation, le chevalier, fou d'amour, se glissa jusqu'à sa tombe, l'ouvrit et assouvit son désir sur le corps privé de vie. Une voix alors s'éleva des ténèbres, lui disant de revenir neuf mois plus tard, pour recueillir le fruit de ses œuvres. Le chevalier obéit à cette injonction, et lorsque le temps se fut écoulé, il ouvrit de nouveau la tombe ; entre les tibias du squelette, il trouva en effet une tête. "Ne t'en sépare jamais, dit la même voix, car elle te procurera tout ce que tu peux souhaiter." Il l'emporta avec lui et à partir de ce jour, partout où il alla, dans tout ce qu'il entreprit, la tête fut son génie protecteur et lui fit accomplir des prodiges, avant de devenir propriété de l'ordre[22]. »

Un Walter Map aurait pu, à la fin du XIIe siècle, signer cette macabre narration ; mais ni lui ni l'autre écrivain qui relate la même histoire presque un siècle plus tard ne spécifient que le violeur de nécropole était un Templier[23]. Pourtant en 1307, elle est étroitement associée à l'ordre et revient régulièrement dans les procès des chevaliers où deux d'entre eux au moins avouent bien la connaître. Dans d'autres versions postérieures, le profanateur est, comme ici d'ailleurs, identifié : c'est bien un Templier, et c'en est un aussi dans le récit conservé par la franc-maçonnerie qui adopta cette tête de mort et l'utilisa comme emblème sur ses pierres tombales.

Caricature grotesque de la maternité divine ? Symbole déformé de quelque rite initiatique impliquant la notion de mort et de résurrection ? Un des chroniqueurs même va jusqu'à donner le nom de la femme : c'est Yse, dérivé de Isis qui débouche sur de nouveaux et plus vastes horizons comme celui des mystères associés au nom de la célèbre déesse et à ceux de Tammuz-Adonis dont la tête fut précipitée dans les flots, ou d'Orphée dont la tête roula dans la Voie lactée. Mais les propriétés magiques de cette tête, telles que les pressentait plus haut l'auteur de l'anecdote, peuvent évoquer aussi celle de Bran le Bienheureux dans la mythologie celte et les *Mabinogion*. Remarquons dans cette hypothèse que son chaudron magique, réceptacle mystique que lui envient les dieux, sera identifié à maintes reprises comme l'équivalent païen du Saint Graal.

Bref, quelle que soit la signification de ce « culte de la tête », l'Inquisition y attache, elle aussi une grande importance. À preuve la liste des charges dressées à son encontre le 12 août 1308 :

> « Item, que dans chaque province ils avaient des idoles, particulièrement des têtes…
> Item, qu'ils adoraient ces idoles…
> Item, qu'ils disaient que la tête pouvait les sauver.
> Item, que [elle pouvait] les rendre riches…
> Item, qu'elle pouvait faire fleurir les arbres.
> Item, qu'elle faisait germer la terre.
> Item, qu'ils entouraient ou touchaient chacune des têtes de ces idoles avec des petites cordelettes qu'ils portaient eux-mêmes entre leur chemise et la chair[24]. »

Or, s'il semble que cette allusion à des cordes ait une relation directe avec les Cathares qui, disait-on, portaient sur eux une cordelette sacrée, plus surprenante encore est l'énumération des prétendus pouvoirs de la tête, cette dernière ayant la faculté d'engendrer la richesse, de faire fleurir les arbres, de fertiliser la terre, qualités qui lui sont attribuées en propre dans les romans du Saint Graal.

Mais revenons aux charges retenues contre les Templiers. Les plus graves d'entre elles sont celles les accusant de blasphème et d'hérésie et notamment d'avoir renié la croix, de l'avoir bafouée et couverte de crachats. Or que signifiaient réellement ces rites, et surtout qu'abjuraient exactement les Templiers ? Le Christ ? Ou simplement la Crucifixion ? Et que prônaient-ils alors à la place ? Nulle réponse satisfaisante n'a jamais été donnée à ces questions, mais il semble qu'une sorte d'acte de reniement leur était en effet demandé, correspondant à l'un des principes fondamentaux de l'ordre si l'on en croit le témoignage d'un chevalier, par exemple, qui devait certifier que lors de son admission on lui avait solennellement déclaré : « Tu te trompes, le Christ est un faux prophète ; ne crois pas en lui, mais seulement en Dieu qui est au ciel[25]. » Un autre fit en ces termes à peu près la même confession : « Ne crois pas, me dit-on, que l'homme Jésus que les Juifs ont crucifié en outre-mer soit Dieu et qu'il puisse te sauver[26]. » Un troisième enfin affirma qu'on lui avait ordonné de ne pas croire au Christ, faux prophète, mais seulement en un « Dieu supérieur », puis qu'on lui avait montré un crucifix en lui disant : « Ne fais pas grand cas de celui-ci, car il est trop jeune[27]. »

S'il est indiscutable que ce genre de récits revient fréquemment dans les aveux des Templiers, et suffit à donner aux accusations portées contre eux un semblant d'authenticité il n'en est pas moins vrai qu'ils ne parurent jamais entièrement convaincus de ce qu'ils avançaient. On ne peut également s'empêcher de penser que, si l'Inquisition avait voulu fabriquer des preuves contre ses accusés, elle aurait certainement fourni des arguments plus formels et plus concluants, plus définitifs.

Ce qui est néanmoins certain, c'est que l'attitude des Templiers vis-à-vis de Jésus n'était pas entièrement conforme à celle de l'Église catholique, sans que nous soyons capables de la définir clairement. Contentons-nous enfin de noter que le reniement de la croix qu'on leur a souvent reproché était déjà dans l'air une cinquantaine d'années avant 1307, cette attitude ayant déjà été effectivement mentionnée, bien que confusément, dans le contexte de la VIe croisade qui survint en 1249[28].

Le visage caché des Chevaliers du Temple

Si la fin des Chevaliers du Temple est entourée d'énigmes, la fondation et les premiers temps de leur ordre ne sont pas moins marqués de contradictions et d'incohérences.

Ainsi la brusque apparition de ces neuf « pauvres chevaliers » en Terre sainte auxquels le roi donne aussitôt une partie de son palais ! Neuf pauvres chevaliers qui n'admettent personne d'autre parmi eux et prétendent défendre seuls les routes de Palestine ! Neuf chevaliers dont personne ne parle à l'époque, dont on ne trouve nulle part la moindre trace et que ne mentionne même pas le chroniqueur officiel du roi de Jérusalem pourtant tenu de les rencontrer et de les connaître ! Leurs activités, leur présence dans la royale demeure ont-elles vraiment pu échapper aux regards et à la plume de Foucher de Chartres ? C'est fort improbable, et pourtant l'historien n'en souffle mot, ni personne avant Guillaume de Tyr, un demi-siècle plus tard.

Que faut-il en conclure ? Qu'en réalité nos neuf chevaliers n'étaient pas engagés dans le très louable service public qu'on leur avait confié, mais qu'ils pratiquaient une activité clandestine ignorée du chroniqueur officiel de la cour ? Ou bien encore que celui-ci avait été prié de se taire ? Or cette seconde hypothèse semble la plus vraisemblable, puisque bientôt deux illustres seigneurs vont rejoindre le petit groupe, dont l'écrivain ne peut ignorer la proche présence. Selon Guillaume de Tyr, l'ordre du Temple, nous l'avons dit, a été fondé en 1118 par neuf chevaliers qui resteront neuf au cours des neuf années suivantes. Or il est de notoriété publique qu'en 1120, deux ans seulement après sa supposée fondation, le comte d'Anjou, père de Geoffroy Plantagenêt, entre en personne dans l'ordre, suivi en 1124 de l'un des plus riches seigneurs d'Europe, le comte de Champagne. Si par conséquent le récit de Guillaume de Tyr est correct, les Templiers ne reçoivent aucun nouveau membre avant 1127 ; or en 1126, on le sait aussi, ils en ont déjà admis quatre[29]. Où est l'erreur ? Dans l'affirmation que nul n'est venu se joindre aux premiers compagnons pendant neuf ans ? Ou bien, celle-ci étant véridique, dans la date avancée par le chroniqueur pour la fondation de l'ordre ? Si Foulques d'Anjou devient Templier en 1120, et si personne n'est entré dans l'ordre au cours des neuf années précédentes, ce n'est pas en 1118 que se situe la création de l'ordre, mais en 1111, 1112 à la grande rigueur.

Toujours est-il qu'en 1114 le comte de Champagne se prépare à partir pour la Terre sainte. Quelque temps auparavant il reçoit une lettre de l'évêque de Chartres. « Nous avons appris, écrit le prélat, qu'avant de partir pour Jérusalem vous avez exprimé le vœu de rejoindre la “milice du Christ”, que vous souhaitiez vous enrôler parmi ces soldats évangéliques... [30] »

Le terme de « milice du Christ » désignait formellement les Templiers dans les premiers temps de leur existence, et c'est ainsi que saint Bernard fait allusion à eux. Sous la plume de l'évêque, il ne peut donc se référer à aucune autre institution ; il ne peut non plus signifier que Hugues de Champagne a simplement choisi de s'engager dans la croisade puisque l'évêque, dans la suite de sa lettre, parle du vœu de chasteté qu'implique sa décision, et qui n'était en aucun cas exigé du croisé ordinaire.

Il est donc clair, d'après cette lettre, que les Templiers existaient déjà, ne fût-ce que sous forme de projet, dès 1114, quatre ans avant la date généralement admise, et que cette même année le comte de Champagne projetait déjà de rejoindre leurs rangs – ce qu'il ne fit que dix ans plus tard. Citant cette lettre, un historien en arrive à la curieuse conclusion que l'évêque de Chartres ne savait pas ce qu'il disait[31], et que, les Templiers n'ayant existé que quatre ans plus tard, il se trompait en faisant allusion à eux... Or le prélat meurt en 1115, et l'on se demande alors comment, en 1114, il aurait pu faire « par erreur » mention d'un ordre qui n'existait pas encore. À moins, bien sûr, de s'être trompé d'année en datant sa lettre !

Il n'y a en fait qu'une seule réponse possible à cette énigme : ce n'est pas l'évêque qui fait erreur, mais Guillaume de Tyr et tous les historiens qui, après lui, ont accepté pour la fondation de l'ordre du Temple une date erronée.

Rien de suspect jusque-là. Mais ce qui le devient, ce sont les circonstances, et les coïncidences, pour le moins étranges, qui entourent l'événement. En effet trois au moins des neuf chevaliers, parmi lesquels Hugues de Payns, viennent de régions adjacentes, ont des liens de famille, se connaissent déjà et sont vassaux d'un même seigneur, le comte de Champagne. Ayant reçu la lettre de l'évêque de Chartres en 1114, celui-ci devient Templier en 1124, jurant obéissance à son propre vassal Hugues, premier grand maître de l'ordre. Entre-temps, en 1115, il a fait don de la terre sur laquelle saint Bernard, protecteur des Templiers, élèvera la célèbre abbaye de Clairvaux. Notons enfin que, parmi les neuf fondateurs de l'ordre, figure André de Montbard, propre oncle de saint Bernard.

Mais Troyes, cour des comtes de Champagne, mérite à son tour un instant de réflexion. En effet, si elle est depuis 1070 un centre important d'études cabalistiques et ésotériques[32], c'est au concile tenu en cette ville en

1128 que les Templiers seront officiellement reconnus, comme nous l'avons appris. La capitale champenoise restera pour eux, au cours des deux siècles suivants, un centre stratégique important et l'on remarque qu'aujourd'hui encore un bois proche de la ville porte le nom de « forêt du Temple ». C'est de Troyes enfin que partira, pour la haute destinée que l'on sait, l'un des premiers romans consacrés à la « queste du saint Graal », peut-être le premier, composé par le célèbre trouvère et clerc Chrétien.

De ces différentes constatations apparemment confuses semble en tout cas émerger un subtil réseau de connexions. Elles sont selon nous beaucoup plus que de simples coïncidences, et tendent à confirmer que les Templiers étaient en fait impliqués dans quelque action clandestine. Mais de quelle action peut-il donc bien s'agir ?

La partie de l'ancien Temple de Salomon, devenue palais du roi de Jérusalem et qui, inexplicablement, a été mise à la disposition des neuf compagnons, nous a très vite semblé présenter un intérêt particulier. En 70 après J.-C., le Temple a été mis à sac par les légions romaines de Titus, son trésor pillé et emporté à Rome d'où, pillé une seconde fois, il est peut-être reparti pour les Pyrénées. Mais pourquoi ne pas penser qu'il y avait autre chose dans le Temple, de beaucoup plus important que ce trésor ? Voyant les phalanges romaines à leurs portes, les prêtres auraient alors abandonné aux pillards le butin espéré, et caché l'autre trésor. Sous le Temple par exemple.

Parmi les manuscrits de la mer Morte trouvés à Qumran, il en est un, déchiffré à Manchester en 1955-1956, qui fait explicitement référence à de grandes quantités d'or, de vaisselle sacrée et d'objets divers formant vingt-quatre amoncellements et enterrés sous le Temple lui-même[33].

Par ailleurs, au milieu du XIIe siècle, Johann von Würzburg, pèlerin de Terre sainte, relate sa visite aux

« écuries de Salomon ». Situées directement sous le Temple, elles sont suffisamment vastes pour contenir deux mille chevaux, et c'est là que les Templiers laissent leurs montures. Or un autre historien précise qu'ils utilisent ces écuries dès 1124 pour leurs chevaux, époque à laquelle ils sont censés n'être encore que neuf, et il semble aussi que très rapidement l'ordre entreprend de creuser sous le Temple.

Ces fouilles n'impliquent-elles donc pas que les chevaliers cherchaient activement quelque chose, ou même qu'ils ont délibérément été envoyés en Terre sainte dans ce but bien défini ? Ces suppositions, si elles s'avèrent justes, expliqueraient un certain nombre d'anomalies : leur installation dans le palais royal d'abord et surtout le silence du chroniqueur officiel de la cour. Mais si l'on retient ces éventualités, par qui alors auraient-ils été envoyés en Palestine ?

Peut-être serait-il judicieux de revenir une nouvelle fois en arrière : en 1104, le comte de Champagne réunit un conclave de grands seigneurs. L'un d'eux revient de Jérusalem[34]; tous sont membres d'un certain nombre de familles que nous retrouverons à chaque instant au cours de notre enquête : Brienne, Joinville, Chaumont, Nevers, suzerain d'André de Montbard qui est lui-même cofondateur de l'ordre du Temple et oncle de saint Bernard.

Peu après le conclave, le comte de Champagne part pour la Terre sainte; il y reste quatre ans et revient en 1108[35]. En 1114, il repart en Palestine avec l'intention de rejoindre la « milice du Christ » puis change d'avis et revient en France un an plus tard. Dès son retour il donne une terre à l'ordre cistercien ; saint Bernard y construit l'abbaye de Clairvaux, s'y installe en personne et, de là, s'attache à consolider son ordre.

En 1112, les cisterciens sont au bord de la faillite, mais grâce à leur illustre représentant ils vont connaître une nouvelle fortune. Dans les années suivantes en effet une demi-douzaine d'abbayes sont fondées et en 1153 il en existe plus de trois cents, dont soixante-neuf créées par Bernard lui-même. Cet essor extraordinaire de l'ordre cistercien survient de la même façon, et au même moment exactement, que celui du Temple. Entre les deux existe un lien de famille indiscutable : André de Montbard.

Examinons maintenant de plus près cet ensemble confus d'événements. En 1104, le comte de Champagne part pour la Terre sainte après une entrevue avec un certain nombre de seigneurs dont l'un est en rapport étroit avec André de Montbard. En 1112, le propre neveu de Montbard, saint Bernard, entre dans les ordres cisterciens et en 1114 le comte de Champagne part pour un second voyage en Terre sainte avec l'intention de rejoindre l'ordre des Templiers, lui-même fondé par son propre vassal Hugues de Payns et par André de Montbard. Comme en témoigne la lettre de l'évêque de Chartres, l'ordre existait bien déjà à cette date, ou était sur le point d'exister.

En 1115, donc moins d'un an plus tard, le comte de Champagne revient en Europe et fait don d'une terre à saint Bernard qui y construit l'abbaye de Clairvaux. Dans les années qui suivent, les deux ordres, celui des cisterciens et celui des Templiers, celui de saint Bernard et celui d'André de Montbard son oncle, vont connaître sur tous les plans imaginables une impulsion, une activité et une réussite exceptionnelles.

Cette conjonction des faits, cette connexion constante entre événements, hommes et dates ne cessent de nous frapper ; elles ne peuvent être le fait du seul hasard. Il nous semble au contraire y déceler les traces de quelque ambitieux et vaste dessein, dont l'Histoire ignorerait les détails et la signification. C'est pour les retrouver que nous tentons d'élaborer une sorte d'hypothèse, un « scénario » qui tiendra compte des éléments en notre possession.

Le voici : supposons en effet que, soit délibérément, soit par hasard, une découverte très importante ait été faite en Terre sainte, qui intéresse au plus haut point certaines grandes familles d'Europe. Cette découverte, directement ou non, provoque un afflux de richesses et autre chose aussi, de capital, qui doit être gardé secret et divulgué auprès d'un très petit nombre seulement de seigneurs de rang élevé. Cette découverte est donc mentionnée, puis examinée attentivement au cours du conclave de 1104.

Immédiatement après, Hugues de Champagne part en Terre sainte, soit pour vérifier personnellement les faits, soit pour un tout autre but, par exemple la fondation de ce qui sera l'ordre du Temple. En 1114, sinon avant, celui-ci existe et le comte de Champagne y joue un grand rôle en tant que guide et protecteur. En 1115, l'argent afflue en Europe et dans les coffres des cisterciens qui, sous la conduite de saint Bernard et grâce à leur nouvelle position de force, soutiennent le nouvel ordre des Templiers, et le font connaître.

Sous la direction de saint Bernard, les cisterciens atteignent en Europe le rayonnement spirituel que l'on sait; sous celle d'Hugues de Payns et d'André de Montbard, les Templiers atteignent en Terre sainte un rayonnement, militaire et administratif, qui s'étend bientôt à l'Europe entière. Derrière ce développement extraordinaire des deux ordres se tient l'ombre, toujours présente, de l'oncle et du neveu, et à leurs côtés l'ombre de leur riche et influent protecteur le comte Hugues de Champagne. Ces trois personnages ont entre eux un lien vital; ils sont les signes, apparents à la surface de l'Histoire, d'une trame plus profonde, celle de la réalité cachée que nous avons entrevue.

Cette réalité, si elle existe – et elle existe –, ne peut être le fait de ces trois seuls hommes; elle implique obligatoirement la collaboration d'autres cerveaux, ainsi qu'une organisation méticuleuse. Et là est le mot clé, car si notre hypothèse est correcte, elle présuppose une organisation équivalant à un ordre – un troisième ordre agissant dans le secret derrière les deux autres ordres officiels, cisterciens et Templiers. Or ce troisième ordre existe, nous en avons les preuves.

Mais revenons un instant à l'hypothétique découverte faite en Terre sainte, base sur laquelle repose notre « scénario ». Qu'est-elle réellement ? Quel est ce secret auquel participent à la fois les Templiers, saint Bernard et le comte de Champagne ? Les Templiers, jusqu'à la fin de leur vie, l'ont conservé intact, inviolé. Aucune trace de sa nature ni du lieu où il est détenu ne demeure. Aucun document ne subsiste. Or si ce trésor n'avait été que matériel, était-il vraiment indispensable d'en anéantir le moindre indice ?... Que peut-on en conclure, sinon que les Templiers avaient en leur garde un trésor indicible, si précieux que même la torture ne parvint jamais à desceller leurs lèvres, un trésor au-delà de toute contingence matérielle ou financière, un secret absolu, primordial, peut-être lié à leur attitude ambiguë à l'égard de Jésus ?...

Si, le 13 octobre 1307, tous les Templiers de France furent arrêtés dans leurs commanderies par ordre de Philippe le Bel, rappelons, c'est essentiel, qu'il y eut quelques rares exceptions concernant notamment l'une d'elles, celle de Bézu près de Rennes-le-Château. Pourquoi les Templiers parvinrent-ils à échapper au filet tendu par le roi, comment et pourquoi se sauvèrent-ils ? C'est ce que nous allons tenter de savoir en examinant l'action et l'implantation particulièrement dense de l'ordre dans cette région, où il ne possédait pas moins d'une demi-douzaine de commanderies réparties sur plus de trente kilomètres carrés !

En 1153 donc, un seigneur de la région partisan des Cathares devient grand maître de l'ordre du Temple. Il s'appelle Bertrand de Blanchefort et sa demeure ancestrale est située au sommet d'une montagne, à courte distance de Bézu et de Rennes-le-Château. Bertrand de Blanchefort, qui présidera aux destinées de l'ordre jusqu'en 1170, est une personnalité éminente ; il saura transformer l'ordre, encore mal défini à son arrivée, en une institution hiérarchisée, disciplinée, efficace et admirablement organisée. C'est grâce à lui que les Templiers vont se trouver mêlés aux actions diplomatiques et politiques internationales de haut niveau, grâce à lui aussi que l'Europe, et particulièrement la France, deviendront pour eux une sphère importante d'intérêts. Or quel est le conseiller de Bertrand, que d'aucuns vont jusqu'à considérer comme son prédécesseur immédiat dans la charge de grand maître de l'ordre ? C'est André de Montbard !

Mais poursuivons. Au cours des quelques années qui ont suivi la création des Templiers, Bertrand de Blanchefort, après avoir rejoint leurs rangs, leur a donné des terres dans les environs de Rennes-le-Château et de Bézu. Devenu grand maître de l'ordre il fait venir en 1156 un contingent de mineurs de langue allemande. Ceux-ci sont aussitôt soumis à une discipline sévère, presque militaire, leur interdisant tout contact avec la population locale. Un corps judiciaire spécial, la « Judicature des Allemands », est même créé sur place à leur intention, et chargé de résoudre les différents problèmes techniques qu'ils pourraient susciter. Leur prétendue mission consiste à exploiter les mines d'or situées sur les pentes de la montagne de Blanchefort – mines totalement épuisées par les Romains presque mille ans auparavant [36].

Or, au XVIIe siècle, une commission d'ingénieurs sera chargée de prospecter les ressources minérales de cette région et d'en établir des rapports détaillés. C'est ainsi que César d'Arcons fouillera les ruines laissées derrière eux par les mineurs allemands et prononcera une conclusion formelle : aucune exploitation d'aucune sorte n'a jamais été entreprise sur ce terrain..., révélation, on le voit, d'une extrême importance [37].

Qu'ont fait, alors, les mineurs allemands sur la montagne de Blanchefort ? Sur ce point d'Arcons hésite : peut-être un travail de fonte, ou de transformation, à partir du métal, peut-être aussi ont-ils creusé une crypte souterraine destinée à servir d'entrepôt. L'énigme par conséquent demeure entière, mais, fait capital, il reste certain malgré tout que les Templiers étaient bien présents dans les environs de Rennes-le-Château dès le milieu du XIIe siècle.

Rien d'étonnant dans ces conditions qu'on trouve à quelques kilomètres de Bézu, en 1285, l'importante commanderie de Campagne-sur-Aude. C'est à la même époque que Pierre de Voisins, seigneur de Bézu et de Rennes-le-Château, fait venir des provinces aragonaises du Roussillon [38] un détachement spécial de Templiers qu'il installe au sommet de la montagne de Bézu où ils construisent immédiatement un poste de guet et une chapelle. Ils ont été mandés pour maintenir la sécurité dans la région et protéger la route des pèlerins qui, traversant la vallée, rejoint Saint-Jacques-de-Compostelle, c'est du moins la version officielle, mais officieusement ?... Pourquoi Pierre de Voisins a-t-il fait venir cette poignée d'hommes en renfort, alors qu'il y avait déjà des Templiers dans le voisinage et que lui-même possédait ses propres troupes pour assurer la protection des lieux ? Si l'on en croit la tradition locale, ces Templiers supplémentaires vinrent du Roussillon avec plusieurs objectifs possibles : exploiter, enterrer ou surveiller un trésor.

Si leur véritable mission devait demeurer à jamais inconnue, on sait pourtant de source sûre qu'une fois installés à Bézu ils bénéficièrent d'une immunité particulière. Seuls de tous les Templiers de France, en effet, ils furent laissés en liberté par les sénéchaux de Philippe le Bel le 13 octobre 1307 ; mais l'on sait aussi qu'à cette date leur contingent était placé sous le commandement d'un seigneur de Goth [39].

Goth... Avant de monter sur le trône pontifical sous le nom de Clément V, l'évêque de Bordeaux, simple pantin entre les mains de Philippe le Bel, avait pour nom Bertrand de Goth. Et quelle était sa mère ? Ida de Blanchefort, de la famille de Bertrand de Blanchefort...

Le nouveau pape était-il par suite lié au formidable secret confié à la garde de sa famille et qui le resta jusqu'au XVIIIe siècle, époque à laquelle l'abbé Antoine Bigou, curé de Rennes-le-Château et chapelain de Marie de Blanchefort, allait découvrir l'énigme et composer les parchemins trouvés plus tard par Saunière ? Si tel est vraiment le cas, comment s'étonner que le souverain pontife ait accordé l'immunité au membre de sa famille détenant alors le commandement des Templiers de Bézu – et par voie de conséquence également à ces derniers ?

Comme on le voit, la simple histoire de cette petite communauté locale de Templiers est aussi chargée d'énigmes que l'ensemble de leur destinée. Entre les deux, certains facteurs communs à l'une et à l'autre font office de liens, le rôle de Bertrand de Blanchefort par exemple, seigneur de Rennes-le-Château, grand maître du Temple, cousin ou neveu du pape.

Ainsi nous trouvions-nous confrontés à un concours de circonstances trop nombreuses et troublantes pour n'être que de pures coïncidences. N'avions-nous pas découvert la trame fondamentale d'un insondable mystère ? Mais qui en aurait détenu les fils conducteurs ? Une nouvelle fois semblaient s'ouvrir devant nous de fabuleuses perspectives, l'éventualité d'un plan méticuleux, admirablement élaboré, reposant lui-même sur un groupe d'individus, peut-être un ordre, œuvrant dans l'ombre de l'Histoire officielle. Or très vite, nous allions avoir confirmation de l'existence effective de cet ordre.

4

Les dossiers secrets

En 1956 a commencé à paraître en France toute une série d'ouvrages, articles, brochures et autres documents relatifs à Bérenger Saunière et à l'énigme de Rennes-le-Château. Cette source va se transformer, au fil des ans, en un véritable torrent, en une industrie prenant des proportions impressionnantes et attestant, si l'on pense aux efforts et aux ressources nécessaires à son élaboration et à sa diffusion, de l'importance et du caractère encore mal défini de l'affaire.

Par ailleurs et à notre image, un grand nombre de chercheurs isolés se sont attelés petit à petit à la tâche, apportant de leur côté une appréciable contribution à l'ensemble des travaux. Ceux-ci présentent donc une très grande diversité, mais il semble pourtant que le matériel initial provienne d'une source unique. Selon nous par conséquent, quelqu'un, quelque part, a intérêt à « promouvoir » Rennes-le-Château, à attirer l'attention du public, à susciter autour du mystère la plus grande publicité et la plus grande curiosité possibles.

La raison ne semble pas en être d'ordre financier. Il s'agirait plutôt de créer une atmosphère de crédibilité, d'exercer une sorte d'action sur l'opinion, bref d'organiser une propagande. Quels qu'en soient les responsables, ils agissent soigneusement dans l'ombre tout en jetant les pleins feux sur certains détails de leur choix, et à des moments voulus par eux.

À quelques années de différence en effet, un matériel approprié est délibérément et systématiquement distillé fragment par fragment. La plupart de ces informations se présentent, plus ou moins explicitement, comme venant d'une même origine, confidentielle et gardée à l'abri des curiosités indiscrètes. Une à une elles viennent s'ajouter aux connaissances acquises, mais loin de clarifier la situation elles semblent au contraire contribuer à en épaissir le mystère. Allusions séduisantes, hypothèses suggestives, références, sous-entendus se mêlent et s'entremêlent en un subtil réseau bien fait pour attiser la curiosité de l'amateur d'énigmes. D'interrogations en semblants de conclusions, de dates en lieux et de suggestions en insinuations, celui-ci est alors attiré, tel l'âne vers la carotte, dans une succession interminable de voies où rayonne toujours, insidieusement, l'éventualité d'une révélation explosive et capitale.

C'est donc sous les formes les plus diverses que ces informations sont divulguées, et souvent sous l'aspect d'ouvrages à grande diffusion, plus ou moins sibyllins, plus ou moins séduisants ou réussis. Ainsi Gérard de Sède a-t-il produit toute une série d'études sur des sujets apparemment aussi divers que les Cathares, les Templiers, la dynastie mérovingienne, les Rose-Croix, Saunière et Rennes-le-Château. Tour à tour évasif, espiègle, insinuant, modeste ou mystificateur, il ne cesse d'insinuer qu'il en sait plus qu'il n'en veut dire, à moins que ce ne soit là une élégante façon chez lui de dissimuler le fait qu'il en sait moins que ce qu'il veut bien prétendre… Ses ouvrages avancent cependant un certain nombre de détails facilement vérifiables qui sont autant de liens entre leurs thèmes respectifs, l'auteur affirmant d'ailleurs que les divers sujets traités se recouvrent les uns les autres.

De qui Gérard de Sède tient-il ses informations ?

Lorsqu'en 1971 nous commençons pour la BBC notre premier film sur Rennes-le-Château, nous demandons à son éditeur parisien certains documents photographiques qu'il nous envoie aussitôt. Or au dos de chacun d'entre eux figure la mention « Plantard ». Ce nom ne nous dit rien alors, mais lorsque à la fin de l'un des ouvrages de notre auteur nous voyons paraître une interview avec un certain Pierre Plantard, nous sommes assurés que cet inconnu est d'une façon ou d'une autre étroitement mêlé aux recherches de Gérard de Sède. Et en effet il va devenir l'un des personnages principaux de notre investigation.

Toutes les informations parues depuis 1956 sur l'affaire qui nous intéresse ne présentent cependant pas cet aspect accessible, voire plaisant propre à certains auteurs. D'autres sont ennuyeuses, pédantes ou même rébarbatives, comme l'ouvrage publié par René Descadeillas, ancien conservateur de la bibliothèque municipale de Carcassonne. Consacré à l'histoire de Rennes-le-Château et de ses environs, il contient une pléthore de digressions socio-économiques du plus funeste effet, comme le détail intégral des naissances, décès, mariages, états financiers, taxes et travaux publics entre les années 1730 et 1820[1]. Cet ouvrage se situe donc à l'opposé des œuvres faciles et d'un succès assuré, que M. Descadeillas soumet d'ailleurs à de sévères critiques[2].

En même temps que ces ouvrages ont également paru dans divers journaux et magazines un grand nombre d'articles, et des interviews avec d'illustres inconnus affirmant posséder des connaissances sur l'un ou l'autre des aspects du mystère. Mais ce n'est pas là, dans la presse, les études savantes ou les ouvrages à gros tirage, qu'il faut chercher les informations les plus intéressantes. C'est au contraire dans les documents, brochures ou opuscules, à tirage limité, édités par des particuliers et déposés à la Bibliothèque nationale à Paris, la plupart éditions sans aucune valeur, simples duplicata de pages dactylographiées, ou photocopies des plus ordinaires.

Plus encore que les ouvrages vendus en librairie dont nous avons parlé précédemment, ces dernières brochures semblent avoir une seule et même source. Par un système subtil de notes et de références obscures relatives à Saunière, Rennes-le-Château, Poussin, la dynastie mérovingienne et autres thèmes déjà bien connus, chacune vient compléter et confirmer les autres. Elles sont enfin, dans la plupart des cas, signées d'un nom d'auteur sujet à caution, n'étant de toute évidence qu'un pseudonyme plus ou moins transparent. Nous citerons ainsi Madeleine Blancassal, Nicolas Beaucéan, Jean Delaude et Antoine l'Ermite. Pour la première, « Madeleine » fait évidemment allusion à Marie Madeleine, « la Magdaléenne » à laquelle sont consacrées l'église de Rennes-le-Château et la tour Magdala construite par l'abbé Saunière ; quant au nom de « Blancassal », il est formé de ceux de deux petites rivières qui se rejoignent près de Rennes-le-Château, la Blanque et la Sals. « Beaucéan » est une déformation de « Beauséant », le cri de ralliement des Chevaliers du Temple ; Jean Delaude est Jean de l'Aude, département où est situé Rennes-le-Château, enfin Antoine l'Ermite est le saint dont la statue orne l'église de Rennes-le-Château, fêté le 17 janvier, et dont la date figure sur la tombe de Marie de Blanchefort, date également de l'attaque de l'abbé Saunière.

Le fascicule attribué à Madeleine Blancassal est intitulé *Les descendants mérovingiens et l'énigme du Razès wisigoth* – le Razès étant, comme nous l'avons vu, l'ancien nom de la région qui nous intéresse. La page de titre indique que le texte en a d'abord été publié en Allemagne, puis traduit en français par Walter Celse-Nazaire – autre pseudonyme formé du nom des deux saints, Celse et Nazaire, auxquels est dédiée l'église de Rennes-les-Bains. Selon la page de titre aussi, l'éditeur en est la Grande Loge Alpina, loge maçonnique suprême de Suisse équivalent de la Grande Loge d'Angleterre ou du Grand Orient de France. Rien ne permet de savoir pour quelles raisons une loge maçonnique moderne s'intéresse en effet au mystère d'un obscur prêtre français du XIXe siècle, et à l'histoire de sa paroisse depuis quinze cents ans… L'un de nos confrères d'ailleurs, ayant posé la question à des représentants de la Loge Alpina, s'est entendu répondre que personne n'était chez eux au courant de l'existence d'un tel ouvrage ! Que penser dans ces conditions du témoignage selon lequel il aurait été vu dans leur bibliothèque[3], et du fait que l'insigne de la Grande Loge Alpina figure en bonne et due forme sur deux autres fascicules ?…

Quoi qu'il en soit, de tous les documents publiés par des particuliers et déposés à la Bibliothèque nationale, le plus important est un recueil de feuillets collectivement intitulé *Dossiers secrets*, catalogué sous la cote 4° 1m[1] 249 et mis aujourd'hui sur microfilm. Mais récemment encore il ne se présentait que comme un mince et insignifiant volume, sorte de chemise à couverture rigide contenant un assemblage hétéroclite de documents complètement dépareillés – coupures de presse, lettres, encarts, arbres généalogiques nombreux, et pages imprimées apparemment arrachées d'autres ouvrages, et périodiquement d'ailleurs, chose étrange, subtilisées puis remplacées par d'autres, elles-mêmes surchargées parfois de notes et de corrections manuscrites, le manège semblant se prolonger encore actuellement.

La plus importante partie de ces *Dossiers secrets*, qui consiste en arbres généalogiques, est attribuée à un certain Henri Lobineau dont le nom figure sur la page de titre. Deux notes rajoutées à l'intérieur de la chemise mentionnent qu'il s'agit d'un pseudonyme – peut-être dû à la rue Lobineau proche de l'église Saint-Sulpice à Paris ; quant aux généalogies, elles seraient l'œuvre d'un dénommé Leo Schidlof, historien et amateur d'antiquités, Autrichien supposé avoir vécu en Suisse et mort en 1966. Forts de cette information, nous tentons d'obtenir à son sujet des précisions supplémentaires.

Nous ne retrouvons sa fille qu'en 1978, en Angleterre. Son père était bien autrichien nous confirme-t-elle, mais ni généalogiste ni historien ni amateur d'antiquités ; seulement expert et négociant en miniatures à propos desquelles il a publié deux ouvrages. Fixé à Londres en 1948, il y a vécu jusqu'à sa mort à Vienne en 1966 – ces deux dernières informations étant d'ailleurs notifiées dans les *Dossiers secrets*.

Le plus surprenant est que Mlle Schidlof maintient avec véhémence que son père ne s'est jamais intéressé aux généalogies, pas plus qu'à la dynastie mérovingienne ou aux mystères du Languedoc français ; et pourtant, ajoute-t-elle, certains ont dû le croire car en 1960 par exemple, et bien après, il a été contacté par un grand nombre d'inconnus, européens et américains, désirant le rencontrer et discuter avec lui de sujets dont il ignorait tout. À sa mort enfin en 1966, de nombreux autres messages lui sont parvenus qui, pour la plupart, s'enquéraient des documents qu'aurait pu laisser son père.

Quelle que soit l'affaire à laquelle celui-ci s'est, contre son gré, trouvé mêlé, poursuit Mlle Schidlof, elle n'a pas été du goût du gouvernement américain. En 1946 en effet, dix ans avant la constitution des *Dossiers secrets*, Leo Schidlof a demandé un visa d'entrée aux USA, mais on le lui a refusé car il était suspecté d'espionnage ou de quelque autre activité clandestine ; ce n'est qu'après de longs mois d'attente qu'il a enfin obtenu les autorisations nécessaires et pu se rendre en Amérique. Simple tracasserie administrative ? Non, répond sa fille, c'était certainement beaucoup plus grave, et indiscutablement lié aux occupations secrètes dont il était soupçonné.

Cette péripétie, qui laisse songeur, nous incite à penser également que ce refus de visa n'était nullement accidentel, certaines allusions de ces *Dossiers secrets* laissant supposer que Leo Schidlof se trouvait effectivement lié à une sorte d'espionnage international ; d'autant plus qu'une nouvelle brochure publiée à Paris dans l'intervalle laissait entendre par ailleurs que le mystérieux Henri Lobineau n'était pas Leo Schidlof, mais un aristocrate français, le comte de Lénoncourt, thèse qui, dans les mois suivants, devait se trouver confirmée par d'autres documents.

Mais la véritable identité de Lobineau n'est pas la seule énigme soulevée par ces dossiers. Un article y figure aussi, faisant allusion à une « sacoche de cuir du même Leo Schidlof », supposée contenir certains documents confidentiels relatifs à l'histoire de Rennes-le-Château entre 1600 et 1800. Cette sacoche aurait, peu après la mort de son propriétaire, passé dans les mains d'un intermédiaire, Fakhar ul Islam, qui l'aurait lui-même confiée en février 1967 à un « agent envoyé par Genève » au cours d'un rendez-vous en Allemagne de l'Est. Mais avant que la transaction ait pu s'effectuer, Fakhar ul Islam, expulsé de la RDA, avait dû regagner Paris « pour attendre d'autres ordres ». Or le 20 février 1967 son corps, éjecté de l'express Paris-Genève, était retrouvé à Melun, sur la voie ferrée, toute trace de la sacoche ayant évidemment disparu.

La presse française du 21 février devait d'ailleurs confirmer ce fait divers macabre[4] : un corps décapité a été trouvé sur la voie ferrée à Melun ; c'est celui d'un jeune Pakistanais du nom de Fakhar ul Islam expulsé d'Allemagne pour des raisons inconnues et qui se rendait de Paris à Genève. Pensant qu'il pouvait s'agir d'un agent du contre-espionnage les autorités ont confié l'affaire à la DST.

Aucun journaliste cependant ne faisant évidemment allusion à Leo Schidlof ni à la sacoche de cuir, pas davantage au mystère de Rennes-le-Château, nous nous trouvons confrontés à de nouvelles questions. Peut-être cette mort avait-elle bien un lien avec l'objet de nos recherches, et dans ce cas les *Dossiers secrets* renfermaient une information de toute première source à laquelle la presse et le grand public n'auraient jamais accès. Ou bien, seconde hypothèse, la note parue dans ces dossiers n'était que pure mystification. Quelqu'un s'était emparé d'un ancien « fait divers » – une mort suspecte sur une voie ferrée – et l'avait négligemment glissé parmi les données du dossier, pour brouiller les pistes. Mais dans quel but ? Qui pouvait tirer avantage à créer délibérément autour de Rennes-le-Château cette sinistre atmosphère ?

Nous restions d'autant plus perplexes que la mort de Fakhar ul Islam n'était apparemment pas un phénomène isolé, car moins d'un mois plus tard une nouvelle petite brochure était déposée à la Bibliothèque nationale sous le titre *Le serpent rouge*, ayant pour auteurs Pierre Feugère, Louis Saint-Maxent et Gaston de Koker. Or, fait significatif, elle était datée du 17 janvier...

Singulier petit ouvrage que ce *Serpent rouge* ! Outre une généalogie des rois mérovingiens et deux cartes de la France à leur époque accompagnées d'un bref commentaire, il contient un plan au sol de l'église Saint-Sulpice à Paris, avec toutes ses chapelles et les noms des saints auxquels elles sont consacrées. Mais sa partie la plus importante consiste en treize courts poèmes en prose, d'une indiscutable qualité littéraire dans une ligne pouvant s'apparenter à Rimbaud. Chacun correspond à un signe du zodiaque, zodiaque de treize signes, le dernier étant Ophiuchus ou le Serpentaire, inséré entre le Scorpion et le Sagittaire.

Les treize poèmes relatent à la première personne une sorte de pèlerinage allégorique commençant au Verseau et se terminant au Capricorne qui, comme le précise le texte, culmine le 17 janvier. On trouve ailleurs des allusions à la famille Blanchefort, à certains détails de l'église de Rennes-le-Château et à des inscriptions de Saunière, à Poussin et à ses *Bergers d'Arcadie* ainsi qu'à la devise gravée sur la tombe « Et in Arcadia ego ». Un serpent rouge, « cité dans les parchemins », est aussi mentionné dans l'un des poèmes, déroulant ses anneaux à travers les siècles – symbole explicite, semble-t-il, d'une lignée ou d'une race. Quant au signe astrologique du Lion, il fait l'objet d'un paragraphe énigmatique qu'il nous paraît intéressant de citer en entier :

> « De celle que je désirais libérer montaient vers moi les effluves du parfum qui imprégnèrent le sépulcre. Jadis les uns l'avaient nommée : ISIS, REINE DES SOURCES BIENFAISANTES. VENEZ À MOI VOUS TOUS QUI SOUFFREZ ET QUI ÊTES ACCABLÉS ET JE VOUS SOULAGERAI. Pour d'autres elle est MADELEINE, au célèbre vase plein d'un baume guérisseur. Les initiés savent son nom véritable : NOTRE DAME DES CROSS[5]. »

Les implications de ce texte sibyllin sont extrêmement intéressantes. Isis est évidemment la déesse mère égyptienne, protectrice des mystères, « Reine blanche » sous ses aspects bienveillants, « Reine noire » sous ses aspects néfastes. Nombreux sont les mythologues, anthropologues et théologiens qui, de la plus haute antiquité païenne jusqu'à l'époque chrétienne, ont suivi la trace de son culte, et pour lesquels Isis aurait survécu sous les traits de la Vierge Marie, « Reine du Ciel » de saint Bernard, déesse mère Astarté de l'Ancien Testament, qui est l'équivalent phénicien d'Isis.

Mais si l'on en croit *Le serpent rouge*, la déesse mère des chrétiens ne serait pas la Vierge ; elle serait la Magdaléenne, à laquelle sont consacrées l'église de Rennes-le-Château et la tour construite par l'abbé Saunière. Or comme l'indique le poème, le terme de « Notre-Dame » dont sont parées toutes les grandes cathédrales de France ne s'appliquerait pas à la Vierge, mais à cette même Marie Madeleine. Mais pourquoi donc celle-ci mériterait-elle le titre de « Notre Dame » et, mieux encore, celui de « déesse mère », elle qui n'a pas enfanté, elle qui dans la tradition chrétienne est présentée comme une prostituée trouvant son salut auprès de

Jésus ? Mais comme dans le quatrième Évangile elle est aussi la première personne à avoir vu le maître après la Résurrection, elle est par suite considérée comme une sainte, particulièrement en France où, selon les légendes médiévales, elle aurait elle-même apporté le Saint Graal. Ainsi le « vase plein d'un baume guérisseur » désignerait-il la coupe sacrée ?... Et faudrait-il dans ces conditions attribuer à Marie Madeleine la place traditionnellement réservée à la Vierge Marie, hypothèse, c'est évident, apparemment hautement hérétique ! Mais quel que soit le message transmis par les auteurs du *Serpent rouge*, ils n'en verront jamais le résultat, car ils subissent à leur tour l'horrible sort de Fakhar ul Islam. Le 6 mars 1967 en effet Louis Saint-Maxent et Gaston de Koker sont trouvés pendus, et le lendemain 7 mars Pierre Feugère les rejoint dans la mort dans les mêmes conditions.

On ne peut évidemment s'empêcher de penser que ces trois décès sont directement liés à la parution du *Serpent rouge*. Néanmoins, comme dans le cas de Fakhar ul Islam, il faut envisager un même scénario : quelqu'un recueillant dans un journal l'annonce de ces drames, introduisant les noms à l'intérieur de la brochure déjà composée, puis déposant celle-ci à la Bibliothèque nationale en l'antidatant au 17 janvier. Rien de plus facile... La supercherie est impossible à découvrir, l'effet d'horreur est assuré. Mais encore une fois dans quel but ? Pourquoi provoquer volontairement ce climat de tragédie qui, loin de décourager les curieux, aurait plutôt tendance à les attirer ?

S'il s'agit d'une affaire sérieuse, elle soulève donc d'autres questions. Les trois hommes se sont-ils suicidés, ou ont-ils été victimes d'un meurtre ? Or si la première hypothèse semble peu probable, la seconde ne l'est pas beaucoup plus. On peut comprendre en effet que trois personnes soient supprimées parce qu'elles risquent de divulguer une information considérable ; mais l'information, dans ce cas précis, a déjà été divulguée, et même déposée à la Bibliothèque nationale. S'agit-il alors d'une forme de représailles ? Ou bien d'un procédé radical destiné à interdire de futures indiscrétions ? Explications toutes peu satisfaisantes, à moins bien sûr que le coupable n'ait été au préalable certain qu'aucune suite ne serait donnée à l'affaire...

Dieu merci, toutes les voies que nous sommes appelés à suivre ne vont pas nous mener à d'aussi dramatiques conclusions. Elles n'en seront pas moins très souvent tout aussi troublantes, telle l'anecdote de l'ouvrage, signé Antoine l'Ermite et intitulé *Un trésor mérovingien à Rennes-le-Château*, que nous allions rencontrer plusieurs fois au cours de nos recherches et tenter de nous procurer dans les circonstances suivantes :

Chaque jour, pendant une semaine entière, nous rendant donc à la Bibliothèque nationale où nous savons pouvoir le trouver, nous remplissons la fiche d'emprunt correspondante ; mais chaque jour celle-ci nous est retournée avec la mention « communiqué » indiquant que l'ouvrage est déjà entre les mains d'un lecteur. Après quinze jours, ne pouvant rester plus longtemps à Paris, nous nous adressons à l'un des bibliothécaires ; le livre manque depuis trois mois, nous apprend-il, c'est là un fait exceptionnel mais il est impossible d'en faire une nouvelle demande avant son renvoi.

De retour en Angleterre, nous confions alors à l'une de nos amies qui doit se rendre à Paris le soin d'emprunter l'ouvrage à la Bibliothèque nationale et d'en résumer le contenu à notre intention. Mais lorsqu'elle revient, c'est pour nous apprendre que, malgré deux essais, elle n'a rien pu obtenir : sa fiche ne lui a même pas été retournée...

Quatre mois passent puis nous faisons nous-mêmes une nouvelle tentative, qui s'avère une fois de plus infructueuse. Excédés, nous forçons alors la porte d'une salle proche des « Réserves » interdites au public, et jouons les touristes anglais débordés par les procédures de la Bibliothèque nationale. Un charmant vieil assistant accepte de nous aider et part à la recherche de l'ouvrage dont nous lui avons prudemment donné le seul numéro de cote, sans aucun titre. Il revient effondré : le volume a disparu, il a été volé ! Qui pis est, ce forfait est probablement l'œuvre d'une de nos compatriotes, dont il accepte après quelques réticences de nous donner le nom : il s'agit de notre propre amie !...

Dès notre retour en Angleterre nous demandons aussitôt à la National Central Library de se mettre en rapport avec celle de Paris et d'obtenir l'explication de ce qui semble être un cas d'obstacle délibéré à la légitime recherche. Aucune réponse ne nous parvient, mais peu de temps après nous recevons une photocopie de l'ouvrage d'Antoine l'Ermite accompagnée de la demande expresse de le renvoyer immédiatement. Consigne singulière, tout exemplaire photocopié étant généralement considéré comme simple copie et ne devant, en conséquence, faire l'objet d'aucun retour...

L'ouvrage s'annonce d'ailleurs décevant, et à peine digne du mal que nous nous sommes donné pour l'obtenir. À l'image de celui de Madeleine Blancassal, il porte la marque de la Grande Loge Alpina, mais ne relate rien de nouveau. Il récapitule brièvement l'histoire du comté de Razès, de Rennes-le-Château et de Bérenger Saunière, et revient sur des détails avec lesquels nous sommes depuis longtemps familiarisés. Rien de tout cela n'explique donc qu'on l'ait détenu si longtemps, ni qu'on nous l'ait ensuite refusé. Cet ouvrage en outre n'a rien d'original, puisque hormis quelques modifications sans importance, c'est la reproduction intégrale de l'un des chapitres d'une édition de poche des plus courantes, consacrée aux trésors perdus à travers le monde. Qui donc de ce dernier ou de celui d'Antoine l'Ermite a plagié l'autre ?

Ces anecdotes illustrent bien l'atmosphère de mystification perpétuelle dans laquelle baigne l'ensemble des informations relatives à notre sujet, et dont nous ne sommes pas les seuls à ressentir les effets : noms réduits à de simples pseudonymes, adresses d'éditeurs ou d'organisations inexistantes, références à des ouvrages fantômes, documents disparus, introuvables, altérés ou inexplicablement mal catalogués à la Bibliothèque nationale, à telle enseigne qu'on a parfois l'impression de se trouver confronté à une farce monumentale, mais prise très au sérieux, admirablement montée, admirablement financée et admirablement conduite.

Ainsi, parmi les lambeaux d'information qui ne cessent de voir le jour à intervalles réguliers, reviennent toujours les mêmes leitmotive bien connus de Saunière, Rennes-le-Château, Poussin, *Les bergers d'Arcadie*, les Chevaliers du Temple, Dagobert II et la dynastie mérovingienne, entremêlés pourtant d'allusions nouvelles, par exemple à la viticulture, particulièrement la greffe de la vigne, prise probablement dans un sens allégorique. Mais d'autres informations sont d'un style différent, comme par exemple l'identification de Henri Lobineau avec le comte de Lénoncourt, ou bien encore la véritable personnalité de la Magdaléenne qui, elle, revient très souvent. Deux nouveaux noms de lieux enfin y font leur apparition, étroitement liés semble-t-il avec Rennes-le-Château. L'un est Gisors, en Normandie, qui à l'époque des Croisades présentait une importance politique et stratégique vitale ; l'autre est Stenay, parfois appelé Satanicum, à la limite des Ardennes, ancienne capitale de la dynastie mérovingienne, qui vit l'assassinat de Dagobert II en 679.

Il n'est pas possible d'énumérer ici en détail l'ensemble du matériel connu relatif à l'énigme de Rennes-le-Château. Trop de choses ont paru depuis 1956, matière trop dense, trop disparate, parfois trop confuse. Mais il est important d'en résumer maintenant certains points essentiels, incontestables faits historiques, qui constitueront la base de nos recherches ultérieures.

1) Il existe, derrière celui des Templiers, un ordre secret qui les a créés dans le dessein de se faire assister dans ses attributions militaires et administratives.

Cet ordre a fonctionné sous différentes appellations dont la plus courante est celle du « Prieuré de Sion ».

2) Ce Prieuré de Sion a été dirigé par une succession de grands maîtres, dont les noms figurent parmi les plus illustres de l'histoire et de la civilisation occidentales.

3) Les Chevaliers du Temple disparaissent entre 1307 et 1314, mais le Prieuré de Sion reste intact. Périodiquement menacé par les conflits et les cabales, il subsiste pourtant d'un siècle à l'autre, œuvrant dans l'ombre et orchestrant certains grands événements de l'histoire d'Occident.

4) Le Prieuré de Sion existe aujourd'hui encore et demeure actif ; il joue un rôle certain sur le plan international et dans les affaires intérieures de certains pays européens.

5) Le but avoué et déclaré du Prieuré de Sion est de restaurer la dynastie et la race mérovingiennes, non seulement sur le trône de France mais sur ceux des autres nations d'Europe.

6) Cette restauration se justifie parfaitement tant sur le plan moral que sur le plan légal. En effet, la race mérovingienne, déposée au VIIIe siècle, n'a pas disparu pour autant ; après Dagobert II et son fils Sigisbert IV, elle s'est perpétuée en ligne directe et, par le jeu des alliances dynastiques et des mariages, elle inclut aussi bien Godefroi de Bouillon, qui prit Jérusalem en 1099, que divers membres de familles nobles ou royales anciennes et modernes – Blanchefort, Gisors, Saint-Clair (Sinclair en Angleterre), Montesquiou, Montpezat, Poher, Lusignan, Plantard et Habsbourg-Lorraine. La race mérovingienne peut en conséquence se prévaloir à l'heure actuelle en toute légitimité de ce brillant héritage.

L'existence de ce Prieuré de Sion pourrait alors expliquer la référence à « Sion » figurant dans les parchemins trouvés par Bérenger Saunière, comme elle expliquerait la curieuse signature, « P.S. », qui paraît sur l'un des parchemins et sur la pierre tombale de Marie de Blanchefort.

Or si cette démonstration, dans son ensemble, se tient, et si tout y est possible... nous restons, comme beaucoup, extrêmement sceptiques quant aux prétendues théories des conspirations de l'Histoire, et un grand nombre des assertions que nous venons d'énumérer, quelle que soit d'ailleurs leur logique apparente, nous semblent soit hors de propos, soit improbables voire absurdes, ou bien les deux à la fois. Certains pourtant persistent à y croire avec beaucoup de sérieux, du haut de positions souvent considérables, tout le monde s'accordant à reconnaître il est vrai que, authentiques ou non, elles sont toutes plus ou moins liées au mystère entourant Saunière et Rennes-le-Château.

C'est pour ces différentes raisons que nous nous sommes finalement décidés en faveur d'un examen systématique de ce que nous appellerons désormais les « documents du Prieuré ». Oui, il fallait soumettre leur contenu à une critique minutieuse, systématique, nous permettant de déterminer leur valeur exacte. Il était alors fort probable qu'à l'épreuve de la rigueur la plupart des conclusions auxquelles nous étions parvenus tomberaient d'elles-mêmes.

Mais nous commettions là une grave erreur de jugement...

II

La Société secrète

5

Ceux qui agissent dans l'ombre

Étant depuis longtemps convaincus d'une présence, sinon de l'existence d'un « ordre » précis, agissant dans l'ombre des Templiers, examinons en premier lieu celle des assertions de nos documents qui nous semble la plus plausible : l'ordre du Temple a été créé par le Prieuré de Sion.

C'est dans une page des *Dossiers secrets* que nous trouvons la première référence quelque peu substantielle à ce Prieuré. En haut de la page figure en effet une citation extraite du monumental ouvrage de René Grousset sur les Croisades, paru en 1930 et considéré aujourd'hui comme une somme indiscutable. Cette citation fait allusion à Baudouin Ier, jeune frère de Godefroi de Bouillon, duc de Lorraine et conquérant des Lieux saints, qui à la mort de son frère accepta la couronne pour devenir le premier roi de Jérusalem. Ainsi, commente René Grousset, se perpétue à travers Baudouin Ier une « tradition royale », cette tradition ayant été « fondée sur le roc de Sion[1] ». Elle est par suite « l'égale » des dynasties régnantes d'Europe – les Capétiens en France, les Plantagenêt anglo-normands d'Angleterre, les Hohenstauffen et Habsbourg qui régnèrent sur l'Allemagne et l'ancien Saint Empire romain.

Or pourquoi Grousset évoque-t-il la notion de « tradition royale » alors que Baudouin et ses descendants ont accédé au trône par élection et non par filiation ?

L'auteur d'ailleurs ne fait aucun commentaire particulier, n'expliquant pas non plus pourquoi cette tradition, « fondée sur le roc de Sion » était « l'égale » des plus vieilles dynasties européennes.

La même page des *Dossiers secrets* fait allusion au mystérieux Prieuré de Sion, ou plus exactement à un ordre de Sion. Le texte précise en effet qu'il fut fondé par Godefroi de Bouillon en 1090, neuf ans avant la conquête de Jérusalem, alors que d'autres « documents du Prieuré » avancent la date de 1099. Toujours d'après ce texte, Baudouin, jeune frère de Godefroi, « devait son trône » à l'ordre ayant son siège officiel dans une abbaye, celle de Notre-Dame du Mont de Sion à Jérusalem, ou, autre éventualité, située à l'extérieur de Jérusalem, sur le mont Sion, la célèbre « colline haute » se trouvant juste au sud de la cité.

Mais, aucun des textes parus au XXe siècle sur les Croisades ne parlant d'un ordre de Sion, nous devons d'abord déterminer si oui ou non un tel ordre a jamais existé et, dans l'affirmative, s'il était habilité à conférer des trônes. Force nous est donc, dans ce but, de remuer des monceaux d'archives, de chartes et de documents anciens car, outre des références explicites à l'ordre, il nous faut rechercher aussi les traces de ses activités et de son éventuelle influence, et découvrir avant tout la trace d'une abbaye ayant eu pour nom Notre-Dame du Mont de Sion.

Au sud de Jérusalem se dresse bien la « colline haute » du mont Sion et lorsque, en 1099, la ville tomba aux mains des croisés de Godefroi de Bouillon, les ruines d'une vieille basilique byzantine s'y trouvaient encore datant vraisemblablement du IVe siècle et appelée « mère de toutes les églises ». Aussitôt, comme l'indiquent un grand nombre de chroniques et de récits contemporains, le vainqueur s'empressa de faire élever une abbaye sur l'emplacement de ces ruines, édifice imposant, aux dires d'un chroniqueur écrivant en 1172, extrêmement bien fortifié, avec tours, murailles et créneaux, baptisée « Abbaye de Notre-Dame du Mont de Sion ».

Manifestement, les lieux étaient occupés. S'agissait-il d'une communauté autonome ayant emprunté son nom à la montagne sur laquelle elle avait été érigée ? et les membres en appartenaient-ils à l'ordre de Sion ? Il n'est pas déraisonnable de le penser. En effet si les moines et les chevaliers auxquels Godefroi de Bouillon avait attribué l'église du Saint-Sépulcre s'étaient constitués en un ordre officiel portant le même nom, on ne voit pas pourquoi les occupants de l'abbaye située sur le mont Sion n'en auraient pas fait autant. L'abbaye, note un historien du XIXe siècle, « était habitée par un chapitre de chanoines augustiniens chargés du service des sanctuaires sous la direction d'un abbé. Cette communauté répondait au double nom de "Sainte-Marie du Mont Syon et du Saint-Esprit" [2] ». Un second historien se montre en 1698 encore plus explicite, en dépit d'un style manquant quelque peu d'élégance : « ... et comme on luy donna pour principal lieu l'hospice établi à Jérusalem sur le mont Sion dédié à Notre Dame, cela donna lieu à faire appeler ces chevaliers : de l'ordre de Notre-Dame de Sion[3]. »

Outre ces témoignages en faveur de l'existence d'un ancien ordre de Sion, nous découvrons également certains documents portant le sceau et la signature de l'un ou l'autre de ses prieurs, telles cette charte, signée du prieur Arnaldus et datée du 19 juillet 1116[4], ou cette autre du 2 mai 1125, où le nom du même prieur figure aux côtés de celui de Hugues de Payns, premier grand maître de l'ordre du Temple[5].

Tout porte donc à croire qu'un ordre de Sion existait bien au tournant du XIIe siècle, sans que l'on puisse savoir s'il avait été fondé antérieurement ni qui, de lui ou du lieu qu'il occupait, avait précédé l'autre. Pensons par exemple aux cisterciens, empruntant leur nom au lieu-dit Cîteaux, tandis que d'autres, comme les franciscains et les bénédictins, tenaient le leur d'un fondateur bien avant de se fixer sur une terre. Dans le cas de Sion la question n'est pas résolue, et nous devons par conséquent nous contenter d'admettre qu'une abbaye Notre-Dame de Sion existait en 1100, abritant un ordre du même nom qui lui était peut-être antérieur.

Tel fut à notre avis probablement le cas. Mais poursuivons notre enquête.

En 1070, vingt-neuf ans après la Ire croisade, des moines venus de Calabre, dans le sud de l'Italie, arrivent dans le voisinage de la forêt des Ardennes qui fait partie des domaines de Godefroi de Bouillon[6]. Ces moines, au dire de certains historiens, sont conduits par un certain « Ursus » – nom étroitement associé dans les « documents du Prieuré » à la lignée mérovingienne. Dès leur arrivée dans les Ardennes, les religieux calabrais obtiennent la protection de Mathilde de Toscane, duchesse de Lorraine, propre tante et mère adoptive de Godefroi de Bouillon. C'est elle qui donne à ses protégés une terre à Orval, proche de Stenay, où Dagobert II a été assassiné quelque cinq cents ans auparavant. Ils y élèvent aussitôt une abbaye mais n'y restent pas, s'évanouissant littéralement en 1108, sans laisser la moindre trace, certains prétendant qu'ils sont tout simplement rentrés chez eux en Calabre. Orval devient alors en 1131 l'un des fiefs de saint Bernard.

Mais avant leur départ d'Orval les moines calabrais ont laissé sur l'histoire d'Occident une marque indélébile. Parmi eux, d'après les mêmes historiens, figure en effet celui qui sera le célèbre Pierre l'Ermite ; Pierre l'Ermite qui aurait été le précepteur de Godefroi de Bouillon[7] et qui, dès 1095, en compagnie du pape Urbain II, prêche à travers la France et jusqu'en Allemagne l'obligation de la croisade. Il faut, proclame-t-il avec éloquence, engager cette guerre sacrée qui rendra aux chrétiens le tombeau du Christ et arrachera la Terre sainte aux mains des musulmans.

Compte tenu des insinuations décelables entre les lignes des « documents du Prieuré », nous commençons par conséquent à nous demander s'il ne pourrait exister une sorte d'obscure continuité entre les moines d'Orval, Pierre l'Ermite et l'ordre de Sion. Il est presque certain en effet que, si ces derniers semblaient plus une communauté itinérante de religieux inconnus à leur arrivée dans les Ardennes, leur brusque et mystérieuse disparition quelque quarante années plus tard apporte la preuve de leur cohésion et de leur organisation qui s'appuyaient sans doute quelque part sur une base permanente. Si Pierre l'Ermite appartenait vraiment à cette communauté, ses exhortations en faveur de la croisade, loin d'être une manifestation de fanatisme, relevaient au contraire d'une politique bien arrêtée. Si en outre il était le précepteur de Godefroi de Bouillon, il est plus que probable qu'il joua un rôle déterminant dans la décision que prit son élève de partir en Terre sainte. Quant aux moines d'Orval, regagnèrent-ils vraiment la Calabre, et n'allèrent-ils pas plutôt s'établir à Jérusalem, dans l'abbaye Notre-Dame de Sion ?...

Ce n'est là bien sûr qu'une hypothèse, que l'on ne peut cependant ni écarter ni confirmer et sur laquelle il était bon de s'arrêter quelques instants.

Lorsque Godefroi de Bouillon s'embarqua pour la Terre sainte, il se fit accompagner, dit-on, de quelques inconnus qui étaient vraisemblablement ses conseillers. Mais l'armée de Godefroi de Bouillon n'était pas la seule à partir alors pour la Palestine ; il y en avait trois autres, chacune sous les ordres d'une haute personnalité du monde occidental. Quatre souverains en puissance quittaient donc l'Europe, chacun d'eux éligible au trône qui serait établi si Jérusalem tombait et qu'un royaume franc y était fondé. Or Godefroi de Bouillon semble par avance avoir eu la conviction qu'il serait ce souverain. Car, seul parmi les seigneurs abandonnant leurs terres pour rejoindre le Proche-Orient, il renonça à l'ensemble de ses domaines et vendit la totalité de ses biens comme si la Terre sainte allait bien lui revenir en propre pour toute la durée de sa vie.

En 1099 donc, immédiatement après la prise de Jérusalem, un conclave secret se réunit, et si l'Histoire n'a jamais pu clairement identifier ses participants, Guillaume de Tyr, trois quarts de siècle plus tard, affirme que le plus célèbre d'entre eux n'était autre qu'« un certain évêque de Calabre[8] ». Le but de cette réunion était, lui, parfaitement clair : l'élection d'un roi de Jérusalem. Or en dépit des revendications de Raymond, comte de Toulouse, ces mystérieux et influents électeurs offrirent très rapidement le trône à Godefroi de Bouillon qui, modestement, n'accepta que le titre de « défenseur du Saint-Sépulcre », le titre de roi ne devant finalement être endossé qu'après sa mort en 1100 par son frère Baudouin.

L'étrange conclave qui remit le nouveau royaume aux mains de Godefroi était-il composé de nos moines d'Orval ? Pierre l'Ermite, alors en Terre sainte où il jouissait d'une autorité considérable, figurait-il parmi eux ?

La mystérieuse assemblée siégeait-elle à l'abbaye du mont Sion ? Autant de questions et d'individus apparemment distincts mais ne formant peut-être qu'un tout et n'apportant qu'une seule réponse ? Cette hypothèse est certes difficile à établir. Elle ne peut cependant être systématiquement rejetée. Vérifiée, les pouvoirs de l'ordre de Sion s'en trouveraient confirmés, et par là même son autorité à octroyer les trônes parfaitement envisageable.

La mystérieuse fondation de l'ordre des Chevaliers du Temple

Les fondateurs de l'ordre du Temple sont cités dans les *Dossiers secrets* comme étant « Hugues de Payns, Bisol de Saint-Omer et Hugues, comte de Champagne, en même temps que certains membres de l'ordre de Sion, André de Montbard, Archambaud de Saint-Aignan, Nivard de Montdidier, Gondemar et Rossal[9] ».

Nous connaissons déjà Hugues de Payns et André de Montbard, oncle de saint Bernard; nous connaissons aussi Hugues, comte de Champagne, qui donna la terre où saint Bernard éleva l'abbaye de Clairvaux. Devenu lui-même Templier en 1124, il fit serment d'allégeance à son propre vassal et reçut de l'évêque de Chartres la lettre que l'on sait. Mais, malgré les rapports certains existant entre le comte de Champagne et les Templiers, nous ne l'avons jamais, ailleurs que dans les *Dossiers secrets*, vu figurer parmi les fondateurs de l'ordre. Quant à André de Montbard, oncle très discret de saint Bernard, il est simplement fait état de son appartenance à l'ordre de Sion, c'est-à-dire à un autre ordre, différent de celui du Temple, antérieur à lui, et ayant joué lors de sa création un rôle capital.

Mais ce n'est pas tout. L'un des textes des *Dossiers secrets* mentionne en effet qu'en mars 1117 Baudouin Ier, « qui devait son trône à Sion », fut « obligé » de négocier la constitution de l'ordre du Temple à Saint-Léonard d'Acre; or nos recherches nous révèlent que ce lieu était justement l'un des fiefs de l'ordre de Sion. Ce que nous ignorons par contre, c'est pourquoi Baudouin fut « obligé » de se livrer à ces négociations. Ce verbe implique une certaine idée de contrainte, ou de pression, et celle-ci, d'après quelques allusions des *Dossiers secrets*, aurait été exercée par ce même ordre de Sion – auquel Baudouin Ier « devait son trône ». Si telle est la vérité, se verrait confirmée la thèse selon laquelle l'ordre de Sion était bien une organisation toute-puissante et influente, qui non seulement avait pouvoir de conférer les trônes mais aussi, apparemment, celui d'obliger un roi à se plier à ses désirs.

Si par conséquent l'ordre de Sion était vraiment responsable de l'élection de Godefroi de Bouillon, c'est bien à lui aussi que Baudouin, son jeune frère, « devait son trône ». En outre nous savons maintenant que, selon toute évidence, l'ordre du Temple existait, au moins sous une forme embryonnaire, quatre grandes [illegible] ant la date généralement admise de 1118. Or [illegible] Baudouin était un homme malade, très près [illegible] urir ; peut-être, alors, les Chevaliers du Temple [illegible] aient-ils déjà une activité, même officieuse, d'auxiliaires militaires et administratifs de l'ordre de Sion qui les abritait dans son abbaye fortifiée ? Peut-être aussi le roi Baudouin, sur son lit de mort, fut-il contraint, soit en raison de son état de santé, soit poussé par l'ordre de Sion, d'accorder aux Templiers un statut officiel destiné à leur garantir une existence légale ?

Lors de nos recherches sur les Templiers, nous avions déjà discerné un réseau de corrélations subtiles, étroitement enchevêtrées, semblant révéler l'existence d'un vaste dessein, et sur la base desquelles nous avons élaboré une hypothèse, sans vouloir en tirer de conclusions définitives.

Or il nous semble maintenant que, à la faveur de ces nouvelles données sur le Prieuré de Sion, la trame entrevue prenne quelque consistance nous permettant d'énumérer plusieurs points importants :

1) À la fin du XIe siècle, une mystérieuse communauté de moines arrive, de Calabre, dans les Ardennes où ils sont accueillis et protégés par la tante et mère adoptive de Godefroi de Bouillon qui leur donne la terre d'Orval.

2) Parmi eux figure probablement le précepteur de Godefroi, l'un des instigateurs de la Ire croisade.

3) Peu après 1108, les moines quittent Orval et disparaissent ; on ignore leur destination et peut-être se rendent-ils à Jérusalem. Pierre l'Ermite, en tout cas, lui, gagne la Terre sainte et, dans la mesure où il est l'un de ces moines d'Orval, on peut raisonnablement avancer que ceux-ci l'y rejoignent.

4) En 1099, Jérusalem est aux mains des croisés et Godefroi se voit offrir le trône du nouveau royaume franc par un conclave rassemblant des inconnus, mais

dont le chef – comme les moines d'Orval – est d'origine calabraise.

5) À la demande de Godefroi de Bouillon, une abbaye est construite sur le mont Sion ; elle abrite un ordre du même nom, composé peut-être des individus qui lui ont offert le trône.

6) En 1114, les Chevaliers du Temple existent déjà et leur activité, probablement militaire, relève de l'ordre de Sion. Mais leur constitution n'est négociée qu'en 1117, et leur existence officialisée l'année suivante seulement.

7) En 1115, saint Bernard, membre de l'ordre des cisterciens alors au bord de la faillite, devient l'une des plus brillantes personnalités de la Chrétienté. Dans le même temps son ordre se place en tête des plus riches et des plus prestigieuses institutions religieuses d'Europe.

8) En 1131, saint Bernard reçoit l'abbaye d'Orval occupée quelques années auparavant par les moines de Calabre. Orval devient une maison cistercienne.

9) Au cours de ces mêmes années, certains visages s'entrecroisent à travers les événements, d'une façon parfois énigmatique, mais telle cependant qu'on puisse relier entre elles les différentes pièces du puzzle. Ainsi en est-il du comte de Champagne, qui donne une terre à saint Bernard pour y construire l'abbaye de Clairvaux, tient à Troyes une cour brillante à l'origine des romans du Graal et, en 1114, rejoint les Chevaliers du Temple dont le premier grand maître connu, Hugues de Payns, se trouve être son vassal.

10) André de Montbard, oncle de saint Bernard et membre présumé de l'ordre de Sion, rallie Hugues de Payns pour fonder l'ordre du Temple. Peu après les deux frères d'André retrouvent saint Bernard à Clairvaux.

11) Saint Bernard devient un partisan enthousiaste des Chevaliers du Temple ; il les accueille en France et participe à l'élaboration de leur règlement qui sera, en conséquence, très proche de celui des cisterciens.

12) Entre 1115 et 1140 approximativement, les cisterciens et les Templiers connaissent une même prospérité matérielle ; terres et richesses s'accroissent, pour les uns et les autres, dans des proportions considérables.

De nouveau nous sommes donc obligés de nous demander si cette multitude de relations relève d'une simple accumulation de coïncidences. Ne s'agirait-il que de personnes, d'événements et de phénomènes tout à fait indépendants les uns des autres, se chevauchant parfois par le plus grand des hasards à intervalles plus ou moins réguliers ? Ou bien avons-nous décelé les grandes lignes d'un plan, conçu et ordonnancé par un cerveau humain, dont aucune manifestation ne serait fortuite, aucun élément accidentel ? Et se pourrait-il dans ces conditions que ce cerveau ait été l'ordre de Sion ?

Par conséquent, la question qui se pose est désormais la suivante : l'ordre de Sion a-t-il pu, se tenant dans l'ombre, opérer derrière saint Bernard et les Chevaliers du Temple ? L'illustre moine cistercien et les soldats du Christ agissaient-ils alors conformément à une politique supérieure ?

Louis VII et le Prieuré de Sion

Les « documents du Prieuré » ne donnent aucune indication sur les activités de l'ordre de Sion entre 1118, date officielle de la fondation des Templiers, et 1152, et il semble bien que pendant ce laps de temps l'ordre soit resté en Terre sainte dans l'abbaye proche de Jérusalem. Or, à son retour de la IIe croisade, le roi de France Louis VII, dit-on, ramena avec lui quatre-vingt-quinze de ses membres. En quoi étaient-ils habilités à assister le roi, et pourquoi celui-ci désirait-il les protéger, on l'ignore ; mais si l'on considère que Sion manœuvrait dans l'ombre derrière les Templiers, les lourdes dettes qu'avait contractées Louis VII envers les riches chevaliers, tant sur le plan militaire que financier, peuvent apporter une explication.

Toujours est-il que Sion, créé un demi-siècle auparavant par Godefroi de Bouillon, mit, ou remit, le pied en France en 1152. En effet, précise le texte des « documents », soixante-deux membres de l'ordre s'installèrent dans le « grand prieuré » de Saint-Samson à Orléans que le roi leur avait offert, sept autres furent incorporés dans les rangs des Chevaliers du Temple et vingt-six, soit deux groupes de treize, gagnèrent le « petit prieuré du mont de Sion » situé à Saint-Jean-le-Blanc dans les faubourgs d'Orléans[10].

Avec ces détails, nous quittons les frontières de l'incertitude pour nous retrouver en terrain solide, les chartes par lesquelles Louis VII a installé l'ordre de Sion à Orléans existant encore; elles ont d'ailleurs été reproduites à de nombreuses reprises et les originaux peuvent en être consultés dans les archives municipales de la ville. Dans ces mêmes archives se trouve aussi une bulle du pape Alexandre III, datant de 1178, qui confirme officiellement les possessions de l'ordre, et témoigne de sa richesse et de sa puissance : maisons et vastes domaines en Picardie et en France (incluant Saint-Samson à Orléans), en Lombardie, Sicile, Espagne et Calabre, sites nombreux en Terre sainte parmi lesquels Saint-Léonard d'Acre. Ainsi jusqu'à la Seconde Guerre mondiale figuraient dans les archives d'Orléans[11] vingt chartes au moins citant spécifiquement l'ordre de Sion qui furent malheureusement détruites, à l'exception de trois, au cours des bombardements de 1940.

La « coupure » de l'orme de Gisors

Si l'on en croit toujours les « documents du Prieuré », l'année 1188 fut d'une importance cruciale pour Sion et pour les Chevaliers du Temple. Un an auparavant

Jérusalem avait été reprise par les Sarrasins, en grande partie à cause de la violence et de l'incompétence de Gérard de Ridefort, grand maître du Temple. Les *Dossiers secrets* sont, de leur côté, beaucoup plus sévères, ne parlant, eux, ni de la violence ni de l'incompétence de Gérard, mais tout simplement de sa « trahison ». Si l'on ignore en quoi consistait exactement cette trahison, force est de constater qu'elle obligea selon toute vraisemblance les « initiés » de Sion à regagner « en masse » la France, et probablement Orléans. Assertion plausible car, lorsque Jérusalem se retrouva de nouveau aux mains des Infidèles, l'abbaye du mont Sion dut subir le même sort. Rien d'étonnant donc que, dans ces circonstances, ses occupants, privés de leur base en Terre sainte, aient alors cherché refuge en France où ils possédaient déjà des terres.

Les événements de 1187 – la « trahison » de Gérard de Ridefort et la perte de Jérusalem – semblent en tout cas avoir précipité la rupture entre l'ordre de Sion et celui du Temple. On n'en connaît pas les raisons précises, mais selon les *Dossiers secrets* l'année suivante vit un tournant décisif dans l'existence des deux ordres. Et lorsqu'en 1188 une séparation définitive survint entre eux, l'ordre de Sion se désintéressa de ses célèbres protégés, le père rejetant l'enfant... Cette rupture eut lieu au cours d'une cérémonie rituelle à laquelle les *Dossiers secrets* et autres « documents du Prieuré » font allusion en évoquant la « coupure de l'orme », qui se serait déroulée à Gisors.

Si l'ensemble des écrits reste confus sur ce point, l'Histoire et la tradition se rejoignent pour reconnaître qu'un événement extrêmement étrange eut lieu à Gisors en 1188, événement qui provoqua l'abattage d'un orme. Voici les faits : près de la forteresse se trouvait une prairie appelée « le champ sacré » qui, au dire des chroniqueurs médiévaux, jouissait depuis des temps immémoriaux d'une considération particulière et qui avait, notamment au cours du XIIe siècle, souvent servi à des rencontres entre les rois de France et d'Angleterre. En son milieu se trouvait un très vieil orme, qui en 1188, au cours d'un entretien entre Henri II d'Angleterre et Philippe II de France, devint, pour une raison mal définie, l'objet d'une grave, pour ne pas dire sanglante querelle.

Selon l'un des récits, l'orme qui offrait la seule ombre existant sur le champ sacré avait plus de huit cents ans et était si large que neuf hommes, bras étendus, pouvaient à peine en faire le tour. Sous cette ombre accueillante Henri II et ses compagnons s'étaient donc installés, abandonnant le monarque français, arrivé en retard, aux feux d'un impitoyable soleil. Au troisième jour des négociations les tempéraments s'échauffèrent quelque peu sous l'effet de la canicule, les hommes d'armes échangèrent des propos insultants et, des rangs des mercenaires gallois de Henri II, une flèche malencontreuse s'envola. Les Français s'élancèrent aussitôt et comme ils étaient beaucoup plus nombreux que les Anglais ces derniers durent trouver refuge à l'intérieur des murs de la citadelle. Dans sa fureur, dit-on, Philippe II coupa alors l'arbre et rentra en hâte à Paris, de fort méchante humeur, déclarant qu'il n'était pourtant pas venu à Gisors pour jouer les bûcherons.

Bien entendu, ne manquons pas d'essayer de lire entre les lignes, d'une simplicité presque naïve, de cette anecdote médiévale. Derrière son charme apparent une vérité assez évidente se dissimule, qu'un regard superficiel risquerait d'ignorer. De là toutefois à tenter d'y voir un lien avec notre sujet ! Et pourtant...

Dans un autre récit, en effet, Philippe semble avoir exprimé à Henri son intention d'abattre l'arbre, lequel aurait alors fait renforcer le tronc de l'orme à l'aide de lames de fer. Le jour suivant se présenta une phalange de cinq escadrons de Français en armes, chacun sous le commandement d'un grand seigneur du royaume, armés de frondes, de haches et de massues. Un combat s'ensuivit où Richard Cœur de Lion, fils aîné et héritier du roi d'Angleterre, tenta, à grande effusion de sang, de protéger l'orme. Le soir, les Français étaient maîtres du champ de bataille et l'arbre était abattu.

Ce second récit, plus qu'une simple querelle de rois, implique, on le voit, un engagement très net de part et d'autre, avec un nombre important de participants et probablement de victimes. Malheureusement aucune biographie de Richard Cœur de Lion n'y fait allusion.

L'Histoire et la tradition confirment par contre l'une et l'autre les « documents du Prieuré » ; une dispute curieuse survint bien à Gisors en 1188, qui se termina par l'abattage d'un orme. Si rien, par conséquent, ne vient confirmer une relation possible entre cet événement et les ordres de Sion ou du Temple, les récits existants étant à la fois trop vagues et trop contradictoires pour être considérés comme irréfutables, il n'en est pas moins probable que des Templiers assistaient à l'incident, leur présence ayant été maintes fois relevée aux côtés de Richard Cœur de Lion, d'autant plus qu'en l'occurrence Gisors était depuis trente ans en leur possession.

Bref, cette aventure de l'orme recouvre pour nous une réalité tout autre que celle transmise à la postérité par les récits officiels. Dans leur ambiguïté même, ne semblent-ils pas en effet omettre un élément majeur et ne livrer au public qu'une simple allégorie dissimulant derrière elle une vérité essentielle ?

Ormus

À partir de 1188, mentionnent les « documents du Prieuré », les Chevaliers du Temple sont autonomes, indépendants de l'ordre de Sion et de toute contribution militaire ou autre à son égard. Ils sont donc libres désormais de poursuivre leurs objectifs et d'assumer seuls le cours de leur destin jusqu'à la date fatidique du 13 octobre 1307.

Cette même année 1188, l'ordre de Sion connaît de son côté une restructuration complète. Jusque-là, les mêmes grands maîtres, Hugues de Payns ou Bertrand de Blanchefort par exemple, dirigeaient simultanément les deux institutions. À partir de 1188 l'ordre de Sion va choisir son propre guide indépendamment du Temple. Le premier d'entre eux sera Jean de Gisors.

Sion modifie alors également son nom et adopte celui que nous connaissons aujourd'hui encore, le Prieuré de Sion. Il y ajoute d'ailleurs un deuxième mot, *a priori* surprenant, « Ormus », qui sera utilisé jusqu'en 1306, un an avant l'arrestation des Templiers français. Ce mot est représenté par le signe , sorte d'anagramme combinant un certain nombre de mots clés et de symboles, comme ceux de « ours » – « ursus » latin, allusion à Dagobert II et à la dynastie mérovingienne, nous le verrons plus tard –, « orme », « or » et le grand « M » déjà rencontré, entourant les autres lettres, signe astrologique de la Vierge et signifiant « Notre-Dame » dans le langage de l'iconographie médiévale.

Comme il n'existe à notre connaissance aucune référence à une institution médiévale répondant au nom d'« Ormus », il nous est impossible de vérifier ces affirmations. Mais le terme « Ormus » revient dans deux autres contextes radicalement différents. Dans la pensée de Zoroastre et les textes gnostiques d'une part, où il est synonyme du principe de la lumière ; dans l'ascendance, d'autre part, dont se réclamait la franc-maçonnerie à la fin du XVIIIe siècle. Ormus, dans la tradition maçonnique, était en effet un mystique égyptien, « adepte » gnostique d'Alexandrie où il vivait, croit-on, les premières années de l'ère chrétienne. Converti en 46 avec six de ses compagnons par saint Marc, le disciple de Jésus, il donna naissance à une nouvelle secte où se mêlaient les principes du christianisme naissant et de plus anciennes croyances.

On ne sait si cet Ormus égyptien a réellement existé ; mais si l'on imagine ce véritable creuset de l'activité mystique qu'était Alexandrie au Ier siècle de notre ère, un tel personnage y avait parfaitement sa place. Doctrines judaïque et hermétiques de toutes sortes, adeptes de Mithra et de Zoroastre, pythagoriciens et néo-platoniciens s'y côtoyaient en un remue-ménage incessant d'échanges et d'idées d'où naissaient et renaissaient continuellement des doctrines et des écoles nouvelles. Les maîtres y abondaient, tous différents dans leurs croyances et leur enseignement dont l'un, pourquoi pas, aurait pu adopter le nom d'« Ormus » exprimant le principe de la lumière.

D'après la même tradition maçonnique, Ormus, en 46 après J.-C., conféra à son tout « nouvel ordre d'initiés », pour symbole spécifique, une croix rouge ou rose. La croix rouge allait se retrouver sur le blason des Chevaliers du Temple, nous le savons, mais les *Dossiers secrets* et d'autres « documents du Prieuré » sont explicites à son sujet. Il faut, suggèrent-ils, voir dans cet Ormus l'origine des Rose-Croix, ou Rosicruciens, le Prieuré de Sion ayant d'ailleurs, en 1188, ajouté à celui d'Ormus un autre nom encore pour s'intituler « l'ordre de la Rose-Croix Veritas ».

Cette nouvelle hypothèse, bien proche d'une affirmation, nous semble dangereusement suspecte. Bien sûr nous connaissons les « Rosicruciens » de Californie et autres organisations contemporaines qui font remonter leurs origines jusqu'à la haute antiquité et comptent parmi leurs membres les plus grands noms de la planète. Mais un « ordre de la Rose-Croix » datant de 1188 nous laisse grandement sceptiques !

Aucune trace des Rosicruciens, du moins sous ce nom, n'existe en effet avant le début du XVIIe siècle, ou à la grande rigueur les toutes dernières années du XVIe, comme l'a démontré de façon convaincante l'historienne anglaise Frances Yates[12]. Les premières manifestations du mythe attaché à cet ordre légendaire apparaissent aux alentours de 1605, puis on le retrouve dix ans plus tard, lors de la publication de trois brochures incendiaires, parues en 1614, 1615 et 1616. Celles-ci proclament l'existence d'une confrérie secrète, association d'initiés mystiques, fondée par un certain Christian Rosenkreuz né en 1378 et mort en 1484 à l'âge avancé de cent six ans.

Mais d'aucuns pensent aujourd'hui que Christian Rosenkreuz et sa confrérie secrète n'étaient en réalité qu'une mystification dont on n'a pas encore trouvé les motifs, et qui eurent sans doute à leur époque de grandes incidences politiques. On connaît d'ailleurs maintenant l'auteur de la brochure de 1616, le célèbre *Mariage chimique de Christian Rosenkreuz*. Il s'agit de Johann Valentin Andreä, écrivain et théologien allemand du Wurtemberg, qui avoua avoir composé son texte telle une gageure ou une « comédie » – au sens où un Dante et un Balzac l'auraient probablement entendu. Pourquoi dans ces conditions n'aurait-il pas également composé les autres brochures « rosicruciennes », sources de tout ce que l'on sait aujourd'hui à propos des débuts de cette organisation ?

En revanche, si les « documents du Prieuré » sont dignes de confiance, nous devons reconsidérer le problème des origines de cette Rose-Croix, et y voir autre chose qu'une farce habilement montée au XVIIe siècle. S'agirait-il bien alors d'une société secrète douée d'une existence propre, d'une confrérie clandestine, peut-être pas totalement mystique au départ, mais largement politique ? Aurait-elle existé quatre cent vingt-cinq ans au moins avant d'être connue du public, et deux siècles avant son légendaire fondateur ?

Nous n'avons, encore une fois, aucune preuve formelle... Certes la rose est, depuis des temps immémoriaux, un des grands symboles mystiques de l'humanité qui connut notamment une vogue particulière pendant le Moyen Âge comme le prouvent *Le roman de la Rose* de Guillaume de Lorris et Jean de Meung et *Le paradis* de Dante. La croix rouge est, elle aussi, un motif traditionnel que l'on ne retrouve pas seulement sur le blason des Chevaliers du Temple mais dans la croix de Saint-Georges telle que l'adopta l'ordre de la Jarretière créé quelque trente ans après la chute des Templiers. Mais rouges ou roses, et si nombreuses soient-elles dans l'univers de la symbolique, ces croix ne suffisent pas à elles seules à démontrer l'existence d'une institution de ce nom, encore moins d'une société secrète.

N'oublions pas non plus, comme l'a fait justement remarquer Frances Yates, qu'un grand nombre de sociétés secrètes en activité bien avant le XVIIe siècle étaient rosicruciennes, sinon par leur nom du moins dans leurs orientations politiques et philosophiques[13]. Ainsi, sur un plan plus individuel, en était-il de Léonard de Vinci, qui fut très certainement rosicrucien de tempérament et d'idées.

Rappelons enfin pour terminer qu'en 1629, la confrérie de la Rose-Croix étant alors en France à son apogée, le curé de Gisors, Robert Denyau, composa une histoire de la ville et de sa famille, dans laquelle il déclara explicitement que la Rose-Croix avait été fondée par Jean de Gisors en 1188, confirmant ainsi les dires des « documents du Prieuré ». Postérieur de quatre cent cinquante ans aux événements qu'il relate, le manuscrit constitue à notre avis une preuve d'autant plus convaincante qu'il émane d'un homme ayant vécu sur la terre même de Gisors[14].

Mais, répétons-le une fois encore, ces textes des « documents du Prieuré » ne suggèrent que des hypothèses et ne peuvent fournir aucune certitude absolue. Ne les négligeons pas pour autant et contentons-nous pour l'instant de réserver notre jugement à leur égard.

Le prieuré d'Orléans

Parallèlement à ces informations incontestablement importantes, les « documents du Prieuré » nous en livrent d'autres, d'un genre différent, et apparemment si insignifiantes qu'elles risquent même d'échapper à l'analyse. Or ne faut-il pas justement y voir une garantie de leur exactitude, dans la mesure où il ne nous apparaît pas possible d'avoir inventé des détails aussi infimes, d'autant plus qu'ils sont pour la plupart vérifiables ?

Ainsi Girard, abbé du « petit prieuré » d'Orléans entre 1239 et 1244, aurait cédé aux Chevaliers du Temple un morceau de terre à Acre. Certes on ignore les raisons de cette transaction mais elle est établie en bonne et due forme : la charte existe, elle est datée de 1239 et elle porte la signature de Girard. Ce n'est pas tout. Une autre indication similaire concerne un certain abbé, Adam, qui dirigeait le même « petit prieuré » en 1281 et aurait lui aussi donné une terre près d'Orval aux cisterciens qui occupaient alors l'abbaye comme nous l'avons vu, et avaient été installés là un siècle et demi auparavant par saint Bernard. Aucun document écrit ne vient cette fois authentifier l'acte qui reste néanmoins absolument plausible, d'autres chartes, relatives à de semblables opérations, existant en grand nombre. Celle-ci présente en l'occurrence l'intérêt particulier de mentionner Orval, déjà rencontré au cours de notre enquête. Ajoutons que le territoire en question devait avoir une importance exceptionnelle puisque, précisent également les « documents du Prieuré », Adam pour cette donation allait encourir les foudres de ses frères de Sion, au point de devoir renoncer à ses prérogatives... Témoin de l'acte d'abdication à l'issue duquel l'abbé déchu gagna Acre, Thomas de Sainville, grand maître de l'ordre de Saint-Lazare, authentifie l'événement. Puis, la cité étant tombée aux mains des Sarrasins, le malheureux abbé partit en Sicile où il mourut en 1291.

Là aussi, il faut le dire, la charte d'abdication a disparu. Mais en 1281 Thomas de Sainville était bien grand maître de l'ordre de Saint-Lazare, lui-même établi près d'Orléans où eut lieu l'abdication d'Adam. Or l'on sait par ailleurs, de source sûre, qu'il se rendit effectivement à Acre, comme en témoignent deux proclamations et deux lettres signées de sa main, la première datée d'août 1281[15] et la seconde de mars 1289[16].

La « tête » des Templiers

Il est un point sur lequel les « documents du Prieuré » insistent. C'est celui de la séparation entre les deux ordres, Sion et le Temple, survenue en 1188 lors de l'abattage de l'orme. Apparemment il semble pourtant qu'un lien ait continué d'exister entre eux car « en 1307 Guillaume de Gisors reçut la tête d'or, Caput LVIII ♍ de l'ordre du Temple[17] ».

Fait très intéressant car, si ce n'est pas la première fois que nous rencontrons cette tête mystérieuse, nous n'avions pas encore eu l'occasion d'établir un lien direct entre elle et Sion, ni entre elle et la célèbre famille régnant à Gisors. Les « documents du Prieuré » se donneraient-ils en conséquence beaucoup de mal pour établir des rapports là où il n'en existerait pas ? Nous ne le pensons pas car les comptes rendus de l'Inquisition nous démontrent le contraire : là où nous émettions le plus de réserves, les preuves semblent en effet les plus solides. Voici le texte de l'un de ces comptes rendus :

> « Le 11 mai suivant, la Commission convoqua Guillaume Pidoye, administrateur-gardien des biens du Temple, et à ce titre détenteur des reliques et châsses saisies lors de l'arrestation des Templiers de Paris. On le pria, de concert avec ses collègues Guillaume de Gisors et Raynier Bourdon, de présenter aux Commissaires toutes les figures de métal ou de bois qu'ils auraient pu recueillir lors de la confiscation. Il apporta un grand chef… ayant figure de femme[18]… »

Nous connaissons la suite, puisqu'il s'agit de cette tête « d'argent doré » déjà rencontrée au cours des cérémonies secrètes des Templiers, et portant la mention « Caput LVIIIm ». Mais elle n'est pas seule dans ce passage à poser une énigme ; Guillaume de Gisors, apparemment chargé des mêmes fonctions que Guillaume Pidoye, lui-même homme de Philippe le Bel, est également impliqué. En d'autres termes, tout comme le roi de France, il a été hostile aux Templiers et a participé à leur ruine. Or, selon les « documents du Prieuré », Guillaume de Gisors était au même moment grand maître du Prieuré de Sion. Pouvait-il donc, en tant que tel, approuver l'action répressive de Philippe contre les Templiers et même y participer ?

Certains documents semblent confirmer cette thèse et suggérer même que Sion, dans une certaine mesure, non seulement autorisa la dissolution de ses protégés, mais la favorisa. Il est vrai cependant que ces mêmes écrits sous-entendent par ailleurs qu'il exerça dans le plus grand secret une sorte de protection à l'égard de certains Templiers pendant les derniers jours de l'ordre. Si les faits sont exacts, Guillaume de Gisors aurait en quelque sorte joué un rôle d'« agent double », ayant peut-être pris la responsabilité d'avertir les Templiers de ce qu'il tramait contre eux.

Mais on peut également supposer que, si après la séparation officielle de 1188 Sion continua d'exercer une autorité, officieuse, sur les Templiers, Guillaume de Gisors, du moins partiellement, est peut-être responsable de la destruction des archives de l'ordre et de l'inexplicable disparition de son trésor.

Les grands maîtres du Temple

Trois listes de noms figurent parmi les textes des *Dossiers secrets*. La première, la plus simple et la moins intéressante, cite tous les abbés placés à la tête des domaines de Sion en Palestine entre 1152 et 1281. Au cours de nos recherches, nous allons la retrouver plusieurs fois dans des ouvrages indiscutables qui confirment son exactitude[19]; la liste est identique, à l'exception de deux noms supplémentaires figurant dans les « documents du Prieuré ». Ceux-ci concordent donc avec la vérité historique, et complètent ses lacunes.

La deuxième liste est celle des grands maîtres du Temple de 1118 à 1190, c'est-à-dire de sa fondation officielle jusqu'à sa séparation d'avec Sion et l'abattage de l'orme à Gisors. Rien, *a priori*, ne semble anormal dans cette liste, mais si on la compare avec d'autres certaines divergences apparaissent.

Toutes les listes publiées par les historiens du Temple fixent en effet à dix le nombre des grands maîtres de l'ordre entre 1118 et 1190 ; or, pour les *Dossiers secrets*, il n'y en a que huit. Dans les premières, André de Montbard, oncle de saint Bernard, est non seulement l'un des fondateurs de l'ordre, mais aussi grand maître entre 1153 et 1156 ; pour les seconds André n'a jamais été grand maître et toute sa carrière se passe à agir dans l'ombre, à l'arrière-plan des Templiers. Dans l'ensemble des listes enfin, Bertrand de Blanchefort est le sixième grand maître du Temple, après André de Montbard, en 1156, tandis que dans les *Dossiers secrets* il devient non pas le sixième, mais le quatrième grand maître, en 1153. Ce ne sont pas là d'ailleurs les seules contradictions existant entre les listes connues et celle des *Dossiers secrets*. Sont-elles graves, et suffisent-elles à jeter le discrédit sur ces dossiers ?

Il n'existe en fait aucune liste officielle et définitive des grands maîtres du Temple car, il faut le mentionner ici, aucune n'a jamais été transmise à la postérité. Les archives du Temple ont été détruites comme on le sait, ou bien elles ont disparu, et la première compilation connue de ses grands maîtres date de 1342, trente ans après la suppression de l'ordre et deux cent vingt-cinq après sa fondation. Les historiens ont donc dressé leur liste d'après d'anciens chroniqueurs faisant ici ou là allusion à l'un ou l'autre « maître » ou « grand maître ».

On peut donc, pour plus de certitude, interroger les chartes de l'époque au bas desquelles figure, à côté de sa signature, l'un ou l'autre des titres possédés par le Templier établissant le document. Mais on reste étonné alors de constater à quel point sont finalement incertain l'ordre dans lequel se succèdent les grands maîtres et imprécises les dates correspondantes ; car le premier comme les secondes peuvent varier d'un écrivain à l'autre ou d'un récit à l'autre.

On ne peut cependant ignorer les différences fondamentales existant en la matière entre les « documents du Prieuré » et les autres textes connus. La liste des *Dossiers secrets* pèche-t-elle donc par ignorance ou négligence ? Ou bien est-elle au contraire dans le vrai, et seule à posséder une information refusée à l'ensemble des historiens ? Si Sion en effet a créé les Chevaliers du Temple, et si, tout au moins dans ses archives, il a survécu jusqu'à aujourd'hui, on peut alors raisonnablement penser que c'est bien lui qui est en possession de certains secrets...

Il existe d'ailleurs une explication très simple aux contradictions de la liste des grands maîtres du Temple parue dans les *Dossiers secrets* ; explication imputable à l'ensemble des divergences pouvant exister entre eux et d'autres sources historiques considérées comme irréfutables. Un seul exemple suffira :

Outre un grand maître, l'ordre du Temple comprenait un grand nombre de maîtres locaux – un pour l'Angleterre, un pour la Normandie, l'Aquitaine, et chacun des territoires où se trouvaient ses domaines. Il y en avait aussi un pour l'Europe en général, et un pour les affaires maritimes, etc. Or nous constatons, au bas des documents et des chartes signés par les Templiers, que tous ces maîtres, locaux et régionaux, signaient invariablement du même terme identique de « magister Templi ». Le grand maître lui-même, insouciance ou modestie, n'apposait rien d'autre que ces deux mots. Ainsi un André de Montbard, maître régional de Jérusalem, avait-il, sur les chartes, le même titre qu'un Bertrand de Blanchefort, grand maître de l'ordre.

Rien d'étonnant, donc, à ce qu'un historien fondant sa recherche sur une ou deux chartes, et ne vérifiant pas ses références, puisse mal interpréter le statut exact de certaines personnalités de l'ordre du Temple.

Ce qui est vrai pour André de Montbard l'est également pour un Éverard des Barres figurant sur de nombreuses listes comme l'un des grands maîtres de l'ordre. Or nos propres recherches nous ont confirmé qu'il n'était qu'un maître régional, élu et résidant en France, et qu'il ne se rendit que très tardivement en Terre sainte. Et pourtant chacun sait que, d'après les constitutions mêmes de l'ordre, le grand maître, obligatoirement élu par un chapitre général siégeant à Jérusalem, devait y résider lui-même. Tel ne fut pas le cas d'Éverard des Barres et dans ces conditions on doit le supprimer de la liste des grands maîtres. Tranchant dans ce sens, les *Dossiers secrets* se révèlent sur ce point d'une précision méticuleuse.

Après avoir passé plus d'une année à étudier et à comparer les diverses listes des grands maîtres du Temple, à nous référer à tous les historiens de l'ordre, anglais, français et allemands, ainsi qu'à leurs sources, aux chroniques de l'époque, telle celle de Guillaume de Tyr, et à tous les récits contemporains ; après avoir consulté toutes les chartes accessibles, relevé sur les autres une moisson d'informations, examiné à la loupe titres et signatures figurant sur les proclamations, édits, actes ainsi que sur tous documents relatifs aux Templiers, nous pouvons affirmer, au terme de cette enquête systématique, que la liste parue dans les *Dossiers secrets* est en définitive la plus exacte, non seulement sur le plan de l'identité des grands maîtres, mais aussi sur celui de leurs dates. Si par conséquent une liste des grands maîtres du Temple – une seule – doit être considérée comme juste et définitive, c'est bien celle de ces dossiers[20].

Non que cette liste ait en elle-même une importance capitale ; mais les implications qui en découlent, elles, en ont une. On est en effet en droit de penser qu'elle repose sur une information exclusive et probablement secrète. Quelqu'un a eu accès à cette source, l'a utilisée et, se fiant à elle, a dressé sa propre liste des grands maîtres du Temple. Celle-ci, répétons-le, en dépit de quelques divergences, s'avère le plus souvent exacte, et cette exactitude témoigne incontestablement en faveur de l'ensemble des *Dossiers secrets*.

Cette assurance nous était indispensable ; sans elle nous aurions accordé moins de crédit à l'ensemble de ces dossiers. Nous aurions surtout refusé d'emblée la troisième et dernière de leurs listes, celles des grands maîtres du Prieuré de Sion, qui, à première vue, pouvait sembler très déroutante.

6

Les grands maîtres et le flot souterrain

La troisième liste des *Dossiers secrets*[1] mentionne les grands maîtres successifs du Prieuré de Sion ou, pour utiliser le vieux terme français encore en usage, ses « nautoniers ».

Cette liste se présente de la façon suivante :

Jean de Gisors	1188-1220
Marie de Saint-Clair	1220-1266
Guillaume de Gisors	1266-1307
Édouard de Bar	1307-1336
Jeanne de Bar	1336-1351
Jean de Saint-Clair	1351-1366
Blanche d'Évreux	1366-1398
Nicolas Flamel	1398-1418
René d'Anjou	1418-1480
Iolande de Bar	1480-1483
Sandro Filipepi	1483-1510
Léonard de Vinci	1510-1519
Connétable de Bourbon	1519-1527
Ferdinand de Gonzague	1527-1575
Louis de Nevers	1575-1595
Robert Fludd	1595-1637
J. Valentin Andreä	1637-1654
Robert Boyle	1654-1691
Isaac Newton	1691-1727

Charles Radclyffe	1727-1746
Charles de Lorraine	1746-1780
Maximilien de Lorraine	1780-1801
Charles Nodier	1801-1844
Victor Hugo	1844-1885
Claude Debussy	1885-1918
Jean Cocteau	1918-

Nous voici après lecture de cette liste de nouveau terriblement sceptiques... Car si cette liste comporte des noms officiellement associés à l'occultisme, elle en comprend d'autres qui n'ont apparemment rien à voir avec la présidence d'une société secrète. Ce sont justement ceux, par ailleurs, dont sc réclament trop facilement nombre d'organisations contemporaines soucieuses de se donner un semblant d'authenticité ; ainsi les Rosicruciens de Californie qui se disent issus des plus célèbres représentants de la culture occidentale, à savoir un Dante, un Shakespeare ou un Goethe...

Certains noms de cette liste n'apportent cependant pas de surprise. Nicolas Flamel fut l'un des plus célèbres alchimistes du Moyen Âge, Robert Fludd, philosophe du XVIIe siècle, un spécialiste des sciences secrètes, quant à son contemporain allemand Johann Valentin Andreä, auteur de l'œuvre ou des œuvres qui donnèrent naissance au mythe fabuleux de Christian Rosenkreuz, nous l'avons déjà rencontré. D'autres noms se justifient par leur célébrité : Léonard de Vinci, Sandro Filipepi plus connu sous celui de Botticelli, Robert Boyle et Isaac Newton, hommes de science illustres, Victor Hugo, Claude Debussy et Jean Cocteau, tous ont été des personnalités marquantes de la vie culturelle de leur époque.

Une question se pose néanmoins à leur propos. N'est-il pas difficilement concevable que des personnages d'une telle notoriété aient pu exercer les fonctions de grand maître d'un ordre secret sans que jamais personne en sache rien ? Peut-on vraiment imaginer un

Newton, un Cocteau penchés sur les mystérieuses voies de la pensée hermétique ?... Mais continuons.

La liste ne se compose d'ailleurs pas uniquement de noms illustres mais d'autres aussi, plus obscurs, tout aussi inconnus du lecteur ordinaire que de l'historien chevronné : ainsi Guillaume de Gisors, qui en 1306 aurait transformé le Prieuré de Sion en une « franc-maçonnerie hermétique », et son grand-père Jean de Gisors, premier grand maître de l'ordre après l'abattage de l'orme et sa séparation du Temple en 1188.

Or il est certain que Jean de Gisors a bien existé. Né en 1133, mort en 1220, son nom est mentionné dans de nombreuses chartes. Riche et puissant, seigneur de la célèbre forteresse normande où se rencontrèrent à plusieurs reprises les rois de France et d'Angleterre, il a été jusqu'en 1193 vassal du roi d'Angleterre, pays où il possédait d'ailleurs des terres, notamment dans le Sussex, et un manoir, à Titchfield dans le Hampshire[2]. D'après les *Dossiers secrets* qui n'en précisent pas la raison, il aurait même rencontré Thomas Becket à Gisors en 1169, entrevue possible puisque Becket se rendit effectivement à Gisors cette année-là[3], mais que rien ne vient vérifier concrètement.

Qu'a donc fait cet obscur Jean de Gisors qui n'a laissé à l'Histoire que son nom et son titre, qui n'a rien accompli de grandiose, pour avoir mérité la charge de grand maître de l'ordre de Sion ? Rien, sinon peut-être – et c'est la seule explication – avoir figuré sur un arbre généalogique dense, fourni et compliqué, dont la sève n'est autre que le sang même des Mérovingiens... Oui, Jean de Gisors, à l'instar des autres personnalités mentionnées sur la liste, appartenait lui aussi – condition indispensable et suffisante – à ce fameux lignage qui allait donner à l'ordre nombre de ses grands maîtres.

L'ordre de Sion choisissait en effet ses guides suprêmes selon deux sources distinctes. D'abord, comme nous l'avons vu, parmi les très hautes personnalités scientifiques ou artistiques d'une époque, ensuite parmi les membres d'une race précise, de sang noble et quelquefois royal. Ces derniers étaient pour la plupart des personnages secondaires, aujourd'hui tombés dans l'oubli (citons au XVIIIe siècle Charles de Lorraine, beau-frère de l'impératrice Marie-Thérèse, célèbre pour son inaptitude au combat et perpétuellement manœuvré par le grand Frédéric de Prusse).

Or c'est cette médiocrité même de certains de ses membres qui donne justement à la liste des grands maîtres de Sion une indiscutable vraisemblance. En effet, l'auteur d'une ascendance forgée de toutes pièces n'y aurait-il pas introduit des personnages plus marquants que des aristocrates sans panache particulier ? Le Prieuré de Sion se place donc là sous le signe du réalisme et de la simplicité ; loin de remettre ses destinées aux seules mains de génies, de sages ou de saints, bref d'hommes extraordinaires, délibérément il semble avoir voulu choisir des êtres sans destin exceptionnel, suivant un dosage équilibré et modérateur.

Bref, cette liste, si elle avait été inventée, n'aurait-elle pas comporté uniquement des noms illustres ? Dante par exemple, Michel-Ange, Goethe ou Tolstoï aux côtés de Vinci, Newton et Victor Hugo, plutôt qu'un obscur Édouard de Bar, ou un Maximilien de Lorraine ? Byron ou Pouchkine, de préférence à un écrivain moins célèbre comme Charles Nodier ? Gide ou Camus, de prestige international, et non Jean Cocteau, poète à la personnalité pour certains plus ambiguë ? Et que dire enfin de l'absence d'un Poussin, par exemple, dont les liens avec l'énigme qui nous intéresse ont pourtant été largement établis ?...

Autant de questions qui nous harcelaient et exigeaient de notre part une étude très approfondie. Chaque nom cité allait donc être soumis à un examen rigoureux tant sur le plan biographique que sur le plan des activités et des œuvres des intéressés. Puis nous posâmes les quatre questions suivantes :

1) Y a-t-il eu contact personnel, direct ou indirect, entre chaque prétendu grand maître, son prédécesseur et son successeur immédiats ?

2) A-t-il existé une affiliation, par voie de sang ou autre, entre chaque grand maître et les familles figurant dans les généalogies des « documents du Prieuré » et supposées de souche mérovingienne, particulièrement la maison ducale de Lorraine ?

3) Chacun de ces grands maîtres a-t-il eu un lien avec Rennes-le-Château, Gisors, Stenay, Saint-Sulpice et les autres lieux découverts au cours de nos recherches ?

4) Sion se définissant comme une « franc-maçonnerie hermétique », chaque prétendu grand maître a-t-il témoigné d'un penchant pour la pensée hermétique et a-t-il entretenu des relations avec les sociétés secrètes ?

S'il fut difficile, pour ne pas dire impossible, de nous procurer la documentation dans le cas des grands maîtres antérieurs à 1400, elle nous révéla par contre pour les suivants des détails surprenants. Nous découvrîmes ainsi que la plupart d'entre eux avaient effectivement un lien plus ou moins étroit avec un ou plusieurs des sites mentionnés plus haut, à savoir Rennes-le-Château, Gisors, Stenay ou Saint-Sulpice. En outre, nombre d'entre eux étaient du même sang que celui de la maison de Lorraine ou lui étaient liés en quelque manière, comme Robert Fludd par exemple, qui servit de précepteur au fils du duc de Lorraine. Nous découvrîmes aussi qu'à partir de Nicolas Flamel chacun des grands maîtres de Sion sans exception était un adepte de la pensée hermétique et adhérait à une société secrète, même ceux comme Boyle et Newton que nul n'eût songé à associer à de telles entreprises. Enfin dans leur grande majorité les grands maîtres aussi avaient un lien, soit direct soit indirect par l'intermédiaire d'un ami commun, avec celui qui le précédait et le suivait, une seule rupture dans cette chaîne intervenant entre Maximilien de

Lorraine et Charles Nodier à l'époque de la Révolution française.

Il est bien entendu impossible, dans les limites de ce chapitre, d'étudier en détail le cas de chaque grand maître du Prieuré de Sion. Certains d'ailleurs ne sortent de l'obscurité qu'en fonction de l'époque où ils ont vécu, et y déterminer leur place exacte entraînerait une série de digressions dans des voies maintenant oubliées de l'Histoire. Quant aux autres, il n'est pas davantage possible de justifier leur rôle en quelques pages. Nous avons donc consigné en appendice toutes les informations relatives les concernant, établissant les liens qu'ils ont pu avoir entre eux, pour nous attacher à décrire, plus largement, le climat social et culturel auquel ils ont collectivement pris part, dans le contexte du Prieuré de Sion.

René d'Anjou

René d'Anjou, « le bon Roi René », l'une des figures les plus célèbres de la civilisation européenne au cours des années précédant immédiatement la Renaissance, mérite cependant que l'on s'attarde quelques instants sur sa fascinante personnalité.

Né en 1408, il va cumuler au cours de son existence une incroyable quantité de titres parmi lesquels les plus remarquables sont ceux de comte de Bar, de Provence, de Piémont et de Guise, de duc de Calabre, d'Anjou et de Lorraine, de roi de Hongrie, de Naples et Sicile, d'Aragon, Valence, Majorque et Sardaigne – et enfin, le plus important de tous, celui de roi de Jérusalem. Bien que purement nominal, ce titre, alors reconnu par tous les monarques européens, remonte directement à Godefroi de Bouillon.

La carrière de René d'Anjou, dont l'une des filles, Marie, a épousé Henri VI d'Angleterre en 1445 et joué un rôle important dans la guerre des Deux-Roses, semble croiser très tôt celle de Jeanne d'Arc, mais de façon assez mystérieuse. Jeanne, née à Domremy dans le duché de Bar, est en effet sujette de René. Elle apparaît pour la première fois dans l'Histoire à Vaucouleurs, au bord de la Meuse, non loin de sa ville natale, pour annoncer au commandant de la forteresse la « mission divine » dont elle est investie : sauver la France des envahisseurs anglais et assurer au dauphin la couronne royale. Elle doit donc le rejoindre à Chinon, mais auparavant il lui faut rencontrer le duc de Lorraine, beau-père et grand-oncle de René.

L'audience lui est accordée, par le duc, en sa capitale de Nancy, en présence, dit-on, de René d'Anjou, et, lorsque le duc de Lorraine lui demande ce qu'elle désire, Jeanne répond simplement ces quelques mots qui ont beaucoup intrigué les historiens : « Votre [beau] fils, un cheval et quelques hommes braves pour me mener en France[4]... »

Or, on a longuement spéculé sur la nature des liens réels qui unissaient René et Jeanne. Au dire de certains – mais d'où tenaient-ils leurs informations ? –, ils auraient été amants, étant incontestable que dès le début de la mission de Jeanne on le retrouve à ses côtés, qu'il la rejoint plus tard à la cour du dauphin à Chinon, qu'il l'accompagne encore au siège d'Orléans[5]. Mais l'Histoire tenta par la suite d'effacer de la vie de Jeanne d'Arc toute trace de René, et ne donne d'ailleurs aucune précision sur ses faits et gestes entre 1429 et 1431, période correspondant à l'apogée de la carrière de Jeanne, étant généralement, et tacitement admis, mais sans aucune preuve, qu'il ne quitta pas alors la cour ducale de Nancy.

Mais revenons à Chinon, où René se serait donc trouvé aux côtés de Jeanne et où une personnalité de tout premier plan, celle de Yolande d'Anjou, dominait la cour. C'est Yolande en effet qui va tenter de donner un minimum de consistance au maladif et falot dauphin, Yolande qui se pose très vite en protectrice de

Jeanne en dépit d'une réticence générale, Yolande qui obtient pour sa protégée l'autorisation d'accompagner l'armée à Orléans, Yolande qui convainc le dauphin de voir en Jeanne le sauveur qu'elle prétend être, Yolande enfin qui arrange le mariage du même dauphin avec sa propre fille. Et qui est Yolande si ce n'est la mère de René d'Anjou ?...

Plus nous entrons dans ces détails, et moins naturelle nous apparaît la carrière de Jeanne d'Arc, comme si, dans l'ombre, encore une fois, quelqu'un avait tiré les ficelles de l'Histoire, quelqu'un exploitant, en l'occurrence, la légende populaire de la « vierge de Lorraine », et jouant habilement de la psychologie des foules, orchestrant la prétendue mission de la Pucelle d'Orléans. Non que l'existence d'une société secrète en découle obligatoirement, mais qu'elle devienne ainsi plausible – et entre les mains de René d'Anjou, très probablement.

René et le thème d'Arcadie

Les chemins de Jeanne et de René s'étant ensuite séparés, chacun retourne à son destin. Réexaminons donc celui du duc d'Anjou. Contrairement à nombre de ses contemporains, son image est moins celle d'un guerrier que celle d'un courtisan et d'un poète. Amateur d'art, de belles-lettres et d'enluminures, esprit très cultivé en un siècle essentiellement gothique, il évoque plutôt l'un des princes raffinés de la Renaissance italienne. Mécène éclairé, il protège les artistes, comme Nicolas Froment, les hommes de science comme Christophe Colomb, compose lui-même des poésies, des allégories mystiques – il est l'auteur du *Cueur d'amours espris* – ainsi que des règles de tournoi. Versé enfin dans la tradition ésotérique, il entretient un astrologue juif, médecin et cabaliste, du nom de Jean de Saint-Rémy, grand-père, peut-être, de l'illustre Nostradamus...

Mais René d'Anjou aime par-dessus tout la chevalerie et les romans du cycle d'Arthur ou du Saint Graal. Il est très fier de posséder une splendide coupe de porphyre rouge utilisée, il le proclame, lors des noces de Cana. Cette acquisition extraordinaire, il l'a faite à Marseille où, selon la tradition, Madeleine a jadis débarqué en possession du précieux reliquaire. D'autres écrits parlent d'ailleurs également d'une coupe appartenant à René – est-ce la même ? – portant, gravée à l'intérieur, cette mystérieuse inscription :

« Qui bien beurra
Dieu voira.
Qui beurra tout d'une baleine
Voira Dieu et la Madeleine[6]. »

Il n'est par conséquent nullement déraisonnable de voir en René d'Anjou l'un des précurseurs de la Renaissance, d'autant plus qu'il passa plusieurs années en Italie où il possédait de nombreux domaines, qu'il entretint une amitié égale avec le duc Sforza à Milan et avec Côme de Médicis à Florence, qu'il participa même sans doute aux ambitieux projets du fondateur de la puissante maison florentine, projets qui devaient laisser l'empreinte que l'on sait sur la civilisation occidentale.

René est en effet en Italie lorsque, en 1439, Côme envoie ses agents dans le monde entier à la recherche de manuscrits anciens, et fonde en 1444 la première bibliothèque publique d'Europe, celle de San Marco, enlevant ainsi à l'Église le monopole de la culture. Pour la première fois et grâce à lui, tous les grands textes de la philosophie antique comme ceux de la pensée gnostique et hermétique vont pouvoir être traduits, et par suite être accessibles à tous. Pour la première fois aussi en Europe depuis quelque sept cents ans, le grec est enseigné à l'université de Florence. Côme enfin ordonne la création d'un centre d'études pythagoriciennes et platoniciennes, qui à son tour va donner naissance, à travers toute la péninsule italienne, à une multitude d'autres académies.

Si on ignore le rôle exact de René d'Anjou dans la formation de ces foyers culturels italiens, c'est en tout cas grâce à lui, semble-t-il, qu'ils vont adopter l'un de leurs thèmes symboliques favoris, celui de l'Arcadie, allégorie qui va pour la première fois apparaître dans la culture postchrétienne occidentale.

Or nous sommes en 1449 et René, qui réside à sa cour de Tarascon, vient de mettre en scène une série de « pas d'armes » de sa composition – mélange hybride de figures de tournois et de mascarades, où des chevaliers joutent en récitant et en mimant une sorte de drame. Le plus célèbre d'entre eux a pour titre « *Le pas d'armes de la Bergère* » et est représenté par la maîtresse du roi personnifiant tous les attributs romantiques et philosophiques de la figure arcadienne. Elle préside un tournoi où les chevaliers, sous des identités allégoriques, symbolisent un conflit de valeurs et d'idées, dans l'atmosphère pastorale propre à l'Arcadie, rappelant le cérémonial de la Table ronde et le mystère du Saint Graal.

On retrouve d'ailleurs l'Arcadie en dehors des œuvres de René d'Anjou, sous la forme d'une fontaine ou d'une tombe, toutes deux inséparables d'un flot souterrain. Ce flot est généralement assimilé au fleuve Alphée qui parcourt la région de la Grèce appelée Arcadie, avant de s'enfoncer sous la terre puis de traverser la mer sans s'y mélanger pour refaire surface en Sicile et s'unir aux eaux de la fontaine Aréthuse. De la plus haute antiquité jusqu'au *Koubla Khan* de Coleridge, le fleuve Alphée, divinisé, est considéré comme sacré, son nom ayant les mêmes racines que le mot grec « Alpha » qui, on le sait, signifie le premier, la source, l'origine.

Ce flot souterrain, allégorie de la tradition « souterraine », dissimulée aux regards profanes, des diverses formes de la pensée ésotérique, semble avoir revêtu pour le roi René une très grande importance. Symbole d'une invisible connaissance, d'un secret transmis rituellement de génération en génération, ne peut-il également suggérer par suite l'idée d'une lignée, non reconnue, se perpétuant sous terre ?

Le thème de l'Arcadie et de son flot souterrain n'a d'ailleurs pas inspiré le seul René d'Anjou. En effet l'année 1502 voit la publication, en Italie, d'une longue pastorale intitulée *Arcadia*, dont l'influence sera très grande dans le domaine littéraire et artistique. Son auteur est Jacopo Sannazaro, peut-être le fils de ce Jacques Sannazar faisant quelques années auparavant partie de l'entourage italien de René d'Anjou. Ce même poème sera ensuite traduit en français en 1553 et, fait étrange, dédicacé à l'intention du cardinal de Lénoncourt dont l'un des descendants composera au XXe siècle les généalogies des « documents du Prieuré »...

Rappelons pour terminer qu'*Arcadie* est également le titre du roman pastoral publié en 1590 par l'Anglais Philip Sidney[7] et qu'en Italie encore elle devait inspirer l'illustre Torquato Tasso dont la *Jérusalem délivrée* raconte la prise de la cité sainte par Godefroi de Bouillon. Mais c'est au XVIIe siècle, dans l'œuvre de Nicolas Poussin et particulièrement *Les bergers d'Arcadie*, que ce thème culmine incontestablement.

Voilà donc, suggérés par l'image symbolique du « flot souterrain », une idée de tradition, une hiérarchie des valeurs, peut-être même un message soigneusement dissimulé. Or ce courant, invisible pour le commun des mortels, est connu de certaines éminentes familles qui toutes, directement ou non, figurent dans les généalogies des « documents du Prieuré ».

Ainsi transmettent-elles son symbole et sa signification à ceux qu'elles protègent dans le domaine de l'art comme jadis René d'Anjou les transmit aux Sforza, aux Médicis et aux Gonzague, qui donnèrent eux-mêmes deux grands maîtres à Sion, Ferrante et Louis de Gonzague, également duc de Nevers. Par là même l'image du « flot souterrain » allait s'insinuer au cœur des œuvres des plus illustres peintres et poètes de l'époque, parmi lesquels figurent en bonne place Botticelli et Léonard de Vinci.

Les manifestes rosicruciens

C'est en 1614, nous l'avons vu précédemment, que paraît le premier manifeste rosicrucien suivi d'un second l'année d'après, tous deux marquant la naissance du célèbre mythe dont l'influence gagnera le XVIIe siècle entier. Immédiatement, ils provoquent, de la part de l'Église et plus particulièrement des jésuites, une réaction violente, mais un enthousiasme délirant chez les protestants libéraux d'Europe. Parmi les principaux représentants de la pensée rosicrucienne, il convient évidemment de citer Robert Fludd, seizième grand maître du Prieuré de Sion entre 1595 et 1637.

Les manifestes retracent en détail[8] l'histoire du légendaire Christian Rosenkreuz et de la confrérie « secrète et invisible » d'initiés français et allemands dont ils se disent issus. En même temps ils annoncent des projets grandioses – transformation du monde et de la connaissance humaine selon les grands principes de la pensée ésotérique, avènement d'une liberté spirituelle où l'homme, rejetant ses entraves, accédera aux « secrets de la nature » jusqu'alors impénétrables, et sera maître de sa destinée, en parfaite harmonie avec les lois cosmiques... On y trouve enfin des déclarations véhémentes contre l'Église catholique et le Saint Empire romain.

Ces premières expressions de la pensée rosicrucienne sont aujourd'hui attribuées, nous l'avons vu aussi, au théologien allemand Johann Valentin Andreä, grand maître de Sion après Robert Fludd, ou à la grande rigueur à l'un de ses confrères. En effet Andreä avouera plus tard avoir composé le troisième manifeste, celui de

1616, anonyme comme les deux premiers, *Le mariage chimique de Christian Rosenkreuz*.

Il s'agit en l'occurrence d'une allégorie compliquée et hermétique, qui influencera le *Faust* de Goethe et où l'on retrouve des échos de l'ésotériste anglais John Dee dont s'inspire Robert Fludd, des romans du Graal et des Chevaliers du Temple. Ainsi est-il question de la tunique blanche, ornée d'une croix rouge à l'épaule, de Christian Rosenkreuz, ou bien encore d'une princesse de lignée « royale » dépouillée de ses biens par les Maures, qui échoue sur la côte dans un grand coffre de bois et finit, après de multiples tribulations, par épouser un prince et recouvrer son héritage.

Or si les recherches entreprises sur Andreä nous apprennent que des liens assez éloignés existent entre lui et les généalogies des « documents du Prieuré », elles établissent en revanche clairement qu'il est lié d'assez près à Frédéric V, Électeur palatin, neveu du chef protestant Henri de La Tour d'Auvergne, vicomte de Turenne et duc de Bouillon, lui-même parent de la famille de Longueville qui revient très souvent dans les documents et notre enquête. (C'est ce même Henri de La Tour d'Auvergne qui a acquis avec beaucoup de difficulté la ville de Stenay, en 1591.)

Toujours est-il qu'en 1613 Frédéric V épouse Élisabeth Stuart, fille de Jacques Ier d'Angleterre, petite-fille de Marie reine d'Écosse et arrière-petite-fille de Marie de Guise, branche cadette de la maison de Lorraine. Un siècle auparavant Marie de Guise a épousé le duc de Longueville, puis à sa mort Jacques V d'Écosse, créant ainsi un lien dynastique entre les familles Stuart et de Lorraine. C'est pourquoi, comme les trois grands maîtres du Prieuré qui lui succèdent, Andreä ne cache pas son intérêt pour le trône royal d'Écosse : la maison de Lorraine est alors très affaiblie et Sion préfère, momentanément, se confier aux tout-puissants Stuarts.

Quoi qu'il en soit, après son mariage avec Élisabeth, l'Électeur palatin établit dans sa capitale de Heidelberg une cour passionnée d'ésotérisme. Une forme de culture s'y développe, mentionne Frances Yates, directement issue de la Renaissance, mais très marquée par les nouveaux courants et autour de l'Électeur se dessine nettement un mouvement tendant à donner à la pensée hermétique une expression politico-religieuse[9].

Si Frédéric V joue donc un grand rôle dans la propagation de cette pensée rosicrucienne, il semble en outre avoir été investi d'une mission particulière, spirituelle et politique, portant en elle de nombreuses obligations et de non moins grandes espérances. En 1618 en effet il accepte la couronne de Bohême que lui offrent des seigneurs rebelles, provoquant la colère du pape et du Saint Empire romain germanique, et précipitant l'Europe dans les chaos de la guerre de Trente Ans. Dans les deux ans qui suivent, l'Électeur palatin est d'ailleurs exilé en Hollande et Heidelberg tombe aux mains des troupes catholiques. Quant à l'Allemagne elle se transforme peu à peu en un gigantesque champ de bataille, théâtre de l'un des conflits les plus meurtriers et les plus ruineux vécus par l'Europe. Mais à l'issue du conflit, l'Église catholique, elle, aura presque retrouvé son ancienne hégémonie du Moyen Âge.

Au cœur de cette confusion extrême, Andreä crée un réseau de sociétés plus ou moins « parallèles » sous le nom d'« Unions Chrétiennes ». Chacune de ces sociétés est dirigée par un prince, anonyme, assisté de douze autres personnalités de son rang réparties elles-mêmes en quatre groupes spécialisés coiffant des sphères bien déterminées[10]. Le but de ces « Unions Chrétiennes » est de préserver valeurs et connaissances dangereusement menacées, et particulièrement les récents progrès scientifiques considérés comme hérétiques par l'Église. En même temps les « Unions » se posent en refuges et en défenseurs des ennemis de l'Inquisition, désormais inséparable des armées catholiques et acharnée à détruire la moindre manifestation de pensée subversive. Ainsi un grand nombre d'érudits, philosophes et hommes de science cherchent-ils un abri auprès des cellules mises en place par Andreä et, grâce à elles, gagnent l'Angleterre où se crée la franc-maçonnerie.

Nombreux sont donc les amis et partisans d'Andreä à se retrouver de l'autre côté de la Manche. Samuel Hartlib par exemple, Adam Komensky plus connu sous le nom de Comenius, correspondant littéraire d'Andreä, Theodore Haak, ami personnel d'Élisabeth Stuart, et le Dr John Wilkins, ancien chapelain privé de Frédéric V et futur évêque de Chester.

Une fois en Angleterre, tous sans exception se font introduire dans des cercles maçonniques ; ils y retrouvent Robert Moray, membre d'une loge depuis 1641, Elias Ashmole, spécialiste des ordres de chevalerie, franc-maçon depuis 1646, le jeune et précoce Robert Boyle, membre d'une autre mystérieuse société[11], le Prieuré de Sion peut-être puisqu'il figure sur la liste de ses grands maîtres à la suite d'Andreä.

Donc sous le protectorat de Cromwell ces esprits anglais et européens, dans leur ensemble très dynamiques, vont former « l' Invisible Collège », ainsi dénommé par Boyle en écho aux manifestes rosicruciens, et qui deviendra en 1660, lors de la restauration de la monarchie, la Société Royale[12] protégée et patronnée par Charles II Stuart. Tous ses membres fondateurs étant francs-maçons, l'on peut raisonnablement en déduire que cette société elle-même, du moins à ses débuts, fut d'essence purement maçonnique. Beaucoup plus certaine est en tout cas la contribution des Unions Chrétiennes, fondées par Andreä, à l'organisation du système des loges maçonniques, en Angleterre et en Europe.

Mais là ne s'arrête pas le cours du « flot souterrain » né aux pieds de René d'Anjou. Poursuivant sa route de Boyle à Isaac Newton, successivement grands maîtres du Prieuré, il va s'enfoncer maintenant dans les méandres compliqués de la franc-maçonnerie du XVIIIe siècle.

La dynastie des Stuarts

Charles Radclyffe, selon les « documents du Prieuré », succède à Newton comme grand maître de Sion. Si nous ignorons tout, au départ, de la personnalité de Radclyffe, il va petit à petit, au fil de nos recherches, apparaître comme l'une des figures discrètes, mais essentielles, de la vie culturelle du XVIIIe siècle.

Les Radclyffe sont depuis le XVIe siècle une famille importante du nord de l'Angleterre et Jacques Ier leur a donné le titre de comte de Derwentwater en 1688, peu de temps avant sa déposition. Charles est né en 1693 ; par sa mère, fille illégitime de Charles II, il est de sang royal, petit-fils de l'avant-dernier des Stuarts et cousin de Charles-Édouard Stuart – « Bonnie Prince Charlie » – comme de George Lee, comte de Lichfield, autre petit-fils illégitime de Charles II. Toute sa vie ou presque, Charles Radclyffe va d'ailleurs rester fidèle à la cause des Stuarts.

Or en 1715, cette cause repose sur le « vieux Prétendant » Jacques III, alors en exil à Bar-le-Duc chez le duc de Lorraine. Charles Radclyffe et son frère aîné, ayant participé à une rébellion écossaise, sont capturés et jetés en prison ; James Radclyffe est exécuté mais Charles, aidé par le comte de Lichfield, réussit à s'évader de la prison de Newgate pour trouver refuge auprès des jacobites français, puis devient ensuite le secrétaire personnel du « jeune Prétendant » Charles-Édouard Stuart.

En 1745, ce dernier débarque en Écosse avec la chimérique intention de rétablir les Stuarts sur le trône d'Angleterre et Radclyffe, en route pour le rejoindre, est alors de nouveau fait prisonnier. Charles-Édouard Stuart, son maître, ayant été vaincu à Culloden Moor, Radclyffe, quelques mois plus tard, meurt à son tour, sous la hache du bourreau, à la Tour de Londres.

Ce qui est sûr, c'est que pendant leur séjour en France les Stuarts ont largement contribué au développement de la franc-maçonnerie. Ainsi les considère-t-on généralement comme les fondateurs d'une de ses formes particulières, dite de « Rite Écossais » : degrés plus élevés que dans les autres systèmes maçonniques, initiation plus poussée à propos de mystères spécifiquement écossais, rapports étroits avec d'autres activités hermétiques considérées comme rosicruciennes, ce rite prétendant en outre remonter aux origines les plus illustres et les plus anciennes de l'ordre.

Il est fort probable que cette forme de franc-maçonnerie a été promulguée, sinon conçue, par Charles Radclyffe, fondateur en 1725 de la première loge maçonnique sur le continent, année approximative où, semble-t-il, il fut reconnu comme grand maître de toutes les loges françaises, son nom devant être encore cité comme tel dix ans plus tard en 1736. La franc-maçonnerie du XVIIIe siècle lui doit donc beaucoup plus qu'à n'importe qui d'autre.

Pourtant, et surtout à partir de 1738, Radclyffe va agir de manière très discrète, et toujours en utilisant des intermédiaires, tel l'énigmatique chevalier Andrew Ramsay[13].

Né en Écosse aux environs de 1680, Ramsay, vite devenu membre de la société secrète des Philadelphiens, s'est lié d'amitié avec des intimes de Newton auquel il voue une admiration sans bornes, voyant en lui le mystique, l'initié par excellence, le connaisseur des vérités éternelles contenues dans les mystères les plus anciens.

Mais un autre lien unit Ramsay et Newton : Jean Desaguliers, leur ami commun, élève en mathématiques de Nicolas Fatio de Duillier. Or Duillier ne cache pas sa sympathie pour la cause des Camisards, hérétiques proches des Cathares, alors soumis à de violentes persécutions dans le sud de la France.

Toujours est-il qu'en 1710 Ramsay est à Cambrai, et dans les meilleurs termes avec le mystique Fénelon, ancien curé de Saint-Sulpice, déjà bastion d'une curieuse orthodoxie. On ignore la date à laquelle Ramsay fait la connaissance de Charles Radclyffe, mais en 1720, partisan acharné des jacobites et précepteur de Charles-Édouard Stuart, il l'a vraisemblablement déjà rencontré.

C'est alors que Ramsay, en dépit de ses convictions jacobites, regagne l'Angleterre en 1729 et est rapidement admis à la Société Royale malgré son manque apparent de qualifications. Puis l'année suivante il revient en France et suit assidûment les réunions des loges maçonniques aux côtés de son protecteur le prince de La Tour d'Auvergne, franc-maçon enragé, qui le nomme précepteur de son fils et lui fait don d'un domaine.

En 1737, Ramsay publie son célèbre *Discours* faisant une large part à l'histoire de la franc-maçonnerie : futur document de base de l'ordre[14], il place son auteur au rang de porte-parole de sa génération. Il n'en reste pas moins vrai que derrière Ramsay, nous en sommes convaincus, c'est la voix de Charles Radclyffe qu'il faut entendre, Radclyffe qui préside alors la loge au sein de laquelle Ramsay prononce son discours, et qui paraît en 1743, comme signataire, à ses funérailles. Mais quelle que soit finalement la vérité, Ramsay constitue assurément le lien entre Radclyffe et Newton.

Charles Radclyffe meurt en 1746, mais les graines semées par lui en Europe continuent de porter des fruits. En 1750 en effet entre en scène un nouvel ambassadeur de la franc-maçonnerie, l'Allemand Karl Gottlieb von Hund. Affirmant avoir été initié en 1742, un an avant la mort de Ramsay et quatre ans avant celle de Radclyffe, il a été, au cours de cette initiation, instruit à un nouveau mode de franc-maçonnerie par des « supérieurs inconnus [15] ». Ces derniers, précise-t-il encore, étaient des partisans de la cause jacobite, et son initiation s'était déroulée sous la présidence de Charles-Édouard Stuart, ou de l'un de ses proches, vraisemblablement Charles Radclyffe lui-même.

Le système de franc-maçonnerie auquel Hund fait allusion, issu du « Rite Écossais », sera plus tard appelé « de Stricte Observance », en raison du serment exigé d'obéir inconditionnellement aux « supérieurs inconnus » et non identifiés, le principe fondamental de la « Stricte Observance » ayant pour fondement l'existence d'une descendance directe avec les Chevaliers du Temple, dont une poignée auraient survécu à l'extermination des années 1307-1314.

Sachant, comme nous l'avons vu, que la bulle papale ordonnant la dissolution de l'ordre du Temple n'a jamais été promulguée en Écosse, et que des chevaliers y ont ainsi trouvé un refuge sûr, nous sommes donc fortement enclins à reconnaître l'affirmation de Hund comme juste et fondée. Nous-mêmes avons d'ailleurs localisé dans le comté écossais d'Argyll un cimetière de Templiers, selon toute vraisemblance, dont les plus anciennes tombes remontent au XIIIe siècle et les dernières au XVIIIe. Des sculptures et des symboles gravés, identiques à ceux de certaines commanderies de France et d'Angleterre, sont visibles sur les premières, tandis que sur d'autres figurent des motifs spécifiquement maçonniques, témoignant d'une fusion certaine entre les deux ordres. Rien d'étonnant par conséquent à ce que le Temple ait pu survivre dans cette région désertique de l'Argyll du Moyen Âge, se cachant d'abord, puis se mêlant peu à peu aux guildes maçonniques et aux anciens clans, pour renaître au XVIIIe siècle à la faveur des rites de « Stricte Observance ».

Malheureusement, Hund n'en dit pas davantage sur cette forme nouvelle de franc-maçonnerie à laquelle il prétend avoir été initié, laissant par là ses contemporains le traiter de charlatan, l'accusant d'avoir fabriqué de toutes pièces son histoire d'initiation, de « supérieurs inconnus » et de prétendue obligation de répandre le nouveau rite de « Stricte Observance ». À cela, Hund ne peut rien répondre, sinon que ses supérieurs l'ont inexplicablement abandonné malgré leur promesse de le recontacter pour de nouvelles instructions, et jusqu'à la fin de sa vie il protestera de son innocence, affirmant que ses protecteurs ont vraiment existé avant de disparaître définitivement.

Cette prétendue innocence nous semble, à nous, parfaitement plausible. Hund, en fait, a été la victime malheureuse non d'une trahison délibérée, mais d'un concours de circonstances indépendant de toute volonté. En 1742, date de son initiation, les jacobites représentaient en effet sur le continent une puissance politique certaine. Mais en 1746 Radclyffe était mort, beaucoup de ses partisans l'étaient aussi, et les autres soit en prison soit en exil, aussi loin parfois que l'Amérique du Nord. Autant dire que la cause jacobite était perdue... Si les « supérieurs inconnus » de Hund faillirent alors à leur engagement, ce ne fut donc pas délibérément, mais sous la pression d'événements politiques qui les dépassaient.

Une autre preuve vient confirmer les dires, non seulement de Hund, mais aussi bien des « documents du Prieuré ». Il s'agit de la liste des grands maîtres du Temple qu'il aurait reçue en main propre de ces interlocuteurs anonymes[16]. À l'unique exception de l'orthographe d'un prénom, cette liste est en tout point identique à celle des *Dossiers secrets*. Or nous avons vu que cette dernière était d'une exactitude telle qu'elle ne pouvait avoir été dressée que sur la base d'une documentation confidentielle, inaccessible au public profane. Hund, lui, est entré en possession de cette liste, à une époque en outre où nombre de documents aujourd'hui à notre disposition, chartes, proclamations diverses, étaient sous clé au Vatican et impossibles à obtenir. Selon nous, il n'a donc pas inventé l'intervention de ces « supérieurs inconnus », et ceux-ci savaient indubitablement beaucoup de choses, restées officiellement secrètes, sur l'ordre du Temple.

Malgré les charges retenues contre lui, Hund ne resta d'ailleurs pas complètement seul. Après l'échec de la cause jacobite, il trouva en effet un nouveau protecteur et ami en la personne du saint empereur germanique François, duc de Lorraine. François, qui avait épousé Marie-Thérèse d'Autriche en 1735, unissant ainsi les maisons de Habsbourg et de Lorraine, et qui inaugurait une nouvelle grande dynastie. N'oublions pas à ce propos que le nom de son frère, Charles, figure également sur la liste des grands maîtres de Sion juste après celui de Charles Radclyffe.

François de Lorraine fut donc le premier prince européen à être franc-maçon et à ne pas le cacher. Il fut initié en 1731 à La Hague, bastion de l'ésotérisme depuis la guerre de Trente Ans, et c'est Jean Desaguliers qui présida la cérémonie. Peu de temps après, le nouveau franc-maçon s'embarquait pour un long séjour en Angleterre où il devint membre de cette institution apparemment innocente, le « Gentleman's Club of Spalding », déjà fréquentée par Newton, Ramsay, Radclyffe et Alexander Pope...

Dans les années qui suivirent, la cour de François de Lorraine à Vienne allait devenir la capitale de l'Europe maçonnique et d'une intense activité ésotérique, le duc pratiquant lui-même l'alchimie dans son laboratoire du palais impérial de Hofbourg. Enfin lorsque mourut le dernier Médicis, il devint grand-duc de Toscane et les efforts de l'Inquisition échouèrent devant son habileté à protéger les francs-maçons de Florence. À travers lui, Charles Radclyffe, fondateur de la première loge maçonnique du continent, avait légué un héritage durable.

Le cercle de Charles Nodier

En comparaison de ces hautes personnalités politiques et culturelles, on est tenté de se demander pour quelles raisons Charles Nodier fut choisi comme grand maître de Sion. Écrivain de notoriété relativement discrète bien que non dénué de charme, essayiste quelque peu disert, amateur manquant parfois de persévérance, il s'inscrit en fait dans la tradition d'un Hoffmann ou d'un Edgar Poe sans avoir véritablement créé d'école. Considéré pourtant à son époque comme une personnalité littéraire de premier plan, nous allons le voir s'insinuer dans notre parcours par des biais pour le moins inattendus.

En 1824, Nodier, déjà célèbre, est nommé bibliothécaire en chef de l'Arsenal où se trouvent réunis tous les manuscrits du Moyen Âge, particulièrement ceux ayant trait aux sciences occultes et notamment les écrits de l'alchimiste Nicolas Flamel, l'un des premiers grands maîtres de Sion. Mais la bibliothèque de l'Arsenal garde aussi jalousement parmi de nombreux trésors les collections du cardinal de Richelieu, et de multiples ouvrages sur la magie et la pensée hermétique ou cabalistique.

La Révolution française ayant pillé les bibliothèques et les monastères partout où elle le pouvait, livres et manuscrits s'étaient accumulés à Paris, rejoignant ceux que Napoléon rapatriait par milliers du Vatican dans le but précis de créer la grande bibliothèque de ses rêves ambitieux. Ainsi avait-il systématiquement confisqué à Rome tous les documents relatifs à l'ordre du Temple, dont quelques-uns seulement regagneraient par la suite les murs de la cité papale. C'est donc ce matériel immense, venu du cœur et des divers horizons de la France, que Charles Nodier se voit confier.

Il est assisté dans ses fonctions par deux collaborateurs, Éliphas Lévi et Jean-Baptiste Pitois (Paul Christian en littérature), qui vont avec lui s'attacher à renouveler l'intérêt du public pour l'ésotérisme, et prendre une grande part à la renaissance des sciences occultes qui va marquer le XIXe siècle. L'ouvrage de Pitois, *Histoire et pratique de la magie*, pour ne citer qu'un premier exemple, devient alors la bible des étudiants attirés par ces questions. Rééditée, en Angleterre elle reste d'ailleurs aujourd'hui encore l'ouvrage de base en la matière.

Bien que très occupé par sa mission officielle à l'Arsenal, Nodier cependant continue à écrire. L'une de ses dernières œuvres, un travail monumental en plusieurs volumes, abondamment illustré, est notamment consacrée aux sites importants de l'ancienne France. Or une grande place y est réservée à l'époque mérovingienne – fait très surprenant en un siècle qui n'accorde pas le moindre intérêt à cette période ténébreuse de l'Histoire. Les Templiers y bénéficient de longs paragraphes et Gisors d'un article substantiel relatant en détail l'abattage de l'orme[17].

Bibliothécaire et écrivain, Charles Nodier a dans le même temps ouvert à l'Arsenal un salon brillant, qui devient rapidement l'un des centres de la vie littéraire parisienne. Causeur éblouissant, on l'encense comme un aîné plein de sagesse et il devient la coqueluche d'une génération entière de jeunes écrivains. Parmi eux figure son disciple et ami Victor Hugo, futur chef de file de la nouvelle école, appelé, selon les « documents du Prieuré », à lui succéder en tant que grand maître de Sion. Mais ce n'est pas la seule personnalité éminente du cercle. D'autres l'entourent, et vont devenir par la suite beaucoup plus célèbres que leur maître : il s'agit de François René de Chateaubriand – qui va se rendre en pèlerinage à Rome sur la tombe de Poussin et faire ériger une pierre tombale portant une reproduction des *Bergers d'Arcadie* –, de Balzac, de Delacroix, de Dumas père, de Lamartine, de Musset, de Théophile Gautier, de Gérard de Nerval et d'Alfred de Vigny, tous, sans exception, à l'image des poètes et des peintres de la Renaissance, passionnés par la tradition ésotérique et plus particulièrement hermétique. Tous d'ailleurs vont également introduire dans leurs œuvres un certain nombre de motifs, thèmes, références ou allusions aux légendes de Rennes-le-Château. Notons au passage que dans *Un voyage à Rennes-les-Bains* paru en 1832 on trouve déjà une histoire de trésor légendaire lié à Blanchefort et à Rennes-le-Château ; son auteur, Auguste de Labouisse-Rochefort, a publié un autre ouvrage, *Les amants – À Éléonore*, dont la page de titre porte, sans explication, l'exergue suivant : « Et in Arcadia Ego »...

Bref si les activités littéraires et ésotériques de Nodier s'inscrivent bien dans la ligne de notre investigation, un autre aspect de sa personnalité est encore plus frappant, celui de son appartenance constante à diverses sociétés secrètes. On sait en effet que dès 1790, à l'âge de dix ans, il fait partie du groupe des Philadelphes[18] et qu'en 1793 il crée un autre cercle, peut-être lié au précédent, qui accueille les plus irréductibles ennemis de Napoléon. À la bibliothèque de Besançon se trouve également un essai obscur, composé par un proche ami de Nodier, qui a été lu devant un nouveau cercle portant le même nom de Philadelphes fondé en 1797[19]. Cet essai s'intitule *Le berger arcadien ou Premiers accents d'une flûte champêtre*[20].

À Paris enfin en 1802, Nodier avoue publiquement son affiliation à une société secrète décrite comme « biblique et pythagoricienne[21] » et en 1815 il publie, sans nom d'auteur, sa très curieuse *Histoire des sociétés secrètes de l'armée* où, avec beaucoup d'ambiguïté, ne se trouvent jamais précisées les frontières séparant la réalité de la fiction. Allégories des événements historiques contemporains, philosophie et réalisations pratiques des sociétés secrètes peut-être responsables de la chute de Napoléon s'y entremêlent habilement sans que l'on puisse distinguer le vrai de l'imaginaire. Nombreuses sont alors les associations secrètes, y déclare-t-il notamment, ajoutant qu'une seule les surpasse toutes, celle des Philadelphes. Lié par serment, il ne peut cependant « les faire connaître sous leur dénomination sociale si ce n'est à ceux auxquels elles sont exclusivement réservées[22] ». L'allusion à Sion est pourtant évidente dans cet extrait quelque peu obscur d'un discours supposé avoir été prononcé lors d'une assemblée de Philadelphes par un conspirateur ennemi juré de Napoléon : « Il est trop jeune pour s'engager vis-à-vis de vous par le serment d'Annibal ; mais souvenez-vous que je l'ai nommé Eliacin, et que je lui lègue la garde du temple et de l'autel, si je meurs avant d'avoir vu tomber de son trône usurpé le dernier des oppresseurs de Jérusalem[23]... »

Or, lorsque Nodier publia cette *Histoire des sociétés secrètes*, un retournement d'opinion s'était produit à leur égard. On reprochait en effet maintenant à ces trop nombreuses organisations clandestines tout à la fois la tornade révolutionnaire qui soufflait alors sur l'Europe et l'atmosphère de crainte et de trouble qui se répandait sur l'ensemble du continent. On leur attribuait également les moindres manifestations de violence ou de désordre, le moindre événement non expliqué, les accusant enfin de saboter insidieusement les institutions, les croyances, les fondements mêmes de la nation. Chasse aux sorcières et sévères mesures de répression s'ensuivaient qui, exercées souvent à tort, engendraient à leur tour une recrudescence de mouvements subversifs et d'opposition larvée. Relevant souvent du domaine pur et simple de l'imagination, elles entretenaient ainsi dans le public une véritable psychose qui leur conférait par voie de conséquence une importance qu'elles étaient loin de posséder réellement.

Réalité atteignant les proportions du mythe ou mythe derrière lequel il fallait voir une réalité puissante, les sociétés secrètes n'en ont pas moins joué un rôle primordial dans l'histoire de la France au XIXe siècle. Charles Nodier en tout cas y tient quant à lui une place prépondérante[24].

Debussy et la Rose-Croix

Ce renouveau d'intérêt pour l'ésotérisme qui doit tant à Nodier va se poursuivre pendant tout le XIXe siècle pour culminer à Paris au cours de ses dernières années. Lorsque, en 1891, Bérenger Saunière découvre dans son église de Rennes-le-Château les mystérieux parchemins, Claude Debussy, suivant la liste des *Dossiers secrets*, a succédé à Victor Hugo dans les fonctions de grand maître de Sion.

Debussy, lui, semble avoir fait la connaissance de Victor Hugo par l'intermédiaire du poète Paul Verlaine, dont il mettra par la suite en musique plusieurs œuvres. Il est membre bien entendu des cercles symbolistes, de qualité très inégale, qui font alors partie intégrante de la vie culturelle parisienne et lorsque l'abbé Saunière arrive à Saint-Sulpice pour présenter ses parchemins à ses supérieurs, il le rencontre par l'intermédiaire d'Émile Hoffet et d'Emma Calvé. Dans ces mêmes cercles se retrouvent également Stéphane Mallarmé (son *Après-midi d'un faune* sera mis en musique par Claude Debussy), Maurice Maeterlinck, dont le drame mérovingien *Pelléas et Mélisande* deviendra par les soins du musicien un opéra célèbre, et Villiers de l'Isle-Adam, auteur d'*Axel*, œuvre rosicrucienne et bible de tout le mouvement symboliste. Debussy composera aussi un livret à son intention, mais sa mort en 1918 l'empêchera de l'achever. Enfin, n'oublions pas de mentionner les célèbres « mardis » de Stéphane Mallarmé auxquels se pressent régulièrement parmi d'autres Oscar Wilde, W.B. Yeats, Stefan George, Paul Valéry, le jeune André Gide et Marcel Proust.

Mais si ces cercles présentent tous à différents titres un aspect ésotérique certain, Claude Debussy pour sa part en fréquente d'autres encore où il côtoie les plus grands noms des sciences occultes. Ces noms sont alors ceux du marquis Stanislas de Guaïta, intime d'Emma Calvé et fondateur de l'ordre cabalistique de la Rose-Croix, le sataniste Jules Bois, autre ami d'Emma Calvé, et de Mathers qui a créé la plus célèbre société secrète anglaise de l'époque, « the Order of the Golden Dawn », et le fameux Dr Gérard Encausse, auteur sous le pseudonyme de Papus[25] d'ouvrages définitifs sur le jeu du tarot. Papus est membre lui-même de plusieurs sociétés ésotériques, il est aussi l'ami et confident du tsar et de la tsarine, Nicolas et Alexandra de Russie, et compte parmi ses proches le bibliothécaire de Carcassonne, Jules Doinel. Tous deux assument les fonctions d'évêques de l'Église néo-cathare languedocienne et Doinel se proclame de surcroît évêque gnostique de Mirepoix, qui inclut la paroisse de Montségur, et d'Alet, qui englobe celle de Rennes-le-Château.

L'Église de Doinel, dit-on, a été consacrée par un évêque d'Orient chez la femme de Lord James Sinclair à Paris. Une parmi tant d'autres de ces innombrables et inoffensives sectes que connaissait alors cette fin de siècle à Paris, cette Église va néanmoins causer à l'époque une vive inquiétude dans les milieux officiels, provoquant même l'envoi d'un dossier spécial au Vatican sur la « résurgence des tendances cathares », suivi d'une condamnation explicite du Saint-Père, ce dernier dénonçant l'institution Doinel comme une nouvelle manifestation de l'ancienne hérésie albigeoise.

N'en ayant cure, Doinel continue ses activités dans la région de Saunière. Nous sommes désormais aux alentours de 1890 et le curé de Rennes-le-Château commence à afficher sa fortune. Or, les deux hommes ont très probablement été présentés l'un à l'autre, soit à Paris par Debussy ou Emma Calvé, soit par l'abbé Henri Boudet, ami de Saunière et membre lui aussi de la Société des Arts et des Sciences de Carcassonne.

À cette même époque un voyageur revient de Terre sainte et rejoint le petit groupe de ses amis en sciences occultes. C'est Joséphin Péladan, disciple de Papus et de Claude Debussy auxquels il annonce la grande nouvelle : oui, il s'agit bel et bien de la tombe de Jésus, qu'il a découverte non pas à l'endroit traditionnel du Saint-Sépulcre, mais sous la mosquée d'Omar, ancienne partie de l'enclave autrefois accordée aux Templiers. Extraordinaire, sublime découverte, s'enthousiasme son auteur. Dans d'autres temps, « elle aurait secoué le monde catholique jusque dans ses fondements[26] ». Mais comment et d'après quels critères la tombe de Jésus a-t-elle donc été identifiée, et en quoi son existence est-elle susceptible d'ébranler à ce point la catholicité ? Cette découverte serait-elle liée à une révélation capitale pour la survie du tout-puissant Vatican ? Ni le voyageur ni aucun de ses amis ne daigne s'expliquer à ce propos, et sans donner aucun détail Péladan, pourtant bon catholique, attire plusieurs fois l'attention de son entourage sur la mortalité de Jésus.

Sur ces entrefaites, Péladan fonde le nouvel ordre « de la Rose-Croix catholique, du Temple et du Graal », qui parvient à échapper à la condamnation du pape et au même moment il se découvre une véritable passion pour l'art. L'artiste, proclame-t-il, doit être un chevalier en armure, tout entier engagé dans la quête symbolique du Saint Graal, lui-même n'hésitant pas à se lancer personnellement dans cette croisade esthétique en organisant des expositions publiques annuelles, qu'on appellera les « Salons de la Rose + Croix ». Leur ambition est de détruire toute forme de réalisme pour laisser s'épanouir le goût latin, et de créer une école d'art entièrement idéaliste. Dans cette perspective, certains thèmes sont systématiquement écartés, tels la peinture prosaïque, historique, patriotique et militaire, les représentations de la vie contemporaine et tous les paysages « à l'exception de ceux composés à la manière de Poussin[27] »...

De la peinture, Péladan étend ses lois esthétiques à la musique et au théâtre et monte des spectacles originaux sur des sujets tels qu'Orphée, les Argonautes, la quête de la Toison d'Or, le « Mystère de la Rose-Croix » et le « Mystère du Graal », sous l'égide et la protection de Claude Debussy.

Cette brillante école artistique est aussi fréquentée par Maurice Barrès. Jeune homme, ce dernier a été membre d'un cercle rosicrucien aux côtés de Victor

Hugo et, en 1912, il a publié sa *Colline inspirée*, considérée plus tard comme une allégorie à peine déguisée de Bérenger Saunière et de Rennes-le-Château, les analogies existant entre le roman et la réalité dépassant le stade des simples coïncidences. Barrès pourtant ne situe pas son récit à Rennes-le-Château, ni ailleurs en Languedoc ; « La colline inspirée » surmontée d'un village se trouve en Lorraine, et ce village est l'ancien centre de pèlerinage de Sion...

Jean Cocteau

Autant nous n'avions eu aucun mal à trouver chez Radclyffe et Nodier des liens avec notre enquête, autant le cas de Jean Cocteau, dont la vie n'avait apparemment rien à voir avec les sociétés secrètes, allait s'avérer plus complexe.

Né dans une famille aisée et influente, extrêmement doué lui-même, Cocteau abandonne vite son foyer pour se lancer très jeune dans les milieux artistiques et littéraires parisiens alors en pleine effervescence. À vingt ans il compte parmi ses amis Proust, Gide et Barrès ainsi que Jean Hugo, arrière-petit-fils du poète en compagnie duquel il se lance dans la voie de l'occultisme et du spiritualisme. Un ésotérisme indiscutable teinte d'ailleurs non seulement le personnage de Cocteau, mais son œuvre et son esthétique entières et, à partir de 1912, ses journaux vont faire de fréquentes allusions à Debussy pour lequel il réalise en 1926 les décors de *Pelléas et Mélisande* dans le souci évident de lier à jamais son nom à celui du musicien.

Les sinuosités de son existence, dont certains aspects peuvent aisément prêter à la critique, ne peuvent néanmoins altérer ses dons éminents de poète, familier des plus grands esprits de son époque. Aimant d'ailleurs les honneurs, la gloire et la compagnie des puissants de ce monde, il n'est en somme pas très éloigné d'un Jacques

Maritain, ni d'un André Malraux. Indifférent à la politique, il dénoncera pourtant le gouvernement de Vichy et se prononcera, semble-t-il, en faveur de la Résistance. Nommé chevalier de la Légion d'honneur en 1949, il sera convié en 1958 par le frère du général de Gaulle à prononcer une allocution sur la France, tâche dont il s'acquitta apparemment avec un grand plaisir.

Une grande partie de la vie de Cocteau va également se passer à fréquenter les milieux catholiques royalistes, et certains membres de la vieille aristocratie parisienne peinte par Marcel Proust. Son catholicisme d'ailleurs, loin d'être orthodoxe, relèvera toujours davantage d'une recherche esthétique que d'une conviction religieuse proprement dite, même s'il devait se plaire à la fin de sa vie (écho de Bérenger Saunière ?) à décorer plusieurs églises et chapelles, la piété n'ayant en l'occurrence qu'une bien faible part. Il ne s'en cachera d'ailleurs jamais, à preuve cette réflexion sans équivoque : « On me prend pour un peintre religieux, parce que j'ai décoré une chapelle... Quelle étrange manie de vouloir toujours mettre une étiquette sur les gens[28] ! » Bref à l'image de Saunière aussi, il introduisait dans sa peinture certains détails curieux, curieux et suggestifs comme on peut les observer en l'église Notre-Dame de France à Londres. Érigée en 1865, fortement endommagée pendant les bombardements de 1940, l'église a été restaurée et redécorée après la guerre par une équipe d'artistes venus de tous les coins de France, dont Cocteau, qui en 1960, trois ans avant sa mort, y peignit une crucifixion. Singulière crucifixion, en vérité, à l'ombre d'un soleil noir, avec une forme impossible à identifier, sinistre et verdâtre, dans le coin inférieur droit, et un soldat romain, bouclier au poing, un oiseau très stylisé évoquant également le Horus égyptien. Parmi les femmes en pleurs et les centurions jouant aux dés, on remarque encore deux personnages modernes des plus incongrus ; l'un d'eux est l'autoportrait de Cocteau, le dos résolument tourné à la croix... Mais l'aspect le plus étrange de cette fresque réside sans aucun doute dans la particularité suivante : seule la partie inférieure de la croix, qui s'arrête aux genoux, y est visible ! Impossible donc de distinguer le visage du crucifié, ni de déterminer son identité. Autre détail tout aussi surprenant : fixée à la croix, juste au-dessous des pieds de la victime anonyme, fleurit une rose gigantesque, rappel, sans hésitation possible, de l'emblème de la Rose-Croix, motif pour le moins singulier dans une église catholique !...

Les deux Jean XXIII

Les *Dossiers secrets* donnant la liste des présumés grands maîtres de Sion sont datés de 1956. Cocteau étant mort en 1963, aucune information nouvelle ne nous permet donc à ce jour de connaître le nom de son successeur. Mais revenons au poète qui soulève en lui-même, nous allons le voir, une interrogation.

Selon les « documents du Prieuré », Sion et le Temple partageaient, nous le savons, un seul et même grand maître jusqu'à la coupe de l'orme en 1188, puis à partir de cette date Sion eut son propre « nautonier », Jean de Gisors ayant été le premier d'entre eux.

Or ces mêmes documents nous apprennent qu'à la fonction de grand maître était obligatoirement lié le prénom de Jean ou de Jeanne puisqu'il y eut effectivement quatre femmes titulaires du titre, succession impliquant la notion d'une papauté ésotérique fondée sur le personnage de Jean, à l'encontre et peut-être en opposition avec la papauté exotérique reposant sur celui de Pierre.

Mais de quel Jean s'agit-il ? Jean le Baptiste ? Jean l'Évangéliste, le disciple « bien-aimé » du quatrième Évangile ? Ou ce possible troisième Jean, le Divin, auteur présumé de l'Apocalypse ?... Obligatoirement il s'agit en tout cas de l'un d'eux, et l'on aimerait savoir qui fut alors Jean Ier, puisque Jean de Gisors prit en 1188 le nom de Jean II.

Jean Cocteau, figurant sur la liste des grands maîtres de Sion en tant que Jean XXIII, préside aux destinées de l'ordre en 1959, lors de la mort du pape Pie XII. Aussitôt un nouveau pape est élu, à Rome, le cardinal de Venise Angelo Roncalli, mais la consternation est totale lorsqu'on apprend que le nouveau souverain pontife a choisi pour nom Jean XXIII. La réaction des chrétiens s'explique. D'abord le prénom de « Jean » est entaché de déshonneur depuis qu'au début du XVe siècle il a été porté par un antipape ; ensuite il y a déjà eu un Jean XXIII, ancien évêque d'Alet – dont Doinel a été au XIXe siècle l'évêque gnostique. Pourquoi dans ces conditions le cardinal Roncalli a-t-il choisi ce nom ?

Étrange aussi ce petit livre qui paraît en 1976 en Italie et qui est aussitôt traduit en français. Ce sont *Les prophéties du pape Jean XXIII*, recueil d'obscurs poèmes prophétiques en prose qu'aurait composés le souverain pontife, mort treize ans auparavant, en 1963, la même année que Jean Cocteau... Oui, vraiment très hermétiques, ces prophéties défiant toute interprétation tant soit peu cohérente, à tel point que l'on peut se demander si elles sont vraiment l'œuvre du pape. Et pourtant, l'introduction l'affirme, en nous apprenant par la même occasion que leur auteur était secrètement membre de la Rose-Croix depuis sa nonciature en Turquie en 1935.

Cette hypothèse, il faut le dire difficile à admettre, est en outre impossible à vérifier. Cependant, pour quelle raison avoir inventé pareille chose, et pourquoi ne comporterait-elle pas, après tout, quelque bribe de vérité ?

Sachant par ailleurs qu'en 1188 le Prieuré de Sion aurait ajouté à son nom celui de « Rose-Croix Veritas », est-il déraisonnable d'imaginer que le cardinal Roncalli était vraiment affilié à une organisation de la Rose-Croix et, s'il s'agissait du Prieuré de Sion, qu'il ait pu, en devenant pape, choisir volontairement et dans un but symbolique le nom de son propre grand maître ? Ainsi un Jean XXIII aurait-il présidé à la fois aux destinées de l'ordre secret et à celles de la Chrétienté...

Ce règne simultané de deux Jean XXIII, sur Sion et sur Rome, ne nous semble en aucun cas relever du simple jeu des coïncidences ; pas plus que ne peut être à notre avis une invention la liste des « documents du Prieuré » s'interrompant sur un Jean XXIII à l'époque même où un Jean XXIII occupait le trône de saint Pierre. N'oublions pas en effet que cette liste a été déposée à la Bibliothèque nationale en 1956, trois ans avant l'élection du nouveau pape à Rome.

Il reste de surcroît un autre élément surprenant.

Au XIIe siècle, un moine irlandais du nom de Malachie a compilé un ensemble de prophéties proches de celles de Nostradamus – lesquelles, paraît-il, seraient tenues en haute estime par de nombreux catholiques romains, dont l'actuel pape Jean-Paul II ! Parmi ces prophéties, l'auteur a énuméré les pontifes qui occuperaient le trône de saint Pierre dans les années à venir, en attribuant à chacun d'eux un terme approprié. À côté du nom de Jean XXIII sont inscrits les mots « Pasteur et Nautonier [29] », titres officiels, on le sait, du grand maître de Sion.

Quelle que soit en fin de compte la vérité dissimulée derrière ces curieuses coïncidences, qui n'en sont d'ailleurs probablement pas, Jean XXIII, plus qu'aucun autre pape, a su faire évoluer l'Église catholique romaine durement confrontée aux exigences du XXe siècle, notamment grâce aux réformes du « Concile Vatican II ». Plus encore, il a révisé dans le même temps la position de l'Église à l'égard de la franc-maçonnerie, mettant un terme à deux siècles d'intransigeance, et reconnaissant aux catholiques le droit d'en faire partie.

En juin 1960 enfin, Jean XXIII en personne a publié une lettre sur le thème du « précieux sang de Jésus [30] », qu'il définissait de façon entièrement nouvelle. Jésus, y était-il précisé, a souffert comme un être humain et la rédemption de l'humanité s'est effectuée grâce à ce sang. Dans le contexte de cette lettre, la passion humaine de Jésus, et le sang offert pour le salut des hommes, revêt plus d'importance que la Résurrection, ou même que les détails concrets de la Crucifixion.

Inutile donc d'insister sur les conséquences considérables de ce texte susceptibles, comme on l'a dit à l'époque, d'altérer les fondements mêmes de la foi chrétienne. Si le salut de l'homme, en effet, réside tout entier dans le seul fait du sang versé par le Christ à son intention, quelle signification faut-il accorder à sa mort et à sa résurrection ?

7

Conspiration à travers les siècles

Nous savons donc maintenant, après examen approfondi, que la liste plausible des grands maîtres de Sion apporte un certain nombre de certitudes. Beaucoup d'événements en effet, apparemment confus et difficiles à discerner *a priori*, forment une trame, tissée par une main discrète et habile. Quant aux grands maîtres eux-mêmes, nous savons désormais qu'un ensemble de points communs les unit indiscutablement à divers degrés : lien au niveau des généalogies présentées dans les « documents du Prieuré », particulièrement en ce qui concerne la maison de Lorraine, appartenance à une ou plusieurs sociétés secrètes, manque d'orthodoxie dans les croyances religieuses théoriquement catholiques, penchant plus ou moins prononcé pour la tradition ésotérique, contact étroit enfin de chaque grand maître avec son prédécesseur et son successeur.

Cependant ces constatations sont-elles fondamentalement suffisantes ? Elles ne prouvent pas que le Prieuré de Sion, dont l'existence au Moyen Âge a bien été confirmée, ait continué de survivre au cours des siècles suivants ; elles ne prouvent pas non plus que les individus figurant sur la liste des grands maîtres en aient véritablement assumé les fonctions. On peut même dire qu'elles ne semblent pas pour certains toujours crédibles en raison de leur âge présumé au moment de leur accession au grade suprême. En effet qu'un Édouard de Bar ait été nommé grand maître de Sion à l'âge de cinq ans, et un René d'Anjou à huit, soit, en raison des principes d'hérédité, mais tel ne peut être le cas pour un Robert Fludd ou un Charles Nodier, grands maîtres à vingt et un ans, ni pour un Debussy à vingt-trois, qui n'ont pas eu le temps, si jeunes, de franchir les grades de la franc-maçonnerie ni de faire leurs preuves dans leurs domaines respectifs. Faut-il donc supposer qu'il ne s'agissait en l'occurrence que d'« hommes de paille » ignorant peut-être même tout du titre, purement symbolique, qu'on leur avait décerné ?

Ces spéculations, dans l'état actuel de notre enquête, nous semblant prématurées, il nous faut par conséquent chercher ailleurs que dans cette liste les preuves définitives de l'existence de l'ordre de Sion, et de son œuvre accomplie dans l'ombre. Portons donc dans cette perspective notre choix sur la maison de Lorraine et quelques-unes des familles citées dans les « documents du Prieuré », domaine apparemment très riche.

Dans la mesure où le Prieuré n'agissait que clandestinement, nous ne devons pas nous attendre à le voir mentionné sous sa propre appellation. S'il a continué d'exister après le Moyen Âge, il a certainement été contraint de dissimuler sa véritable identité, par exemple sous celle d'Ormus, adoptée pendant un certain temps. En outre, loin de s'en tenir à une seule attitude politique, et de l'imposer à ses membres – les rendant ainsi suspects, ou attirant l'attention sur eux –, il a probablement dû faire preuve d'une extrême souplesse, une souplesse de neuf siècles qui l'obligeait à se renouveler perpétuellement, à s'adapter à chaque époque en se pliant à ses lois, bref à modifier ses apparences, ses activités et ses objectifs en fonction du contexte de l'époque. Dans un ordre d'idées tout à fait différent et sans vouloir bien sûr établir le moindre parallèle avec la Mafia, cette dernière organisation n'a-t-elle pas dans sa propre sphère réussi à conserver son anonymat à travers les siècles en acceptant d'évoluer selon les exigences de la situation ?

Le Prieuré de Sion en France

Entre 1306 et 1480, nous apprennent les « documents du Prieuré », Sion possédait neuf commanderies ; en 1481, à la mort de René d'Anjou, ce nombre était passé à vingt-sept. Les plus importantes étaient situées à Bourges, Gisors, Jarnac, au Mont-Saint-Michel, à Montréval, Paris, Le Puy, Solesmes et Stenay ; en outre, ajoutent laconiquement les *Dossiers secrets*, il existait « une arche dite "Beth-Ania" [maison d'Anne], située à Rennes-le-Château[1] ». Or si l'on n'en sait pas plus sur cette mystérieuse citation, il n'est peut-être pas inutile de rappeler que lorsque Saunière construisit son imposante villa à Rennes-le-Château, explicitement nommée ici, il l'appela la « villa Bethania »...

La commanderie de Gisors, toujours selon les « documents », était, elle, de 1306 et située rue de Vienne. De là, elle communiquait par un passage souterrain avec le cimetière local et la crypte de sainte Catherine, sous la forteresse. Or, on prétend que c'est dans cette crypte, ou dans une chapelle souterraine adjacente, qu'auraient été entreposées, au XVIe siècle, les archives de Sion réparties en trente coffres.

En 1944 durant l'occupation allemande, une mission militaire arriva de Berlin pour fouiller à Gisors sous la forteresse. Mais le débarquement allié ayant empêché la réalisation des travaux, peu après un homme du pays, Roger Lhomoy, décida de creuser à son tour et en 1946 il annonçait au maire de Gisors la découverte d'une chapelle souterraine contenant dix-neuf sarcophages de pierre et trente coffres de métal. Outre l'autorisation de poursuivre les travaux, Lhomoy demandait que sa découverte soit rendue publique. Mais les lenteurs – ou la mauvaise volonté ? – de l'administration furent telles qu'il ne put reprendre ses fouilles qu'en 1962… Elles ne furent cependant pas ouvertes au public et se déroulèrent sous les auspices d'André Malraux, alors ministre de la Culture. Or si Lhomoy retrouva bien son chemin jusqu'à la chapelle souterraine, les sarcophages et les coffres, eux, avaient disparu… et malgré l'immense campagne de presse suscitée par l'événement on ne devait jamais en retrouver la trace. Seuls subsistaient de cette découverte, ressemblant étrangement à un songe, deux allusions à la crypte souterraine de sainte Catherine figurant dans deux manuscrits de 1375 et 1696[2]…

Grâce à elles en tout cas le récit de Lhomoy devenait plausible, ainsi que la légende selon laquelle la chapelle avait servi d'abri aux archives de Sion. Quant à nous, nous allions trouver ailleurs encore les preuves que le Prieuré de Sion avait continué d'exister pendant trois siècles au moins après les Croisades et la dissolution du Temple.

En effet entre le début du XIVe et le début du XVIIe siècle, certains documents relatifs à Orléans et à Saint-Samson, base de Sion, font référence à l'ordre. Ils mentionnent par exemple la colère du pape et celle du roi de France, provoquées par les membres du Prieuré de Sion à Orléans au début du XVIe siècle, qui avaient « enfreint leur règle » et « refusé la vie commune ». D'autres accusations à leur encontre se firent également jour à la fin du XVe siècle : on leur reprochait de manquer à la règle, de préférer vivre individuellement plutôt qu'en communauté, de se livrer à des pratiques licencieuses, de résider trop souvent en dehors des limites de Saint-Samson, et de n'avoir pas reconstruit leurs murs, sérieusement endommagés en 1562. Selon les mêmes sources, les autorités perdent même patience et en 1619 chassent le Prieuré de Sion de Saint-Samson dont elles font cadeau aux jésuites[3].

À partir de cette date on ne trouve plus, du moins sous ce nom, aucune référence au Prieuré, les faits que nous venons de rapporter ne pouvant d'ailleurs être tenus comme preuves absolument définitives. Elles n'apprennent en outre pratiquement rien sur les activités de Sion, ses buts ou son influence, se contentant de faire simplement allusion à une fraternité très vague de moines ou de religieux plus ou moins clandestins, et ne présentant finalement qu'un intérêt relatif. En effet, que pouvait donc avoir en commun cette association d'individus irrévérencieux et indisciplinés de Saint-Samson avec les membres de la célèbre confrérie dirigée par les plus illustres noms de l'histoire d'Occident ? D'après les « documents du Prieuré », Sion était une organisation considérable, puissante, influente, ayant donné naissance à l'ordre du Temple et plongée dans la haute politique de son époque, et les habitants de Saint-Samson n'évoquaient rien de tel...

Saint-Samson à Orléans n'était-il alors qu'un siège isolé et secondaire des activités de Sion ? Toujours est-il que, ne figurant pas, dans les *Dossiers secrets*, sur la liste des commanderies les plus importantes, force nous était par suite de chercher ailleurs les traces tangibles de l'existence de l'ordre.

Les ducs de Guise et de Lorraine

Pendant tout le XVIe siècle, et durant trois générations entières, la maison de Lorraine et sa branche cadette la maison de Guise s'efforcèrent de renverser la dynastie des Valois pour s'emparer du trône de France. À plusieurs reprises ces tentatives échouèrent de très peu, mais il n'allait falloir que trente ans à peine pour voir la race des Valois s'éteindre définitivement.

Charles, cardinal de Lorraine, et son frère François, duc de Guise, très près de réussir entre 1550 et 1560, étaient tous deux alliés à Charles de Montpensier, connétable de Bourbon, cité par les *Dossiers secrets* comme grand maître de Sion jusqu'en 1527. Ils étaient liés aussi à la famille des ducs de Mantoue et Ferdinand de Gonzague, grand maître de 1527 à 1575, allait apporter aide et soutien à leurs divers complots contre le trône de France. Quant au duc de Guise, il avait épousé Anne d'Este, duchesse de Gisors.

Le cardinal de Lorraine et le duc de Guise ont été catalogués par l'Histoire comme catholiques d'une rare intransigeance, sectaires jusqu'à la cruauté. Or cette réputation, du moins dans le domaine religieux, nous semble quelque peu excessive, ces derniers, selon nous, s'étant plutôt comportés en opportunistes habiles, ménageant à la fois catholiques et protestants[4]. N'est-ce pas d'ailleurs le cardinal de Lorraine qui, au concile de Trente en 1562, tenta de décentraliser la papauté en donnant plus d'autonomie aux évêques locaux et en ramenant la hiérarchie ecclésiastique à ce qu'elle était à l'époque mérovingienne ?

Quoi qu'il en soit, en 1563 François de Guise, sur le point d'être roi, mourait assassiné et son frère le suivait douze ans après, en 1575. La lutte contre les princes régnants n'était pas pour autant terminée et en 1584 le nouveau duc de Guise et le nouveau cardinal de Lorraine reprenaient leurs assauts contre le trône des Valois, aidés par Louis de Gonzague, duc de Nevers, grand maître de Sion depuis neuf ans. Remarquons en passant que le signe de ralliement des conspirateurs était la croix de Lorraine, ancien emblème de René d'Anjou[5]...

Le conflit ayant duré jusqu'à la fin du siècle, la race des Valois disparut alors définitivement. Mais la maison de Guise, ayant beaucoup souffert de cette rivalité, n'avait plus aucun prétendant à placer sur un trône enfin à sa portée.

Une société, ou un ordre secret déterminé, avait-il accordé son soutien aux maisons rebelles ? On l'ignore, mais il est en tout cas certain qu'un réseau international d'émissaires, ambassadeurs, espions et agents de toutes sortes, voire même de tueurs, se trouvait à leur solde, comme c'était alors pratique courante. Parmi eux, n'hésitons pas à citer Nostradamus, qui très probablement travaillait, lui, pour le compte de François de Guise et du cardinal de Lorraine[6].

S'il faut en croire certains historiens et « documents du Prieuré », Nostradamus ne se contentait d'ailleurs pas de fournir en secret à ses protecteurs d'importants renseignements sur les activités et les plans de leurs adversaires. Astrologue officiel de la cour de France, il suivait le roi dans tous ses déplacements et connaissait par suite un grand nombre de renseignements relatifs aux personnalités qu'il côtoyait, leurs points vulnérables, leurs faiblesses et leurs bizarreries. Ainsi peut-on penser qu'il était parfaitement en mesure de manipuler les Valois sur le plan psychologique, et de les livrer par voie de conséquence aux mains de leurs ennemis. Familier de tous les horoscopes, de toutes les existences, bref des coulisses et des « dessous » de la cour, il ne lui était pas très difficile de déterminer, puis de faire connaître à ses maîtres lorrains le moment opportun pour une disparition, un assassinat, un empoisonnement… C'est pourquoi une grande partie des prophéties de Nostradamus n'en sont en fait peut-être pas, mais bien plutôt des messages cryptiques, des instructions codées, un programme d'action secret destiné à un nombre restreint d'initiés.

Ce n'est là bien sûr qu'une hypothèse, mais on peut d'ores et déjà cependant avancer que certaines de ces prétendues prophéties se réfèrent explicitement au passé : aux Chevaliers du Temple, à la dynastie mérovingienne, à la maison de Lorraine, à l'ancien comté de Razès proche de Rennes-le-Château[7] et, dans le cas de nombreux quatrains, à l'avènement du « grand monarque » qui viendra du Languedoc…

Un autre détail de la vie de Nostradamus intéresse aussi directement notre enquête. Selon certains historiens[8] et la légende populaire, il aurait en effet, avant de commencer sa carrière de prophète, effectué un long séjour en Lorraine, pour une sorte de noviciat, une période d'épreuves au terme de laquelle il aurait été « initié » à un important secret. On dit aussi qu'il aurait eu accès à un très ancien ouvrage ésotérique, base de toute son œuvre à venir. Or cet ouvrage lui aurait été remis en un lieu qui ne nous est pas inconnu puisqu'il s'agit de l'abbaye d'Orval offerte par la mère adoptive de Godefroi de Bouillon, et où peut-être serait né le Prieuré de Sion. Orval en tout cas restera associé pendant deux siècles encore au nom de Nostradamus, jusqu'à la Révolution française et Napoléon, puisque c'est là que seront éditées les fameuses œuvres prophétiques de l'astrologue.

La succession au trône de France

Venons-en maintenant, si vous le voulez bien, aux années situées aux alentours de 1620. Le trône de France est occupé par Louis XIII, mais le véritable pouvoir est en fait aux mains du seul et unique responsable de la politique française de l'époque, le ministre du roi, son éminence grise, le cardinal de Richelieu. On l'a taxé de « Machiavel » de son temps, de grand cerveau du règne, mais c'est insuffisant car il fut selon nous beaucoup plus encore.

Donc tandis qu'en France le cardinal instaurait la paix et la stabilité, le reste de l'Europe, et particulièrement l'Allemagne, se débattait dans les sursauts de la guerre de Trente Ans. Cette guerre, non religieuse à l'origine, l'était rapidement devenue, et les forces catholiques d'Espagne et d'Autriche s'y opposaient, dans des déchirements sanglants, aux armées protestantes de Suède et des petites principautés allemandes. Parmi ces dernières figurait le Palatinat du Rhin dont l'Électeur Frédéric V, nous l'avons vu, se trouvait en exil à La Hague avec sa femme Élisabeth Stuart, Frédéric et ses alliés étant soutenus et protégés par le mouvement rosicrucien d'Angleterre et du continent.

Or en 1633, le cardinal de Richelieu opta pour une politique audacieuse. Il lança la France dans la guerre de Trente Ans, mais du côté où on ne l'attendait pas, préférant à ses convictions de cardinal certaines considérations d'ordre politique beaucoup plus importantes à ses yeux. Ainsi rêvait-il d'établir au plus vite la suprématie française en Europe, de réduire la menace perpétuelle que l'Autriche et l'Espagne faisaient peser sur la France et de briser l'hégémonie espagnole solidement assise depuis plus d'un siècle, particulièrement dans les vieilles terres mérovingiennes des Pays-Bas et d'une partie de la Lorraine.

Ainsi l'Europe assista-t-elle à cette paradoxale situation d'un cardinal catholique, en pays catholique, envoyant des troupes catholiques pour combattre aux côtés des protestants contre d'autres catholiques. Aucun historien, jamais, n'a émis l'idée que Richelieu ait pu être rosicrucien, mais aurait-il agi autrement pour témoigner de ses convictions, ou tout au moins s'attirer les faveurs de la Rose-Croix ?

Or au même moment la maison de Lorraine, en la personne de Gaston d'Orléans, jeune frère de Louis XIII, continuait d'ambitionner le trône de France. Gaston avait seulement épousé la sœur du duc de Lorraine, mais s'il obtenait le trône sa race ambitieuse aurait enfin une chance de présider aux destinées de la France à la génération suivante, par l'intermédiaire de son héritier. Une telle perspective était en tout cas suffisante pour mobiliser les forces vives de Charles, duc de Guise. Élevé par le jeune Robert Fludd, il avait épousé Henriette-Catherine de Joyeuse, propriétaire de Couiza et d'Arques, là où se trouve la tombe identique à celle des *Bergers d'Arcadie* de Nicolas Poussin...

Toujours est-il que le projet de déposer Louis en faveur de Gaston échoua de nouveau, et que le roi de France resta sur le trône. Le destin avait eu beau sembler se prononcer en faveur du duc d'Orléans : le roi et sa femme, Anne d'Autriche, étant sans enfants, en 1638, après vingt-trois années de stérilité, Anne d'Autriche mettait un enfant au monde et anéantissait ainsi tout espoir de changement. L'étonnement fut grand, bien entendu, et le doute encore plus sur la légitimité du nouveau-né. Les rumeurs, certains historiens contemporains et d'autres plus tard ne manquèrent pas d'en attribuer la paternité au cardinal de Richelieu, ou peut-être à son protégé et successeur le cardinal Mazarin ; hypothèse non dénuée de fondement si l'on tient pour probable le mariage secret de ce dernier avec Anne d'Autriche après la mort du roi.

Ainsi s'effondraient, par la force des choses, les rêves de Gaston d'Orléans et de la maison de Lorraine. Mais lorsqu'en 1642 Richelieu disparut à son tour, rien ne fut négligé pour tenter de se débarrasser de Mazarin et éloigner du trône le jeune Louis XIV. Simple rébellion populaire au départ, la Fronde, véritable guerre civile, allait s'instaurer dans le pays et durer dix années. Or qui allait se regrouper autour de Gaston d'Orléans qui en était l'instigateur ? Des personnalités qui nous sont devenues familières : Frédéric-Maurice de La Tour d'Auvergne, duc de Bouillon, le vicomte de Turenne, le duc de Longueville, petit-fils de Louis de Gonzague duc de Nevers, grand maître de Sion cinquante ans auparavant... Quant à la capitale de ces « frondeurs », elle n'était ni plus ni moins que l'ancienne ville de Stenay, dans les Ardennes.

La Compagnie du Saint-Sacrement

Les « documents du Prieuré » mentionnent qu'au milieu du XVIIe siècle le Prieuré de Sion s'efforça de déposer Mazarin. Mais ce fut pour lui aussi un échec, car à l'issue de la Fronde Louis XIV monta sur le trône et le cardinal, après une brève éclipse, reprit ses fonctions de Premier ministre jusqu'à sa mort en 1660. Sachant donc que Sion était hostile à Mazarin, et connaissant les familles engagées dans la Fronde – celles des généalogies des *Dossiers secrets* –, on peut raisonnablement associer les unes et les autres, et voir dans les membres du Prieuré les instigateurs de cette guerre civile.

Les « documents du Prieuré » eux aussi citent certaines familles, liées à l'ordre, et ayant donné quelques-uns de ses grands maîtres figurant dans les tout premiers rangs de l'opposition à Mazarin et que nous commençons à bien connaître : Gonzague, Nevers, Guise, Longueville, Bouillon... C'est donc bien là, du moins à cette époque, qu'il faut chercher et trouver la trace du Prieuré de Sion et de quelques-uns de ses membres.

Mais ces hommes n'étaient pas seuls engagés dans la rébellion. D'autres l'étaient aussi, qui allaient se manifester non seulement pendant la Fronde, mais bien longtemps après. Ainsi les membres de la Compagnie du Saint-Sacrement, sur laquelle insistent les « documents du Prieuré », reconnaissant en elle très clairement soit une émanation du Prieuré, soit Sion lui-même agissant alors sous une autre identité et à propos de laquelle assurément les similitudes avec Sion sont nombreuses tant sur le plan de sa structure, de son organisation, de ses activités que de ses méthodes.

Quelle était donc cette Compagnie du Saint-Sacrement, cette société secrète, bien réelle, dont l'existence fut reconnue au XVIIIe siècle et, depuis, par de nombreux historiens, dont le nom résonne familièrement à nos oreilles et à laquelle tant d'ouvrages ont été consacrés ?

La Compagnie du Saint-Sacrement a été fondée entre 1627 et 1629 par un grand seigneur de l'entourage de Gaston d'Orléans. On ne sait rien cependant de ceux qui ont alors présidé à ses destinées car ils ont tous gardé, comme ils gardent aujourd'hui encore, un anonymat scrupuleux ; seuls quelques-uns de leurs intermédiaires, membres inférieurs de la hiérarchie, sorte d'hommes de paille agissant selon des instructions venues de plus haut, sont connus. Citons parmi eux le frère de la duchesse de Longueville, le frère du surintendant des Finances de Louis XIV, Charles Fouquet, enfin l'oncle du philosophe Fénelon que l'on retrouvera un demi-siècle plus tard dans la franc-maçonnerie, aux côtés du chevalier Ramsay. Autour de la compagnie gravitaient également d'éminentes personnalités telles que saint Vincent de Paul, l'évêque d'Alet Nicolas Pavillon, et Jean-Jacques Olier, fondateur du séminaire de Saint-Sulpice, centre probable des activités de l'association[9].

La Compagnie, dans son organisation et ses activités, rappelait l'ordre du Temple tout en préfigurant la franc-maçonnerie. De Saint-Sulpice, elle coordonnait un important réseau de branches provinciales et de chapitres, dont les membres devaient obéir sans chercher à comprendre ou à discuter, sans même être obligatoirement d'accord, et sans jamais connaître ceux qui donnaient les ordres. Une seule tête et un cœur invisible, ainsi pourrait se définir cette Compagnie du Saint-Sacrement. Oui, un cœur battait, et il battait au rythme d'un « secret » qui était sa « raison d'être » et sa vie. Certains récits contemporains font d'ailleurs explicitement référence « au Secret qui est l'âme de la Compagnie », et l'un de ses statuts stipule : « Le fil conducteur déterminant l'esprit de la Compagnie, et qui lui est essentiel, est le Secret[10]. » Mais quelles étaient les fonctions de la Compagnie ?

Des membres novices, non initiés, devaient révéler à plusieurs reprises, de façon voilée, qu'elle se consacrait à des œuvres charitables dans les régions dévastées par les guerres de Religion, la Picardie par exemple, la Champagne et la Lorraine. Or, on le sait maintenant, cette « œuvre charitable » n'était qu'une façade ingénieuse, assez peu en rapport avec la véritable raison d'être de la sainte maison. Cette raison d'être était en fait double : d'abord pratiquer une sorte d'espionnage pieux, s'infiltrer ensuite dans les charges les plus importantes du pays, y compris bien entendu celles proches du trône.

La Compagnie du Saint-Sacrement semble avoir particulièrement bien réussi dans ces deux objectifs. Ainsi Vincent de Paul, membre du Conseil royal de Conscience, ne devint-il pas confesseur de Louis XIII et conseiller intime de Louis XIV jusqu'à ce que son hostilité à Mazarin l'oblige à abandonner ses fonctions ? Quant à la reine mère Anne d'Autriche, elle ne serait qu'un jouet entre les mains de la Compagnie qui réussirait même, un certain temps du moins, à la retourner contre son Premier ministre. D'ailleurs la toute-puissante organisation ne se limitait pas uniquement au trône, et l'on peut dire qu'au milieu du XVIIe siècle elle étendait ses filets sur l'ensemble de la France par l'intermédiaire de l'aristocratie, du Parlement, de la justice et de la police, à telle enseigne que ces institutions oseraient même à plusieurs reprises défier ouvertement le roi.

Personne cependant, ni alors ni aujourd'hui, n'a encore donné de définition précise de la Compagnie du Saint-Sacrement généralement considérée, mais c'est assez vague, comme une organisation militante ultracatholique, bastion de l'orthodoxie et de l'intolérance. Passant en outre au XVIIe siècle pour s'être consacrée à chasser les hérétiques de France, pourquoi, dans un pays catholique, une telle organisation se serait-elle obstinée à agir dans le secret ? Et que représentait d'ailleurs alors le terme d'hérétiques ? Les protestants ou les jansénistes ? Ni les uns ni les autres en vérité puisque tous figuraient, et en grand nombre, dans les rangs de la Compagnie...

Si elle avait été d'autre part vraiment catholique, la Compagnie n'aurait-elle pas dû soutenir Mazarin, défenseur des intérêts de l'Église ? Or justement elle s'opposait ouvertement à lui, à tel point que le Premier ministre n'eut de cesse qu'il ne la réduisît à néant. Les jésuites aussi lui étaient résolument hostiles, et certaines autres autorités catholiques qui l'accusaient d'hérésie – ce contre quoi justement la Compagnie du Saint-Sacrement elle-même prétendait lutter... tant et si bien qu'en 1651 l'évêque de Toulouse allait dénoncer ses pratiques impies et les aspects « hautement irréguliers » de ses cérémonies d'admission[11] – écho des accusations levées jadis contre les Templiers. Mais, menacée d'excommunication, la Compagnie réagit avec une vigueur extrême et une impudence bien singulière de la part de pieux catholiques.

Rappelons maintenant que la Compagnie du Saint-Sacrement fut fondée en pleine époque de la psychose rosicrucienne. L'« invisible fraternité » était partout, responsable de tout, objet des craintes et des pires affabulations, objet aussi de poursuites et de recherches assidues ; et pourtant la Rose-Croix restait invisible. Nulle part, dans cette France catholique, on ne parvenait à mettre la main sur l'un de ses membres, comme s'il ne s'était agi là que d'une fiction, d'un produit de l'imagination populaire.

Rose-Croix fantôme alors ?... Cherchons donc ailleurs la solution. Et si la Rose-Croix, ayant intérêt à s'implanter en France, avait choisi de se dissimuler derrière une autre organisation ? Quelle meilleure façade, quel masque plus trompeur que cette Compagnie dont le but officiel était justement la chasse aux Rosicruciens ? Ainsi, sous la respectable étiquette de Saint-Sacrement, ces derniers n'auraient-ils pu poursuivre sereinement leurs objectifs, et gagner des partisans à leur cause tout en se prétendant leurs propres et plus farouches ennemis ?

La Compagnie du Saint-Sacrement allait résister à Mazarin et à Louis XIV jusqu'en 1660, date à laquelle moins d'un an avant la mort de son Premier ministre le roi ordonna officiellement sa dissolution. Rien ne changea pourtant au cours des cinq années suivantes car la Compagnie décida d'abord d'ignorer l'édit royal, puis en 1665 elle déclara simplement pouvoir continuer à exister sous sa « forme présente ». La totalité de ses archives fut alors rassemblée puis mise en lieu sûr à Paris, dans un endroit qui ne fut jamais révélé, mais qui, selon toute vraisemblance, aurait été Saint-Sulpice[12]. Ainsi, deux siècles plus tard, ces archives auraient-elles été accessibles à un abbé Émile Hoffet.

D'aucuns pensent néanmoins que la Compagnie continua à sévir, sous une forme différente, jusqu'au début du siècle suivant, véritable défi à l'autorité de Louis XIV, et même beaucoup plus tard jusqu'aux premières années du XXe siècle.

Sans nous prononcer sur ce dernier point, disons seulement qu'elle survécut certainement à sa prétendue disparition de 1665. En 1667, Molière, fidèle partisan de Louis XIV, attaqua en effet la Compagnie par le biais de certaines allusions peu équivoques dans son *Tartuffe*, attitude qui lui attira aussitôt des représailles non moins déguisées, la représentation de sa pièce se trouvant interdite pour deux ans en dépit de la protection royale dont il jouissait. La Compagnie du Saint-Sacrement possédait d'ailleurs de son côté ses propres écrivains, La Rochefoucauld, très actif pendant la Fronde, et même La Fontaine, dit-on, dont les innocentes et charmantes fables étaient autant de critiques déguisées du trône. Louis XIV, il est vrai, ne portait aucune amitié particulière au fabuliste et, rappelons-le, alla jusqu'à s'opposer à son entrée à l'Académie française ; citons en contrepartie ses protecteurs les ducs de Guise et de Bouillon, le vicomte de Turenne et la veuve de Gaston d'Orléans, ces noms n'étant pas sans intérêt...

Résumons maintenant ce que nous savons sur la Compagnie du Saint-Sacrement :

Il s'agit donc d'une société secrète, dont une grande partie de l'histoire est parfaitement officielle. Elle est ostensiblement catholique, mais non moins manifestement engagée dans des activités non catholiques. Elle est étroitement liée à certaines grandes familles de l'aristocratie – toutes actives pendant la Fronde et dont les généalogies figurent dans les « documents du Prieuré ». Elle a des rapports avec Saint-Sulpice et, bien qu'agissant surtout en sous-main, elle possède une très grande influence. Elle est enfin très hostile au cardinal Mazarin.

Nous retrouvons là toutes les principales tendances du Prieuré de Sion telles que nous les présentent les *Dossiers secrets*. Les deux démarches coïncident presque parfaitement, et si l'ordre de Sion a poursuivi ses activités au cours du XVIIe siècle on peut, sans grand risque d'erreur, aisément l'identifier à la Compagnie du Saint-Sacrement ou à l'action de ceux qui agissaient dans l'ombre derrière elle.

Château de Barbarie

L'hostilité de Sion à l'égard de Mazarin, affirment les « documents du Prieuré », provoqua de sa part de sévères représailles. L'une de ses principales victimes allait être la famille Plantard, descendante de Dagobert II et de souche mérovingienne. En 1548, Jean de Plantard avait en effet épousé Marie de Saint-Clair, créant ainsi un nouveau lien entre sa propre branche familiale et celle des Saint-Clair de Gisors, tandis que sa famille se fixait près de Nevers, au château de Barbarie, appelé à devenir sa résidence officielle au cours du siècle suivant. Mais le 11 juillet 1659 Mazarin fait détruire le château, et les Plantard perdent la totalité de leurs biens[13].

Or aucun ouvrage, aucune biographie de Mazarin, il faut le souligner, ne confirme ces dires des « documents du Prieuré » ; de même ne trouverons-nous pas davantage au cours de nos recherches de références à une famille Plantard résidant dans le Nivernais, ni la trace d'un château de Barbarie. Pourtant nul doute que Mazarin convoitait effectivement le duché de Nevers et sa province, qu'il finit d'ailleurs par obtenir, par contrat signé le 11 juillet 1659, le jour même de la présumée destruction du château[14].

Soucieux de pousser plus loin nos investigations, nous n'allons pas moins rassembler au fur et à mesure des fragments de preuves glanés çà et là, insuffisants certes à tout expliquer mais attestant cependant l'incontestable véracité des « documents du Prieuré », à preuve notamment la mention du nom Barbarie dans une liste des domaines et tenures en Nivernais, datée de 1506, et une charte de 1575 faisant allusion à un hameau de la contrée nommé « Les Plantard[15] ».

Quant au château de Barbarie lui-même, son existence nous est bientôt définitivement confirmée par la découverte des faits suivants : en 1874-1875, les membres de la Société des lettres, des sciences et des arts de Nevers entreprennent de fouiller sur l'emplacement du site en ruine. Projet particulièrement hasardeux car les pierres vitrifiées par le feu et l'épaisse végétation qui s'y entremêle rendent toute identification pratiquement impossible. Mais finalement les vestiges d'une muraille et d'un château sont mis au jour. Le doute n'est plus permis : ce sont ceux de Barbarie, on le sait aujourd'hui sans risque d'erreur. Avant sa destruction, précision supplémentaire, ce site se composait d'une petite ville fortifiée et d'un château[16], à peu de distance de l'ancien hameau des Plantard.

Le château de Barbarie a donc indiscutablement existé avant d'être détruit par le feu. Quant au hameau des Plantard, aucun doute qu'il n'ait appartenu à une famille du même nom. Mais, curieusement, nul document ne mentionne la date à laquelle le château a brûlé, ni l'auteur de l'incendie. Si Mazarin en fut le responsable, il est certain qu'il s'est donné en tout cas beaucoup de mal pour effacer toute trace de son geste, allant jusqu'à rayer systématiquement le château de Barbarie de la carte et de l'histoire du Nivernais. Au nom de quel impérieux mobile agissait-il donc et quel terrible secret se trouvait lié au mystérieux domaine ?

Nicolas Fouquet

Les Frondeurs et la Compagnie du Saint-Sacrement n'étaient pas les seuls ennemis de Mazarin. Parmi eux se comptait également le tout-puissant Nicolas Fouquet *, surintendant des Finances de Louis XIV à partir de 1653. Homme de grand talent, intelligent et ambitieux, il allait devenir au cours des années suivantes le plus riche et le plus influent personnage du royaume, son véritable monarque, allait-on même jusqu'à murmurer... ses rêves politiques étant d'ailleurs à la mesure de son ambition, telle cette idée qu'on lui prêtait de vouloir faire de la Bretagne un duché indépendant dont il serait le maître.

Or la mère de Fouquet était un membre éminent de la Compagnie du Saint-Sacrement, ainsi que l'un de ses frères, Charles, évêque de Narbonne en Languedoc. Quant à son cadet, Louis, il était aussi dans les ordres et en 1656 Nicolas l'envoya à Rome pour des raisons inconnues, d'où Louis lui envoya, on s'en souvient, la lettre énigmatique citée au premier chapitre faisant état d'une entrevue avec Poussin et d'un secret que même « les roys auroient grand peine à tirer de luy ». Le peintre de son côté ne se montrera d'ailleurs guère plus bavard et ne se livrera jamais à une confidence à ce

---

* Voir *Foucquet, coupable ou victime ?* de Georges Bordonove, Pygmalion, 1976.

propos, suivant à la lettre la maxime de son sceau personnel : « Tenet confidentiam ».

Toujours est-il qu'en 1661 Louis XIV fait arrêter son surintendant des Finances, l'accusant de confondre ses intérêts personnels et la gestion des finances publiques et, plus grave encore, de préparer une rébellion contre le trône. Tous ses biens, toutes ses propriétés sont en conséquence placés sous séquestre, ses dossiers et sa correspondance remis au roi qui se réserve de les examiner en privé avec un soin tout particulier.

Un procès s'ensuit ; il dure quatre ans et mobilise toute la France, les écrivains, les pamphlétaires, la Cour et la province. Le plus jeune frère de l'accusé, Louis, est mort, mais sa mère et Charles mobilisent la Compagnie du Saint-Sacrement à laquelle appartient l'un des juges désignés pour le procès. La respectable maison se lance aussitôt dans la bataille au côté des partisans de Nicolas Fouquet, s'attachant à retourner l'opinion publique en faveur de l'accusé qui attend la sentence en prison. Le châtiment réclamé par Louis XIV est aussi inhabituel qu'exemplaire : la mort ni plus ni moins. La cour refuse et, faisant preuve d'une courageuse indépendance, vote le bannissement à vie. Mais le roi, n'acceptant pas de modifier sa décision, remplace alors les juges récalcitrants par une autre chambre plus conforme à ses souhaits.

Finalement, les voix en faveur du bannissement l'emportent contre la volonté royale, et en 1665 Louis XIV commue la peine en celle d'emprisonnement perpétuel. Le surintendant est sauvé, mais condamné à un isolement rigoureux dans une forteresse insalubre du Piémont. Il n'y a droit ni aux promenades, ni aux visites, ni à l'encre ni au papier ; quant à ses valets et à ses geôliers ils sont constamment changés, la moindre attention à l'égard du prisonnier étant, dit-on, passible des galères ou de la pendaison[17].

Or cette même année 1665, année où Fouquet est emprisonné à Pignerol, Poussin meurt à Rome, et

Louis XIV s'efforce, par l'intermédiaire de ses agents, d'obtenir sa toile intitulée *Les bergers d'Arcadie*. Mais, lorsque vingt ans plus tard elle est enfin en sa possession, il se garde bien de l'exposer aux regards, ne la faisant pas même admirer dans sa toute nouvelle résidence de Versailles, et l'enferme jalousement dans ses appartements privés, n'acceptant de la montrer qu'exceptionnellement, à de très rares privilégiés.

Concluons sur ce chapitre en précisant que la disgrâce de Fouquet, quelles qu'en aient été les causes et l'ampleur, ne devait pas cependant toucher ses enfants. Quelques décennies plus tard, son petit-fils le marquis de Belle-Isle sera l'un des grands personnages du royaume, et lorsqu'en 1718 il cédera à la couronne l'île admirablement fortifiée à laquelle il devait son nom, il recevra en échange des terres ne pouvant que nous intéresser... L'une d'elles en effet était Longueville, et nous n'avons pas besoin de revenir sur ce nom ; l'autre était Gisors, qui donnait au petit-fils de Fouquet le titre de comte, puis de duc de Gisors en 1742, Gisors recevant six ans plus tard, en 1748, le statut de « premier duché ».

Nicolas Poussin

C'est à quelques kilomètres de Gisors justement, dans la petite ville des Andelys, qu'est né Nicolas Poussin en 1594. Mais très vite il part se fixer à Rome d'où il ne reviendra qu'à de rares occasions, notamment peu après 1640, rappelé par le cardinal de Richelieu pour une importante mission.

Bien que peu engagé dans la politique et sans quitter son refuge de Rome, le peintre était étroitement associé à la Fronde. À preuve sa correspondance révélant de nombreuses amitiés dans le mouvement hostile à Mazarin et une familiarité inattendue avec certains « Frondeurs » dont il partage ouvertement semble-t-il les opinions[18].

Ayant déjà rencontré le « flot souterrain » de la rivière Alphée qui, d'Arcadie, coule jusqu'aux pieds de René d'Anjou, penchons-nous maintenant sur l'inscription inséparable des bergers arcadiens de Poussin : « Et in Arcadia ego ».

Cette phrase sibylline apparaît pour la première fois sur l'une de ses peintures antérieures. La tombe, surmontée d'un crâne, ne constitue pas un édifice en soi, mais est encastrée dans le rocher ; au premier plan, une divinité des eaux portant une barbe contemple le sol dans une attitude songeuse : c'est le dieu Alphée, qui préside justement aux destinées du flot souterrain. L'œuvre date de 1630-1635, soit entre cinq et dix ans avant la célèbre version des *Bergers d'Arcadie*.

Les mots « Et in Arcadia ego » ont fait leur apparition dans l'Histoire entre 1618 et 1623 avec une peinture de Giovanni Francesco Guercino dont Poussin semble s'être inspiré pour son œuvre. Deux bergers sortant de la forêt viennent d'atteindre la clairière et la tombe, où l'on distingue très visiblement la fameuse inscription et un grand crâne posé sur la pierre. Si l'on ignore tout de la signification symbolique de cette peinture, on sait par contre que Guercino était très versé dans la tradition ésotérique ; il semble même avoir été un familier du langage des sociétés secrètes, certaines de ses œuvres traitant de thèmes spécifiquement maçonniques. Or les loges, rappelons-le, ont commencé à proliférer en Angleterre et en Écosse vingt ans auparavant et une peinture telle que *La Résurrection du Maître*, exécutée presque un siècle avant que cette légende ne fasse son entrée dans la tradition maçonnique[19], se rapporte explicitement à la légende maçonnique de Hiram Abiff, architecte et constructeur du Temple de Salomon.

Mais revenons aux mots « Et in Arcadia ego ». Ils seraient, au dire des « documents du Prieuré », la devise officielle de la famille Plantard depuis le XIIe siècle au moins (date à laquelle Jean de Plantard épousa Idoine de Gisors), et ils auraient déjà été cités en 1210 par un certain Robert, abbé du Mont-Saint-Michel[20].

N'ayant pas eu accès aux archives de la célèbre abbaye, nous sommes malheureusement pour l'instant dans l'impossibilité de vérifier cette assertion. Néanmoins la date de 1210 nous semble erronée. D'abord il n'existe pas d'abbé du Mont-Saint-Michel nommé Robert en 1210 ; ensuite s'il existe bien un Robert de Thorigny, abbé de ce lieu, les dates le concernant se situent entre 1154 et 1186, époque où il fut remarqué pour ses travaux et ses collections relatives aux devises, blasons et écussons des familles nobles de la Chrétienté[21].

Quelle que soit donc l'origine de ces mots mystérieux, ils possédaient manifestement pour Guercino et pour Poussin une signification dépassant le domaine de la poésie. À notre avis ils devaient correspondre plutôt à un symbole ou à un signe destiné à quelques initiés – l'équivalent peut-être d'un « mot de passe » maçonnique recouvrant une réalité interdite aux profanes. C'est d'ailleurs en ces termes que se définit, dans les « documents du Prieuré », le caractère même de l'art symbolique :

> « Les œuvres allégoriques ont cet avantage qu'il suffit d'un mot pour éclairer des rapports que la foule ne saisit pas ; elles sont offertes à tous, mais la signification s'adresse à une élite. Par-dessus les masses, expéditeur et destinataire se comprennent. Le succès incompréhensible de certaines œuvres vient de cette valeur de l'allégorie qui constitue, bien plus qu'une mode, un mode d'expression ésotérique[22]. »

Or, si ces lignes s'appliquent, dans leur contexte, à l'œuvre de Nicolas Poussin, ne pourraient-elles pas tout aussi bien convenir à Léonard de Vinci, Botticelli ou à d'autres artistes de la Renaissance et, pourquoi pas, à

Nodier, à Victor Hugo, à Debussy, à Jean Cocteau et à leurs amis ?

La chapelle de Rosslyn et Shugborough Hall

Nous avons constaté précédemment l'existence de liens importants entre les présumés grands maîtres de Sion des XVIIe et XVIIIe siècles et la franc-maçonnerie européenne. Cette dernière, indépendamment de Sion, présente avec certains aspects de notre recherche des rapports très intéressants.

Ainsi ces nombreuses allusions à la famille Sinclair – branche écossaise des Saint-Clair normands de Gisors. Leur terre de Rosslyn n'était qu'à quelques kilomètres de l'ancien siège des Chevaliers du Temple en Écosse, et la chapelle du domaine, construite entre 1446 et 1486, passait depuis lors pour être associée à la franc-maçonnerie et à la Rose-Croix. En outre une charte datée de 1601 reconnaît les Sinclair comme « grands maîtres héréditaires de la maçonnerie écossaise[23] ». C'est là le premier document spécifiquement maçonnique connu, et selon certains ce titre aurait été accordé à la famille Sinclair par Jacques II qui régnait à la même époque que René d'Anjou, entre 1437 et 1460.

Mais un autre morceau du puzzle, plus mystérieux encore, fait surface en Angleterre, dans le Staffordshire, autre foyer maçonnique important entre le début et le milieu du XVIIe siècle.

Lorsque le grand maître de Sion Charles Radclyffe s'échappa en effet de la prison de Newgate en 1714, il reçut, on s'en souvient, l'aide de son cousin le comte de Lichfield. Or à la fin du siècle, la race des Lichfield s'étant éteinte, le nom et le titre disparurent et furent rachetés au début du XIXe siècle par les descendants de la famille Anson qui devinrent à leur tour comtes de Lichfield.

La famille Anson, elle, possédait depuis 1697, et possède encore, le château de Shugborough Hall dans le Staffordshire, qui était un ancien évêché. À la mort de son propriétaire en 1762, une cérémonie eut donc lieu au Parlement, au cours de laquelle lecture fut faite d'un long poème élégiaque. Or quelle était l'une des strophes de ce poème, décrivant une scène champêtre dans les « plaines bienheureuses d'Arcadie » ? À n'en pas douter une allusion explicite à la peinture de Poussin, son dernier vers, évoquant « le doigt de la raison désignant la tombe », attirant manifestement l'attention sur les mots « Et in Arcadia ego[24] »...

Terminons sur ce point en mentionnant enfin que dans le parc de Shugborough Hall se trouve un imposant bas-relief de marbre, exécuté à la demande de la famille Anson entre 1761 et 1767. Et que comporte-t-il ? Une reproduction des *Bergers d'Arcadie* de Poussin, dont tous les éléments sont inversés et comme reflétés dans un miroir. Juste au-dessous, gravée dans le marbre, on peut lire très distinctement l'inscription suivante :

D. O.U.O.S.V.A.V.V. M

Mais ces lettres énigmatiques n'ont jamais encore été déchiffrées de façon satisfaisante.

La lettre secrète du pape

En 1738, le pape Clément XII publie une bulle condamnant et excommuniant l'ensemble des francs-maçons « ennemis de l'Église romaine », décision s'expliquant mal, particulièrement à une époque où un grand nombre de francs-maçons, comme les jacobites, sont ostensiblement catholiques. Mais peut-être le pape s'inquiète-t-il des liens certains existant entre la jeune franc-maçonnerie et les Rosicruciens anticléricaux du XVIIe siècle.

Un document publié pour la première fois en 1962 éclaire désormais ces accusations d'un jour nouveau. Il s'agit en effet d'une lettre du même pape Clément XII adressée à un inconnu, dans laquelle il déclare catégoriquement que la pensée maçonnique repose sur une hérésie, cette hérésie – rencontrée plusieurs fois déjà au cours de notre enquête – consistant elle-même à nier la divinité de Jésus.

Derrière la franc-maçonnerie, poursuit le pape dans cette correspondance, se trouvent des cerveaux responsables, des meneurs : ceux-là mêmes qui ont provoqué la réforme luthérienne[25].

Tout cela est-il bien raisonnable ? sera-t-on tenté de penser à la lecture attentive de cette lettre. Notons toutefois, avant d'émettre un jugement, que le pape ne parle pas à la légère en se référant à des courants de pensée imprécis et à d'obscures traditions. Non ! Il fait bel et bien allusion à un groupe d'individus parfaitement organisés, à une secte, à un ordre ou à une société secrète, s'étant sans cesse appliqués, à travers les âges, à saper les fondements de l'immense édifice sur lequel repose la Chrétienté tout entière.

Le rocher de Sion

La fin du XVIIIe siècle devait voir la prolifération désordonnée des systèmes maçonniques les plus disparates. Parmi eux figurait en bonne place le « Rite Oriental de Memphis[26] » où apparaissait, pour la première fois à notre connaissance, le nom d'Ormus, adopté par le Prieuré de Sion entre 1188 et 1307, Ormus, nous l'avons vu, sage égyptien, selon ce rite, soucieux de concilier les mystères païens et chrétiens, fondateur présumé de la Rose-Croix aux environs de l'an 46 de notre ère.

À cette même époque donc les rites maçonniques multipliaient les allusions au « rocher de Sion » – ce même rocher qui, d'après les « documents du Prieuré », faisait de la « tradition royale » établie par Godefroi de Bouillon l'égale des autres et anciennes dynasties d'Europe.

Pour notre part, on s'en souvient, nous n'avions tout d'abord voulu voir dans ce « rocher de Sion » que le mont Sion, « haute colline » située au sud de Jérusalem où Godefroi construisit l'abbaye destinée au futur ordre. Mais dans le contexte maçonnique, et compte tenu de ses rapports avec le Temple de Jérusalem, ce rocher prend une tout autre signification car il correspond en fait à certains passages spécifiques de la Bible. Le rocher y devient la pierre rejetée, négligée de façon injustifiée lors de la construction du Temple, et qui doit réintégrer sa place dans le corps de l'édifice comme clé de voûte fondamentale. Ainsi le psaume 118 déclare-t-il :

> « La pierre qu'ont rejetée les bâtisseurs est devenue la tête de l'angle. »

Le Nouveau Testament de son côté fait de nombreuses allusions à cette pierre. En Matthieu XXI, 42, on lit en effet ces paroles de Jésus :

> « N'avez-vous jamais lu dans les Écritures : La pierre qu'avaient rejetée les bâtisseurs, c'est elle qui est devenue pierre de faîte... »,

auxquelles font écho, de façon plus ambiguë encore, celles de Paul dans son Épître aux Romains (IX, 33) :

> « Voici que je pose en Sion une pierre d'achoppement et un rocher qui fait tomber ; mais qui croit en lui ne sera pas confondu. »

Dans les Actes des Apôtres (IV, 11), le rocher de Sion est manifestement une métaphore se rapportant à Jésus lui-même :

«... par le nom de Jésus-Christ le Nazaréen... cet homme se présente guéri devant vous. C'est lui la pierre que vous, les bâtisseurs, avez dédaignée, et qui est devenue la pierre d'angle»,

métaphore reprise sans hésitation possible par Paul dans son Épître aux Éphésiens (II, 20) :

«... car la construction que vous êtes a pour fondations les apôtres et les prophètes, et pour pierre d'angle le Christ Jésus lui-même.»

Mais c'est dans la première Épître de saint Pierre que ce rocher prend toute sa valeur symbolique (II, 3-8) :

«... le Seigneur est excellent. Approchez-vous de lui, la pierre vivante, rejetée par les hommes, mais choisie, précieuse aux yeux de Dieu. Vous-mêmes, comme pierres vivantes, prêtez-vous à l'édification d'un édifice spirituel, pour un sacerdoce saint, en vue d'offrir des sacrifices spirituels, agréables à Dieu par Jésus-Christ. Car il y a dans l'Écriture : "Voici que je pose en Sion une pierre angulaire, choisie, précieuse, et celui qui se confie en elle ne sera pas confondu." À vous donc, les croyants, l'honneur, mais pour les incrédules, la pierre qu'ont rejetée les constructeurs, celle-là est devenue la tête de l'angle, une pierre d'achoppement et un rocher qui fait tomber. Ils s'y heurtent parce qu'ils ne croient pas à la Parole; c'est bien à cela qu'ils ont été destinés.»

Un verset suit immédiatement ce passage, dont la signification ne devait nous apparaître que plus tard. Pierre y fait allusion à une lignée de rois, chefs spirituels et séculiers, race de prêtres-rois :

« Mais vous, vous êtes une race élue, un sacerdoce royal, une nation sainte, un peuple acquis... »

Que donc conclure de ces textes déroutants, sur le rocher de Sion, pierre angulaire d'un temple qui fait si intimement partie de la tradition secrète de la franc-maçonnerie ? Que penser de l'identification très claire de cette pierre avec Jésus lui-même ? Comment interpréter aussi cette « tradition royale », reposant sur le rocher de Sion ou sur Jésus en personne, devenant par là même l'égale des dynasties régnantes d'Europe à l'époque des Croisades[27] ?...

Le Mouvement Catholique Moderniste

En 1833, Jean-Baptiste Pitois, ancien collaborateur de Charles Nodier à la bibliothèque de l'Arsenal, est en poste au ministère de l'Éducation publique[28] ; cette même année, le ministre se lance dans un projet ambitieux, la parution de tous les documents relatifs à l'histoire de France non publiés jusqu'à ce jour. Deux comités sont aussitôt formés, où figurent entre autres Victor Hugo, Michelet et le grand spécialiste des Croisades, Emmanuel Rey.

Parmi les œuvres aussitôt publiées sous les auspices de l'Éducation publique, citons le monumental *Procès des Templiers* de Michelet, compilation exhaustive de tous les comptes rendus de l'Inquisition et des procès des Chevaliers du Temple. Le baron Rey, de son côté, fait paraître un certain nombre d'ouvrages traitant des Croisades et du royaume franc de Jérusalem dans lesquels on trouve, pour la première fois, des chartes originales relatives au Prieuré de Sion, et où l'on constate avec étonnement que certains des passages cités par Rey sont presque mot pour mot identiques à ceux des « documents du Prieuré ».

En 1875 enfin, le baron Rey fonde la Société de l'Orient latin. Située à Genève, affichant d'ambitieux projets archéologiques, elle possède sa propre *Revue de l'Orient latin*, aujourd'hui encore largement utilisée par les historiens et publie également de nombreuses chartes du Prieuré de Sion.

Les recherches auxquelles se livre Rey sont caractéristiques d'une nouvelle forme d'érudition historique qui apparaît alors en Europe, et particulièrement en Allemagne, et vont fortement contribuer à augmenter la crise que provoque chez les croyants la diffusion de la pensée de Darwin et de l'agnosticisme, constituant ainsi une menace sérieuse pour l'Église.

La recherche historique, on le sait, reposait jusqu'alors sur des bases imprécises et discutables – légende, tradition orale, mémoire personnelle, références essentiellement subjectives –, pouvant se mettre indifféremment au service de l'une ou l'autre cause. Mais au XIXe siècle les Allemands ont introduit dans leur mode de travail la rigueur et la technique méticuleuses qui sont aujourd'hui devenues d'un usage courant en la matière : examen critique, investigation et utilisation systématique du matériel existant, recherche chronologique, vérification des références. Peut-être les écrivains allemands se sont-ils alors quelque peu égarés dans leur souci d'exactitude, mais reconnaissons qu'ils ont ainsi créé des bases indiscutables pour la recherche ultérieure, dont allaient se trouver redevables un grand nombre de découvertes archéologiques de premier plan telle la mise au jour du site de Troie par Heinrich Schliemann.

Ces procédés vont par suite très rapidement s'appliquer avec une égale rigueur à l'étude de la Bible. Et l'Église, dont les fondements reposent sur une acceptation sans condition du dogme, va prendre conscience, non moins rapidement, que son grand « Livre » résistera difficilement à ces nouvelles méthodes de travail. En effet, dans sa très contestable *Vie de Jésus*, Renan n'a-t-il pas déjà appliqué la méthodologie allemande au Nouveau Testament, avec des résultats extrêmement embarrassants pour Rome ?

Or c'est précisément contre ce nouveau danger que le Mouvement Catholique Moderniste va se proposer au départ d'assurer la défense de l'Église, projetant de former aux méthodes allemandes une génération d'ecclésiastiques susceptibles de défendre la vérité littérale des Écritures avec la même rectitude intellectuelle que leurs confrères dans les disciplines historiques.

Malheureusement le plan échoue, car ces nouvelles armes mises aux mains des jeunes clercs pour les aider à défendre la Bible leur servent en définitive à se retourner contre elle et à déserter la cause qu'on leur avait confiée, l'examen critique des Écritures leur ayant révélé une multitude de contradictions et d'éléments incompatibles avec les dogmes romains. Ayant mal supporté le choc, les Modernistes se trouvaient donc à la fin du siècle contraints d'abandonner leur rôle de troupe d'élite et passaient au rang des hérétiques. C'était là la menace la plus grave qu'ait connue l'Église depuis Martin Luther, crise qui allait conduire les catholiques au bord du schisme.

Or le foyer de l'activité moderniste était de nouveau, comme pour la Compagnie du Saint-Sacrement, Saint-Sulpice à Paris, et l'un de ses principaux représentants le directeur de son séminaire de 1852 à 1884[29]. Mais de Saint-Sulpice le mouvement allait s'étendre rapidement à l'ensemble de la France, puis à l'Italie et à l'Espagne. Entre ses mains, la Bible perdait donc l'autorité indiscutable qu'elle avait toujours représentée pour être reconsidérée dans le contexte spécifique de son époque. Ce n'était pas tout. Les Modernistes en effet refusaient également la centralisation du pouvoir ecclésiastique, et particulièrement la toute récente doctrine de l'infaillibilité du pape[30] jugée contraire aux nouvelles tendances. Ainsi allaient-ils gagner très vite à leur cause une partie de l'Église et de nombreux écrivains, parmi lesquels figuraient notamment Roger Martin du Gard en France et Miguel de Unamuno en Espagne.

La riposte de l'Église ne se fit guère attendre. Réagissant avec sévérité, elle accusa alors les Modernistes de franc-maçonnerie suspendant ici, excommuniant là, de nombreuses œuvres étant par ailleurs mises à l'index. Puis, en 1903, le pape Léon XIII institua une Commission biblique pontificale destinée à contrôler tous les ouvrages relatifs aux Écritures et en 1907 Pie X condamnait formellement le Modernisme, l'Église exigeant finalement trois ans plus tard, le 1er septembre 1910, que ses prêtres prononcent un serment reniant totalement cette forme de pensée.

Le mouvement survécut cependant jusqu'en 1914, date à laquelle la Première Guerre mondiale allait détourner de lui l'attention du public. Quant à ses auteurs, ils ne disparurent pas pour autant. Sous les apparences innocentes d'un poste de professeur en Bretagne, le machiavélique abbé Turmel publia même une série d'œuvres modernistes sous quatorze pseudonymes différents, chacune d'elles étant tour à tour mise à l'index, son auteur ne devant être identifié et excommunié qu'en 1929.

Au même moment le Modernisme faisait tache d'huile en Angleterre où les membres de l'Église anglicane l'accueillaient avec un enthousiasme tout particulier à l'instar de William Temple, futur archevêque de Canterbury, qui n'hésitait pas à proclamer qu'un tel mouvement d'idées risquait de bouleverser de fond en comble les bases mêmes de la culture humaine[31]. Ce n'est bien entendu pas un hasard si nous retrouvons donc, aux côtés de Temple, Canon A.L. Lilley, ami du pasteur dont la lettre stupéfiante faisait état d'une « preuve formelle » selon laquelle Jésus n'était pas mort sur la Croix...

Or Lilley, nous le savons, avait travaillé quelque temps à Paris et y avait fait la connaissance de l'abbé Émile Hoffet, porte-étendard du Modernisme, érudit, expert en histoire, en langues et en symbolisme. Mais Hoffet, lui, ne sortait pas de Saint-Sulpice, mais du séminaire de Sion en Lorraine : « *La Colline inspirée* [32] »...

L'une des preuves les plus éloquentes de l'existence et des activités du Prieuré de Sion date de la fin du XIXe siècle. Ce témoignage est bien connu, mais il est souvent contesté car il évoque beaucoup de souvenirs pénibles. Ayant joué en effet un rôle important dans des événements récents, il suscite aujourd'hui encore des réactions extrêmement violentes que la plupart des écrivains préfèrent éviter en le passant sous silence. Réactions compréhensibles bien sûr, relatives à la souffrance humaine, mais, il faut le dire aussi, parfois hors de propos, ce document étant trop souvent mal utilisé et mal interprété.

Tout le monde connaît plus ou moins le rôle joué par Raspoutine à la cour de Nicolas et Alexandra de Russie. Mais ce que l'on ignore généralement, c'est que bien avant lui existaient déjà dans l'entourage impérial des cercles ésotériques influents et même puissants. L'un d'entre eux notamment s'était formé, entre 1890 et 1900, autour d'un certain « Monsieur Philippe » et de son mentor, familier de la cour de Saint-Pétersbourg. Or ce dernier personnage, nous l'avons déjà rencontré, n'était autre que l'homme appelé Papus[33], l'ésotériste français associé à Jules Doinel, fondateur de l'Église néo-cathare du Languedoc, l'ami de Péladan – qui prétendait avoir découvert la tombe de Jésus –, d'Emma Calvé et de Claude Debussy. En un mot, la renaissance de l'occultisme français survenue à la fin du XIXe siècle dépassait, on le voit, largement les frontières de la France et s'étendait jusqu'à Pétersbourg dans l'entourage immédiat du tsar et de la tsarine.

En Russie, Papus et Monsieur Philippe ne comptaient cependant pas que des amis. La grande-duchesse Élisabeth, par exemple, était l'ennemie déclarée de ce cercle ésotérique, et tentait de placer le plus près possible du trône impérial ses propres favoris, parmi lesquels figurait un individu peu sympathique, connu de la postérité sous le pseudonyme de Sergei Nilus.

C'est aux environs de 1903 que ce Nilus présenta au tsar un document très douteux supposé fournir la preuve d'une dangereuse conspiration. Sans doute attendait-il en échange de ses informations un mouvement de gratitude de la part de son maître, mais il en fut pour ses frais. Le tsar affirma simplement que le document n'était qu'un faux, en fit détruire tous les exemplaires et chassa Nilus de sa cour.

Une copie du texte échappa cependant à la destruction, et parut aussitôt dans un journal sans susciter le moindre intérêt. Publié de nouveau en 1905, en appendice d'un ouvrage du philosophe et mystique Vladimir Soloviov, il commença en revanche à attirer l'attention, pour devenir dans les années suivantes l'un des plus infamants de tout le XXe siècle.

Quel était donc ce document ? Une petite brochure contenant une sorte de programme social et politique dont le titre le plus courant – il différait légèrement à chaque édition – était *Les Protocoles des Sages de Sion*[34]. On les disait issus de sources spécifiquement juives, et pour un grand nombre d'antisémites constituaient la preuve irréfutable d'une vaste « conspiration juive internationale ». En 1919, ces *Protocoles* allaient d'ailleurs être distribués à l'armée des Russes blancs qui, au cours des deux années suivantes, massacrèrent quelque soixante mille Juifs rendus responsables de la révolution de 1917. Puis ils commencèrent à circuler, par les soins d'Alfred Rosenberg, propagateur des théories raciales du Parti national-socialiste allemand. Ainsi Hitler, dans son *Mein Kampf*, utiliserait-il largement leur contenu pour justifier son propre fanatisme, sans jamais mettre en doute leur authenticité. Il n'allait pas être le seul... En Angleterre, le *Morning Post* leur fit en effet immédiatement crédit, et même le *Times*, en 1921, leur accorda la plus sérieuse attention avant de réaliser par la suite son erreur. On sait aujourd'hui quelle insidieuse tromperie représentait ce document, mais il n'en reste pas moins qu'on sait qu'il circule encore en Amérique latine, en Espagne et même en Angleterre, à des fins de propagande antisémite[35]...

Les *Protocoles des Sages de Sion* se présentent comme un programme de domination planétaire à partir d'un groupe d'individus déterminés à imposer un ordre nouveau, le leur, en despotes suprêmes. Pour arriver à leurs fins, tous les moyens sont bons : agitation, anarchie, renversement des régimes, essor de la franc-maçonnerie et de toutes organisations parallèles, contrôle absolu enfin des institutions sociales, politiques et économiques du monde occidental. Ainsi des races entières seront-elles réorganisées, selon un plan d'une amplitude jamais envisagée[36]...

Pour le lecteur moderne avisé, ces *Protocoles* peuvent évidemment paraître, dans leur expression même, ressembler parfois aux romans signés de James Bond ou rappeler les objectifs de l'organisation fictive, SPECTRE, qu'il combat... N'oublions pas cependant que, lorsqu'ils parurent, le célèbre héros n'était pas né, et que l'on prétendit aussitôt qu'ils étaient le fruit d'un Congrès judaïque international tenu à Bâle en 1897. Hypothèse erronée, nous le savons, puisque les premiers exemplaires des *Protocoles* étaient rédigés en français et qu'il n'y avait aucun délégué français au congrès de Bâle. Ajoutons qu'un exemplaire au moins en avait circulé dès 1884, donc treize ans avant la réunion du congrès, et qu'il avait fait son apparition dans les mains d'un membre d'une loge maçonnique à laquelle appartenait Papus lui-même et dont il allait devenir le grand maître[37]. (Dans cette même loge s'était également manifestée pour la première fois la tradition d'Ormus, le légendaire et sage Égyptien fondateur de la Rose-Croix.)

Ce que l'on sait aujourd'hui avec certitude, c'est que les *Protocoles des Sages de Sion* s'inspiraient en grande partie d'une œuvre satirique composée et publiée à Genève en 1864. Dirigée contre Napoléon III, elle était le fruit d'un certain Maurice Joly qui fut aussitôt jeté en prison. Joly était-il membre de la Rose-Croix ? On l'a dit. Il était en tout cas lié avec Victor Hugo qui, lui, en était membre et ne pouvait que partager son hostilité envers Napoléon.

Si l'on peut donc affirmer par suite que les *Protocoles* ne sont pas nés du congrès de Bâle de 1897, à quand donc remonte alors leur existence ?

Bien qu'on ait tendance à les considérer actuellement comme totalement fictifs et conçus par des cerveaux antisémites dans l'unique intention de discréditer les Juifs, l'ouvrage en lui-même ne témoigne pas en faveur de cette hypothèse. En effet, il renferme un certain nombre de références énigmatiques qui n'ont rien de judaïque, à tel point qu'elles ne peuvent en aucun cas avoir été purement et simplement inventées. Aucun antisémite en effet, si peu intelligent fût-il, n'aurait jamais fabriqué de toutes pièces de tels arguments à l'encontre des Juifs eux-mêmes, tout bonnement parce qu'il n'est personne tant soit peu sensé pour croire à l'authenticité de ces documents.

Ainsi, pour ne citer qu'un exemple, la formule terminant le texte des *Protocoles* : « Signé par les représentants de Sion du 33e Degré[38]. » Or quelle est sa raison d'être ? Pourquoi notre faussaire aurait-il incriminé quelques Juifs seulement, à savoir ces « représentants du 33e Degré », et non pas, selon toute logique, l'ensemble des délégués du Congrès judaïque international ?

L'explication est simple, ces « représentants du 33e Degré » n'ayant rien à voir ni avec le judaïsme ni avec aucune conspiration juive internationale, pour la bonne raison qu'ils sont d'obédience maçonnique et considérés « de Stricte Observance » depuis Hund, nous l'avons vu.

Mais les *Protocoles* contiennent encore d'autres anomalies, telles ces allusions répétées concernant l'avènement d'un « royaume maçonnique » ou du « roi de la race de Sion » destiné à le diriger, ce futur monarque devant avoir la même origine dynastique que le roi David, être le « véritable pape » et le « patriarche d'une Église internationale ». « Certains membres de la souche de David, conclut étrangement le texte, prépareront les Rois et leurs héritiers... Seuls le Roi et les trois qui se sont portés caution pour lui connaîtront ce qui arrive[39]... »

Réelle ou fabriquée, est-ce vraiment là une expression de la pensée juive ? Aucun roi depuis les temps bibliques n'a figuré dans la tradition juive, et le principe même d'une royauté y est hors de question, dénué de toute signification, aussi bien en 1897 qu'aujourd'hui ; et cela, n'importe quel auteur de faux ne peut l'ignorer.

Ces allusions donc, à notre avis, ont des résonances plus chrétiennes que juives, le seul « roi des Juifs » reconnu au cours des deux derniers millénaires ayant été Jésus en personne. Or si l'on en croit les Évangiles, Jésus n'avait-il pas les mêmes origines dynastiques que le roi David ?

D'ailleurs, pourquoi fabriquer un document et l'imputer à une conspiration juive en lui donnant une teinte aussi manifestement chrétienne ? Pourquoi évoquer encore ce contexte papal, si spécifiquement chrétien ? Pourquoi parler enfin d'une « Église internationale » plutôt que d'une synagogue – ou d'un temple – internationale ? Pourquoi surtout cette mystérieuse allusion au roi et aux « trois qui se sont portés caution pour lui », moins teintée de judaïsme et de christianisme que de sociétés secrètes sous l'égide d'un Valentin Andreä ou d'un Charles Nodier ? Bref si vraiment les *Protocoles des Sages de Sion* se veulent issus d'une imagination antisémite, il est difficile d'en concevoir une plus ignorante, plus mal informée, plus inepte.

Plusieurs conclusions s'imposent donc maintenant, à la faveur de ce raisonnement et de nos recherches :

1) Il existe un texte original dont s'est inspirée la version officielle des *Protocole*. Ce texte n'est pas apocryphe, mais parfaitement authentique. Il ne relève ni de la tradition juive ni d'un « complot juif international », mais plutôt d'une organisation maçonnique ou d'une société secrète parallèle incluant le mot « Sion ».

2) Le texte original dont s'est inspirée la version officielle des *Protocoles* n'est, dans son expression, ni violent ni provocateur. C'est un programme mentionnant des pouvoirs plus étendus, une franc-maçonnerie en expansion projetant de détenir le contrôle des institutions sociales, politiques et économiques. Ce programme peut aussi bien s'adapter aux sociétés secrètes de la Renaissance qu'à une Compagnie du Saint-Sacrement ou aux institutions d'Andreä ou de Nodier.

3) Le texte original dont s'est inspirée la version officielle des *Protocoles* est tombé entre les mains de Sergei Nilus. Ce dernier n'a pas voulu, au départ, l'utiliser contre les Juifs ; au contraire il l'a apporté au tsar dans l'intention de discréditer le mouvement ésotérique entretenu à la cour impériale par Papus, Monsieur Philippe et autres initiés. Auparavant il en avait remanié le langage pour le rendre plus véhément et, ainsi, convaincre plus aisément le tsar. Lorsque Nilus a quitté la cour, chassé par son maître, il a laissé le texte dans son nouvel état. C'est ainsi que les *Protocoles* ont échoué dans leur objectif primitif de compromettre le cercle ésotérique de la cour ; mais en échange ils ont servi le mouvement antisémite, car, si les principales cibles de Nilus étaient Papus et Monsieur Philippe, il faut bien avouer que les Juifs en faisaient également partie.

4) La version officielle des *Protocoles des Sages de Sion*, loin d'être totalement apocryphe, serait donc, selon nous, plutôt un texte remanié. Mais derrière ces modifications, comme sur un palimpseste ou dans certains passages de la Bible, on retrouve des vestiges de

la version originale. Faisant référence à un roi, à un pape, à une Église internationale ou à Sion, ils ne signifiaient probablement pas grand-chose pour Nilus ; il ne les aurait par suite sûrement pas inventés lui-même, mais puisqu'ils étaient là et étant donné son ignorance, il n'avait aucune raison de les faire disparaître. En résumé, si ces vestiges ne signifiaient rien dans un contexte juif, ils prennent tout leur sens dans celui des sociétés secrètes.

Nous allons d'ailleurs découvrir qu'ils se rapportaient essentiellement au Prieuré de Sion.

Le Hiéron du Val d'Or

Au fil de nos recherches, désormais entreprises dans toutes les directions, certaines intuitions commençaient à se préciser, les « documents du Prieuré » ne cessant pas cependant d'occuper une place dont il fallait perpétuellement tenir compte, toujours sous la même forme, précisons-le, celle de petites brochures extrêmement simples déposées à la Bibliothèque nationale, ou d'ouvrages plus importants apparaissant à intervalles réguliers en librairie.

Certaines de ces œuvres traitaient d'événements datant de la fin du XIXe siècle, et plus spécifiquement de Bérenger Saunière. Ainsi, d'après un récit en théorie « bien documenté », le prêtre n'avait pas découvert « par hasard » les parchemins cachés dans son église ; ceux-ci au contraire lui avaient été remis par des émissaires du Prieuré de Sion venus lui rendre visite à Rennes-le-Château, et ils allaient le traiter visiblement en factotum jusqu'à la fin de 1916 du moins, date à laquelle Saunière s'était violemment querellé avec eux, précisait encore l'auteur[40].

Si ce détail était exact, il éclairait incontestablement d'un jour nouveau la mort du prêtre survenue au mois de janvier suivant. En effet dix jours plus tôt, il se portait parfaitement bien et par suite l'on se perdait en conjectures sur la commande d'un cercueil réceptionné à son intention le 12 janvier par Marie Denarnaud, sa gouvernante et confidente. Or un « document du Prieuré » plus récent, et apparemment plus circonstancié, semble confirmer cette version. D'après lui, Saunière n'était qu'un pion, et son rôle dans le mystère de Rennes-le-Château avait été considérablement amplifié. Le véritable responsable des événements survenus dans le petit village aurait été son ami l'abbé Henri Boudet, curé de la commune voisine de Rennes-les-Bains[41].

Ce document, on le voit, donne une autre explication possible du mystère. Boudet en effet aurait fourni à Saunière toute sa fortune – au total treize millions de francs entre 1887 et 1915 ; il lui aurait aussi servi de conseiller dans ses diverses réalisations, les travaux du village, la construction de la villa Bethania et de la tour Magdala. C'est lui enfin qui aurait supervisé la restauration de l'église de Rennes-le-Château et serait le véritable auteur de l'étrange chemin de croix, version illustrée ou expression visuelle d'un ouvrage obscur de sa composition.

Saunière, toujours d'après cette publication du Prieuré, serait resté ignorant de la signification essentielle du secret dont il joua en fait le rôle de gardien, jusqu'au jour de mars 1915 où Boudet, sentant la mort venir, le lui révéla. Dans ce contexte, Marie Denarnaud aurait alors servi d'agent à Boudet ; c'est en effet par l'intermédiaire de la servante que le curé de Rennes-les-Bains transmettait ses instructions à Saunière, et à elle en personne qu'il remettait toutes les sommes d'argent – ou du moins la plus grande partie d'entre elles car, entre 1885 et 1901 apprend-on, il aurait en outre payé 7 655 250 francs de l'époque à l'évêque de Carcassonne. Or ce dernier, on s'en souvient, avait envoyé, à ses frais, Saunière porter ses parchemins à Paris, et il semble bien, si l'on s'en tient à cette version des faits, que l'évêque ait été surtout un auxiliaire de l'abbé Boudet, ce qui dut créer, au simple niveau de la hiérarchie ecclésiastique, une situation pour le moins inhabituelle…

Quant à l'abbé Boudet lui-même, plusieurs questions dans cette perspective se posent à son sujet. Pour qui travaillait-il ? Quels intérêts servait-il ? D'où détenait-il le pouvoir d'obtenir et les services et le silence de son supérieur hiérarchique ? D'où provenaient les ressources financières qui lui permettaient de se lancer dans de telles prodigalités ?… Il n'existe pas véritablement de réponse à ces énigmes, du moins pas de réponse explicite ; mais il en existe une, implicite, toujours la même : le Prieuré de Sion.

Un autre ouvrage récent, tenant son information, lui aussi, de sources interdites au grand public, semble en effet pencher en faveur de cette même hypothèse ; il s'agit du *Trésor du triangle d'or* publié en 1979 par Jean-Luc Chaumeil.

Selon ce dernier, les nombreux ecclésiastiques impliqués dans le mystère de Rennes-le-Château – Saunière, Boudet, Hoffet, son oncle de Saint-Sulpice, l'évêque de Carcassonne et d'autres probablement – étaient tous affiliés à une franc-maçonnerie de « Rite Écossais ». Or celle-ci, précise l'auteur, s'écartait en plusieurs points de l'orthodoxie franc-maçonne. « Chrétienne, hermétique et aristocratique », elle n'était pas uniquement composée d'athées et de libres penseurs, mais bien au contraire, profondément religieuse, elle admettait parfaitement une hiérarchie sociale et politique, un ordre divin et, derrière toute chose, l'existence d'un grand principe cosmique. Enfin, l'élément en l'occurrence significatif, les grades, ou degrés, supérieurs de cette franc-maçonnerie correspondaient aux grades, ou degrés, inférieurs du Prieuré de Sion[42].

Mais, nous le savions déjà, ces dispositions, malgré les déclarations de Rome, n'étaient nullement incompatibles avec les croyances des catholiques, jacobites du XVIIIe ou prêtres français du XIXe. Les uns et les autres d'ailleurs, passant outre à la condamnation papale, ne cessèrent jamais de se considérer chrétiens et catholiques, davantage même que le souverain pontife qui s'obstinait, lui, à nier la valeur de leur foi.

Toujours est-il que, tout en restant relativement évasif, Jean-Luc Chaumeil insinue également que, peu avant 1914, l'association à laquelle appartenaient Boudet et Saunière fusionna avec une autre société secrète. N'est-ce pas donc là qu'il y aurait peut-être lieu de trouver une explication aux curieuses allusions concernant un monarque renfermées dans les *Protocoles des Sages de Sion*, surtout si, comme le précise encore Jean-Luc Chaumeil, le Prieuré de Sion tirait lui-même les ficelles en s'abritant derrière cette autre institution ?

Venons-en par conséquent désormais à examiner de plus près « le Hiéron du Val d'Or » – transposition verbale du site d'Orval. Société occulte à tendance politique fondée aux environs de 1873[43], elle présente de nombreux points communs avec d'autres confrères de l'époque : notions de points géométriques et de sites sacrés, de vérités mystiques inhérentes à tous les grands thèmes mythiques, intérêt porté aux origines de l'homme, aux races, aux langages et aux symboles comme dans le domaine de la théosophie, tels sont les éléments essentiels de la tradition du Hiéron du Val d'Or, tout à la fois chrétiens et trans-chrétiens, reliant le concept du Sacré-Cœur à des symboles préchrétiens et, à l'instar du légendaire Ormus, cherchant à réconcilier les mystères païens et chrétiens, en attribuant également à la pensée druidique une signification particulière, en partie inspirée de Pythagore.

Outre ces thèmes déjà esquissés dans ses œuvres par l'abbé Henri Boudet, le Hiéron du Val d'Or possédait un idéal propre présenté par Jean-Luc Chaumeil en termes pour le moins obscurs, de « géopolitique ésotérique » et d'« ordre ethnarchique mondial ». En deux mots, disons plus simplement que le Hiéron du Val d'Or rêvait de doter l'Europe du XIXe siècle d'un nouveau Saint Empire romain, État séculier où tous les peuples se seraient trouvés rassemblés, unis sur des bases spirituelles communes plutôt qu'économiques, sociales ou politiques. « Saint », « romain » et « impérial » mais différemment peut-être de ce que l'on entend habituellement par ces mots, cet État idéal aurait réalisé l'un des vieux rêves de l'humanité, l'avènement d'un royaume céleste sur la terre, réplique humaine, miroir et image de l'ordre cosmique, de l'harmonie universelle et de sa hiérarchie. Ainsi se serait enfin trouvée accomplie l'ancienne promesse de la tradition hermétique : « Ici-bas comme là-haut », rêve moins utopique aux yeux de Jean-Luc Chaumeil qu'on ne pourrait le croire *a priori*, et parfaitement envisageable dans le contexte de cette fin de XIXe siècle européen.

> «... Théocratie aux yeux de laquelle les nations ne seront plus que des provinces, leurs dirigeants que des proconsuls au service d'un gouvernement mondial occulte constitué par une "élite". Pour l'Europe, ce règne du "Grand Roi" implique la double hégémonie de la Papauté et de l'Empire, du Vatican et des Habsbourg qui sont son bras droit[44]... »

Lisant au-delà des mots, ne faut-il pas alors tout simplement en déduire que les Habsbourg deviennent synonymes de maison de Lorraine et que le concept du « Grand Roi » confirme non seulement les prophéties de Nostradamus, mais actualise l'idée monarchiste ébauchée dans les *Protocoles* ?

Parallèlement à la réalisation de ces projets grandioses, le Hiéron du Val d'Or préconise des changements importants dans les institutions. Le Vatican ne sera plus celui qui siège à Rome, et sera d'un ordre tout à fait différent ; quant aux Habsbourg, à l'image des pharaons de l'ancienne Égypte ou du Messie attendu par les Juifs à l'aube de l'ère chrétienne, ils deviendront une dynastie de prêtres-rois.

Mais Jean-Luc Chaumeil ne précise pas clairement dans quelle mesure les Habsbourg se trouvaient impliqués en personne dans ce plan aussi secret qu'ambitieux, la visite de l'archiduc à Rennes-le-Château ne pouvant être étrangère à son déroulement. Il faut bien reconnaître d'ailleurs qu'ils n'eurent finalement aucun rôle à y jouer, la Première Guerre mondiale étant venue mettre un terme brutal aux rêves en précipitant les représentants de la maison de Lorraine à bas de leur trône.

En revanche, cette vision finaliste du Hiéron du Val d'Or – ou du Prieuré de Sion – éclairait d'un jour nouveau plusieurs de nos découvertes antérieures : les *Protocoles des Sages de Sion*, les objectifs de diverses sociétés secrètes comme celles de Charles Radclyffe ou de Nodier, les aspirations politiques constantes de la maison de Lorraine y trouvaient en effet une signification manifeste.

Qu'en était-il, par contre, de la réalisation pratique du projet et en vertu de quels principes les Habsbourg se seraient-ils imposés comme une dynastie de prêtres-rois ? En admettant même que leur eût été acquis l'ensemble des suffrages populaires, comment auraient-ils donc fait valoir leurs droits vis-à-vis du gouvernement français ou des dynasties russe, allemande ou anglaise ? Et comment surtout auraient-ils gagné le support populaire indispensable à leur réussite ?

Nous étions de nouveau au fond d'une impasse, noyés dans les hypothèses et confrontés à d'extravagantes conclusions. Sans doute avions-nous mal interprété la pensée profonde du Hiéron du Val d'Or, peut-être avions-nous surestimé des projets sans fondement...

Au seuil d'une impasse, mieux valait donc quitter une voie qui paraissait sans issue pour s'engager dans une autre plus proche de nous, et chercher notamment à savoir si le Prieuré de Sion existait encore de nos jours. Ainsi allions-nous effectivement découvrir la confirmation de son existence. Oui, ses membres, les pieds parfaitement sur terre, poursuivaient, en cette seconde moitié du XXe siècle, un programme en tout point similaire à celui du Hiéron du Val d'Or quelque cent ans plus tôt.

8

La société secrète aujourd'hui

« 25 juin 1956. Déclaration à la sous-préfecture de Saint-Julien-en-Genevois. Prieuré de Sion. But : études et entraide des membres. Siège social : Sous-Cassan, Annemasse (Haute-Savoie). »

Ces quelques lignes, parues au *Journal officiel* du 20 juillet 1956, nous apportaient la preuve que le Prieuré de Sion était bien vivant de nos jours, qu'il était en règle avec la loi obligeant toute société à se déclarer, et ne se donnait même pas la peine de dissimuler son existence. En apparence du moins, car la réalité était en fait tout autre ; aucun numéro de téléphone ne correspondait à l'adresse citée et celle-ci, très vague, ne permettait d'identifier aucune rue, aucun immeuble, aucun bureau... La sous-préfecture elle-même ne nous était d'aucun secours, ne pouvant nous fournir aucun renseignement supplémentaire, l'adresse ne signifiant strictement rien. Indifférence ou complicité ? Comment en effet les services de police pouvaient-ils accepter des enregistrements aussi fantaisistes ? Et si tel était le cas de quel côté pouvions-nous nous tourner pour obtenir de plus amples précisions ?

Nous eûmes alors l'idée de nous faire adresser par la sous-préfecture de Saint-Julien un exemplaire des « statuts » du Prieuré, tels qu'ils y avaient été déposés.

C'était là aussi un document très vague qui, en dépit

de ses vingt et un articles, ne donnait aucun renseignement vraiment précis ni sur les buts de l'ordre, ni sur son rôle, ni sur ses ressources, ni sur le recrutement de ses membres. En revanche, certains détails, rassurants au premier abord, nous laissaient perplexes. Ainsi, l'un des paragraphes stipulait : « Les admissions sont réalisées sans qu'interviennent des distinctions de langue, d'origine raciale, de classe sociale et indépendamment de toute idéologie politique », et un peu plus loin un autre, rédigé comme suit : « L'association est ouverte à tous les catholiques âgés de vingt et un ans. » Nous nous trouvions donc en présence d'une institution manifestement catholique. Or nos recherches ne nous avaient-elles pas démontré en maintes occasions que les grands maîtres de Sion, loin de relever d'une orthodoxie catholique, étaient plutôt de tendance hermétique, pour ne pas dire franchement hérétique ? Contradiction troublante... ou bien, au contraire, confirmation d'un engagement religieux, indispensable à l'admission mais facilement transgressable par la suite, correspondant seulement à une question de principe, comme dans le cas de l'ordre du Temple et de la Compagnie du Saint-Sacrement qui, à l'image de Sion aussi, exigeaient de chacun de leurs membres une totale « abnégation de la personnalité pour se dévouer au service d'un apostolat hautement moralisateur » ?

Synonyme d'obéissance absolue primant toute considération d'ordre spirituel ou temporel, cette abnégation coïncidait parfaitement avec les principes énoncés.

« C.I.R.C.U.I.T. » était le sous-titre du Prieuré de Sion, abréviation de l'intitulé complet de l'organisation : « Chevalerie d'Institutions et Règles Catholiques d'Union Indépendante et Traditionaliste [1] ». Ce même mot était aussi employé comme titre du bulletin périodique édité par l'association à l'usage de ses membres.

Nous savions par ailleurs, grâce à un document des *Dossiers secrets* paru un peu avant 1956, que Sion comptait alors 1 093 membres répartis en sept grades suivant le traditionnel principe pyramidal. Au sommet se trouvait le grand maître ou « nautonier », puis venaient trois « princes noachites de Notre-Dame » eux-mêmes suivis, au grade inférieur, de neuf « croisés de Saint-Jean ». Comme on le voit, le décompte de chaque grade s'obtenait en multipliant le précédent par trois, le grand maître et ses douze subordonnés immédiats – allusion à Jésus et à ses douze disciples – constituant les « treize Rose-Croix ».

Or les statuts, datés de mai 1956, que nous avions sous les yeux faisaient état de 9 841 membres, chiffre illustrant bien l'essor prodigieux de l'ordre, les membres composant une hiérarchie de neuf grades, et non plus sept, restés pratiquement les mêmes à l'exception de deux nouveaux grades introduits à la base de la structure, et qui entouraient l'Arche « Kyria » d'un large réseau de novices. Le grand maître y portait encore le même titre de « nautonier » que dans le document précédent, mais les trois « princes noachites de Notre-Dame » étaient devenus « sénéchaux » et les neuf « croisés de Saint-Jean », « connétables ». Voici d'ailleurs les paragraphes XI et XII des statuts qui, dans leur terminologie énigmatique, leur étaient consacrés :

> « L'assemblée générale se compose de tous les membres de l'association. Elle est constituée par 729 provinces, 27 commanderies et une arche dénommée "Kyria".
> Chacune de ces commanderies ainsi que l'Arche comprend 40 membres. Chaque province 13 membres.
> Les membres sont divisés en deux effectifs : la Légion, chargée de l'apostolat, la Phalange, gardienne de la Tradition.
> Les membres composent une hiérarchie de neuf grades.

La hiérarchie des neuf grades comprend :

a) dans les 729 provinces	
1. Novices :	6 561 membres
2. Croisés :	2 187 membres
b) dans les 27 commanderies	
3. Preux :	729 membres
4. Écuyers :	243 membres
5. Chevaliers :	81 membres
6. Commandeurs :	27 membres
c) dans l'Arche "Kyria"	
7. Connétables :	9 membres
8. Sénéchaux :	3 membres
9. Nautonier :	1 membre[2] »

Comme il se doit légalement, un « bureau du conseil » était enfin nommément désigné en tête des statuts. Il était composé de quatre membres dont trois nous étaient inconnus (mais ne s'agissait-il pas de pseudonymes ?), à savoir le président, André Bonhomme, né le 7 décembre 1934, le vice-président, Jean Deleaval, né le 7 mars 1931 et le trésorier, Armand Defago, né le 11 décembre 1928. En revanche, nous avions déjà rencontré le quatrième : c'était Pierre Plantard, né le 18 mars 1920. Selon le document son titre était celui de secrétaire. Mais, nous devions l'apprendre par ailleurs, il était aussi officiellement « secrétaire général du département de documentation », et cela impliquait évidemment l'existence d'autres services.

Alain Poher

Peu après 1970, le Prieuré de Sion est devenu un sujet de conversation courante dans la presse et dans certains milieux français. Ainsi le 13 février 1973, *Le Midi libre* publie un long article relatif à Sion, Saunière et Rennes-le-Château, suggérant que le

Prieuré pourrait être une survivance de la race mérovingienne au XXe siècle, et que parmi ses descendants figure notamment un véritable prétendant au trône de France, Alain Poher[3].

Si Alain Poher n'est pas très connu à l'étranger, il est en revanche fort populaire en France où à deux reprises déjà il a occupé les fonctions de président de la République par intérim, une fois après la démission du général de Gaulle du 28 avril au 19 juin 1969, puis de nouveau à la mort de Georges Pompidou entre le 2 avril et le 27 mai 1974. On sait aussi qu'il a été décoré de la médaille de la Résistance et de la croix de guerre 1939-1945 et que, lorsque *Le Midi Libre* publie son article, en 1973, il est déjà le président du Sénat.

À notre connaissance, Alain Poher n'a jamais fait aucun commentaire quant à ses prétendus liens avec le Prieuré de Sion ou à sa descendance de la race mérovingienne. Pourtant dans les généalogies des « documents du Prieuré », il est bien fait mention d'un Arnaud, comte de Poher, marié à un membre de la famille Plantard (894 ou 896 ?), et considéré comme appartenant à la descendance directe de Dagobert II, son petit-fils Alain de Poher ayant été apparemment nommé duc de Bretagne en 937.

On ignore par conséquent si l'actuel Alain Poher connaît, ou non, le Prieuré de Sion, mais il semble en tout cas manifeste que le Prieuré, lui, le reconnaît comme un incontestable descendant des Mérovingiens.

Le roi perdu

Quels peuvent être donc, nous demandons-nous régulièrement, les raisons et les objectifs de ceux qui distillent goutte à goutte si l'on peut dire, document par document, information par information, le matériel admirablement conçu, inépuisable, qui continue de paraître sur notre affaire ?

Nous en sommes certains, il ne s'agit nullement d'une mystification. Elle durerait depuis trop longtemps en exigeant trop de moyens et d'imagination. Il ne s'agit pas d'une quelconque série d'ouvrages, publiés avec adresse et un but lucratif, autour d'un aguichant mystère propre à faire frissonner le grand public, dans la lignée d'un « triangle des Bermudes »... Non ! Il ne s'agit pas d'une affaire commerciale non plus, la parution des « documents du Prieuré » n'étant absolument pas motivée par l'argent. Il suffit pour s'en convaincre de constater le petit nombre, la discrétion, le mode de reproduction très rudimentaire des brochures concernées. Alors ? Eh bien, nous nous trouvons confrontés en quelque sorte à une œuvre d'art dont les bases historiques sont indiscutables, le sérieux et la qualité de l'information dignes des plus grands éloges, la méthode suivie concernant l'approche du mystère en se jouant de la curiosité du public tout simplement remarquable.

Rien d'arbitraire dans le procédé, marqué au contraire d'une logique rigoureuse. L'ensemble de l'information semble provenir d'une source unique et confidentielle, et chaque fragment, si mince soit-il, apporte au précédent une modification, une signification complémentaire, un témoignage inattendu suffisant à renouveler perpétuellement l'impatience et l'intérêt du lecteur en calmant momentanément sa curiosité. Oui, c'est bien cela ! Les « documents du Prieuré » semblent voir le jour selon un ordre conforme et un plan obéissant à une mise en scène soigneusement élaborée : attirer d'abord l'attention du public sur certains faits, en établir ensuite la crédibilité, puis créer un climat psychologique, une atmosphère propres à le tenir en haleine et à le préparer à recevoir la révélation suivante. Ainsi les mystérieux responsables de cette étrange opération semblent-ils préparer pas à pas l'annonce de quelque découverte spectaculaire qui, le moment venu, sera livrée à une curiosité savamment entretenue. Cette révélation, à notre sens, touche à la dynastie mérovingienne, à la survivance de sa race jusqu'à l'époque actuelle et à un royaume clandestin. N'avions-nous pas trouvé dans *Le Charivari*, sous la plume d'un membre du Prieuré de Sion, la déclaration suivante : « Sans les Mérovingiens le Prieuré de Sion n'existerait pas et sans le Prieuré de Sion la dynastie mérovingienne serait éteinte » ? – relation entre l'ordre et la lignée en partie confirmée par la suite de l'article :

> « Le roi est berger et pasteur à la fois. Parfois, il dépêche quelque brillant ambassadeur vers son vassal en exercice, son factotum, celui dont la félicité est sujette à la mort. C'est René d'Anjou, le connétable de Bourbon, Nicolas Fouquet, le cardinal de Retz, et nombre de ceux-là dont l'éclatante réussite est suivie d'inexplicables disgrâces, car ces émissaires sont terribles et vulnérables. Détenteurs du secret, on ne peut que les exalter ou les abattre. Ce sont encore Gilles de Rais, Léonard de Vinci, Joseph Balsamo ou les ducs de Nevers, Gonzague, dont le sillage est suivi d'un parfum de magie où le soufre se mêle à l'encens – le parfum de Madeleine. Si le roi Charles VII, à l'entrée de Jeanne d'Arc dans la grande salle de son château de Chinon, se cache parmi la foule des courtisans, ce n'est pas pour faire une bonne plaisanterie – où en serait le sel ? – mais parce qu'il sait déjà de qui elle est l'ambassadrice, et que, devant elle, il n'est guère qu'un courtisan parmi les autres. Le secret qu'elle lui délivre entre quatre murs tient en ces quelques mots : “Gentil seigneur, je viens de la part du roi[4].” »

Les allusions de ce texte ne manquent pas d'intérêt. D'abord le roi – le « roi perdu », probablement de souche mérovingienne – continue à régner par la seule vertu de son identité. Ensuite, allusion plus surprenante encore, les souverains temporels sont conscients de son existence, le connaissent, le respectent et le craignent. Enfin le grand maître du Prieuré de Sion, ou un autre membre de l'ordre, agit tel un ambassadeur entre le « roi perdu » et ses représentants, et ces ambassadeurs, semble-t-il, peuvent être aisément remplacés.

Les étranges brochures de la Bibliothèque nationale

En 1966 a paru une curieuse correspondance relative à la mort de Leo Schidlof, auteur présumé, on s'en souvient, sous le pseudonyme d'Henri Lobineau, des généalogies figurant dans les « documents du Prieuré ».

La première lettre, publiée dans la *Semaine catholique genevoise*, est datée du 22 octobre et signée d'un certain Lionel Burrus, membre de la « Jeunesse chrétienne suisse ». L'auteur, après avoir annoncé le décès de Schidlof à Vienne, le 17 octobre précédent, à l'âge de quatre-vingts ans, s'élève violemment contre les accusations lancées par Rome contre le défunt ; or ce dernier n'est-il pas l'auteur de « l'étude remarquable » publiée en 1956 sur la généalogie des rois mérovingiens et l'affaire de Rennes-le-Château ?

Le Vatican, poursuit Lionel Burrus, possédait un dossier complet et confidentiel sur l'homme et ses activités, sans oser cependant l'attaquer. Depuis sa mort, d'ailleurs, la propagande mérovingienne n'a cessé de progresser lentement mais spectaculairement. L'emblème choisi par la firme pétrolière Antar (nous sommes en 1966), un roi mérovingien tenant le cercle et le lys, caricatural mais parfaitement reconnaissable, ne peut-il être en effet porté au crédit d'une influence peut-être même inconsciente sur les esprits ? Et le clergé français n'a-t-il pas bougé, et pas toujours dans le sens de Rome ? Bref, conclut Lionel Burrus en termes où se rejoignent franc-maçons et pensée cathare, Henri Lobineau a été « un grand voyageur et un grand chercheur », un homme « bon et loyal », et il restera « le symbole du maître parfait qu'on respecte et qu'on vénère[5] ».

Curieux langage, en vérité ! Mais plus curieuses encore les accusations du *Bulletin catholique romain* contre Schidlof, citées encore par L. Burrus : « Prosoviétique, franc-maçon notoire préparant en France une monarchie populaire[6]. » Propos qui ne pouvaient que provoquer la colère de Burrus et qui nous semblent, à nous personnellement, contradictoires, dans la mesure où la notion de sympathie prosoviétique n'apparaît guère compatible avec celle de l'avènement d'une monarchie. L'auteur du *Bulletin romain* n'hésite pas d'ailleurs à aller encore plus loin et de la façon la plus extravagante en des termes que Burrus cite en grande partie :

> « Les descendants mérovingiens furent toujours à la base des hérésies, depuis l'arianisme, en passant par les Cathares et les Templiers, jusqu'à la franc-maçonnerie. À l'origine du protestantisme, Mazarin en juillet 1659 fit démolir leur château de Barbarie datant du XIIe siècle. Cette maison ne donna à travers les siècles que des agitateurs secrets contre l'Église[7]. »

Lionel Burrus n'identifiant pas avec précision le *Bulletin catholique romain* où il a trouvé cette déclaration, nous sommes malheureusement dans l'impossibilité de vérifier son authenticité. Ce qui en ressort néanmoins revêt à nos yeux une extrême importance, car si elle est exacte, elle constituerait un témoignage indiscutable, de source catholique romaine, de la destruction du château de Barbarie dans la Nièvre. Peut-être aussi laisserait-elle entrevoir, tout au moins partiellement, la raison d'être du Prieuré de Sion et de ses alliés : manœuvrer pour obtenir le pouvoir notamment au moyen de conflits permanents avec l'Église. Conflits qui, dans cette perspective, ne relèveraient ni des hasards, ni des politiques, ni des circonstances, mais d'une volonté et d'un plan déterminés. Reconnaissons cependant que dans cette perspective nous retrouverions là notre ancienne contradiction, relative à l'empreinte indubitablement catholique du Prieuré de Sion...

Toujours est-il que peu après la publication de sa lettre Lionel Burrus devait trouver la mort dans un accident de voiture avec six autres personnes. Mais auparavant il avait reçu une réponse, très surprenante, sous forme de quelques pages polycopiées portant la mention « à usage privé » et signées d'un certain S. Roux[8].

L'auteur, après avoir condamné Burrus pour sa légèreté et son excès de zèle au sujet de Leo Schidlof, venait en fait confirmer et compléter ses dires. Leo Schidlof était en effet un dignitaire de la Grande Loge Alpina en Suisse – loge maçonnique dont l'empreinte figure sur certains « documents du Prieuré » – et, ajoutait Roux, il ne cachait pas ses « sentiments d'amitié avec les États de l'Est[9] ». Quant à la descendance des Mérovingiens évoquée dans sa lettre par Burrus, Roux allait plus loin encore à son sujet :

> « Qu'on ne vienne pas dire aujourd'hui que l'Église ignorait la lignée du Razès, mais il faut convenir que les descendants furent toujours depuis Dagobert II des agitateurs secrets contre le pouvoir royal en France et contre l'Église, qu'ils furent les artisans de toutes les hérésies. Le retour d'un descendant mérovingien au pouvoir serait pour la France la proclamation d'un État populaire allié à l'URSS et le triomphe de la franc-maçonnerie entraînerait la disparition de la liberté religieuse[10]. »

Et de conclure quelques lignes plus loin, de façon inattendue :

« Pour la question de la propagande mérovingienne en France, tout le monde s'est rendu compte que la publicité des pétroles Antar représentant le roi mérovingien tenant le lys et le cercle était un appel moderne et déguisé en faveur d'un retour des Mérovingiens au pouvoir. On se demande bien aussi ce que pouvait faire Lobineau à Vienne lors de son décès, à la veille des profonds changements allemands. Est-il exact aussi que Lobineau préparait en Autriche un futur accord d'échange avec la France, base future de l'accord franco-russe[11] ? »

De quoi donc veut parler Roux ? Pourquoi, à l'image du *Bulletin catholique romain* dénoncé par Burrus, établit-il un lien entre des notions aussi opposées d'hégémonie soviétique et de monarchie, même populaire ? N'est-ce pas enfin défier le bon sens que de voir dans le symbole d'une compagnie pétrolière une forme subtile de propagande en faveur d'une cause, reconnaissons-le, aussi obscure que discutable ? Que signifient également ses allusions à des « changements » intéressant l'Allemagne, la France et l'Autriche, et ce mystérieux accord franco-russe, à l'en croire connu de tous ?...

Lors d'une première lecture, le texte de Roux, certes, peut passer pour incohérent, nous ne le contestons pas. Mais après un examen approfondi nous sommes obligés de reconnaître qu'il présente au contraire toutes les caractéristiques d'un nouveau, et très ingénieux, « document du Prieuré ». Son but délibéré est de mystifier, de jeter la confusion dans les esprits, de piquer la curiosité, bref de préparer les lecteurs à recevoir une nouvelle capitale. Étrange procédé, déjà vérifié, et qui en dit long sur l'importance des conclusions à venir. Si les assertions de Roux sont exactes, notre enquête va donc dépasser désormais les limites étroites d'une étude concernant uniquement un ordre de chevalerie pour atteindre celles, combien plus vastes, de la haute politique internationale.

Les catholiques traditionalistes

En 1977 paraît un nouveau, et très significatif, « document du Prieuré », sous forme d'un article de six pages intitulé *Le cercle d'Ulysse* et signé Jean Delaude. Si l'on y retrouve nombre d'éléments déjà anciens, d'autres en revanche y font leur apparition, entièrement inédits, sur l'ordre de Sion. Ainsi ce paragraphe :

> « En mars 1117, Baudouin Ier est contraint de négocier à Saint-Léonard-d'Acre et prépare la constitution de l'ordre du Temple, sous les directives du Prieuré de Sion. En 1118, l'ordre du Temple est fondé par Hugues de Payen. De 1118 à 1188, le Prieuré de Sion et l'ordre du Temple ont les mêmes grands maîtres. À partir de 1188, le Prieuré de Sion compte vingt-sept grands maîtres jusqu'à nos jours. Les derniers en date sont :
> Charles Nodier de 1801 à 1844
> Victor Hugo de 1844 à 1885
> Claude Debussy de 1885 à 1918
> Jean Cocteau de 1918 à 1963,
> et depuis 1963, sans autre précision, l'abbé Ducaud-Bourget.
> Quels sont les objectifs du Prieuré de Sion ? Nul ne le sait, sinon représenter une puissance capable de faire face au Vatican dans les jours à venir. Mgr Lefebvre en est un membre fort actif et considérable, très capable de déclarer : "Faites-moi pape, et je vous ferai roi[12]." »

Deux informations méritent d'être soulignées ici, et tout d'abord la supposée affiliation de Mgr Marcel Lefebvre au Prieuré de Sion. On sait que ce dernier représente l'élément le plus conservateur de l'Église catholique romaine, et qu'il s'est à ce sujet violemment et ouvertement opposé au pape Paul VI. Par deux fois menacé d'excommunication, en 1976 et 1977, il a par deux fois affiché la plus grande indifférence, pour ne pas dire insolence, susceptible de provoquer un schisme à l'intérieur de l'Église. On s'étonne donc qu'un catholique d'une telle intransigeance puisse concilier ses convictions avec un mouvement et un ordre de tendance hermétique proche de l'hérésie. Une seule explication demeure possible : Mgr Lefebvre est précisément, au XXe siècle, le représentant de cette franc-maçonnerie du XIXe défendue par le Hiéron du Val d'Or – franc-maçonnerie « chrétienne, aristocratique et hermétique » plus catholique selon eux que le pape lui-même.

Le second point important de cet extrait du *Cercle d'Ulysse* est évidemment l'identification de l'actuel grand maître du Prieuré de Sion, à savoir l'abbé Ducaud-Bourget.

Né en 1897, François Ducaud-Bourget fit probablement très tôt, au séminaire de Saint-Sulpice, la connaissance de nombreux Modernistes dont Émile Hoffet, avant de devenir chapelain conventuel de l'ordre de Malte. Décoré de la médaille de la Résistance et de la croix de guerre 1939-1945, il est aujourd'hui reconnu comme un grand homme de lettres, membre de l'Académie française, poète et biographe d'écrivains catholiques tels que Paul Claudel et François Mauriac.

À l'image de Mgr Lefebvre, l'abbé Ducaud-Bourget est entre en opposition avec Paul VI et se veut fidèle à la Messe Tridentine ; à l'image de Mgr Lefebvre il se proclame « traditionaliste » et violemment hostile à toute réforme liturgique et toute tentative de « modernisation » de l'Église catholique romaine. Le 22 mai 1976, s'étant vu interdire d'administrer la confession ou l'absolution, il défie ouvertement, suivant l'exemple de Mgr Lefebvre, la sentence de ses supérieurs. Le 22 février 1977 enfin, il se prononce en faveur des catholiques traditionalistes réfugiés à l'église Saint-Nicolas-du-Chardonnet à Paris.

Si Mgr Lefebvre et l'abbé Ducaud-Bourget se situent donc, sur le plan théologique, à l'extrémité de l'aile droite de l'Église catholique, ils semblent en faire autant dans le domaine politique. Avant la Seconde Guerre mondiale en effet, Mgr Lefebvre n'a pas caché ses sympathies pour l'Action française, mouvement d'extrême droite à l'époque, et, plus récemment, il a encore beaucoup fait parler de lui en soutenant assez maladroitement le régime militaire argentin tout en déclarant par la suite avoir voulu parler du Chili !

François Ducaud-Bourget, pour sa part, est certes moins engagé, ses décorations témoignant de son incontestable patriotisme au cours de la guerre, ce qui ne l'empêche pas pour autant de ne pas dissimuler une certaine sympathie pour Mussolini et de ne pas cacher son espoir de voir les Français retrouver bientôt « leur sens des valeurs sous la conduite d'un nouveau Napoléon[13] »...

Il s'avère donc impossible, pense-t-on d'emblée, que Mgr Lefebvre et l'abbé Ducaud-Bourget soient affiliés au Prieuré de Sion et à notre avis quelqu'un tente délibérément de les compromettre à l'aide des forces mêmes qu'ils sont censés combattre. Mais dans un second temps, considérant les statuts du Prieuré de Sion et sa définition – Chevalerie d'Institutions et Règles Catholiques d'Union Indépendante et Traditionaliste –, il faut bien admettre que cette institution peut au contraire parfaitement convenir à des personnalités comme Mgr Lefebvre et l'abbé Ducaud-Bourget.

Il y a d'ailleurs une autre explication possible, difficile à admettre, mais ayant le mérite de tenir compte de certaines contradictions. Pourquoi en effet ces deux ecclésiastiques, dissimulant leur véritable identité, ne seraient-ils pas des sortes d'agents provocateurs brandissant la bannière du traditionalisme pour susciter l'agitation, semer le trouble dans l'Église et fomenter un schisme naissant depuis le pontificat de Paul VI ? Cette stratégie, nous l'avons vu, a déjà naguère été celle des sociétés secrètes décrites par Nodier, celle aussi élaborée par les *Protocoles des Sages de Sion*, et s'inscrivant totalement dans leur ligne. Certains journalistes ou ecclésiastiques n'ont d'ailleurs pas manqué d'insinuer récemment que Mgr Lefebvre était effectivement manipulé par d'autres, ou travaillait même pour eux[14].

Cette hypothèse, à envisager avec prudence, repose pourtant sur une déduction logique. Comment agir en effet à l'égard du pape Paul VI, profondément traditionaliste, pour le pousser à plus de libéralisme ? En se plaçant du côté des libéraux et en renforçant ainsi le souverain pontife dans son conservatisme ? Non pas ! Mais très certainement en adoptant publiquement une attitude ultra-conservatrice obligeant ainsi le pape à se prononcer en faveur du libéralisme. C'est selon toute vraisemblance le raisonnement tenu par Mgr Lefebvre et ses partisans ; c'est dans ce sens qu'ils ont agi, et qu'ils ont réalisé ce tour de force de faire passer le pape pour un libéral.

Cette hypothèse est-elle absolument exacte ? Nous ne pouvons bien sûr l'affirmer. Ce dont nous sommes certains en tout cas, c'est que Mgr Lefebvre, comme beaucoup d'autres personnalités de notre enquête, détient un secret capital. Nous voici d'ailleurs, à ce propos, confrontés à une situation qui n'est pas entièrement nouvelle, mais qui pourrait pourtant, à elle seule, constituer un début de preuve. En 1976 en effet, l'excommunication de l'évêque ne semblait-elle pas imminente et, pour le pape Paul VI, la seule solution possible à ses perpétuels défis ? Eh bien, à la dernière minute, et contre toute attente, le Vatican a fait volte-face. Pourquoi ?

La réponse se trouve peut-être dans un article du *Guardian*, du 30 août 1976, selon lequel les prêtres partisans de Mgr Lefebvre en Angleterre avaient pensé que celui-ci possédait une « arme toute-puissante susceptible d'être utilisée dans la querelle qui l'opposait au Vatican ». Ils ignoraient tout de sa nature, mais ils la prétendaient « capable d'ébranler le monde entier[15] ».

Quelle était donc cette arme secrète, « capable d'ébranler le monde entier » et pouvant, à ce point, effrayer le Vatican ? Quelle épée de Damoclès, ignorée des profanes, se trouvait ainsi suspendue sur la tête du souverain pontife ? On l'ignore toujours, mais elle s'était en tout cas révélée suffisamment efficace pour sauver une fois encore un ecclésiastique du châtiment de Rome. Et Jean Delaude d'écrire très justement à son sujet : Marcel Lefebvre semble représenter « une puissance capable de défier le Vatican » en toute sérénité.

Mais à qui lancera-t-il – ou a-t-il déjà lancé – cet ultime défi : « Faites-moi pape, et je vous ferai roi » ?...

Le Convent de 1981 et les statuts de Cocteau

Les interrogations soulevées par la personnalité de l'abbé Ducaud-Bourget se sont trouvées récemment clarifiées grâce au regain de publicité dont jouit en France le Prieuré de Sion depuis la fin de 1980.

En août 1980 en effet, un hebdomadaire populaire a publié un article concernant le mystère de Rennes-le-Château et le Prieuré de Sion, y associant formellement Mgr Lefebvre et l'abbé Ducaud-Bourget. Tous deux venaient de se rendre en l'un des hauts lieux de Sion, le village de Sainte-Colombe dans le Nivernais, site, avant sa destruction par Mazarin, du château de Barbarie, domaine des Plantard.

Nous nous décidâmes donc aussitôt à rencontrer l'abbé Ducaud-Bourget. Aimable, mais évitant toute question précise, il nia évidemment son affiliation au Prieuré de Sion, désaveu qu'il renouvela publiquement, peu après, dans une lettre publiée par l'hebdomadaire qui avait évoqué l'affaire de Rennes-le-Château.

Cinq mois plus tard, le 22 janvier 1981, paraissait dans une autre revue[16] le court article suivant :

« Véritable société secrète de 121 dignitaires, le Prieuré de Sion, fondé par Godefroi de Bouillon à Jérusalem en 1099, a compté parmi ses grands maîtres Léonard de Vinci, Victor Hugo, Jean Cocteau. Cet ordre vient de réunir son Convent à Blois le 17 janvier 1981 (le précédent Convent datait du 5 juin 1956 à Paris).
Lors de ce présent convent de Blois, Pierre Plantard de Saint-Clair a été élu grand maître de l'ordre par 83 voix sur 92 votants au 3e tour de scrutin.
Le choix de ce grand maître marque une étape décisive de l'évolution des conceptions et des esprits dans le monde, car les 121 dignitaires du Prieuré de Sion sont tous des éminences grises de la haute finance et de sociétés internationales politiques ou philosophiques ; Pierre Plantard est de surcroît le descendant direct des rois mérovingiens par Dagobert II. Son ascendance est légalement prouvée par les parchemins de la reine Blanche de Castille découverts par le curé Saunière dans son église de Rennes-le-Château (Aude) en 1891. Ces documents, vendus par la nièce de ce prêtre en 1965 au capitaine Ronald Stansmore et à Sir Thomas Frazer, ont été déposés dans un coffre de la Lloyds Bank Europe Limited de Londres [17]. »

Or quelque temps avant la parution de cet article, nous avions pris contact avec Philippe de Chérisey, dont le nom revenait aussi fréquemment dans nos recherches que celui de Pierre Plantard, et de Chérisey nous avait formellement déclaré que l'abbé Ducaud-Bourget n'avait pas obtenu le nombre de voix suffisant pour être élu grand maître et qu'il avait d'ailleurs démenti toute appartenance à l'ordre. De Chérisey nous envoya également un exemplaire des « véritables » statuts – traduits du latin – du Prieuré de Sion, ceux en provenance de la sous-préfecture de Saint-Julien, déjà en notre possession, et publiés en 1973 par une revue française[18], ayant été jugés entièrement faux par Jean-Luc Chaumeil.

Ces statuts « authentiques » allaient enfin nous éclairer sur la position, jusqu'alors peu claire, de l'abbé Ducaud-Bourget à l'égard du Prieuré de Sion.

Daté du 5 juin 1956, ce texte portait la signature de Jean Cocteau. À moins d'être l'œuvre d'un remarquable faussaire, elle nous parut aussitôt parfaitement crédible et nous incita par suite à considérer comme tel l'ensemble du document[19] dont nous tenons à reproduire ici, dans leur totalité, les vingt-deux articles :

> « ARTICLE PREMIER – Il est formé, entre les soussignés de la présente constitution et les personnes qui y adhéreront par la suite et rempliront les conditions ci-après, un ordre initiatique de chevalerie, dont les us et coutumes reposent sur la fondation faite par Godefroi VI, dit le Pieux, duc de Bouillon, à Jérusalem en 1099 et reconnue en 1100.
>
> ART. II – L'ordre a pour dénomination : "Sionis Prioratus" ou "Prieuré de Sion".
>
> ART. III – Le Prieuré de Sion a pour objet de perpétuer l'ordre traditionaliste de la chevalerie, de son enseignement initiatique et de créer entre ses membres une mutuelle assistance, tant morale que matérielle en toutes circonstances.
>
> ART. IV – La durée du Prieuré de Sion est illimitée.
>
> ART. V – Le Prieuré de Sion fait élection de son bureau représentatif chez son secrétaire général nommé par le Convent. Le Prieuré de Sion n'est pas une société secrète, tous ses décrets comme ses actes, et ses nominations sont divulgués au public en texte latin.

ART. VI – Le Prieuré de Sion comporte 121 membres ; il est ouvert dans cette limite à toutes personnes majeures reconnaissant les buts et acceptant les obligations prévues aux présentes constitutions. Les membres sont admis sans considération de sexe, de race, de conceptions philosophiques, religieuses ou politiques.

ART. VII – Par dérogation, dans le cas où un membre désignerait par un acte l'un de ses descendants pour lui succéder, le Convent devra faire droit à cette demande et pourvoir, si nécessaire, en cas de minorité, à l'éducation du susdésigné.

ART. VIII – Le futur membre doit prévoir pour son passage au premier échelon une robe blanche avec cordon, dont les frais d'achat sont à sa charge. À partir de son admission au premier échelon, le membre a droit au vote. Lors de son admission le nouveau membre doit prêter le serment de servir l'ordre en toutes circonstances de sa vie, de même que celui d'œuvrer pour la PAIX et le respect de la vie humaine.

ART. IX – Le membre doit verser lors de son admission une obole dont le montant est libre. Chaque année, il devra faire parvenir au secrétariat général une contribution volontaire pour l'ordre, dont la valeur sera fixée par lui-même.

ART. X – Le membre doit fournir, lors de son admission, un extrait de naissance et faire dépôt de sa signature.

ART. XI – Le membre du Prieuré de Sion contre lequel une sentence a été promulguée par un tribunal pour délit de droit commun peut être suspendu de ses charges et titres, ainsi que de sa qualité de membre.

ART. XII – L'assemblée générale des membres porte le nom de Convent. Aucune délibération du Convent ne peut être valable si le nombre des membres présents est inférieur à 81. Le vote est secret et se fait par l'utilisation de boules blanches et noires. Toute proposition pour être adoptée doit obtenir 81 boules blanches. Toute proposition n'ayant pas obtenu au moins 61 boules blanches lors d'un vote ne pourra pas être re-présentée.

ART. XIII – Le Convent du Prieuré de Sion décide seul, et à la majorité de 81 voix sur 121 membres, de toute modification de la constitution et du règlement intérieur du cérémonial.

ART. XIV – Toutes les admissions seront décidées par le "Conseil des treize Rose-Croix". Les titres et les charges seront décernés par le grand maître du Prieuré de Sion. Les membres sont admis à vie dans leur fonction. Leurs titres reviendront de plein droit à l'un de leurs enfants désigné par eux-mêmes sans considération de sexe. L'enfant ainsi désigné peut faire acte de renoncement à ses droits, mais ne peut faire cet acte en faveur de frère, sœur, parent ou toute autre personne. Il ne pourra être réintégré dans le Prieuré de Sion.

ART. XV – Dans les délais de vingt-sept jours pleins, deux frères auront charge de contacter le futur membre, de recueillir son assentiment ou son renoncement. Faute d'un acte d'acceptation après un délai de réflexion de quatre-vingt-un jours pleins, le renoncement sera reconnu de plein droit et le siège considéré comme vacant.

ART. XVI – En vertu du droit héréditaire confirmé par les précédents articles, les charges et titres de grand maître du Prieuré de Sion seront transmissibles suivant les mêmes prérogatives à son successeur. Lors de la vacance du siège de grand maître et en cas d'absence de successeur direct, le Convent devra dans les quatre-vingt-un jours procéder à une élection.

ART. XVII – Tous les décrets doivent être votés par le Convent et recevoir validation par le sceau du grand maître. Le secrétaire général est nommé par le Convent pour trois ans, renouvelable par tacite reconduction. Le secrétaire général doit avoir le grade de commandeur pour assumer ses fonctions. Les fonctions et charges sont bénévoles.

ART. XVIII – La hiérarchie du Prieuré de Sion comprend cinq grades :

1er Nautonier	nombre :	1	Arche des treize Rose-Croix
2e Croisé	nombre :	3	
3e Commandeur	nombre :	9	
4e Chevalier	nombre :	27	Les neuf commanderies du Temple
5e Écuyer	nombre :	81	
	Total :	121	membres

ART. XIX – Il existe 243 Frères Libres, dit Preux ou depuis l'an 1681 nommés Enfants de Saint - Vincent, qui ne participent ni au vote ni aux Convents, mais auxquels le Prieuré de Sion accorde certains droits et privilèges en conformité du décret du 17 janvier 1681.

ART. XX – Les ressources du Prieuré de Sion se composent des dons et oboles de ses membres. Une réserve dite "patrimoine de l'Ordre" est constituée par le Conseil des treize Rose-Croix ; ce trésor ne peut être utilisé qu'en cas de nécessité absolue et de danger grave pour le Prieuré et ses membres.

ART. XXI – Le Convent est convoqué par le secrétaire général lorsque le Conseil des Roses-Croix le juge utile.

ART. XXII – Le reniement d'appartenance au Prieuré de Sion manifesté publiquement et par écrit, sans cause ni danger pour sa personne, entraîne l'exclusion de ce membre qui sera prononcée par le Convent.

Texte de la constitution en XXII articles, conforme à l'original et conforme aux modifications du Convent du 5 juin 1956.

Signature du grand maître :
Jean COCTEAU »

Cet exemplaire des statuts du Prieuré de Sion diffère en plusieurs points, on le voit, de celui que nous avait envoyé la sous-préfecture de Saint-Julien, d'une part, et avec l'information parue dans les « documents du Prieuré », d'autre part. Le premier donnait en effet, pour l'ensemble des membres, un total de 9 841, et le second de 1 093. Celui que nous avions maintenant entre les mains avançait le chiffre de 364, parmi lesquels 243 « Enfants de Saint-Vincent ». En outre si les « documents du Prieuré » mentionnaient une hiérarchie de sept grades et les statuts de Saint-Julien une hiérarchie de neuf grades, celui-ci n'en donnait que cinq, avec des dénominations différentes de celles des précédents documents.

Que signifiaient donc ces contradictions, sinon peut-être qu'une sorte de schisme régnait à l'intérieur de Sion, depuis 1956 approximativement, où avaient commencé à paraître à la Bibliothèque nationale les « documents du Prieuré » ? Ce que devait confirmer Philippe de Chérisey dans un article[20] de 1980 : un schisme s'est bien produit entre 1956 et 1958, menaçant de prendre les proportions de la rupture, marquée par la coupe de l'orme, survenue en 1188 entre Sion et l'ordre du Temple. Le schisme, poursuit P. de Chérisey, a été évité grâce à la diplomatie de P. Plantard qui a ramené les rebelles à de meilleurs sentiments. Depuis a eu lieu le Convent du 17 janvier 1981, et l'ordre semble avoir retrouvé toute sa cohésion.

Ainsi, si l'abbé Ducaud-Bourget avait été grand maître du Prieuré de Sion, il était en tout cas clair qu'il ne l'était plus à présent. P. de Chérisey nous avait d'ailleurs bien signifié qu'il ne l'avait jamais été, n'ayant pas obtenu le nombre de voix indispensable. François Ducaud-Bourget n'aurait-il pas été élu, alors, par ceux qui s'engageaient dans la voie du schisme ? Et, dans cette hypothèse, entrait-il, ou non, dans le cas prévu par l'article XXII des statuts ? On l'ignore, mais on peut en revanche certifier qu'il n'a plus, aujourd'hui, aucun lien avec le Prieuré de Sion, si tant est qu'il en eut dans le passé.

Ces conclusions, en élucidant la situation particulière de l'abbé Ducaud-Bourget, expliquent aussi le principe de sélection des grands maîtres du Prieuré. Nous savons en effet maintenant pourquoi certains ne sont âgés que de cinq ou huit ans, et comment ce titre est décerné dans les limites, et hors des limites, d'une race précise et de son réseau généalogique. Le titre est donc en principe héréditaire, transmissible d'un siècle à l'autre aux membres des diverses familles de sang mérovingien. Mais lorsque personne ne le revendique, ou que le titre est refusé, celui-ci est offert, conformément aux statuts, à une personnalité extérieure à la lignée. Ainsi Léonard de Vinci et Newton, Nodier et Cocteau peuvent-ils figurer sans objection majeure sur la liste des grands maîtres de Sion.

Pierre Plantard de Saint-Clair

Parmi les noms revenant le plus régulièrement dans les divers « documents du Prieuré » se trouve, nous l'avons dit, celui de la famille Plantard, et particulièrement celui de Pierre Plantard, apparemment lié de très près au mystère de Saunière et de Rennes-le-Château. Si l'on en croit les généalogies des « documents », Pierre Plantard de Saint-Clair[21] est un descendant en ligne directe du roi Dagobert II et de la dynastie mérovingienne ; il l'est aussi, selon les mêmes sources, des anciens propriétaires du château de Barbarie.

Non seulement donc ce nom réapparaît continuellement au cours de notre enquête, mais les divers éléments de l'information datant de ces vingt-cinq dernières années mènent finalement tous à lui. Ainsi en 1960, P. Plantard évoque devant Gérard de Sède un « secret international » caché à Gisors[22], et pendant toute la décennie suivante lui fournit une grande partie de la documentation de base pour ses deux ouvrages sur Gisors et Rennes-le-Château[23]. Or, selon de récentes révélations, le grand-père de P. Plantard était un ami personnel de Bérenger Saunière, et lui-même possède actuellement des terres dans les environs de Rennes-le-Château et de Rennes-les-Bains, dont la colline de Blanchefort, ainsi qu'à Stenay dans les Ardennes, le site de la vieille église de Saint-Dagobert. Pierre Plantard, enfin, on l'a vu précédemment en première page des statuts du Prieuré de Sion, en détient le titre de secrétaire général.

Toujours est-il qu'en 1973 une interview de P. Plantard est portée à notre connaissance sans qu'elle nous apprenne, comme il fallait s'y attendre, rien de bien nouveau. Disons qu'il s'y montre relativement vague, allusif, soulevant plus de questions qu'il ne donne de réponses, notamment à propos de la lignée mérovingienne : « Retrouvez l'origine des grandes familles françaises, déclare-t-il, et vous comprendrez comment un personnage comme Henri de Montpezat peut, un jour, devenir roi[24]. » Et encore : « La société à laquelle j'appartiens est fort ancienne ; je succède à d'autres, un point c'est tout. Nous gardons fidèlement certaines choses à l'abri de la publicité[25]. »

Paroles, on le voit, assez floues, et ne donnant que peu de précisions sur le Prieuré et son secrétaire général. Un nouvel article publié peu après, cependant allait compléter le portrait de Pierre Plantard et portait la signature de sa première femme, Anne Lea Hisler, décédée en 1971 :

> « N'oublions pas, disait en substance ce texte, que ce psychologue a été l'ami de personnages aussi divers que le comte Israël Monti, l'un des frères de la Sainte-Vehme, Gabriel Trarieux d'Egmont, l'un des treize membres de la Rose-Croix, Paul Lecour, le philosophe d'Atlantis, M. Lecomte-Moncharville, délégué de l'Agarttha, l'abbé Hoffet, du service de documentation du Vatican, Th. Moreux, le directeur du conservatoire de Bourges, etc. Souvenons-nous aussi que sous l'Occupation il a été arrêté, qu'il a enduré la torture par la Gestapo, qu'il a été interné politique pendant de longs mois. En tant que docteur ès sciences, il a été à même d'apprécier la valeur des enseignements secrets, ce qui lui a valu d'être nommé membre "honoris causa" de plusieurs sociétés hermétiques. Son expérience et ses épreuves ont forgé la personnalité de ce personnage énigmatique, de ce mystique de la paix, de cet apôtre de la liberté, de cet ascète dont l'idéal est de servir le bien-être de l'humanité. Quoi d'étonnant qu'il soit devenu dans ces conditions l'une des éminences grises près desquelles les grands de ce monde cherchent souvent conseil ? Rappelons enfin que, invité en 1947 par le gouvernement fédéral helvétique, il a résidé plusieurs années en

Suisse près du lac Léman, où nombre de chargés de mission et de délégués du monde entier se retrouvent[26]. »

Certes Anne Hisler a sans doute voulu tracer de son mari un portrait chaleureux. Elle n'en évoque pas moins là un homme hors du commun, même si ses relations peuvent sembler parfois étranges. Ses ennuis avec la Gestapo témoignent en tout cas hautement en sa faveur, ayant effectivement été emprisonné d'octobre 1943 à fin 1944, pour avoir fait paraître, dès 1941, à Paris, un journal de la Résistance appelé *Vaincre*[27].

Pierre Plantard, d'ailleurs, a eu d'autres amis que ceux cités par Mme Hisler et, parmi eux, certains très haut placés, tels André Malraux et le général de Gaulle. En 1958 lors du soulèvement de l'Algérie, le Général, désireux de revenir au pouvoir, fit entre autres appel à lui qui, aidé d'André Malraux, mobilisa aussitôt, semble-t-il, les Comités de Salut Public appelés à jouer un rôle capital dans le retour de De Gaulle à l'Élysée. Dans une lettre en date du 29 juillet 1958, ce dernier remercia Plantard de sa collaboration puis, dans une seconde, cinq jours plus tard, lui demanda, les Comités ayant atteint leurs buts, de les dissoudre, ce que fit aussitôt Pierre Plantard dans un communiqué officiel transmis par la presse et lu à la radio[28].

Notre enquête on le voit progressait et nous étions – faut-il le préciser ? – très impatients de connaître Pierre Plantard. Mais ce n'était *a priori* pas simple, d'autant plus que nous n'agissions au nom d'aucun organisme officiel. De plus il restait introuvable. C'est donc seulement au printemps 1979, lors des débuts de notre second film sur Rennes-le-Château, que nous saisîmes l'occasion, sous le couvert de la BBC, d'entrer en contact avec lui, au moment même où une Anglaise, journaliste fixée en France, nous proposait de son côté de rechercher le Prieuré de Sion par l'intermédiaire des loges maçonniques et des milieux occultes parisiens.

Fallait-il, ou non, s'y attendre ? Elle commença par se heurter à un véritable mur de contradictions et de mystification. Ici on lui prédisait une mort plus ou moins rapide comme à tous ceux qui s'intéressaient de trop près à Sion, là on lui apprenait que le Prieuré avait bien existé au Moyen Âge mais ne correspondait maintenant plus à rien, ailleurs on lui soutenait le contraire.

Découragée, notre amie s'adressa alors à Jean-Luc Chaumeil qui avait déjà interviewé Pierre Plantard et connaissait bien notre sujet pour l'avoir largement traité. Sans être membre de Sion, il se faisait fort quant à lui de pouvoir obtenir un rendez-vous avec Plantard, et auparavant acceptait également de nous donner quelques informations supplémentaires.

À son avis, le Prieuré de Sion, malgré sa discrétion caractéristique, n'était pas à proprement parler une société secrète ; l'annonce parue au *Journal officiel* était un faux, dû à des « membres dissidents » de l'ordre, comme l'étaient d'ailleurs les prétendus statuts envoyés de Saint-Julien, œuvre des mêmes auteurs.

Sion, confirma en revanche Jean-Luc Chaumeil, avait en effet des projets ambitieux pour un avenir proche. Dans quelques années surviendraient dans le gouvernement français des changements d'une extrême gravité qui prépareraient la voie à une monarchie populaire dirigée par un Mérovingien. Sion présiderait dans l'ombre, comme il l'avait toujours fait depuis des siècles, à ces événements, non dans un but matérialiste, mais pour réinstaurer les « véritables valeurs », c'est-à-dire les valeurs spirituelles et peut-être même ésotériques, préchrétiennes dans tous les cas, précisa notre interlocuteur, malgré les tendances ostensiblement catholiques des statuts. Mais ce n'était pas tout. Pour lui, oui, François Ducaud-Bourget avait bien été grand maître de Sion, et si nous nous étonnions que ce catholique traditionaliste puisse s'accommoder de valeurs préchrétiennes, eh bien, le mieux était d'aller nous-mêmes lui poser directement la question !

J.-L. Chaumeil insista encore sur l'ancienneté du Prieuré de Sion et la diversité de ses membres dont les objectifs ne consistaient pas seulement à rétablir la lignée mérovingienne. À ce propos, insista-t-il curieusement, tous les membres du Prieuré de Sion n'étaient pas juifs... N'était-ce pas là sous-entendre clairement que certains de ses membres, sinon beaucoup, l'étaient ? Et n'était-ce pas là une nouvelle contradiction ? Car, même si les statuts ne correspondaient à aucune exigence précise, comment concilier, à l'intérieur de l'ordre, des membres juifs et un grand maître catholique, l'abbé Ducaud-Bourget par exemple, traditionaliste à l'extrême et comptant parmi ses amis Mgr Lefebvre connu pour des positions proches de l'antisémitisme ?

Mais là n'était pas le seul paradoxe soulevé par J.-L. Chaumeil, qui parla aussi d'un « Prince de Lorraine », de race mérovingienne, manifestement investi d'une mission sacrée. Déclaration particulièrement surprenante puisqu'il n'existe, à l'heure actuelle, aucun prince de Lorraine connu, ni même de titulaire de ce nom... Vivrait-il donc incognito ? Ou bien J.-L. Chaumeil utilisait-il le terme de « prince » dans le sens plus large de « descendant » ? Auquel cas ce « prince » pourrait être Otto de Habsbourg, duc titulaire de Lorraine.

Les réponses de Jean-Luc Chaumeil à notre amie journaliste soulevaient, par conséquent, une foule de questions et celle-ci, découragée, mit un terme à l'entretien. Rendez-vous devait maintenant être pris avec Pierre Plantard, sous les auspices de la BBC.

Pierre Plantard nous fit d'emblée l'effet d'un homme courtois et plein de dignité, aisé sans ostentation, discret, aimable. Son immense érudition nous étonna, ainsi que son agilité d'esprit. Ses reparties étaient fort spirituelles, cinglantes, parfois caustiques, mais jamais méchantes. Dans ses yeux scintillait une petite lueur indulgente et ironique, n'enlevant rien à l'autorité qu'il semblait exercer naturellement sur son entourage. On devinait pourtant en lui quelque chose d'ascétique, d'austère, dû peut-être à la simplicité de son comportement et à l'absence de tout luxe ostentatoire. Élégant mais classique, tout en lui respirait le bon goût et la modération.

Dès cette première entrevue et au cours des deux suivantes, Pierre Plantard nous signifia clairement qu'il ne nous dirait rien des activités ni des objectifs présents du Prieuré de Sion ; en revanche il se proposait de répondre à tout ce que nous désirions savoir sur le passé de l'ordre. De même, il se refusait à toute déclaration publique sur l'avenir tout en admettant pouvoir difficilement éviter d'y faire allusion au cours de nos conversations. Il nous déclara par ailleurs que le Prieuré de Sion détenait bien le trésor perdu du Temple de Jérusalem, pillé par les légions romaines de Titus en 70 après J.-C. et que ces biens seraient restitués à Israël, le moment venu. Mais, historique, archéologique ou politique, ce trésor n'était qu'accessoire. Le véritable trésor était d'ordre « spirituel » et contribuerait du moins en partie à faciliter les changements importants qui allaient survenir dans l'ordre social.

Nous retrouvions là l'écho des paroles de J.-L. Chaumeil : un bouleversement radical en France, non sous la forme d'une révolution, mais sous celle d'un changement dans les institutions précédant le retour d'une monarchie. Ce n'était pas là prophétie de farceur, insista Pierre Plantard, mais une conviction intime et définitive, à laquelle il croyait profondément.

Nous connaissions assurément les thèmes principaux de ces déclarations parmi lesquelles apparaissaient pourtant çà et là des contradictions. Ainsi Pierre Plantard utilisait parfois le pronom « nous », parlant manifestement au nom du Prieuré de Sion, mais à d'autres moments il semblait s'en dissocier et n'engager que lui, en tant que prétendant mérovingien, roi potentiel, Sion n'étant alors plus qu'un soutien et un allié. C'étaient deux voix distinctes, à la limite difficilement conciliables, l'une étant la voix du secrétaire général de Sion, l'autre celle d'un roi non reconnu, « régnant mais ne gouvernant pas », et ne voyant dans l'ordre qu'une sorte de conseil privé. Bref, sur ce point notre interlocuteur désirait manifestement rester discret.

Ainsi n'étions-nous pas beaucoup plus avancés après ces trois entretiens et, hormis les Comités de Salut Public et les lettres du général de Gaulle, nous ne savions rien de la puissance politique de Sion ni de l'éventuelle compétence ou légitimité de ses membres à vouloir transformer le gouvernement et les institutions de la France.

Nous n'étions notamment pas davantage en mesure d'évaluer les raisons pour lesquelles la race mérovingienne devrait, plus qu'une autre dynastie royale, être universellement reconnue. Pour les Stuarts qui existent toujours aujourd'hui et qui prétendent encore au trône d'Angleterre, les revendications reposent sur des bases apparemment plus solides que celles des descendants mérovingiens. D'autres couronnes vacantes ont aussi en Europe leurs prétendants tels les membres vivants des dynasties des Bourbons, des Habsbourg, des Hohenzollern et des Romanov ; pourquoi faudrait-il leur accorder moins de crédibilité qu'aux Mérovingiens et en vertu de quelle mystérieuse « légitimité absolue » ces derniers auraient-ils la préséance ?

Ces réflexions nous amenaient en tout cas de nouveau à considérer le Prieuré de Sion comme une secte d'originaux, sinon de mystificateurs. Pourtant il fallait bien admettre que nos recherches s'accordaient toutes à reconnaître que dans le passé l'ordre avait possédé d'indiscutables pouvoirs et une grande influence sur les politiques internationales. Or n'était-ce pas là une garantie suffisante de sérieux ? Certes, aujourd'hui encore, un grand nombre de ses aspects restaient très obscurs et mystérieux, comme, par exemple, son désintérêt total sur le plan financier. En effet, s'il l'avait voulu, Pierre Plantard aurait pu faire du Prieuré de Sion une affaire extrêmement lucrative, à l'image d'un grand nombre de sectes et de cultes modernes ; mais ce n'était absolument pas le cas. La plupart des « documents du Prieuré » n'étaient par exemple nullement destinés à être vendus et le Prieuré lui-même ne sollicitait aucune nouvelle recrue, comme toute loge maçonnique le faisait ordinairement, le nombre de ses membres étant rigoureusement limité et les nouveaux venus n'étant admis qu'en cas de vacance.

Une telle attitude mettait en lumière la grande confiance de l'ordre en lui-même et le peu de nécessité, financièrement ou sur tout autre plan, qu'il y avait pour lui à se multiplier. Possédait-il donc en lui une qualité spécifique, assez considérable pour avoir emporté l'adhésion d'hommes comme Malraux, Juin ou de Gaulle ? Et de là fallait-il en déduire qu'un Malraux, Juin ou de Gaulle se préoccupaient eux aussi de rétablir la race mérovingienne sur le trône de France ? Question une nouvelle fois posée, et toujours sans réponse…

La politique du Prieuré de Sion

Venons-en maintenant à un ouvrage paru en 1973 sous la signature du journaliste suisse Mathieu Paoli, ouvrage intitulé *Les dessous d'une ambition politique*, retraçant l'enquête que fit l'auteur sur le Prieuré de Sion.

Comme nous, Mathieu Paoli était entré en contact avec un représentant de l'ordre dont il ne livrait pas le nom ; mais il ne bénéficiait pas de la recommandation de la BBC, et son interlocuteur, sans avoir la stature d'un Pierre Plantard, était semble-t-il beaucoup moins communicatif. Mais d'un autre côté M. Paoli, habitant sur le continent, avait plus de facilités que nous pour entreprendre ses recherches et se rendre très vite là où il le fallait. Son ouvrage présentait donc de nouvelles informations fort intéressantes et nous regrettions qu'il n'ait pu prolonger son propos dans un second volume, lorsque nous apprîmes, avant d'avoir pu retrouver sa trace, qu'il venait d'être fusillé par le gouvernement israélien pour vente, nous dit-on, de secrets aux Arabes[29].

Or sa démarche avait été en de nombreux points semblable à la nôtre : lui aussi avait contacté la fille de Schidlof à Londres et appris qu'il n'avait eu aucun lien avec les sociétés secrètes, la franc-maçonnerie ou les généalogies mérovingiennes ; comme nous il s'était mis en rapport avec la Grande Loge Alpina et n'en avait reçu que des réponses ambiguës, le chancelier étant allé jusqu'à nier l'existence de Lobineau et même de Schidlof, tout comme celle de certains ouvrages portant le sigle de sa loge alors que certains prétendaient les avoir vus en bonne et due place, dans sa propre bibliothèque !

> « De deux choses l'une, concluait en conséquence Mathieu Paoli, au vu du caractère particulier des travaux d'Henri Lobineau, la Grande Loge Alpina, qui s'interdit toute activité politique tant à l'extérieur de la Suisse qu'à l'intérieur, ne tient pas à ce que l'on apprenne qu'elle est mêlée indirectement à cette affaire ; ou un mouvement se sert du nom de la Grande Loge pour camoufler ses activités[30]. »

Mais la découverte la plus troublante de Mathieu Paoli au cours de son enquête avait été celle, à la bibliothèque de Versailles, de quatre numéros de *Circuit*[31]. Or si leur titre était bien le même que celui de la revue du Prieuré de Sion, avec le nom de Pierre Plantard figurant sur la première page, ce *Circuit*-là en revanche se déclarait « Publication périodique culturelle de la Fédération des Forces françaises, 116, rue Pierre-Jouhet, Aulnay-sous-Bois (Seine-et-Oise) – Tél. : 929-72-49 ». Quel rapport y avait-il donc avec le *Circuit* mentionné dans les statuts du Prieuré de Sion ?

Nul ne le saura jamais, puisque, à l'adresse indiquée, M. Paoli apprit finalement qu'aucune revue n'avait jamais été publiée, et que le numéro de téléphone était faux. Ainsi, cette « Fédération des Forces françaises » semblait, selon toute vraisemblance, avoir été inventée de toutes pièces. Seul élément positif, et surprenant, de cette vaine recherche : le siège des Comités de Salut Public se trouvait lui aussi à Aulnay[32]... Existait-il par suite un lien entre la Fédération et les Comités ? M. Paoli, quant à lui le pensait, car le numéro 2 de *Circuit* mentionnait une lettre du général de Gaulle remerciant Pierre Plantard de ses services ; or ces services, nous l'avons vu, étaient bien l'œuvre des Comités de Salut Public dirigée par P. Plantard à la demande du Général.

L'ensemble des quatre numéros de *Circuit* était consacré à l'ésotérisme, sous la plume de Pierre Plantard ou de son pseudonyme « Chyren », de sa femme et autres noms bien connus de notre enquête. Quelques articles y traitaient en outre de sujets apparemment totalement différents, tel par exemple celui de la science secrète de la vigne, particulièrement le greffage. Mais ne fallait-il pas y voir en fait une allégorie, la vigne et la viticulture symbolisant les arbres généalogiques et les jeux d'alliances dynastiques ?

M. Paoli mentionnait aussi dans son ouvrage le nationalisme fervent des auteurs de la revue. « Existe-t-il encore des hommes qui soient capables de penser FRANCE, comme au temps de l'Occupation où les patriotes et les résistants ne s'inquiétaient jamais de la tendance politique de leurs compagnons de lutte ? » s'interrogeait notamment un certain Adrian Sevrette[33]. Et ailleurs : « Avant tout nous sommes Français, nous sommes cette force qui lutte de part et d'autre pour construire une France saine et neuve[34]... »

Suivait un plan détaillé de gouvernement destiné à redonner son lustre à la France, réinstaurant entre autres la notion de province « morceau vivant de la France, vestige de notre passé, la base même qui a formé l'existence de notre nation... Elle a son folklore, ses coutumes, ses monuments, souvent son dialecte local que nous aimons retrouver et entendre[35] ».

Plan réalisable assurément, à en croire les auteurs de *Circuit*, et apparemment peu engagé politiquement car il ne se voulait pas plus de droite que de gauche, pas plus radical que réactionnaire ; plan imprégné d'un « solide bon sens », soulignait Mathieu Paoli[36]. Pourtant nulle part il n'était fait explicitement allusion aux bases mêmes de son action, cette restauration d'une monarchie populaire dirigée par un Mérovingien, principe acquis et partout sous-jacent dans bon nombre des numéros de la revue.

> « Nous avons d'une part une descendance cachée des Mérovingiens, commentait alors M. Paoli arrivé à ce point de son enquête, et d'autre part un mouvement secret, le Prieuré de Sion, dont le but est de permettre la restauration d'une monarchie populaire, de lignée mérovingienne... Il s'agit de savoir si ce mouvement se contente de spéculations ésotérico-politiques (dont le but non avoué est de faire beaucoup d'argent en utilisant la candeur et la naïveté du monde) ou si ce mouvement est agissant[37]. »

Ayant posé, comme nous nous l'étions déjà posée plusieurs fois, la question fondamentale de l'efficacité du Prieuré de Sion, Mathieu Paoli soulevait une nouvelle interrogation, aux implications particulièrement graves :

> « Certes le Prieuré de Sion semble disposer de puissantes relations. En effet toute création d'une association est soumise à une enquête préalable du ministère de l'Intérieur ; il en est de même pour une revue, une maison d'édition. Or ces gens-là font publier, sous des pseudonymes, à de fausses adresses, par des maisons d'édition inexistantes,

des ouvrages que l'on ne trouve pas dans le commerce et cela, tant en Suisse qu'en France. De deux choses l'une : ou les fonctionnaires ne font pas leur travail, ou[38]... »

Mathieu Paoli rejoignait ici nos réflexions, notamment à propos de l'adresse fantaisiste figurant sur les statuts en provenance de Saint-Julien. Comme on le voit, il ne précisait pas le second terme de l'alternative, mais insinuait visiblement que les autorités officielles, comme beaucoup de hautes personnalités, étaient toutes, à des degrés divers, liées à Sion. Et Sion, de nouveau, retrouvait par là même son visage de grande et puissante organisation.

À l'issue de son enquête sur le Prieuré, Mathieu Paoli se montrait enfin satisfait de cette motivation mérovingienne qui donnait son plein sens aux objectifs et à l'existence même de la société. Mais au-delà de cette perspective, il s'avouait néanmoins perplexe. Quel intérêt, s'interrogeait-il, présentait en effet aujourd'hui la restauration de cette race, mille trois cents ans après sa destitution ? Un régime mérovingien moderne différerait-il de n'importe quel autre régime moderne ? Et si oui, pourquoi ? Et en quoi ? Que proposaient donc de différent ces descendants de Dagobert II ? Si leurs revendications étaient légitimes, n'étaient-elles pas aussi hors de propos ? Mais d'un autre côté pourquoi alors avaient-ils suscité, et suscitaient-ils encore aujourd'hui, tant d'intérêt et d'adhésion parmi des personnalités auxquelles ne manquaient ni la fortune, ni l'intelligence, ni le bon sens, ni les occupations ?

C'était précisément là notre problème. Nous aussi étions certes prêts à reconnaître les droits de la race mérovingienne ; mais ces droits avaient-ils une signification à l'heure actuelle ? Leur légitimité constituait-elle un argument suffisant ? Et pourquoi encore une fois, en cette fin de XXe siècle, une monarchie, légitime ou non, remportait-elle l'assentiment dont semblaient bénéficier les Mérovingiens ?

Il ne fallait pas pour autant nous leurrer et croire, trop facilement, que nous n'étions les jouets que de simples chimères. Non ! chaque étape de notre recherche nous démontrait que nous avions affaire à une organisation considérable, admirablement structurée, composée des plus grands cerveaux de notre siècle. Et ces hommes-là, redisons-le, prenaient suffisamment au sérieux la restauration, après mille trois cents ans, de la dynastie mérovingienne, pour la placer au-dessus de leurs divergences politiques, sociales et religieuses.

Non-sens apparent d'une part ; logique profonde de l'autre. Nous tournions en rond entre deux pôles, sans entrevoir de solution. Avions-nous, quelque part, fait fausse route ? Ou bien un élément du problème nous échappait-il ? Leur légitimité était-elle véritablement le seul argument dont se réclamaient les descendants de la race mérovingienne ? Peut-être pas, et alors une caractéristique particulière, aux conséquences capitales, les différenciait fondamentalement des autres dynasties. Ainsi ce sang royal était-il donc marqué d'un sceau exceptionnel et insoupçonné ?...

9

Les rois aux cheveux longs

L'énigme de la dynastie mérovingienne est encore plus obscure que celle des Cathares et des Chevaliers du Temple, tant s'y mêlent étroitement réalité et fiction. Ainsi, malgré nos efforts pour y déceler le vrai du faux, le plausible de la légende, restions-nous plongés dans les voiles d'un insondable mystère.

Issue des Sicambres, tribu germanique plus connue sous le nom de Francs, la race mérovingienne domina, au cours des Ve et VIe siècles, de vastes territoires devenus la France et l'Allemagne. Cette époque, ne l'oublions pas, fut aussi celle du roi Arthur, et servit de toile de fond au grand cycle romanesque du Graal. Or ces années, sans aucun doute les plus sombres de cet âge improprement appelé « des ténèbres », furent à nos yeux beaucoup moins enténébrées que délibérément obscurcies.

Tout enseignement, toute culture était alors, on le sait, le monopole de la seule Église catholique, et les informations que nous possédons aujourd'hui relatives à cette période proviennent toutes de ses seules sources, le reste ayant disparu ou ayant été supprimé. Heureusement parfois, malgré le silence et l'ignorance qui ont trop longtemps entouré ces temps, malgré le voile trop complaisamment tiré sur leur mystère, un détail a pu filtrer jusqu'à nous. Un mot, une date émergent de l'ombre, grâce auxquels peut se reconstituer une fascinante réalité, très différente de celle enseignée par l'histoire officielle.

La légende des Mérovingiens

Les origines de la dynastie mérovingienne posent un certain nombre d'énigmes dont la première touche à la nature même de la race.

La notion de dynastie, en effet, évoque généralement une famille ou une « maison » régnant en lieu et place de prédécesseurs soit disparus, soit chassés ou déposés à la suite, par exemple, d'un coup d'État. Ainsi la guerre des Deux-Roses en Angleterre marqua-t-elle un changement de dynastie ; puis cent ans plus tard, les Tudors ayant disparu, les Stuarts montèrent sur le trône pour être destitués à leur tour par les maisons d'Orange et Hanovre.

Rien de tel dans le cas des Mérovingiens ; ni usurpation, ni brutalité, ni extinction d'une dynastie antérieure. De tout temps ils semblent avoir régné sur les Francs, et avoir toujours été dûment reconnus comme leurs rois légitimes. Jusqu'au jour où l'un d'eux, marqué par le destin d'un signe particulier, donna son nom à la dynastie.

La réalité historique de ce Mérovée (Merovech ou Meroveus) est complètement éclipsée par la légende. C'est un personnage presque surnaturel, appartenant au domaine des grands mythes classiques, et dont le nom même témoigne de l'origine et du caractère miraculeux, puisqu'on y retrouve en effet l'écho des mots français « mère » et « mer ».

Selon le principal chroniqueur franc et la tradition postérieure, Mérovée naquit de deux pères. Alors qu'elle était déjà enceinte, on raconte en effet que la mère de Mérovée, femme du roi Clodio, alla nager dans l'océan ; là, elle fut séduite ou enlevée par une mystérieuse créature d'au-delà des mers – « bestia Neptuni Quinotauri similis », « bête de Neptune semblable au Quinotaure », autre animal fabuleux. La créature, probablement, rendit la reine enceinte une seconde fois et, lorsque Mérovée naquit, deux sangs différents coulaient dans ses veines, celui d'un roi franc et celui d'un monstre marin et mystérieux.

Légendes courantes, dira-t-on, dans l'Antiquité et dans la tradition européenne postérieure. Bien sûr, mais loin d'être entièrement imaginaires elles sont, comme toutes les légendes, symboliques et masquent sous leur aspect merveilleux une réalité historique concrète. Dans le cas de Mérovée cette allégorie signifie la transmission, par la mère, d'un sang étranger ou bien un mélange de lignées dynastiques à la suite duquel les Francs se trouvèrent liés à une autre peuplade, peut-être venue « d'au-delà des mers ». Au fil des ans et des légendes celle-ci se transforma peu à peu, on ne sait pourquoi, en une créature marine.

Mérovée naquit donc, revêtu des plus extraordinaires pouvoirs et dès ce jour, quelle que soit la réalité historique à la base de cette légende, la dynastie mérovingienne se trouva enveloppée d'une aura de magie et de surnaturel qui ne devait jamais la quitter.

Or si l'on en croit la tradition, les rois mérovingiens étaient, à l'image de leur célèbre contemporain Merlin, adeptes des sciences occultes et de toute forme d'ésotérisme. On les a d'ailleurs souvent appelés les rois « sorciers » ou « thaumaturges » car ils possédaient, dit encore la légende, le pouvoir miraculeux de guérir par l'unique imposition des mains, les glands pendant aux franges de leurs robes ayant les mêmes vertus curatives. Ils avaient aussi des dons de clairvoyance et de communication extrasensorielle avec les animaux et les forces de la nature environnante, et on racontait qu'ils portaient au cou un collier magique. Enfin, on les disait dépositaires d'une formule secrète les protégeant et leur garantissant la longévité – don que ne semble pourtant pas avoir confirmé l'Histoire. Ils portaient sur eux une marque de naissance distinctive qui révélait leur origine sacrée et permettait de les identifier immédiatement. Tache rouge en forme de croix, elle était située soit sur le cœur – curieuse anticipation du blason des Templiers –, soit entre les deux omoplates.

Les Mérovingiens ont aussi été appelés les « rois aux cheveux longs ». À l'image du célèbre Samson de l'Ancien Testament, ils se refusaient en effet à couper leur chevelure, siège de toute leur « vertu » – essence et secret de leurs attributions surnaturelles. On ignore les raisons de cette croyance, mais elle semble en tout cas avoir été prise très au sérieux au moins jusqu'en 751 date à laquelle Childéric III, ayant été déposé et emprisonné, vit sa chevelure coupée selon les rites, sur l'ordre formel du pape.

Si extraordinaires soient-elles, ces légendes reposent, semble-t-il, sur des réalités concrètes indiscutables, notamment en ce qui concerne la situation particulière dont jouissaient les Mérovingiens de leur vivant. Ils n'étaient en effet pas considérés comme des rois au sens moderne du terme, mais plutôt comme des prêtres-rois, personnifications terrestres de la toute-puissance divine comme l'avaient été avant eux les anciens pharaons d'Égypte. Ils ne régnaient pas par la grâce de Dieu mais en étaient la représentation vivante, l'incarnation même, qualité généralement réservée à Jésus seul. Leurs pratiques rituelles relevaient d'ailleurs davantage de celles du prêtre que de celles du roi. Ainsi devait-on découvrir certains crânes de monarques mérovingiens portant à leur sommet une incision rituelle ou une perforation identiques à celles que l'on peut observer sur les crânes d'anciens grands prêtres bouddhistes du Tibet, ces incisions permettant à l'âme de quitter le corps au moment de la mort, et d'entrer en contact avec le monde divin. Ne faut-il d'ailleurs pas, à ce propos, rapprocher la tonsure des ecclésiastiques de cette très ancienne pratique mérovingienne ?

En 1653, une importante tombe mérovingienne fut découverte dans les Ardennes, celle de Childéric Ier, fils de Mérovée et père de Clovis, le plus célèbre représentant de la dynastie. Elle contenait des armes, un trésor, divers joyaux et insignes comme on en trouve à l'accoutumée dans une tombe royale. Mais elle renfermait aussi des objets appartenant plus au domaine de la magie et de la sorcellerie qu'à celui de la royauté : une tête de cheval coupée, une tête de taureau en or et une boule de cristal[1].

L'abeille figurant parmi les symboles sacrés des Mérovingiens, le tombeau de Childéric n'en contenait pas moins de trois cents, toutes en or; elles furent alors confiées avec le contenu de la tombe à Léopold-Guillaume de Habsbourg, gouverneur militaire des Pays-Bas autrichiens et frère de l'empereur Ferdinand III[2]. L'ensemble du trésor cependant allait revenir plus tard à la France et, lors de son couronnement en 1804, Napoléon fit des abeilles d'or le principal ornement de ses habits d'apparat.

Là n'est d'ailleurs pas la seule manifestation de l'intérêt porté par l'empereur des Français aux rois qui, bien longtemps auparavant, l'avaient précédé sur le trône. Sur son ordre donc, l'abbé Pichon se livra à de très sérieuses recherches généalogiques pour savoir si la race mérovingienne avait, ou non, survécu à la chute de la dynastie. Et ce sont ces documents mêmes, demandés par Napoléon, qui allaient être utilisés, pour une très large part, dans les généalogies des « documents du Prieuré [3] ».

L'ours d'Arcadie

Ainsi un univers fantastique, digne d'une époque où naissaient, d'une extrémité à l'autre de l'Europe, les grands cycles mythiques et légendaires, formait entre nous et la réalité historique que nous cherchions à explorer un écran opaque. Et lorsque celle-ci, d'ailleurs réduite à des bribes, se révéla enfin à nous, elle apparut certes très différente de la légende, mais tout aussi mystérieuse, et empreinte de merveilleux.

On sait en fait très peu de chose de la véritable origine des Mérovingiens. Eux-mêmes disaient descendre de Noé, à leurs yeux plus encore que Moïse source de toute sagesse, notion que l'on retrouvera, quelque mille ans plus tard, dans la franc-maçonnerie européenne. Comme ils prétendaient aussi descendre de l'ancienne Troie, des historiens contemporains de leur côté, dont les auteurs des « documents du Prieuré », allaient donc rechercher leur trace jusque dans la Grèce antique, et particulièrement dans la région appelée autrefois Arcadie. Selon ces historiens, les ancêtres des rois mérovingiens auraient eu en effet des liens avec la maison royale arcadienne et au début de l'ère chrétienne auraient gagné le Danube puis traversé le Rhin pour s'établir dans l'actuelle Allemagne occidentale.

Origines troyennes ou arcadiennes, ce sont là des détails, mais nullement incompatibles. Selon Homère en tout cas, de nombreux Arcadiens étaient présents au siège de Troie, les historiens anciens grecs parlant quant à eux d'une tribu venue d'Arcadie. Dans cette région, notons-le en passant, l'ours était autrefois un animal sacré, faisant l'objet d'un culte mystérieux et de sacrifices rituels[4]. Le nom d'Arcadie provient d'ailleurs d'« Arkades » qui signifie le « peuple de l'ours », les anciens Arcadiens affirmant descendre d'Arkas, divinité de la terre, dont le nom veut également dire « ours ». Dans la mythologie grecque enfin, Arkas était le fils de la nymphe Callisto, très semblable à la chasseresse Artémis. Or Callisto nous est aujourd'hui familière sous les traits de la constellation de la Grande Ourse et Arkas sous ceux de la Petite Ourse.

L'ours occupait donc chez les Francs Sicambres, ancêtres des Mérovingiens, une position semblable.

Comme chez les anciens Arcadiens, on l'y adorait sous la forme d'Artémis ou, plus exactement, celle de sa sœur gauloise Arduina, divinité des Ardennes, dont le culte subsista fort avant dans le Moyen Âge. L'un des principaux centres des mystères d'Arduina était Lunéville, non loin de deux localités qui nous sont maintenant familières : Stenay et Orval où jusqu'en 1304, l'Église catholique promulgua des ordonnances interdisant le culte de la déesse païenne[5].

Les vertus très particulières, totémiques et magiques, reconnues à l'ours dans cette terre mérovingienne des Ardennes, expliquent par suite aisément que le nom « Ursus » – « ours » latin – ait été associé à la lignée royale dans les « documents du Prieuré ». Mais plus surprenant est le fait qu'en gallois le mot « ours » se dise « arth », d'où vient « Arthur ». Ne pouvant cependant suivre cette piste et nous écarter de notre propos, bornons-nous pour l'instant à constater que le célèbre roi Arthur était contemporain des Mérovingiens, et appartenait lui aussi au même cycle mythique de l'ours.

Arrivée des Sicambres en Gaule

Au début du ve siècle, l'invasion des Huns provoqua en Europe de vastes mouvements de migration. C'est à cette époque que les Sicambres traversèrent le Rhin, entrèrent en Gaule et s'établirent dans l'actuelle Belgique et dans le nord de la France, dans la région des Ardennes. Un siècle plus tard, cette contrée deviendrait le royaume d'Austrasie, au cœur de laquelle se situerait l'actuelle Lorraine.

N'allons pas croire que les Sicambres entrèrent en Gaule comme une horde de Barbares. Aucun tumulte, aucune brutalité ne marqua leur arrivée, comme ce fut trop souvent le cas. On les vit au contraire peu à peu s'intégrer de la meilleure façon à la population locale. Pendant des siècles, les Sicambres, païens mais non sauvages, avaient d'ailleurs entretenu avec les Romains d'excellents rapports, connaissant parfaitement et partageant leurs mœurs, leurs coutumes et leur administration, allant pour certains d'entre eux jusqu'à atteindre le grade d'officiers de l'armée impériale, et même dans certains cas devenir consuls romains. Ce n'est donc pas d'invasion qu'il faut parler à leur sujet, mais d'assimilation pacifique. Aussi lorsque à la fin du Ve siècle l'Empire romain s'écroula, les Sicambres prirent tout naturellement la place vacante, sans force ni violence, mais en maintenant les anciennes coutumes. Le régime des premiers Mérovingiens se différencia donc à peine de l'ancien Empire romain, et l'administration de la Gaule, apparemment intacte, ne fit que changer de mains.

Mérovée et ses descendants

Deux personnages historiques portent le nom de Mérovée, et il est difficile de préciser lequel des deux descendait de la créature marine de la légende. On sait en effet qu'un Mérovée, chef d'une tribu sicambre, vivant en 417, combattit sous les Romains et mourut en 438 ; on croit même savoir qu'il visita Rome où il fit sensation, ses longs cheveux blonds flottant sur les épaules, arpentant à cheval les voies encombrées de la capitale impériale...

Puis en 448 le fils de ce premier Mérovée, portant le même nom que son père, fut proclamé roi des Francs à Tournai, et régna jusqu'à sa mort, dix ans plus tard. Premier monarque du peuple franc unifié, et en vertu de sa double et fabuleuse naissance – ou de la réalité qu'elle symbolisait –, il donna par conséquent son nom à la dynastie qu'il avait fondée.

Sous ses successeurs, le royaume franc continua de prospérer, non dans le sens primitif et barbare que l'on pourrait imaginer, mais dans celui, au contraire, d'une civilisation comparable sous certains aspects à celle de Byzance, et d'un niveau bien supérieur à celui que l'on trouvera en France quelque cinq cents ans plus tard sous le règne des derniers monarques du Moyen Âge. Ainsi le roi Childéric Ier ne se contenta pas de construire à Paris et à Soissons de magnifiques amphithéâtres de style romain ; il fut aussi un poète accompli, fier de ses talents, et un orateur hors de pair notamment lors de ses discours à l'adresse des autorités ecclésiastiques, où il fit preuve d'une subtilité de pensée, d'un art de la dialectique et d'une connaissance approfondie des sujets les plus divers, qui le plaçaient sur un pied de totale égalité avec ses interlocuteurs[6].

Certes les Francs, soumis à la loi mérovingienne, montrèrent parfois une certaine brutalité, mais peu de réelle disposition ou de goût particulier pour la guerre, à l'instar des Vikings, des Huns ou des Wisigoths. Leurs principales activités étaient en fait l'agriculture et le commerce. Si le négoce maritime en Méditerranée était leur point fort, ils pratiquaient aussi un artisanat de haute qualité, comme en témoignent les divers et nombreux objets exposés dans les musées européens.

Les rois mérovingiens possédaient enfin des richesses fabuleuses, de grandes quantités de pièces d'or surtout, en provenance d'importantes fabriques royales, l'une étant située sur l'emplacement de l'actuelle Sion en Suisse. De nombreux spécimens de cette monnaie subsistent de nos jours frappés de la croix aux quatre bras d'égale longueur, celle-là même qu'adoptera pendant les Croisades le royaume franc de Jérusalem.

La lignée royale

Les rois mérovingiens, nous l'avons vu, nimbés d'un subtil mélange de mystère et de légende, de magie et de surnaturel, qui s'attachait à eux de leur vivant, différaient complètement des autres souverains de leur époque. Si leur vie, leurs mœurs, leur système économique étaient, à quelques détails près, semblables à ceux de leurs contemporains européens, leur lignée et leur royauté présentaient un caractère très spécifique.

Les descendants mâles de race mérovingienne n'étaient pas « sacrés » rois, mais considérés comme tels dès leur douzième année : ni cérémonie publique, ni couronnement, ni onction ne marquaient cet anniversaire, ces derniers se contentant seulement, à partir de ce jour, comme s'ils obéissaient à un droit sacré, d'assumer le pouvoir. Mais si le roi était l'autorité suprême du royaume, rien ne l'obligeait – et on ne le lui demandait pas – de se perdre dans les détails pratiques de sa charge, son rôle consistant avant tout à « être » plutôt qu'à « faire », à régner sans gouverner, bref à incarner un symbole, à être une figure rituelle et un prêtre-roi tout à la fois. Diriger, agir, administrer revenaient à un personnage n'étant pas de lignée royale, à une sorte de chancelier appelé « maire du Palais », la structure du régime mérovingien présentant ainsi quelques similitudes avec certaines monarchies constitutionnelles modernes.

Comme les Patriarches de l'Ancien Testament, même après leur conversion au christianisme, les souverains mérovingiens étaient polygames et entretenaient de fastueux harems. Aussi lorsque l'aristocratie, cédant aux pressions de l'Église, se décida à adopter une monogamie rigoureuse, la monarchie se refusa-t-elle à la suivre, et l'Église, assez curieusement, accepta sans protester de fermer les yeux sur cette prérogative, ce dont un historien anglais s'étonna en ces termes :

> « Pourquoi la polygamie était-elle tacitement approuvée par les Francs ? Nous nous trouvons peut-être ici en présence d'un de ces anciens usages réservés à une famille royale, famille d'un rang tel que son sang ne pouvait être ennobli par aucune

alliance, même avantageuse, ni souillé par le sang d'une esclave... Qu'une reine provînt d'une dynastie royale ou de chez les courtisanes importait peu... C'est dans son sang propre que reposait la vertu même de la race, et tous ceux qui appartenaient à ce sang la partageaient[7]. »

Et d'autres de s'interroger dans ce sens : « Peut-être les Mérovingiens sont-ils une dynastie de *Heerkönige* germaniques, issue d'une ancienne famille royale du temps des grandes invasions[8]. »

Mais combien de familles au monde ont-elles possédé de tels privilèges et pourquoi les Mérovingiens plus que d'autres ? En quoi donc leur sang les investissait-il de droits aussi exceptionnels ? Questions apparemment sans réponses, sur lesquelles nous n'avions pas fini de nous perdre en conjectures...

Le pacte de Clovis

Le plus célèbre de tous les rois mérovingiens fut le petit-fils de Mérovée, Clovis Ier, qui régna de 481 à 511. Tous les petits écoliers français connaissent son nom car, grâce à lui, la France allait se convertir au christianisme, et l'Église romaine étendre jusqu'à l'Europe occidentale une suprématie qui ne durerait pas moins d'un millier d'années.

En 496 donc l'Église catholique se trouvait dans une situation précaire et son existence, fragile depuis le début du siècle, était très fortement menacée. L'évêque de Rome s'était fait pape entre 384 et 399, mais ses statuts officiels, identiques à ceux des autres évêques de son époque, ne ressemblaient encore en rien à ceux de la papauté actuelle. Loin d'être le chef spirituel et l'autorité suprême de la Chrétienté, il ne représentait finalement rien de plus qu'une seule des nombreuses et divergentes formes du christianisme, luttant alors désespérément pour survivre malgré les conflits, les schismes et les oppositions d'ordre théologique. En fait l'Église romaine avait à peine plus d'autorité que l'Église celte avec laquelle elle était perpétuellement en désaccord ; elle n'était pas vraiment entourée de plus de considération qu'une quelconque secte hérétique tel l'arianisme qui niait, par exemple, la divinité de Jésus en insistant sur son caractère humain. Notons d'ailleurs à ce propos qu'en cette fin du Ve siècle les évêchés d'Europe occidentale étaient tous à des degrés divers, lorsqu'ils n'étaient pas vacants, engagés dans cette forme d'arianisme.

Or, dans la mesure où l'Église romaine voulait survivre et affirmer son autorité, elle avait besoin d'un soutien contemporain puissant. Et si le christianisme voulait évoluer dans le sens de la seule doctrine romaine, il lui fallait propager cette doctrine, l'implanter, au besoin même l'imposer avec le secours d'une force séculière suffisamment sûre et efficace pour l'aider à vaincre, à supplanter et à étouffer définitivement l'ensemble des croyances rivales. Ce soutien, cette force séculière, l'Église romaine les chercha et les trouva tout naturellement en Clovis.

En 486, Clovis avait largement agrandi les possessions mérovingiennes et ajouté aux Ardennes, grâce à ses victoires sur les tribus ennemies, de nombreux petits États et principautés adjacents. Beaucoup de villes importantes comme Troyes, Reims et Amiens faisaient désormais partie du royaume franc et Clovis, semblait-il, n'allait pas tarder à devenir l'un des monarques les plus puissants d'Europe occidentale.

Sa conversion et son baptême revêtaient évidemment pour notre enquête une importance capitale. Tous les détails en avaient été consignés, à l'époque, dans un récit célèbre intitulé *La vie de saint Remi* mais malheureusement l'ensemble du manuscrit, à l'exception de quelques pages, avait été détruit deux cent cinquante ans plus tard. Dans quel but et pour servir quel mystérieux dessein ? De toute évidence c'était un acte délibéré, et seuls quelques fragments témoignaient encore de l'intérêt indiscutable de son contenu.

Selon la tradition, la conversion de Clovis, soudaine et inattendue, fut l'œuvre de sa femme, Clotilde, catholique fervente qui, semble-t-il, n'eut de cesse qu'elle ne vît son mari adopter sa foi, avec l'aide de son confesseur Remi – obstination dont elle fut récompensée plus tard par une canonisation. Mais derrière la tradition repose une réalité historique concrète. Clovis en effet, lorsqu'il se convertit à la foi romaine pour devenir le premier roi catholique des Francs, avait à gagner beaucoup plus que la seule estime de son épouse, et un royaume autrement plus substantiel que celui du Ciel !

On sait en effet qu'en 496 eurent lieu entre lui-même et saint Remy certaines entrevues secrètes qui furent immédiatement suivies d'un accord en bonne et due forme entre le roi franc et l'Église romaine. C'était là pour Rome une victoire politique sans précédent qui assurait la survivance de son Église et l'établissaiten tant qu'autorité spirituelle suprême de tout l'Occident. Enfin elle allait être l'égale de Constantinople, brillante et lointaine patrie de la foi orthodoxe grecque, elle allait pouvoir laisser libre cours à ses rêves d'hégémonie et trouver un moyen inéluctable de juguler les différentes formes d'hérésie qui voyaient le jour. L'instrument de cette domination spirituelle, l'épée charnelle de l'Église catholique, son bras séculier, la manifestation tangible de son pouvoir était désormais Clovis, grâce auquel tous les espoirs étaient enfin autorisés.

Or que gagnait en retour le roi des Francs ?

Eh bien, il obtenait quant à lui le titre de « Novus Constantinus » et, plus précisément, l'autorisation de régner sur un empire unifié, un « saint empire romain » destiné à remplacer celui de Constantin détruit peu auparavant par les Vandales et les Wisigoths.

Pour certains historiens modernes Clovis, bien avant son baptême, avait d'ailleurs entrevu la possibilité de faire de cet ancien Empire romain le futur héritage de la race mérovingienne[9]. Quoi qu'il en soit, il allait maintenant devenir une sorte d'empereur d'Occident, le patriarche des pays germaniques de l'Ouest, régnant sans toutefois gouverner sur les peuples et les rois[10].

Ce pacte signé entre Clovis et l'Église romaine allait par suite se révéler lourd de conséquences pour la Chrétienté du VIe siècle comme pour celle des siècles à venir. Le baptême du roi franc marquait en effet la naissance d'un nouvel Empire romain, empire chrétien fondé sur l'Église elle-même et administré par les rois mérovingiens. Un lien indissoluble existait désormais entre la puissance spirituelle et l'État séculier, l'un faisant serment d'allégeance à l'autre, l'un et l'autre s'engageant mutuellement pour une durée illimitée. Une cérémonie précise venait ratifier le traité : le baptême de Clovis par saint Rémi à Reims en 496, qui prononça en latin les célèbres paroles :

> *Mitis depone colla, Sicamber, adora quod incendisti, incendi quod adorasti.*
> (« Dépose tes colliers, Sicambre, adore ce que tu as brûlé, brûle ce que tu as adoré *. »)

Rappelons ici, car on l'oublie trop souvent, que ce baptême ne fut en aucun cas un couronnement. En effet, l'Église n'avait nullement à nommer roi Clovis, puisqu'il l'était déjà, et elle n'avait rien d'autre à faire que de le reconnaître comme tel. Ainsi ne se liait-elle pas officiellement à Clovis seul, mais à ses successeurs; non pas à un individu unique, mais à une lignée. Dans ce sens, le pacte ressemblait en tout point à l'alliance du Dieu de l'Ancien Testament avec le roi David. Certes il était susceptible d'être modifié – comme dans le cas de Salomon –, mais ne pouvait ni être révoqué, ni

---

* Traduction exacte d'une phrase souvent mal interprétée.

rompu, ni trahi. Cela les Mérovingiens ne devaient jamais l'oublier.

Jusqu'à la fin de sa vie, Clovis quant à lui s'appliqua fidèlement à réaliser les espoirs et les ambitions entretenus par Rome à son sujet. Avec une conscience et une efficacité dignes d'admiration, il imposa par la force des armes la foi, objet de son contrat ; officiellement approuvé, spirituellement mandaté par l'Église, il étendit au sud et à l'est les frontières de son royaume franc qui engloba désormais la plus grande partie de la France et une partie substantielle de l'Allemagne actuelles.

Ayant au nombre de ses plus farouches adversaires les Wisigoths, de religion arienne, dont l'empire s'étendait, au nord des Pyrénées, jusqu'à Toulouse, Clovis dirigea contre eux de terribles assauts et acheva de les vaincre définitivement à Vouillé en 507. Dès lors Toulouse et l'Aquitaine ne tardèrent pas à tomber à leur tour dans ses mains, comme d'ailleurs tout le reste des terres ennemies dont les chefs avant même l'arrivée des troupes franques déposaient les armes. De Toulouse, les Wisigoths reculèrent jusqu'à Carcassonne, puis chassés de cette citadelle ils établirent leur capitale, et dernier bastion, dans le Razès, à Rhedae, devenu aujourd'hui le village de Rennes-le-Château.

Dagobert II

À la mort de Clovis en 511 l'empire qu'il avait fondé fut, selon la coutume mérovingienne, partagé entre ses quatre fils. Pendant plus d'un siècle, la dynastie mérovingienne allait donc régner sur plusieurs royaumes disparates. Mais en guerre la plupart du temps, divisés en successions de plus en plus embrouillées, leurs droits, avec les années, n'allaient cesser de prêter à une confusion grandissante. L'autorité si bien centralisée par Clovis s'en trouva donc progressivement affaiblie, entraînant une lente dégradation du pouvoir et de l'ordre. Troubles de toutes sortes, intrigues, enlèvements et assassinats ajoutés aux manifestations chroniques d'un désordre général achevèrent, peu à peu, de gagner les limites extrêmes du royaume mérovingien.

Pourtant, au cœur de ce chaos, une nouvelle souveraineté se faisait jour et croissait rapidement, image de la force et de l'équilibre que n'assuraient plus les souverains officiels mais les « maires du Palais » dont nous avons parlé plus haut. Par la force des circonstances, ces derniers voyaient en effet leurs pouvoirs se multiplier, et allaient ainsi fortement contribuer à la chute de la monarchie.

Sans autorité, sans volonté, les derniers Mérovingiens devinrent donc ces fameux « rois fainéants », appellation bien méprisante à l'adresse de monarques faibles et complaisants stigmatisés par l'Histoire, efféminés parfois, mais surtout abandonnés aux manœuvres des vils et cupides conseillers qui gouvernaient à leur place.

Montrons-nous donc pour notre part un peu moins sévères à leur égard. Si en effet l'état anarchique du royaume mérovingien allait pousser vers le trône des princes trop jeunes pour ne pas se laisser lamentablement manipuler par leur entourage, d'autres, plus âgés, se révélèrent de véritables souverains. Ce fut notamment le cas de Dagobert II dont la vie, à ses débuts, ressemble à s'y méprendre à l'une de ces innombrables légendes médiévales, ou à un conte de fées. Pourtant il s'agit bien en ce qui le concerne d'événements authentiques[11].

Dagobert II naquit en 651. Il était héritier du royaume d'Austrasie mais à la mort de son père, cinq ans plus tard, Grimoald, maire du Palais, l'enleva pour l'empêcher de monter sur le trône. En vain chercha-t-on l'enfant partout, et il ne fut pas difficile de convaincre la cour de sa mort. Alléguant les vœux du monarque défunt, Grimoald proposa aussitôt un nouveau roi, son propre fils. La ruse réussit, non seulement auprès des courtisans mais auprès de la propre mère de Dagobert qui abandonna tous les pouvoirs à l'ambitieux maire du Palais.

Le véritable héritier du trône n'était pourtant pas mort. Grimoald, renonçant à le tuer, l'avait en effet confié à l'évêque de Poitiers qui, se refusant à son tour à accomplir un meurtre gratuit, l'avait envoyé en Irlande. Ainsi Dagobert passa-t-il son enfance au monastère de Slane[12] près de Dublin, où il reçut une éducation très supérieure à celle qu'on lui aurait donnée en France. En Irlande, raconte entre autres la légende, il se rendit à la cour du Haut Roi de Tara, et fit la connaissance de trois princes de Northumbrie élevés comme lui par les moines de Slane. En 666, il épousait la princesse celte Mathilde puis, quittant l'Irlande pour l'Angleterre, il s'établit à York dans le royaume de Northumbrie où il se lia d'amitié avec l'évêque Wilfrid qui devint son conseiller.

Un schisme existait alors entre les Églises celte et romaine, la première refusant de reconnaître l'autorité de la seconde. Wilfrid, soucieux d'unité et tentant de ramener la brebis égarée dans le sein maternel, avait déjà remporté quelque succès à cet égard au concile de Whitby en 664, et dans ces conditions peut-être son amitié et son intérêt pour le jeune Dagobert n'étaient-ils pas exempts de toute arrière-pensée. À cette époque, l'alliance entre Rome et les Mérovingiens établie un siècle et demi auparavant par Clovis s'était en effet quelque peu distendue et Wilfrid, partisan fidèle de Rome, se fit un devoir de l'aider à consolider sa suprématie, en Angleterre et sur le continent : Dagobert pouvait dans un avenir proche retourner au royaume franc et réclamer le trône d'Austrasie ; il pouvait aussi, une fois chez lui, accepter de brandir l'épée pour soutenir l'Église. Il était donc sage de s'assurer dès maintenant de sa loyauté.

En 670, la princesse Mathilde, femme de Dagobert, étant morte en donnant naissance à leur troisième fille,

Wilfrid, sans perdre de temps, chercha une seconde épouse au monarque sans couronne. Si des raisons d'ordre dynastique avaient présidé au précédent mariage de Dagobert, c'était encore plus vrai cette fois-ci puisqu'il épousa Gisèle de Rhedae, fille de Béra II, comte de Rhedae et petite-fille de Tulca, roi des Wisigoths[13]... Plusieurs réflexions s'imposent à cet égard, au premier abord évidentes mais non dénuées d'intérêt. D'abord un sang royal wisigoth allait désormais couler dans les veines mérovingiennes ; ensuite grâce à cette union, qui fixait les frontières du royaume aux Ardennes et aux Pyrénées, émergeait l'image embryonnaire de la France que nous connaissons aujourd'hui. Enfin et surtout, cette même union allait placer les Wisigoths, de tendances encore fortement ariennes, dans l'orbite de l'Église romaine.

Dagobert épousa donc Gisèle en 671 sur le continent, où il était revenu. Le mariage, selon les récits contemporains, eut lieu à Rhedae – Rennes-le-Château –, résidence de la jeune comtesse de Razès, et dans l'église de Sainte-Madeleine, à l'emplacement de laquelle devait plus tard s'élever celle de Bérenger Saunière. Si Dagobert avait déjà trois filles de son précédent mariage, mais pas d'héritier mâle, de sa nouvelle union allaient naître deux autres filles, puis enfin, en 676, un fils, Sigisbert IV, date à laquelle il était de nouveau roi.

Dagobert, au cours des trois années qui suivirent son mariage, semble ainsi avoir attendu son heure à Rennes-le-Château, veillant de loin sur ses domaines du Nord jusqu'en 674 où une occasion favorable se présenta. Aidé de sa mère et de ses conseillers, il se rendit en effet en Austrasie, réclama la couronne et fut officiellement proclamé roi. L'évêque d'York, Wilfrid, avait incontestablement joué un grand rôle dans cet événement, ainsi qu'un autre et mystérieux personnage auquel l'Histoire n'a accordé que peu d'attention, saint Amatus, évêque de Sion en Suisse[14].

Sur le trône, Dagobert ne se comporta pas en tout cas en roi fainéant mais se révéla au contraire le digne successeur de Clovis. S'imposant très vite, il consolida son autorité, mit un terme à l'anarchie du royaume puis consacra tous ses efforts à y rétablir l'ordre. Gouvernant avec fermeté, il se rendit également maître de la noblesse rebelle suffisamment forte, économiquement et militairement, pour tenir jusque-là tête au trône. Enfin il amassa à Rennes-le-Château, dit-on, un important trésor destiné à financer la reconquête de l'Aquitaine[15] qui avait échappé à la tutelle des Mérovingiens quelque quarante ans auparavant, pour devenir un fief indépendant.

Mais si Wilfrid de York attendait du nouveau roi d'Austrasie qu'il se comportât en défenseur de l'Église, il dut à cet égard être sévèrement déçu car Dagobert n'en fit rien. Bien au contraire il sembla même s'attacher à mettre un frein à toute tentative d'expansion de Rome à l'intérieur de son royaume, provoquant évidemment un courroux ecclésiastique non sans fondement. Il existe d'ailleurs à ce propos une lettre d'un prélat français se plaignant amèrement auprès de Wilfrid des taxes levées par Dagobert « au mépris des églises de Dieu et de ses évêques[16] ».

Mais le roi avait d'autres raisons encore de se quereller avec les autorités romaines. En vertu de son mariage avec Gisèle de Rhedae, une princesse wisigothe, Dagobert avait en effet acquis de considérables domaines dans les provinces de l'actuel Languedoc, et n'avait pu manquer d'être touché par l'influence arienne subsistant dans la contrée jusqu'au sein de la famille royale : les Wisigoths étaient théoriquement fidèles à l'Église catholique, mais leur allégeance était en réalité très hypothétique, et secondaire par rapport aux tendances religieuses profondes de leur race.

En 679, après trois ans de règne, Dagobert s'était fait donc un nombre appréciable d'ennemis, laïques et religieux. Les nobles d'abord, énergiquement muselés dans leurs velléités d'indépendance, l'Église ensuite, dont il avait délibérément entravé l'expansion. Quant aux souverains francs des royaumes voisins, ils redoutaient et enviaient à la fois ce régime fort et centralisé où certains, prudemment, prenaient soin d'entretenir leurs propres agents. Parmi ceux-ci figurait le maire du Palais en personne, Pépin d'Héristal, secrètement lié avec les ennemis du roi et partisan, en cas de nécessité, de l'assassinat et de la trahison.

Comme la plupart des derniers rois mérovingiens, Dagobert eut au moins deux capitales, dont la plus importante était Stenay[17], à la frontière des Ardennes. Or, près du palais royal de Stenay s'étendait une forêt épaisse, considérée comme sacrée depuis des temps immémoriaux, et appelée forêt de Woëvres. Le 23 décembre 679, Dagobert s'y rendit pour chasser. Fut-ce à l'occasion d'une cérémonie rituelle ? – on l'ignore –, mais dans le récit qui va suivre résonne encore l'écho puissant des légendes qui hantaient alors la Gaule des bords du Rhin à la Bretagne, légendes habitées tout entières par le meurtre de Siegfried dans le *Nibelungenlied*.

Tombant de fatigue aux environs de midi, le roi s'effondra près d'un cours d'eau, au pied d'un arbre, et s'endormit. Mais pendant son sommeil l'un de ses serviteurs, son filleul croit-on, se glissa furtivement à ses côtés et le tua d'un coup de lance dans l'œil. Ayant agi évidemment sur l'ordre du maire du Palais, aussitôt son forfait accompli, il retourna à Stenay dans l'intention d'exterminer à leur tour tous les membres de la famille royale. On ne sait s'il réussit dans son noir dessein mais officiellement le règne de Dagobert et de sa lignée directe s'était éteint dans le sang et la violence. L'Église romaine ne s'en affligea d'ailleurs pas outre mesure. Bien au contraire elle approuva résolument et sans équivoque le geste meurtrier, comme le démontre clairement la lettre d'un prélat français tentant de justifier le régicide aux yeux de Wilfrid de York[18].

Le corps du roi assassiné allait cependant connaître un grand nombre de vicissitudes. Immédiatement enterré après sa mort, à Stenay, dans la chapelle royale de Saint-Remi, Charles II (le Chauve) le fit exhumer en 872, presque deux siècles plus tard, pour le transporter dans une autre église, qui devint alors l'église Saint-Dagobert, le roi défunt ayant été canonisé cette même année à Douzy le 10 septembre 872, non par le pape auquel ce droit exclusif ne fut conféré qu'en 1159, mais par un concile métropolitain des évêques.

Les raisons de cette canonisation demeurent obscures. Certaines sources laissent entendre que les reliques de l'ancien roi avaient préservé le voisinage de Stenay lors des assauts vikings. Or en vertu de quoi ces reliques auraient-elles possédé de tels pouvoirs ? Les autorités ecclésiastiques ont toujours gardé à ce sujet un silence prudent, se contentant d'admettre que Dagobert, devenu l'objet d'un véritable culte populaire, eût désormais sa fête le 23 décembre, jour anniversaire de sa mort[19]. Pour quelles raisons précises ? Cela, elles restent bien en peine de le dire.

Se sentant à son égard mauvaise conscience, peut-être ont-elles estimé racheter leur faute par cette canonisation. Mais avaient-elles vraiment besoin d'aller jusque-là et, dans l'affirmative, pourquoi avoir attendu deux cents ans ?

Toujours est-il que les siècles suivants ne ménagèrent non plus ni leur respect ni leur vénération à l'égard de Stenay, de l'église de Saint-Dagobert et probablement de ses reliques. En effet, en 1069, le duc de Lorraine, grand-père de Godefroi de Bouillon, accorda une attention particulière à l'église en la plaçant sous la protection de la proche abbaye de Gorze. Puis, quelques années plus tard, un seigneur local se l'appropria. Mais en 1093 Godefroi de Bouillon mobilisait une armée et soumettait Stenay à un siège impitoyable dans le seul but apparent de reconquérir l'édifice et le rendre à l'abbaye de Gorze...

L'église fut finalement détruite pendant la Révolution française et les reliques du saint dispersées, comme beaucoup d'autres. Un crâne comportant une incision rituelle, et considéré comme celui de l'ancien roi mérovingien, existe cependant toujours au couvent de Mons, seul de tous les restes attribués au roi ayant échappé à la destruction. Au milieu du XIXe siècle cependant, un très curieux document allait faire son apparition, sous forme de poème-litanie en vingt et un vers, intitulé « De sancto Dagoberto martyre prose ». Et que disait-il ? Que Dagobert avait été martyrisé pour une raison « bien particulière »... Or, plus étrange encore, ce texte, remontant au Moyen Âge, ou même peut-être à des temps plus anciens, avait été découvert à l'abbaye d'Orval[20]...

Usurpation du pouvoir par les Carolingiens

Dagobert, comme on a tendance à le croire généralement, ne fut pas le dernier monarque mérovingien. Sa propre lignée apparemment éteinte, la dynastie se maintint sur le trône. Officiellement du moins, car pendant trois quarts de siècle encore, on ne parlera que de « rois fainéants », beaucoup d'entre eux ayant d'ailleurs accédé au trône extrêmement jeunes seront incapables d'imposer une autorité qu'ils ne pouvaient posséder encore.

De plus, la race pure mérovingienne présumée disparue avec Dagobert II, les derniers rois de la lignée ne descendaient pas de Clovis et de Mérovée, mais de branches cadettes. L'assassinat de Dagobert, ayant en fait marqué la fin de la dynastie authentique, la mort de Childéric III, en 754, ne pouvait revêtir qu'une importance très relative, la vraie race n'existant plus depuis 679.

Le pouvoir, aux mains des successifs maires du Palais depuis longtemps déjà, allait donc leur revenir, définitivement et officiellement. Après Pépin d'Héristal, assassin du dernier Mérovingien direct, c'est son fils, le célèbre Charles Martel, qui devait régner sur les Francs.

Charles Martel est, à juste titre, un personnage illustre de l'histoire de France. C'est lui qui arrêta en effet l'avance des Sarrasins à Poitiers, en 732, et mérite par conséquent aujourd'hui encore le nom de « défenseur de la Foi et de la Chrétienté ».

Or en dépit de son rôle majeur, remarquons-le, il ne s'empara jamais du trône, pourtant à sa portée, et sembla toujours le considérer avec une sorte de crainte superstitieuse, comme s'il se fût agi d'une prérogative spécifiquement mérovingienne.

Il mourut en 741, et son fils, dix ans plus tard, n'adopta pas la même attitude. Sous le nom de Pépin le Bref, maire du Palais du roi Childéric III, il s'empara en effet sans hésitation du trône, avec l'aide et le soutien de l'Église. Qui doit être roi ? avaient demandé au préalable au pape Zacharie ses ambassadeurs. Celui qui exerce véritablement le pouvoir ou celui maintenu sans ce pouvoir royal ? Le pape, trahissant impudemment le pacte scellé avec Clovis deux siècles et demi auparavant, s'était alors prononcé en faveur du maire du Palais. Ainsi Pépin, en vertu de l'autorité pontificale, accédait-il au titre de roi des Francs. Il déposa donc Childéric III, l'enferma dans un monastère et, soit pour l'humilier soit pour le déposséder de ses « pouvoirs magiques », coupa jusqu'à la racine sa chevelure sacrée. Childéric ne devait survivre que quatre années à son infortune mais Pépin, roi indiscuté, pouvait désormais régner en paix sur le royaume[21].

Un an auparavant avait paru un document capital appelé à changer le cours de toute l'histoire d'Occident. Il se nommait « La donation de Constantin », et si l'on sait aujourd'hui que c'était un faux, maladroitement fabriqué par la chancellerie du pape, il eut alors une influence considérable.

Par cette « donation », datée de la supposée conversion de Constantin au christianisme en 312, l'empereur faisait don à l'évêque de Rome, donc à l'Église, de la totalité de ses droits et de ses biens. Fait nouveau dans l'histoire du monde, il aurait ainsi reconnu officiellement le chef de l'Église romaine comme le « vicaire du Christ », et lui aurait offert le statut d'empereur. Mais, précisait le document, l'évêque de Rome avait généreusement remis à la disposition de Constantin ces droits impériaux, et celui-ci en jouissait donc, comme d'un prêt, avec la sainte permission et la bénédiction du souverain pontife.

Ce document était, on le voit, lourd de conséquences, car il conférait à l'évêque de Rome l'autorité suprême, tant spirituelle que temporelle, sur l'ensemble du monde chrétien. Désormais pape et empereur à la fois, le chef de l'Église catholique pouvait donc, à ce titre, disposer à son gré de la couronne impériale et déléguer ses pouvoirs, en partie ou en totalité, à qui bon lui semblait. En d'autres termes il possédait, au nom du Christ, le droit irréfutable de faire et de défaire les rois. De cette « donation de Constantin » allaient découler, ultérieurement, les prérogatives du Vatican l'autorisant à s'immiscer dans les affaires du siècle.

Sur la foi de cet acte et sans perdre de temps, l'Église s'empressa donc de confirmer sa position et celle de Pépin le Bref, en instituant une cérémonie destinée à consacrer nouveau souverain « l'usurpateur ». Ainsi naissait le « sacre », et l'on put voir les évêques assister à celui de Pépin avec un rang égal à celui des plus hauts seigneurs. Cette cérémonie, en l'occurrence ce couronnement, il faut le préciser, ne consistait nullement à reconnaître un roi ni à signer un pacte avec lui, mais à le créer, purement et simplement.

Le rituel de l'onction s'en trouva, par voie de conséquence, transformé. S'il s'agissait auparavant d'un simple cérémonial de reconnaissance, d'une ratification, il prenait désormais une signification nouvelle.

L'onction avait droit de priorité sur le sang et, en vertu de son rôle même, pouvait le sanctifier; plus qu'un geste symbolique elle était l'acte, à proprement parler, par lequel la grâce divine était dorénavant conférée à un souverain. Quant au pape, auquel incombait la responsabilité d'un tel acte, il devenait le médiateur suprême entre Dieu et les rois. Bref l'Église, par le rituel de l'onction, s'arrogeait le droit de « faire » les rois. Le sang était ainsi définitivement subordonné à l'huile, et le monarque au pape.

Couronné à Ponthion en 754, Pépin le Bref inaugura donc la dynastie carolingienne dont le nom venait de Charles Martel et non, comme on le croit trop souvent, de Charles le Grand, Carolus Magnus, c'est-à-dire Charlemagne. Ce dernier fut proclamé à son tour saint empereur romain en 800, mais ce titre, en vertu du pacte signé avec Clovis trois siècles auparavant, aurait dû en principe être exclusivement réservé à la lignée mérovingienne. Rome, de son côté, devenait le siège d'un empire englobant toute l'Europe occidentale, autorisant ou non les souverains à régner.

L'Église on l'a vu s'était pourtant liée à jamais à la race mérovingienne en 496. En sanctionnant l'assassinat de Dagobert, en instaurant la cérémonie du sacre et en plaçant Pépin sur le trône franc, elle trahissait en fait secrètement le pacte. Plus encore, avec le couronnement de Charlemagne, elle confirmait définitivement et publiquement sa trahison. On peut donc à juste titre, à la suite d'un historien moderne, s'interroger sur la véritable signification de l'onction. N'eut-elle pas alors pour but de compenser, par ses vertus propres, les propriétés magiques de la race disparues avec la longue chevelure ? Ne dut-elle pas surtout racheter la rupture scandaleuse de l'ancien serment de fidélité jadis signé entre Clovis et l'Église[22] ?

Si l'on ignore donc la nature exacte du symbole qui, aux yeux de Rome, reposait sous le geste de l'onction[23], il s'avéra en tout cas insuffisant à donner entièrement

1. Le village de Rennes-le-Château. L'ancienne cité de Rhedæ s'étend à gauche, de l'autre côté de la vallée.

2. Château d'Hautpoul, à Rennes-le-Château, aujourd'hui propriété de la famille Fatin. Ses fondations datent de l'époque wisigothe.

3. Bérenger Saunière, curé de ◁ Rennes-le-Château, (debout au centre).

4. Saunière et sa servante ◁ Marie Denarnaud dans les jardins de la villa Bethania.

5. Pilier wisigoth sculpté pro- ▷ venant de l'église de Rennes-le-Château ; c'est à l'intérieur de ce pilier que l'abbé Saunière découvrit les documents codés en 1891.

6. Calvaire dans le cimetière ▽ de Rennes-le-Château. L'inscription AOMPS signifie probablement *Antiquus Ordo Mysticusque Prioratus Sionis.*

7. La Tour Magdala, élevée par l'abbé Saunière à Rennes-le-Château pour abriter sa bibliothèque.

8. Le château de Montségur en Languedoc, qui fut pris en 1244 après avoir été pendant longtemps le bastion de la religion cathare.

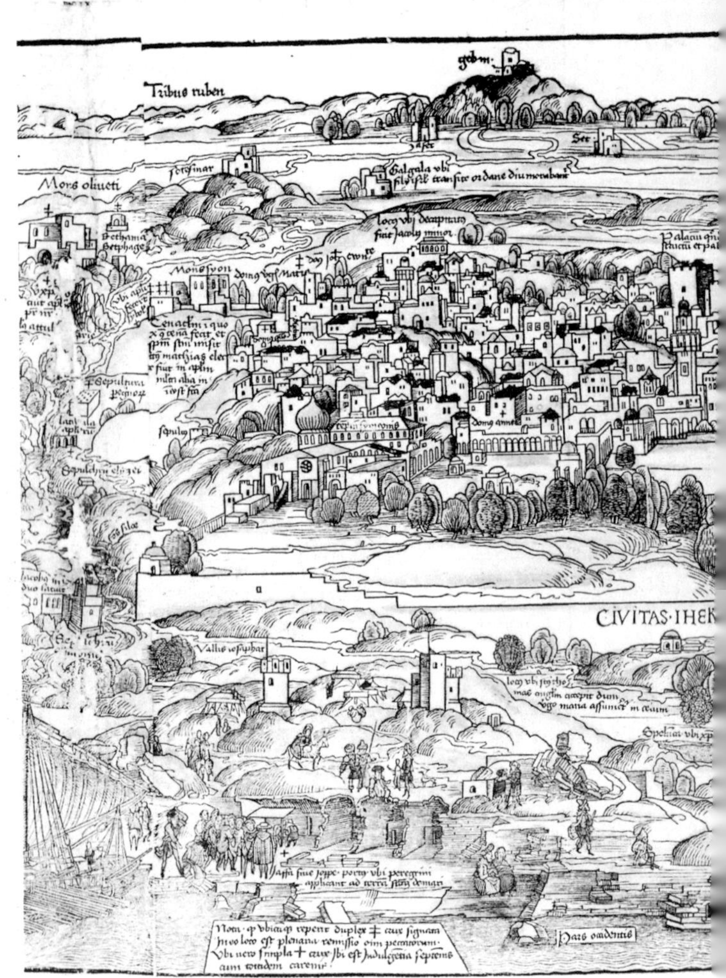

9. Gravure du XVe siècle représentant Jérusalem avec le Temple et, en haut à gauche, Notre-Dame du Mont de Sion.

Capella
Mons phego
Mons nelo.
gabaon
Porta

10. Photographie (XIXᵉ siècle) de la tombe de David qui formait, avec le Cénacle, l'abbaye de Notre-Dame du Mont de Sion à Jérusalem pendant les Croisades. Fondée par Godefroi de Bouillon en 1099, elle abrita l'ordre de Sion jusqu'en 1187.

11. Le Temple de Jérusalem. Au centre, le Dôme du Rocher, et, à gauche, le mosquée El Aksa qui fut occupée jusqu'en 1187 par les Chevaliers du Temple.

12. La tour octogonale du château de Gisors, qui abrita le Prieuré de Sion après 1188.

13. Partie du mur, en bordure de mer, du château d'Athlit en Palestine. Construit par les Chevaliers du Temple en 1218, il fut évacué en 1291 après la chute d'Acre.

14. Église des Chevaliers du Temple à Londres. La nef, ronde, fut consacrée en 1185 par le patriarche de Jérusalem.

15. Intérieur de l'église des Templiers à Londres. Les gisants datent du XIIIe siècle, mais tous ne sont pas des Templiers.

16. Sceau de l'abbaye de Notre-Dame du Mont de Sion à Jérusalem. Il est daté du 2 mars 1289 et montre le Saint-Esprit descendant sur les apôtres sous la forme d'une colombe.

Sceau des Chevaliers du Temple (Angleterre, 1303), montrant le lion d'Angleterre, la croix pattée et le croissant de lune de la déesse-mère avec des étoiles.

17. Ruines de l'abbaye d'Orval, gravure du milieu du XIXe siècle.

18. La tombe, proche d'Arques, qu'aurait représentée Poussin dans *Les bergers d'Arcadie.*

ET IN ARCADIA

19. *La fontaine de fortune*, ◁ enluminure du livre du *Cueur d'Amours espris*, de René d'Anjou (1457). D'après l'inscription, le sorcier Virgile donna naissance au printemps, et, en effet, les contemporains de René associaient le poète latin à l'Arcadie. C'est la première apparition du thème du fleuve souterrain d'Arcadie, Alphée, dans la culture occidentale moderne.

20. *Et in Arcadia Ego*, par ◁ Guercino, 1618 environ. C'est la première peinture connue où se remarque cette phrase.

21. *Et in Arcadia Ego*, par Poussin, 1630 △ environ. C'est la première œuvre du peintre traitant ce thème.

22. *Les bergers d'Arcadie*, ▽ par Poussin, 1640-1642.

23. *Le monument des bergers*, à Shugborough Hall (Staffs). C'est une copie, datant du XVIIIe siècle, des *Bergers d'Arcadie* de Poussin, mais inversée, comme dans un miroir. L'inscription n'en a jamais été déchiffrée.

24. Tombe maçonnique du XVIIe siècle. Le crâne et les tibias indiquent qu'il s'agit d'un maître-maçon. Ces tombes sont pour la plupart antérieures à la fondation de la Grande Loge anglaise, en 1717.

25. Reliquaire d'argent contenant le crâne trépané de Dagobert II, assassiné près de Stenay le 23 décembre 679. Le crâne est conservé dans un couvent de Mons.

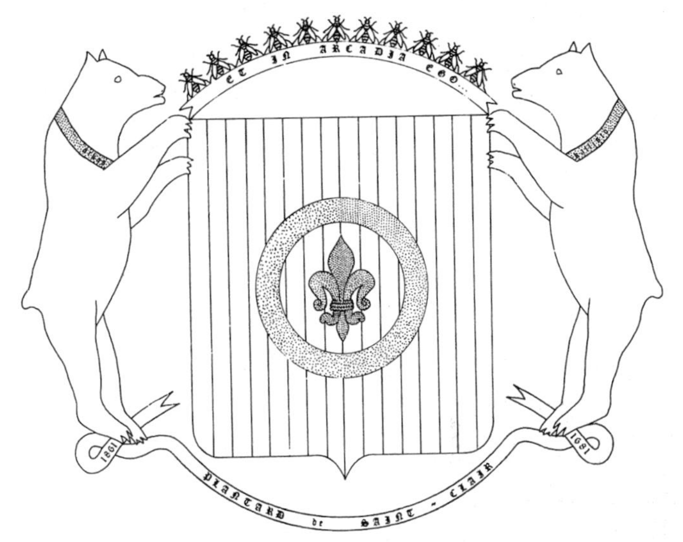

26. Armoiries de la maison Plantard de Saint-Clair.

27. Pierre Plantard de Saint-Clair et son fils Thomas, Paris (photo Louis Vazart).

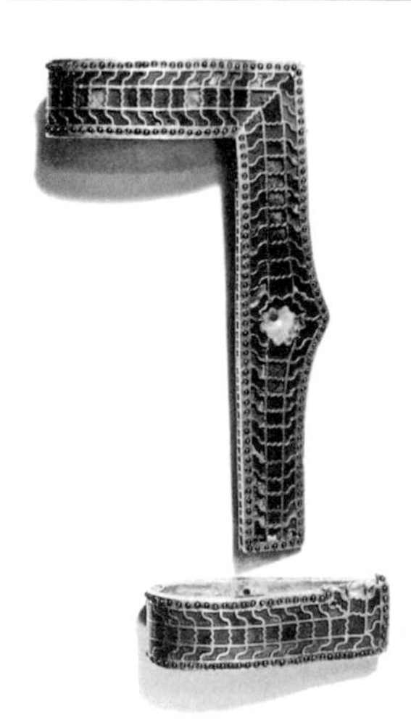

28. Garde d'épée en or, et fourreau, trouvés dans la tombe de Childéric Ier, père de Clovis.

29. Boule de cristal trouvée dans la tombe de Childéric. De nombreuses boules semblables ont été découvertes dans des tombes mérovingiennes, mais on ignore leur usage.

30. Les deux abeilles d'or qui, seules, subsistent des trois cents trouvées dans la tombe de Childéric.

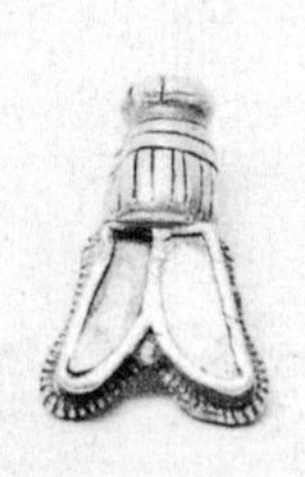

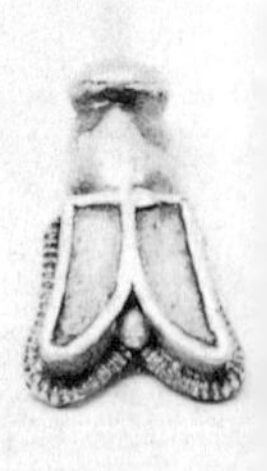

31. L'église des Templiers à Garway (Hereford). Circulaire à l'origine, elle fut détruite, puis reconstruite.

32. Graffiti ornant le haut de la fontaine dans la chapelle sud de l'église de Garway. On distingue une pyramide ailéé, un emblème solaire, un poisson et un serpent.

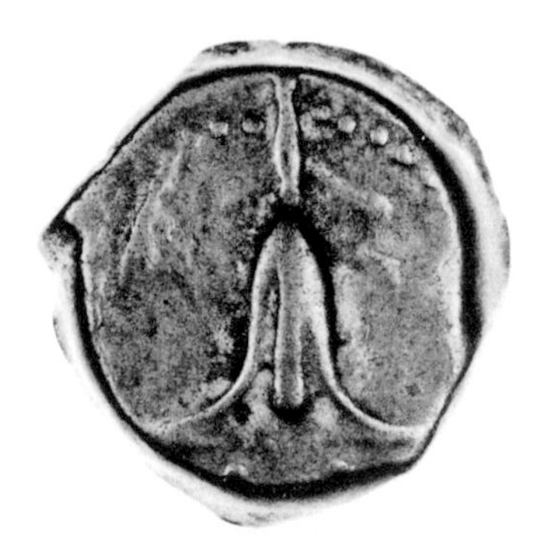

33. Monnaie juive datant d'Antiochus
◁ VII (138-129 av. J.-C.). Le lys, stylisé et peut-être précurseur de la fleur de lys française, était le symbole de la Judée.

34. Fenêtre de la cathédrale d'Alet,
▽ près de Rennes-le-Château, en forme d'étoile de David.

35. *Légende de la Fleur de Lys*,
▷ enluminure du XVe siècle, montrant la légende des origines divines de la fleur de lys, symbole de la lignée royale française. On y voit Clovis recevant la bannière des mains de sa femme, la reine Clotilde.

Comment nr̃ seigr par son angre envoya les trois fleurs de lis dor en un escu dasur au roy clouys.

36. Peinture, sans titre, montrant Godefroi de Bouillon portant la couronne d'épines, par Claude Vignon, 1623 environ. Elle fut exécutée pour Claude de Lorraine, dont on voit à droite le blason. Claude et son frère Charles, duc de Guise, eurent pour précepteur Robert Fludd, grand maître du Prieuré de Sion.

bonne conscience aux usurpateurs carolingiens ; tous en effet tinrent à confirmer leur légitimité en s'alliant ostensiblement à des princesses mérovingiennes, Charlemagne ne faisant pas lui-même exception à la règle.

On aimerait bien d'ailleurs connaître les pensées qui durent agiter le futur empereur au cours des cérémonies de son sacre. Se sentit-il une âme d'usurpateur, donc de coupable, ou une âme de vainqueur ? Fut-il conscient, malgré l'onction et le chrême, de la trahison de l'Église à l'égard de la lignée dont il prenait la place ?

Peut-être éprouva-t-il tous ces sentiments à la fois, et aussi une certaine surprise de la mise en scène inattendue, soigneusement organisée à son insu par le pape. Car, cela on le sait, Charlemagne fut convoqué à Rome et là, convaincu d'assister à une messe au cours de laquelle le souverain pontife sans le prévenir lui plaça une couronne sur la tête, déchaînant ainsi l'enthousiasme de la foule qui acclama Charles, l'Auguste, le couronné de Dieu, l'empereur des Romains, le Grand, le défenseur de la paix... Mais, une fois encore, on ne sait comment le nouvel empereur interpréta l'événement, si ce n'est, au dire d'un chroniqueur contemporain, qu'il n'aurait jamais accepté d'entrer ce jour-là dans l'église, bien que ce fût une grande fête religieuse, s'il avait su à l'avance ce qui l'y attendait[24].

Mais, quelle que soit finalement la réelle responsabilité prise par Charlemagne dans son propre couronnement, le pacte signé entre Clovis et les Mérovingiens se trouvait honteusement trahi en cette occasion, trahison qui se perpétue et qui continue, plus de onze cents ans après, à préoccuper le Prieuré de Sion. Mathieu Paoli d'ailleurs arrive de son côté à une conclusion similaire :

> « Pour eux [les membres du Prieuré de Sion], la seule noblesse authentique est la noblesse d'origine soit wisigothique, soit mérovingienne. Les Caro-

lingiens, puis les autres, ne sont que des usurpateurs. En effet, ils n'étaient que les fonctionnaires du roi, chargés d'administrer les terres et qui, après s'être transmis héréditairement ces terres en un premier temps, se sont purement et simplement emparés du pouvoir. En consacrant Charlemagne en l'an 800, l'Église s'est parjurée, car elle avait conclu une alliance avec les Mérovingiens lors du baptême de Clovis, alliance qui avait fait de la France la fille aînée de l'Église[25]. »

L'histoire de France et Dagobert II

La dynastie mérovingienne, éteinte effectivement en 679 lors du meurtre de Dagobert II, disparut définitivement de la scène de l'histoire du monde avec la mort de Childéric III en 754. Telle est du moins la version officielle car, selon les « documents du Prieuré », la race mérovingienne ne s'éteignit pas mais se perpétua jusqu'à l'époque moderne à travers Sigisbert IV, fils de Dagobert par sa seconde femme Gisèle de Rhedae.

Or Sigisbert a existé, et il était l'héritier de Dagobert II, cela ne fait pas l'ombre d'un doute. Mais ce qu'aucune source autre que les « documents du Prieuré » ne mentionne, c'est ce qu'il advint de lui. Aurait-il été assassiné en même temps que son père et les autres membres de la famille royale ? Un chroniqueur contemporain le suppose, tandis que dans un autre récit – à notre avis sujet à caution – il meurt dans un accident de chasse un ou deux ans avant le meurtre de son père. Mais cette dernière hypothèse ne semble pas sérieuse puisque le veneur aurait été dans ce cas âgé d'à peine trois ans.

On ne sait donc rien de réellement concret, hormis par les « documents », ni de la mort ni de la survie éventuelle de Sigisbert. Le personnage s'est évanoui dans la nuit des temps et personne ne semble s'y être beaucoup intéressé. Seul le Prieuré de Sion semble avoir apparemment détenu, à son sujet, certaines informations secrètes, soit trop peu importantes pour justifier des recherches, soit volontairement supprimées par la suite.

Mais doit-on s'étonner de la carence de l'Histoire à l'égard du sort de Sigisbert lorsqu'on constate qu'aucun document officiel relatif à son père Dagobert II ne fut accessible avant le XVIIe siècle ? Comme si le Moyen Âge avait systématiquement tenté de le rayer du passé de la France allant jusqu'à nier son existence... Dagobert, lui, figure bien aujourd'hui dans toutes les encyclopédies, mais jusqu'en 1646 on ne trouvait aucune trace de lui nulle part[26] et les généalogies royales, l'effaçant en toute sérénité, passaient sans paraître le noter de Dagobert Ier à Dagobert III, l'un des derniers rois mérovingiens mort en 715... Plus encore, il fallut attendre 1655 pour le voir réintégrer la liste officielle des rois de France. Voilà pourquoi le silence qui l'entoure ne nous surprend guère, et nous ne serions pas étonnés non plus, dans ces conditions, d'apprendre que toutes les informations existant à son sujet ont été volontairement détruites. Une question subsiste alors. Pourquoi Dagobert II a-t-il été exclu de l'Histoire ? Et que cherche-t-on à cacher en niant l'existence d'un homme ?

Très vraisemblablement, en premier lieu, celle de ses héritiers, car si Dagobert n'a jamais vécu, Sigisbert n'a évidemment pas vécu non plus. Mais pourquoi donc encore une fois fallait-il, jusqu'au XVIIe siècle, refuser la présence de Sigisbert dans l'histoire des Français ? N'est-ce pas la preuve que, ayant bien survécu, il constituait une menace par sa descendance ?

Il y avait là un mystère. Qui avait intérêt, et pour quelles raisons, à laisser ignorer que Sigisbert avait survécu au meurtre de la famille royale mérovingienne en 679 ? L'Église romaine et la nouvelle lignée des souverains francs pendant tout le IXe siècle et à l'époque des

Croisades, répondra-t-on. Mais après ? Pourquoi sous Louis XIV encore, où trois dynasties s'étaient succédé sur le trône de France et où les protestants avaient brisé l'hégémonie romaine ? La raison était ailleurs. Ne fallait-il pas la chercher en fonction du sang mérovingien lui-même, non à propos de ses éventuelles « vertus magiques », mais dans un autre domaine, celui d'une réalité explosive ayant résisté à toutes les vicissitudes du temps ?

Le prince Guillem de Gellone, comte du Razès

Les « documents du Prieuré », toujours eux, nous apprennent qu'à la mort de son père Sigisbert IV fut sauvé par sa sœur et conduit en secret dans le Sud sur les domaines de sa mère, la princesse wisigothe Gisèle de Rhedae. Il arriva en Languedoc en 681 pour succéder rapidement à son oncle et devenir duc de Razès et comte de Rhedae, adoptant, dit-on, le surnom de « Plant-Ard », allusion au « rejeton ardent » de la vigne mérovingienne. C'est ainsi que sous ce nom et ce titre hérités de son oncle maternel il allait perpétuer la lignée dont l'une des branches, deux cents ans plus tard, donnerait naissance à Bernard « Plantavelu », père du futur duc d'Aquitaine.

Aucun historien n'a confirmé ni contesté ces écrits absents de l'histoire officielle. Mais l'exclusion délibérée de Dagobert II de l'histoire de France, répétons-le, ne peut que témoigner en faveur de l'existence de son fils, car en niant le père on éliminait obligatoirement sa descendance.

Une charte de la Villas Capitanarias, dite ultérieurement de la « Villas Trapas » en 718, fait en outre allusion à la fondation du monastère Saint-Martin d'Albières, à quelques kilomètres de Rennes-le-Château, par « Sigisbert, comte de Rhedae, et sa femme Magdala[27] ». Mais hormis ce texte aucun document ne mentionnera les noms de Rhedae et de Razès au cours de ce siècle, et lorsqu'ils seront de nouveau cités, ils apparaîtront dans un contexte extrêmement intéressant.

Mais revenons à ces lieux. En 742 donc existait dans le sud de la France un État indépendant, principauté autonome pour certains, véritable royaume pour d'autres. On sait peu de chose à son sujet, si ce n'est que Charlemagne et ses successeurs le reconnurent officiellement, le calife de Bagdad et le monde islamique aussi, ainsi que l'Église, à contrecœur, et après en avoir confisqué une partie. Quoi qu'il en soit, le Razès et Rennes-le-Château allaient survivre jusqu'à la fin du IXe siècle.

Entre 759 et 768 environ, son souverain fut nommé roi et, malgré les réticences de Rome, reconnu comme tel par les Carolingiens dont il devint vassal. La plupart des récits y font allusion sous le nom de Théodoric ou Thierry, considéré aujourd'hui comme un descendant mérovingien[28]. Il serait le fils cadet de Sigisbert V, le frère de Béra III. En 790 son fils, Guillem de Gellone, possédait même le titre de comte du Razès, et fut le parrain de Guillemon ou Guillaume, son cousin.

Guillem de Gellone fut d'ailleurs l'un des hommes les plus en vue de son époque et là encore, comme pour Charlemagne ou Godefroi de Bouillon, la légende semble prendre un malin plaisir à voiler la réalité historique. Six longs poèmes épiques devaient en effet lui être consacrés avant les Croisades, six « chansons de geste » similaires à la célèbre *Chanson de Roland* ; Dante l'évoqua avec enthousiasme dans sa *Divine Comédie* et au début du XIIIe siècle, il était déjà le personnage principal de *Willehalm*, roman épique inachevé de Wolfram von Eschenbach. Le *Parzival* du poète allemand est le plus important des romans consacrés aux mystères du Graal et son auteur, nous l'avons vu, situait le château et la lignée du Graal dans les Pyrénées, précisément là où se trouvaient au début du IXe siècle les domaines de Guillem de Gellone...

Or Guillem était lié d'assez près à Charlemagne. Sa sœur avait en effet épousé l'un des fils du saint empereur romain et il était en outre l'un de ses principaux alliés dans les guerres incessantes opposant les Maures au royaume carolingien. Toujours est-il qu'en 803, donc peu après le couronnement de Charlemagne, Guillem s'empara de Barcelone et étendit ses propres territoires bien au-delà des Pyrénées, l'empereur en signe de reconnaissance s'étant empressé de confirmer les statuts particuliers de l'ensemble des domaines de son vassal, comme l'attestent de nombreux témoignages.

Mais l'on trouve aussi plusieurs généalogies, et très sérieuses, de la famille et des descendants de Guillem de Gellone[29], aucune malheureusement ne précisant ses ascendants, à l'exception de son père Théodoric, que nous connaissons. Ses origines restant donc enveloppées de mystère, contentons-nous de noter dans sa descendance le nom de Bernard Plantavelu, futur fondateur du duché d'Aquitaine, qui figure lui aussi, nous l'avons vu, dans les « documents du Prieuré » en tant que descendant de Sigisbert IV. Une autre charte, celle du Vicus Electum de 813, relatant la fondation du monastère de Sainte Marie d'Alet par Béra IV, comte de Rhedae et sa femme Romella, ainsi que ses enfants Argila et Rotaude, confirme les « documents du Prieuré ».

Il était donc terriblement tentant d'utiliser les généalogies des « documents du Prieuré » pour combler les lacunes de l'Histoire, et reconnaître purement et simplement, parmi les ancêtres de Guillem de Gellone, Dagobert II, Sigisbert IV, Sigisbert V et l'ancienne lignée mérovingienne déposée par les maires du Palais, également nommée par les « documents du Prieuré » lignée de Plant-Ard ou Plantard.

Il nous fallut malheureusement renoncer à choisir cette facilité, les informations s'avérant à notre avis par trop imprécises pour nous permettre de confondre en une seule et même dynastie celle des Plantard, descendants de Sigisbert IV, et celle de Guillem de Gellone.

Peut-être formaient-elles bien une branche unique, mais peut-être aussi se croisaient-elles seulement en Bernard Plantavelu, commun à l'une et à l'autre dynastie.

Il n'en restait pas moins vrai que, sans correspondre exactement en tout point, les généalogies relatives à la famille de Guillem de Gellone confirmaient dans l'ensemble celles des « documents du Prieuré ». Nous décidâmes donc, en l'absence d'arguments contradictoires, d'essayer d'adopter cette dernière hypothèse : Sigisbert, ayant survécu au meurtre de son père Dagobert II, avait assuré la survie et la descendance de la lignée mérovingienne sous le nom de Plantard et le titre de comte de Rhedae.

Le prince Ursus

En l'an 886, le « rejeton ardent de la vigne mérovingienne » était devenu un arbre puissant aux ramifications nombreuses et compliquées. Bernard Plantavelu et les ducs d'Aquitaine constituaient l'une d'elles, une autre étant représentée, au dire des « documents du Prieuré », par le petit-fils de Sigisbert IV, Sigisbert VI, plus connu sous le nom de « Prince Ursus ». Entre 877 et 879, précisent encore les « documents », ce « Prince Ursus » était devenu officiellement « Roi Ursus », puis avait fomenté, pour regagner son héritage légitime, une insurrection contre Louis II de France, avec l'aide de Bernard d'Auvergne et du marquis de Gothie, seigneurs de ses amis.

Or si l'histoire confirme bien qu'une insurrection eut bien lieu à cette date, et fait allusion aux deux seigneurs alliés en question, en revanche elle n'avance pas pour instigateur de la rébellion le nom de Sigisbert VI, se contentant de mentionner, à plusieurs reprises, un « Prince Ursus », impliqué dans une curieuse cérémonie à Nîmes au cours de laquelle cinq cents ecclésiastiques avaient chanté un Te Deum[30]. (Il s'agit probablement en l'occurrence d'un couronnement, auquel font peut-être allusion les « documents du Prieuré » lorsqu'ils évoquent la proclamation officielle du roi Ursus entre 877 et 879.)

Là encore ces « documents » semblent en tout cas bénéficier d'une information secrète qui complète l'histoire officielle et comble ses lacunes. Grâce à elle, nous apprenons que le mystérieux « Prince Ursus » est en vérité le descendant, par Sigisbert IV, du roi assassiné Dagobert II, et l'insurrection prend alors toute sa signification : c'est bien une tentative, par la dynastie mérovingienne privée de ses droits, de regagner l'héritage conféré par Rome lors du pacte signé avec Clovis, puis trahi.

Mais, sachant par les « documents du Prieuré » et diverses autres sources que l'insurrection devait échouer, le prince Ursus et ses alliés ayant été vaincus près de Poitiers en 881, la famille Plantard perdait ainsi ses possessions dans le sud de la France tout en en conservant les titres, désormais purement honorifiques, ceux de duc du Razès et de comte de Rhedae. Quant au prince Ursus, il mourut en Bretagne où sa famille s'allia, par une succession de mariages, à la maison ducale. Ainsi à la fin du IXe siècle le sang mérovingien circulait dans les veines des ducs de Bretagne et des ducs d'Aquitaine.

Au cours des années suivantes, une partie de la famille, au nombre de laquelle figurait Alain, futur duc de Bretagne, trouva refuge en Angleterre, et y fonda la branche appelée « Planta » ; selon certaines sources, Alain et sa famille avaient fui les Vikings. Les « documents du Prieuré », eux, mentionnent un membre de cette branche anglaise, Béra VI, surnommé « l'architecte » pour avoir pratiqué « l'art de la construction » dans le pays où il avait trouvé refuge avec ses descendants sous le roi Athelstan. Or cette allusion énigmatique ne manque pas d'intérêt si l'on sait que les origines de la franc-maçonnerie britannique, d'après des sources elles-mêmes maçonniques, remontent effectivement au règne de ce roi Athelstan[31]. En dehors de ses droits au trône de France, le sang mérovingien avait-il donc aussi un lien avec la franc-maçonnerie ?

La famille du Graal

Le Moyen Âge abonde en mythes dont la richesse et la poésie n'ont rien à envier à la mythologie grecque ou romaine. Une partie de cette mythologie a trait à des personnages aussi réels qu'Arthur, Roland, Charlemagne ou Rodrigo Diaz de Vivar, le célèbre Cid ; mais une autre repose sur des bases apparemment plus fragiles, telles les légendes du Graal.

Parmi les figures médiévales les plus populaires prend place évidemment celle de Lohengrin, le « Chevalier au cygne » où les thèmes fabuleux des romans du Graal côtoient sans cesse d'authentiques personnages de l'Histoire. Or n'est-ce pas précisément ce mélange de fiction et de réalité, unique en son genre, qui assure aujourd'hui encore aux œuvres de Wagner un succès toujours renouvelé ?

Selon ces légendes médiévales, Lohengrin, descendant de la mystérieuse « famille du Graal » et quelquefois appelé Hélias en raison de ses liens avec le soleil, est en effet dans le poème de Wolfram von Eschenbach le fils de Parzival, le « chevalier du Graal ». Un jour, dans le temple sacré ou le château du Graal à Munsalvaesche, Lohengrin entend sonner la cloche de la chapelle agitée sans l'aide d'aucune main humaine : quelqu'un, de par le monde, réclame son aide, c'est le signal. Une damoiselle en détresse, duchesse de Brabant[32] pour certains, duchesse de Bouillon pour d'autres, appelle en effet désespérément à l'aide et Lohengrin s'élance à son secours dans une barque tirée par des cygnes. Étant parvenu à vaincre les persécuteurs de la belle duchesse, il l'épouse ; mais le jour de leurs noces il exige d'elle un serment : celui de ne jamais l'interroger ni sur ses origines ni sur son passé.

Pendant sept années, la dame obéira aux volontés de son seigneur mais un jour, aiguillonnée par la curiosité et des rivaux jaloux, elle succombera à la tentation. Ayant posé la question fatale à Lohengrin, ce dernier l'abandonne aussitôt, repart dans sa barque menée par les cygnes et disparaît dans le soleil couchant. Il laisse cependant derrière lui un enfant qui, selon les récits, serait le père, ou le grand-père, de Godefroi de Bouillon.

On imagine mal de nos jours l'ampleur de la popularité qui auréola le destin de Godefroi de Bouillon à son époque et jusqu'au XVIIe siècle. Aujourd'hui, en effet, les Croisades évoquent plutôt Richard Cœur de Lion, le roi Jean, Saint Louis et Frédéric Barberousse, mais aucun ne bénéficia en son temps de l'extraordinaire prestige de Godefroi de Bouillon. Chef de la Ire croisade, Godefroi était dans l'âme populaire le chevalier suprême, le héros par excellence, grâce à qui Jérusalem avait été reprise aux Sarrasins et le tombeau du Christ arraché aux mains des Infidèles. Bref, il était donc en chair et en os celui qui avait su réconcilier dans un même élan d'enthousiasme et de générosité les plus hautes valeurs de la chevalerie et de la ferveur chrétienne.

On comprend dès lors pourquoi Godefroi de Bouillon devint l'objet d'un culte qui subsista bien longtemps après sa mort. Or du culte au mythe il n'y a souvent qu'un pas et ce pas, dans le cas de Godefroi, allait être allégrement franchi. Wolfram von Eschenbach et nombre de romanciers médiévaux verraient en lui un descendant de la mystérieuse famille du Graal, d'autres l'éblouissant représentant d'une race fabuleuse, toutes hypothèses d'autant plus compréhensibles qu'elles ne pouvaient trouver leurs sources que dans un mystérieux halo d'ombres et de lumière[33].

Ce sont les « documents du Prieuré » qui, une fois de plus, nous fournissent la plus plausible des généalogies de Godefroi de Bouillon, et, disons-le, peut-être même la première plausible. Aussi loin que nous puissions la vérifier, elle se révèle exacte ; rien ne vient la contredire, tout la confirme, et elle résout en outre un grand nombre d'énigmes historiques.

Selon cette généalogie, Godefroi donc descendait de la famille Plantard par son arrière-grand-mère, mariée à Hugues de Plantard en 1009. Godefroi possédait par conséquent du sang mérovingien, il était le descendant direct de Dagobert II, Sigisbert IV et des autres « rois perdus » de la lignée. Pendant quatre siècles, ce sang royal avait alimenté des arbres généalogiques nombreux et entremêlés, puis un jour, par un procédé analogue au greffage de la vigne dans le domaine de la viticulture, il avait donné naissance à un fruit exceptionnel, Godefroi de Bouillon, duc de Lorraine. Et c'est là, dans cette maison de Lorraine, que le sang mérovingien avait fixé une nouvelle descendance.

Cette révélation jette de surcroît sur les Croisades une lumière entièrement nouvelle, et l'on peut désormais y voir bien autre chose qu'une succession de combats uniquement destinés à reprendre aux Sarrasins le tombeau du Christ.

Dans cette perspective en effet Godefroi de Bouillon était, à ses propres yeux et à ceux de ses partisans, plus que le duc de Lorraine ; il était le roi légitime, le prétendant autorisé de la dynastie déposée avec Dagobert II en 679. Mais il demeurait malgré tout un roi sans royaume et, sur le trône de France, la dynastie capétienne, soutenue par l'Église romaine, était trop bien assise pour en être chassée.

Que devait donc faire un roi sans terre, sinon trouver, ou créer, un royaume ? Et quel royaume choisir alors, sinon le plus précieux de tous, la Palestine, la Terre sainte, le sol qu'avait foulé Jésus lui-même ? Le souverain d'un tel royaume ne serait-il pas l'égal des autres souverains d'Europe ? Régnant sur les lieux les plus sacrés de la terre, n'obtiendrait-il pas une juste revanche sur l'Église, cette Église qui, quatre siècles auparavant, avait trahi ses ancêtres ?

Le mystère

Ainsi certains morceaux du puzzle commençaient enfin à se mettre en place, et si Godefroi de Bouillon appartenait vraiment à la race mérovingienne, nombre de fragments, apparemment sans lien, prenaient subitement une place logique dans un ensemble cohérent. Ainsi se justifiait l'importance accordée à des éléments de notre enquête aussi divers que la dynastie mérovingienne et les Croisades, Dagobert II et Godefroi de Bouillon, Rennes-le-Château, les Chevaliers du Temple, la maison de Lorraine et le Prieuré de Sion. Ainsi pouvions-nous suivre la trace de la lignée mérovingienne jusqu'à l'époque moderne et Alain Poher, Henri de Montpezat, aussi époux de la reine du Danemark, sans oublier naturellement Pierre Plantard de Saint-Clair et Otto de Habsbourg, duc titulaire de Lorraine et roi de Jérusalem.

Oui, bien sûr... Mais la question cruciale n'avait toujours pas trouvé de réponse. Pourquoi la race mérovingienne ? Pourquoi d'un siècle à l'autre cette éternelle omniprésence stable, efficace, convaincante en dépit de son aura de mystère ? De quel signe fabuleux, de quel sceau invisible nous ayant jusqu'alors échappé était donc marquée cette race ?

10

La tribu exilée

Le cœur de notre enquête résidait là, nous en étions certains maintenant, là dans le sang des Mérovingiens, dans le secret inhérent à leur lignée. Ce sang d'une origine à nulle autre pareille était marqué d'un signe n'existant nulle part ailleurs et qu'il nous fallait découvrir au plus vite. Alors seulement, et pas avant, l'ensemble de notre énigme trouverait sa solution.

Une relecture des plus importants « documents du Prieuré », et particulièrement des *Dossiers secrets*, nous aida d'abord à vérifier certains détails, puis à en expliquer d'autres et à nous orienter vers de nouvelles recherches. Mais nulle part hélas n'apparaissait le moindre indice susceptible d'éclairer la mystérieuse spécificité de la race mérovingienne. Nous étions arrivés désormais à un carrefour, à un point critique de notre enquête, le sens de certains de ces documents nous échappait encore complètement, et de nouveau il fallait revenir sur nos pas, par des sentiers déjà battus, pour tenter d'y entrevoir ce qui avait pu nous en échapper.

Les Mérovingiens, nous l'avons vu précédemment, disaient descendre de l'ancienne Troie ; or, selon les « documents du Prieuré », leur origine devait être recherchée plus loin encore dans le temps, très exactement dans l'Ancien Testament.

Un grand nombre de notes accompagnant les généalogies des *Dossiers secrets* faisaient en effet allusion à l'une des douze tribus d'Israël, celle de Benjamin, l'une d'elles allant même jusqu'à citer trois passages de la Bible, Deutéronome XXXIII, Josué XVIII et les Juges XX et XXI.

Dans le premier texte, Moïse, ayant béni chacun des patriarches des douze tribus, parle de Benjamin en ces termes : « Bien-aimé de Yahvé, il repose en sécurité près de Lui. Le Très-Haut le protège tous les jours, et demeure entre ses épaules » (XXXIII, 12). Or que signifient ces mots ? Ne veulent-ils pas dire que Benjamin et sa descendance ont été choisis par Dieu et marqués d'un signe particulier ? Et ce signe « entre les épaules » n'évoque-t-il pas la légendaire marque de naissance des Mérovingiens, la croix rouge située elle aussi à la même place ?

Peut-être poussions-nous un peu loin le goût du parallèle, mais là n'était pas le seul lien entre le patriarche de l'Ancien Testament et notre recherche. D'après Robert Graves en effet, le 23 décembre était un jour sacré pour les benjamites ; or le 23 décembre, on s'en souvient, était le jour choisi pour la fête de Dagobert[1]. Mais poursuivons. Parmi les trois clans formant la tribu de Benjamin figurait celui de Ahiram – identifiable, peut-être, à Hiram, constructeur du Temple de Salomon et figure centrale de la tradition maçonnique. Le disciple fidèle de Hiram, notons-le, se nommait Benoni, et Benoni était le nom originellement conféré à Benjamin enfant par sa mère Rachel avant sa mort.

La seconde référence biblique des *Dossiers secrets*, extraite du livre de Josué, est d'ailleurs plus significative encore. C'est le récit de l'arrivée du peuple de Moïse en Terre promise, et de sa répartition entre les diverses tribus. Le territoire échu à Benjamin comprend la future cité sainte de Jérusalem, car on trouve au verset 28, à la fin de l'énumération des terres qui lui reviennent notamment : « ... Célaha, Éleph, le Jébuséen [c'est Jérusalem], Gibéa et Qiryat : quatorze villes avec leurs villages. Tel fut l'héritage des fils de Benjamin selon leurs clans. » Ainsi, avant de devenir la capitale de David et de Salomon, Jérusalem avait donc appartenu de plein droit à Benjamin et à sa descendance.

Venons-en maintenant au troisième passage de la Bible, aux chapitres XX et XXI du livre des Juges, qui se rapporte à une succession complexe d'événements : un lévite, traversant le territoire de Benjamin, est attaqué, et sa concubine violentée, par les adorateurs de Bélial, variante de la déesse mère sumérienne, Ishtar des Babyloniens et Astarté des Phéniciens. Le lévite réunit aussitôt les chefs d'Israël et réclame vengeance : les malfaiteurs de la tribu de Benjamin doivent être livrés à la justice. Mais les benjamites refusent, choisissant de protéger les « fils de Bélial », et un combat sanglant s'ensuit entre la tribu coupable et les onze autres clans d'Israël ; ceux-ci jurent même de ne jamais plus donner leurs filles en mariage aux membres de la tribu ennemie. Puis le combat se termine, une grande partie des benjamites est exterminée et Israël, victorieux, se repent, trop tard, de sa résolution :

> « Les gens d'Israël avaient prononcé ce serment à Miçpa : "Personne d'entre nous ne donnera sa fille en mariage à Benjamin." Le peuple se rendit à Béthel, il resta là assis devant Dieu jusqu'au soir, poussant des gémissements et pleurant à gros sanglots : "Yahvé, Dieu d'Israël, disaient-ils, pourquoi faut-il qu'en Israël manque aujourd'hui une tribu d'Israël ?" (XXI, 1-3). »

Et de nouveau, quelques versets plus loin :

> « Or les Israélites furent pris de pitié pour Benjamin leur frère : "Aujourd'hui, disaient-ils, une tribu a été retranchée d'Israël. Que ferons-nous pour procurer des femmes à ceux qui restent, puisque

> nous avons juré par Yahvé de ne pas leur donner nos filles en mariage?" (XXI, 6-7). »

Le même dilemme se pose, encore une fois, au verset 15 :

> « Le peuple fut pris de pitié pour Benjamin, parce que Yahvé avait fait une brèche parmi les tribus d'Israël. "Que ferons-nous pour procurer des femmes à ceux qui restent, disaient les anciens de la communauté, puisque les femmes de Benjamin ont été exterminées?" Ils ajoutaient : "Comment conserver un reste à Benjamin pour qu'une tribu ne soit pas effacée d'Israël? Car pour nous, nous ne pouvons plus leur donner nos filles en mariage." Les Israélites avaient en effet prononcé ce serment : "Maudit soit celui qui donnera une femme à Benjamin!" »

La tribu tout entière de Benjamin va-t-elle donc s'éteindre? Non, car les anciens ont trouvé une solution. À Silo où se déroule une fête les rescapés de Benjamin vont se rendre. Ils se cacheront dans les vignes et, lorsque les filles de Silo sortiront pour danser, ils se précipiteront sur elles, les enlèveront et en feront leurs femmes.

Or pourquoi les *Dossiers secrets* attirent-ils l'attention sur ce passage? Est-ce parce que les benjamites forment une tribu importante, parce qu'ils se remettent vite de leur échec, en nombre sinon en prestige, et qu'ils vont (livre premier de Samuel) fournir à Israël leur premier roi, Saül?

Pourtant le combat pour défendre les fidèles de Bélial a marqué un tournant dans le destin des benjamites, et beaucoup d'entre eux, sinon presque tous, ont dû s'exiler. Une note d'ailleurs figure à ce sujet, en lettres capitales, dans les *Dossiers secrets*. La voici :

« UN JOUR LES DESCENDANTS DE BENJAMIN QUITTÈRENT LEUR PAYS, CERTAINS RESTÈRENT ; DEUX MILLE ANS APRÈS, GODEFROY VI DEVIENT ROI DE JÉRUSALEM ET FONDE L'ORDRE DE SION [2]. »

Fallait-il en déduire qu'un lien entre ces éléments disparates, Benjamin, Godefroi, Sion, existait vraiment ?

Oui, et nous allions le constater en réunissant certains fragments épars des *Dossiers secrets* appelés à devenir un ensemble très cohérent.

Les benjamites donc partirent pour un exil qui les mena, pense-t-on, en Grèce, au centre du Péloponnèse, dans cette région d'Arcadie où ils s'unirent à la famille royale. On connaît la suite ; aux débuts de l'ère chrétienne, ils émigrèrent vers le Danube et le Rhin, se mêlèrent à des tribus teutoniques et engendrèrent les Francs Sicambres, ancêtres directs des Mérovingiens.

Selon les « documents du Prieuré » et compte tenu de l'épisode arcadien, les Mérovingiens étaient par conséquent directement issus de la tribu de Benjamin. En d'autres termes leurs descendants, les Plantard ou les ducs de Lorraine, étaient d'origine sémitique ou israélite ; et si Jérusalem avait été donnée à Benjamin et à ses descendants, Godefroi de Bouillon, en marchant sur la Ville sainte, ne revendiquait que son juste héritage. Or rappelons-le, c'est essentiel et nous l'avons déjà noté, seul parmi les princes d'Occident embarquant pour la Ire croisade, Godefroi se défit de tous ses biens, exactement comme s'il n'avait plus l'intention de revenir en France.

Rien évidemment ne venait cependant confirmer ces origines « benjamites », si l'on peut dire, de la race mérovingienne, les « documents du Prieuré » se référant à un passé trop éloigné et trop obscur pour pouvoir fournir des preuves formelles dans ce sens. Pourtant cette hypothèse n'avait rien de nouveau ni d'original. N'existait-elle pas déjà, sous une forme diffuse, dans l'œuvre de Marcel Proust et, plus récemment, dans celle de l'écrivain Jean d'Ormesson, suggérant que certaines familles de la noblesse française avaient des origines juives ? Sans oublier la prise de position de Roger Peyrefitte qui en 1965, au grand scandale de ses contemporains, devait faire beaucoup parler de lui en soutenant la même théorie non seulement à l'égard de la plus grande partie de l'aristocratie européenne, mais en l'appliquant aussi à tous les Français ?

Hypothèse aléatoire sans doute, mais plausible, comme l'est d'ailleurs la migration attribuée aux benjamites dans les « documents du Prieuré ». Ils avaient pris les armes pour défendre les fidèles de Bélial, en quelque sorte déesse mère souvent associée à un veau ou à un taureau, et qu'eux aussi probablement vénéraient, l'adoration du Veau d'or mentionnée dans l'Exode, et l'une des plus célèbres peintures de Poussin, reflétant peut-être les réminiscences d'un rituel spécifiquement benjamite.

Poursuivant les combats contre les onze autres tribus d'Israël, les benjamites auraient donc pris la route de l'exil vers l'ouest et la côte de la Phénicie où les marins possédaient de vastes et solides navires. Partageant le même culte pour la « Déesse mère », « Reine du Ciel », appelée dans leur pays Astarté, ces derniers ne pouvaient manquer de prêter secours aux fugitifs.

De cette manière les benjamites ayant bien quitté la Palestine pour se réfugier en Grèce, on était en droit d'espérer retrouver leurs traces quelque part. Or elles existent effectivement dans la mythologie grecque, si l'on en croit cette légende du fils du roi Bélos, Danaos, amenant en pays hellène ses cinquante filles qui allaient elles-mêmes introduire en Arcadie le culte de la déesse mère. Selon Robert Graves, en effet, ce mythe de Danaos décrit l'arrivée, dans le Péloponnèse, d'une « tribu venue de Palestine[3] », l'historien allant jusqu'à affirmer que le roi Bélos était en réalité Baal, ou Bel, ou peut-être le Bélial de l'Ancien Testament, précision intéressante lorsqu'on sait que l'un des clans de la tribu de Benjamin s'appelait le clan de Béla.

Le culte de la déesse mère se répandit ainsi dans toute l'Arcadie et, de là, dans la Grèce entière, pour se mêler à celui de Déméter puis de Diane ou d'Artémis. Sous le nom d'Arduina, Artémis devint la déesse tutélaire des Ardennes, et c'est justement des Ardennes que partiraient les Francs Sicambres pour entrer en Gaule. Le totem d'Artémis était l'ourse – Callisto, mère d'Arkas l'enfant-ours patron de l'Arcadie ; et Callisto, transportée dans les cieux par Artémis, devint la constellation de la Grande Ourse. C'est pourquoi le terme de « Ursus », souvent appliqué à la race mérovingienne, ne peut plus être désormais considéré comme une simple coïncidence.

Remarquons également qu'on trouve ailleurs dans la mythologie grecque des allusions à l'exil juif en Arcadie. Dans l'Antiquité par exemple, cette région était placée sous la férule du tout-puissant État de Sparte qui avait à proprement parler annexé une grande partie de l'ancienne culture locale, où l'on peut identifier avec Lycurgue, codificateur de la loi de Sparte, le légendaire Arcadien Lycaeos. Arrivés à l'âge adulte, les Spartiates, comme plus tard les Mérovingiens, attribuaient également à leur chevelure, portée très longue, une signification magique dénotant chez les uns et les autres non seulement leur vigueur physique mais prenant aussi valeur de symbole sacré[4]. Les deux livres des Maccabées enfin établissent un lien direct entre Juifs et Spartiates. D'abord en faisant état au chapitre II de Juifs « partis pour Lacédémone dans l'espoir d'y trouver un refuge en considération d'une commune origine[5] », ensuite en mentionnant au chapitre précédent de manière explicite : « Il a été trouvé dans un récit au sujet des Spartiates et des Juifs qu'ils sont frères et qu'ils sont de la race d'Abraham[6]. »

Ainsi, sans être prouvée de façon vraiment irréfutable, la possibilité d'une migration juive en Arcadie ne peut en aucun cas être formellement exclue. D'autant plus qu'il existe un autre argument en sa faveur, celui de l'influence sémitique sur la culture franque qui n'est plus à démontrer, l'archéologie s'en étant déjà largement chargée.

Les routes du commerce sémite et phénicien traversaient d'ailleurs tout le sud de la France, de Bordeaux à Marseille et Narbonne, et remontaient le long du Rhône. Dès les VIIIe et VIIe siècles avant notre ère, on trouvait déjà des comptoirs phéniciens le long de la Méditerranée française, ainsi qu'à Toulouse et Carcassonne, où un grand nombre d'objets trouvés dans le sol prouvent à eux seuls la présence sémitique. Ne nous en étonnons pas outre mesure puisque les rois phéniciens de Tyr s'étaient alliés, au IXe siècle avant J.-C., avec les rois d'Israël et de Juda, et que d'étroits et naturels contacts en étaient résultés entre leurs populations respectives.

Enfin, le sac de Jérusalem, en l'an 70 de notre ère, et la destruction du Temple avaient provoqué un exode massif des Juifs hors de Terre sainte. N'oublions pas par exemple que la ville de Pompéi, figée à jamais dans la lave par une éruption du Vésuve en 79, comportait une importante communauté juive et qu'au même moment les villes du sud de la Gaule comme Arles, Lunel et Narbonne servaient de refuge aux enfants d'Israël chassés de leur patrie. L'immigration du peuple juif en Europe, et plus particulièrement en Gaule, avait précédé il est vrai d'un grand nombre d'années la chute de Jérusalem. Entre 106 et 48 avant J.-C. en effet, Rome possédait déjà sa colonie juive comme, peu après, Cologne, sur les bords du Rhin. Certaines légions romaines comportaient d'ailleurs des contingents d'esclaves juifs qui, en compagnie de leurs maîtres, parcouraient l'Europe entière, une grande partie d'entre eux obtenant ensuite leur liberté avant de se regrouper en communautés.

Inutile de chercher ailleurs les raisons pour lesquelles on trouve souvent en France des noms de villes et de villages d'origine indiscutablement juive, et cela souvent au cœur même du vieux royaume mérovingien. À quelques kilomètres de Stenay par exemple, en lisière de la forêt de Woëvres où Dagobert fut assassiné, citons le village de Baalon et, entre Stenay et Orval, la ville d'Avioth. Quant à la montagne de Sion en Lorraine – la « colline inspirée » –, elle était à l'origine le mont Semita[7]. Arrivés à ce point de notre enquête, on ne pouvait ainsi nier que cette accumulation de petits détails, même minimes, finissait par donner incontestablement raison aux « documents du Prieuré » et les rendait fort plausibles. Force nous était en tout cas d'admettre que, selon toute vraisemblance, les Mérovingiens et leur descendance noble avaient des origines sémitiques.

Et alors ?... Cette découverte, qui n'était en fin de compte un secret pour personne, était-elle vraiment capitale ? Avions-nous fait tant de chemin, exploré tant de voies, pour arriver à cette seule conclusion ? Cette histoire de tribu exilée suffisait-elle à justifier la permanence de la dynastie mérovingienne à travers les siècles, le Prieuré de Sion, Newton et Vinci, les activités des maisons de Guise et de Lorraine, la Compagnie du Saint-Sacrement, les mystères relatifs au « Rite Écossais » et tout ce que nous avions patiemment découvert et analysé dans la première partie de cet ouvrage ? En un mot le fait de descendre de la tribu de Benjamin présentait-il vraiment un intérêt exceptionnel pour notre siècle actuel ?

Par ailleurs si nos investigations touchaient ainsi à la réalité juive, pourquoi tant d'éléments spécifiquement chrétiens s'y trouvaient-ils mêlés ? Pourquoi le pacte entre Clovis et l'Église romaine, ou la conquête de Jérusalem ? Quel rôle exact y avaient joué les nombreux ecclésiastiques et prélats impliqués dans l'énigme ? Que cachait l'ambiguïté de la pensée cathare et des Chevaliers du Temple, celle de la Compagnie du Saint-Sacrement ou de la franc-maçonnerie « hermétique, aristocratique et chrétienne » ?

Dernière constatation enfin, notre enquête s'était

déroulée sous le signe de la Chrétienté et non sous celui de l'Ancien Testament. Les origines juives de la race mérovingienne ne pouvaient donc avoir qu'une très petite incidence sur elle, et cette anecdote à propos de la tribu de Benjamin qu'une portée limitée, n'ayant pas davantage de conséquences qu'une digression.

Et pourtant, nous en avions l'intime conviction, cette anecdote cachait en elle une réalité beaucoup plus importante. Pris en défaut par une curiosité bien naturelle, nous nous étions écartés de la vraie route. Mais à quel moment ? Un détail, quelque part, nous avait certainement échappé, mais lequel ?...

III

La Lignée

11

Le Saint Graal

Oui, un détail nous avait échappé. Nous avions pris une mauvaise direction, nous n'avions pas accordé suffisamment d'attention à un élément, insignifiant peut-être en apparence, mais lourd de conséquences. Pourtant nous étions certains de n'avoir négligé aucune date, aucun événement historique précis lié, de près ou de loin, à notre enquête. Nous avions même conscience d'avoir suivi de très près les faits, et ce n'était probablement pas à ce niveau qu'il fallait chercher le grain de sable négligé, mais ailleurs, dans les sphères sous-jacentes à l'histoire officielle, ignorées d'elle et pourtant inséparables de sa réalité, enfouies au cœur même de l'histoire secrète du monde.

Ainsi depuis le début de notre quête avions-nous rencontré, croisé et recroisé un thème qui revenait à intervalles réguliers, mais de façon suffisamment discrète pour ne pas attirer notre attention. Et ce thème était celui du Saint Graal.

Le Saint Graal... Trésor présumé des Cathares, gardé par les vigilants Chevaliers du Temple, conté et chanté par les célèbres romans nés à la cour des comtes de Champagne, eux-mêmes liés de près à la fondation de l'ordre du Temple... Le Graal, revêtu des mêmes et mystérieux pouvoirs que ceux détenus par la tête qu'adoraient les Templiers au cours de leurs cérémonies, réputée source de toute richesse et de toute fertilité sur terre.

Plus près de nous, à la fin du XIXe siècle, nous l'avions encore rencontré dans les cercles occultes de Joséphin Péladan et de Claude Debussy. Et plus loin en redescendant dans le temps, de nouveau, le Graal semblait capter à lui seul l'ombre immense et fantastique de l'admirable cycle romanesque médiéval portant son nom ; cycle légendaire certes, mais empreint aussi de réalité, avec Godefroi de Bouillon devenu fils de Lohengrin, le Chevalier au Cygne, avec ce Lohengrin ayant pour père Parzival ou Perceval, selon les pays. Le Graal, nous l'avions enfin rencontré, dans le sud de la France, sur les terres du prince médiéval Guillem de Gellone, ami de Charlemagne, sous la plume aussi de Wolfram von Eschenbach, qui évoque en son héros le membre d'une très mystérieuse lignée...

Ces apparitions régulières dans notre recherche étaient-elles dues au hasard, ou étaient-elles au contraire l'expression de l'une de ses composantes fondamentales ? Le Graal, quel qu'il fût, était-il lié à l'énigme de Rennes-le-Château ? Mais alors qu'était-il exactement ? Avait-il vraiment existé, ou n'était-il qu'une chimère, un rêve né des imaginations insatiables d'un Moyen Âge nourri de fantastique ? Ou bien encore avait-il été utilisé comme symbole d'une vérité plus ou moins concrète, difficile à cerner et à définir ?

Questions excitantes, perspectives fascinantes qui risquaient malheureusement de nous entraîner trop loin, dans les sphères illimitées des spéculations fallacieuses. Mais peut-être pouvions-nous du moins nous pencher quelques instants sur les romans consacrés à sa légende, romans nombreux, complexes dans leur essence même et leur inspiration, et qui soulevaient beaucoup d'interrogations.

Selon certains, le Graal était la coupe dont se servirent Jésus et ses disciples lors de la « dernière Cène » ; selon d'autres, il était en fait le vase dans lequel Joseph d'Arimathie recueillit le sang de Jésus cloué sur la Croix. Pour d'autres encore, il était l'une et l'autre à la fois. Un point nous intriguait cependant. Si le Graal, ayant existé, avait été si intimement associé à Jésus, pourquoi nul n'en avait-il parlé pendant plus d'un millier d'années ? Pourquoi n'en trouvait-on aucune trace dans le folklore, la tradition orale ou la littérature des dix premiers siècles de notre ère ? Avait-il donc été pendant tout ce temps sinon perdu, du moins oublié ou volontairement relégué dans les tréfonds de la conscience humaine ?

En admettant même que cet objet sacré, mal défini mais touchant de si près à la foi chrétienne, ait pu ainsi disparaître, comment pouvait-on expliquer qu'il ait soudain refait surface, précisément, en pleine époque des Croisades – au moment même où le royaume franc de Jérusalem était à son apogée, l'ordre du Temple au faîte de son pouvoir et l'hérésie cathare plus forte et plus menaçante que jamais ?

Le cycle romanesque du Graal devait nous aider à trouver si ce concours de circonstances était fortuit, ou bien au contraire si les apparitions répétées de ce mystérieux mythe sur notre chemin avaient leur raison d'être.

La légende du Saint Graal

Liées au cycle fondamental des saisons et à leur éternel retour, les origines ayant trait à sa littérature sont essentiellement païennes. Sans doute faut-il y voir au départ une sorte de culte de la nature inspiré, plus ou moins directement, des mystères entourant, au Proche-Orient, Tammuz, Attis, Adonis ou Osiris. De leur côté, les mythologies galloise et irlandaise abondent en allusions à la mort, à la re-naissance et au re-nouveau, à ce cycle perpétuel de la terre alternativement stérile et fertile. C'est, au XIVe siècle, le thème central du poème anglais *Sire Gauvain et le chevalier vert* ; c'est aussi celui des *Mabinogion*, l'un des plus beaux fleurons de la prose médiévale galloise, contemporain des récits arthuriens de France, mais intégrant des thèmes folkloriques plus anciens. On y trouve ainsi un mystérieux « chaudron de résurrection », où les guerriers morts sont jetés au crépuscule pour en ressortir, vivants, à l'aube du matin suivant. Le chaudron appartient à Bran, le géant, qui possède aussi un plat immense où apparaît instantanément toute nourriture désirée, justement l'une des propriétés miraculeuses attribuées au Graal. À la fin de sa vie pourtant, Bran est décapité et sa tête, vénérée comme un talisman, est transportée à Londres, où de nombreux pouvoirs magiques lui sont reconnus, tels celui de fertiliser la terre ou, mieux encore, de repousser les envahisseurs...

Pour la plupart, on le voit, ces thèmes se retrouvent dans les romans du Graal, et les vertus associées à la tête du héros Bran seront celles, plus tard, conférées par les Chevaliers du Temple à leurs mystérieuses têtes.

De nombreux érudits d'hier et d'aujourd'hui, Sir James Frazer en particulier dans *Le rameau d'or*, se sont appliqués à déterminer ces sources païennes du cycle romanesque du Graal. Mais aucun ne semble avoir accordé un grand intérêt à l'étrange façon dont, entre le milieu et la fin du XIIe siècle, le mythe païen s'est transformé pour se cristalliser et se fixer dans l'univers chrétien à travers la coupe ayant recueilli le sang du Christ. Or, nous semble-t-il, il s'agit là en fait d'un processus beaucoup plus subtil que celui de simples traditions chrétiennes se greffant sur des légendes païennes.

Nombreux sont en tout cas les romans et les poèmes allégoriques bâtis sur le thème initial du Graal, souvenir mystique de Jésus, dont la féerie et le merveilleux transportent, aujourd'hui encore, l'imagination. C'est en effet, à partir de 1188, date de la séparation de l'ordre du Temple et du Prieuré de Sion, un véritable et fantastique feu d'artifice allant jusqu'à une époque que l'on peut situer entre 1291 (date à laquelle s'écroula le royaume franc de Jérusalem), et 1307-1314, période pendant laquelle les Templiers furent exterminés. Puis c'est le silence jusqu'en 1470 où, en Angleterre, Thomas Malory reprend le thème dans son œuvre célèbre *La mort d'Arthur*. Dès lors et aujourd'hui encore, le Graal ne cessera de hanter toutes les littératures occidentales et, disons-le, toutes les cultures, puisque, sous une forme ou sous une autre, il restera présent en Angleterre, en France, en Italie, en Espagne, en Allemagne, en Norvège... allant même au cours de la dernière guerre jusqu'à susciter chez les Allemands, convaincus de son existence « matérielle », la décision de procéder à des fouilles importantes dans le sud de la France, pour tenter de le retrouver[1].

Au temps de Malory, le Graal était donc déjà le vase de la Cène dans lequel Joseph d'Arimathie avait recueilli le sang de Jésus. Selon certains récits, Joseph d'Arimathie l'aurait emporté en Angleterre, à Glastonbury ; pour d'autres c'est Magdeleine qui le transporta avec elle en France, comme en témoignent des légendes du IVe siècle faisant allusion à sa fuite de la Terre sainte et à son débarquement près de Marseille où ses reliques sont encore vénérées. Plus tard encore, la littérature médiévale abondera d'ailleurs dans ce sens, voyant en elle la femme qui apporta l'objet sacré. Rappelons enfin pour terminer sur ce point l'intérêt manifesté par René d'Anjou pour ce vase qu'il prétendit posséder au XVe siècle. Pour en revenir à Malory, ce dernier associa donc le Graal et la coupe, et sur cette base bâtit un roman de pure chevalerie d'où étaient en grande partie exclus les aspects mystiques et symboliques des légendes antérieures.

Mais le plus ancien des romans consacrés au sujet date de la fin du XIIe siècle, aux environs de 1188 ; il s'intitule *Perceval ou le conte du Graal* et fut composé par Chrétien de Troyes, trouvère et clerc à la cour des comtes de Champagne.

On sait peu de chose de Chrétien, sinon que sa carrière poétique se déroula auprès de Marie de Champagne, reine d'une cour extrêmement brillante et riche en jeunes talents ; c'est à elle en effet qu'il dédia une grande partie de ses œuvres, étrangères d'ailleurs au thème du Graal, comme *Lancelot ou le chevalier à la charrette* et *Yvain ou le chevalier au lion*.

C'est dans son dernier roman seulement qu'apparaît le thème, encore assez flou, de la quête du Graal. Il est dédié non pas à Marie de Champagne mais à Philippe d'Alsace, comte de Flandre[2], et Chrétien précise, au début de l'œuvre, qu'elle a été composée spécialement pour Philippe qui, le premier, lui a conté la légende. Son héros se nomme Perceval, le « fils de la Dame Veuve », appellation, notons-le, qui appartiendra de tout temps au vocabulaire des hérésies dualistes et gnostiques désignant soit leurs prophètes, soit Jésus lui-même, et qui sera plus tard reprise par la franc-maçonnerie.

Quittant sa mère veuve, Perceval s'éloigne donc vers la cour du roi Arthur et son noble destin de chevalier. Il connaît un grand nombre d'aventures et une nuit, dans le château où le Roi Pêcheur lui a offert un abri, le Graal lui apparaît. Aucune précision n'est cependant donnée par Chrétien de Troyes à son sujet ; on apprend seulement qu'il est porté par « une demoiselle très belle, et élancée et bien parée » et « fait de l'or le plus pur », serti de « pierres de maintes espèces, des plus riches et des plus précieuses qui soient en la mer ou sur terre ». Et le lendemain Perceval quittera le château sans avoir posé la question qu'on attendait de lui sur le Graal, sur son origine et sa raison d'être, « qui en est servi » étant une formulation ambiguë, pouvant se comprendre dans un sens littéral ou allégorique, devant lever un sortilège. Quoi qu'il en soit, Perceval continuera son chemin pour apprendre qu'il appartient à la « famille du Graal », et que son oncle est le mystérieux Roi Pêcheur qui « soutient et conforte sa vie » avec le Saint Graal.

Chrétien de Troyes est mort avant d'avoir achevé son roman. Ainsi n'en connaîtrons-nous jamais la fin, si tant est qu'il en existe une. Certains pensent cependant qu'elle brûla dans l'incendie de Troyes en 1188, incendie qui coïncida avec la mort du poète, elle-même assez douteuse.

Tout l'intérêt de ce *Perceval* est avant tout d'être la première œuvre consacrée au Graal. Pendant le demi-siècle suivant en effet, on continuera à broder, à développer et à multiplier les interprétations du thème, né un jour à la cour de Troyes, et qui ne cessera de gagner l'Europe entière aussi rapidement qu'un feu de paille. Mais si certaines de ces expressions ont indiscutablement leurs origines chez Chrétien, d'autres romans du Graal, plus tardifs, puiseront les leurs dans une époque antérieure à celle de l'auteur champenois, les uns mettant en scène le roi Arthur, d'autres Jésus.

Parmi ces nombreuses versions postérieures à celle de Chrétien de Troyes, trois nous semblent devoir retenir l'attention. La première est le *Roman de l'estoire dou Saint Graal*, composé par Robert de Boron, clerc de Franche-Comté, entre 1190 et 1199. Avec ce nouveau récit dans lequel l'auteur s'attache à dégager la valeur symbolique du mythe, celui-ci va devenir symbole spécifiquement chrétien; évoquant ses sources, antérieures à celles de son prédécesseur, Robert de Boron fait en effet allusion au caractère spécifiquement chrétien du Graal et à un « grand livre » dont les secrets lui auraient été révélés[3].

Cette christianisation du Graal est-elle donc due au poète franc-comtois ou à un conteur précédent? Beaucoup ont aujourd'hui tendance à adopter cette seconde hypothèse, et pourtant on doit indiscutablement à Robert lui-même la première définition précise du Graal. C'est, explique-t-il, le vase de la dernière Cène, rempli par Joseph d'Arimathie avec le sang de Jésus sur la Croix et revêtu, de ce fait, de pouvoirs magiques. Après la Crucifixion, les membres de la famille de Joseph en devinrent les gardiens, et ce sont leurs aventures et leurs vicissitudes que content, pour Robert de

Boron, les romans du Graal. Ainsi Galaad aurait été le fils de Joseph d'Arimathie, et son gendre Bron celui-là même qui recueillit le Graal, le transporta en Angleterre et devint lui-même le Roi Pêcheur. Comme dans le poème de Chrétien de Troyes, Perceval est, dans cette version, le fils de « la Dame Veuve » mais aussi le petit-fils du Roi Pêcheur, et non son neveu.

Dans les deux romans en tout cas, Perceval est un membre de la famille du Graal, plus direct seulement dans le récit de Robert de Boron qui se montre de même plus précis dans sa chronologie que Chrétien de Troyes, puisqu'il situe son action en Angleterre, à l'époque de Joseph d'Arimathie et non, comme le Champenois, dans un lieu indéfini pendant la période arthurienne.

En même temps que le *Roman de l'estoire dou Saint Graal* paraissait, en Angleterre probablement, un autre roman en prose, *Perlesvaus*, consacré lui plus particulièrement à la quête de Perceval. Or son auteur, contrairement aux conventions de l'époque, ayant choisi l'anonymat, on peut en déduire qu'il appartenait à un ordre, monastique ou militaire, où ce genre de divertissement était jugé malséant. Selon certains spécialistes de la littérature médiévale d'ailleurs, *Perlesvaus* serait vraisemblablement l'œuvre d'un Templier[4]. Les Chevaliers Teutoniques, en effet, protégeaient et encourageaient un grand nombre de poètes anonymes, et sans doute ceux du Temple en faisaient-ils autant, certaines descriptions révélant de plus une connaissance exceptionnelle des réalités militaires, armures, équipements, manœuvres et stratégie, armes et blessures. À n'en pas douter, l'auteur connaissait bien les champs de bataille, et en avait fait lui-même l'expérience.

Quoi qu'il en soit, même si le roman n'est pas l'œuvre d'un Templier, on sent partout planer l'ombre des chevaliers : ainsi ce château, où se trouve non pas le Graal mais un conclave d'« initiés », cette cérémonie, où Perceval est reçu par deux « maîtres » battant des mains et entourés de trente-trois autres hommes « vêtus de blanc, portant tous sur la poitrine une croix rouge et semblant tous du même âge[5] », enfin l'affirmation de l'un de ces mystérieux « maîtres », prétendant qu'il connaît bien la lignée de Perceval, et qu'il a personnellement vu le Graal, privilège réservé à quelques-uns seulement.

Comme les précédents romans de Chrétien de Troyes et de Robert de Boron, *Perlesvaus* insiste également beaucoup sur la notion de lignée : Perceval y est plusieurs fois décrit comme le « plus saint » ; ailleurs il appartient au « lignage de Joseph d'Arimathie », et plus loin « ce Joseph est l'oncle de sa mère, ancien soldat de Pilate pendant sept années[6] ».

L'action de *Perlesvaus* ne se déroule pourtant pas à l'époque de Joseph d'Arimathie mais, comme celle de Chrétien, elle est contemporaine du roi Arthur. La chronologie n'est d'ailleurs pas toujours très précise puisque la Terre sainte, y est-il mentionné, est déjà retournée aux mains des Infidèles alors que dans la réalité l'événement n'eut lieu que deux siècles après l'époque du roi Arthur.

Outre les champs de bataille, l'auteur anonyme de *Perlesvaus* semble aussi bien connaître l'univers magique de la conjuration et de l'invocation. On peut lire par exemple, et c'est assez surprenant, de nombreuses allusions au travail alchimique, notamment à propos de ces deux hommes « faits de cuivre par l'art de la nigromancie[7] », où résonne étrangement l'écho de certains mystères entourant les Templiers ; puis ces mots à Perceval, qui dans la bouche de l'un des « maîtres » vêtus de blanc ne manquent pas de rappeler la tête énigmatique des rituels de l'ordre : « Il y a les têtes scellées d'argent, et les têtes scellées de plomb, et les corps auxquels ces têtes ont appartenu ; moi je te dis que tu dois faire venir ici les deux têtes du Roi et de la Reine[8]. »

Allusions à l'univers de la magie, certes, allusions aussi à celui de l'hérésie et du paganisme. Non seulement Perceval y est désigné, là encore, comme le fils de la « Dame Veuve », mais l'action tout entière se déroule dans un climat de cérémonies étranges et inattendues dans un contexte chrétien : un roi est sacrifié, des enfants sont rôtis et mangés – crime généralement imputé aux Templiers –, une croix rouge est dressée dans la forêt, un merveilleux animal blanc est mis en pièces par les chiens sous les yeux de Perceval, puis un chevalier et une damoiselle entrent en scène, portant de la vaisselle d'or, et se mettent à ramasser les morceaux de chair mutilés, avant d'embrasser la Croix et disparaître. Quant à Perceval, il s'agenouille devant la Croix et, à son tour, la baise également[9].

Cette attitude devant la Croix n'est pas sans rappeler fortement les accusations portées à l'encontre des Templiers dans les divers comptes rendus des procès de l'Inquisition ; mais elle rappelle aussi le dualisme de la pensée cathare, refusant la Croix, ou encore la philosophie gnostique, l'un et l'autre allant ici jusqu'à s'appliquer au Graal lui-même. Car si pour Chrétien de Troyes le Graal n'est qu'un objet imprécis fait d'or et de pierres précieuses, si pour Robert de Boron il est le vase qui a recueilli le sang de Jésus, il prend dans *Perlesvaus* une tout autre et très curieuse dimension, impliquant une idée de secret, relatif à Jésus, et dévoilé seulement à un très petit nombre d'individus. « Tu ne dois pas découvrir les secrets du Sauveur, dit un prêtre à Gauvain, et ceux auxquels ils ont été confiés, tu dois aussi les garder cachés[10]. »

Ainsi lorsque Gauvain rencontre enfin le Graal, d'abord « il lui semble qu'en son milieu il voit le visage d'un enfant », puis « le Graal tout en chair », et ensuite, pense-t-il, « un Roi couronné, cloué à un crucifix[11] ». Plus loin, au cours de la messe, le Graal apparaît enfin « de cinq manières différentes que personne n'a le droit de dire, car les secrets du sacrement ne doivent pas être dévoilés, et seul a le droit d'en parler celui auquel Dieu les a confiés. Le roi Arthur regarde les cinq différentes transformations, et la dernière est un calice[12] ».

Pour l'auteur anonyme de *Perlesvaus*, le Graal revêt donc diverses formes[13], ses mutations diverses pouvant être interprétées à différents niveaux. Leur signification ésotérique est évidente : le Graal est vase, coupe ou calice ; mais, haussé jusqu'à l'allégorie, il symbolise la lignée, ou peut-être ceux qui la composent, ou bien encore représente une expérience mystique en quelque sorte, une de ces révélations spirituelles comme en connaissaient alors les Cathares et différentes sectes dualistes.

L'histoire de Wolfram von Eschenbach

De tous les romans consacrés au Graal, le plus célèbre, cependant, le plus représentatif du genre reste incontestablement le *Parzival* de Wolfram von Eschenbach, composé entre 1195 et 1216. Et pourtant, Wolfram étant un chevalier d'origine bavaroise, il nous sembla d'abord né trop loin du mythe pour pouvoir l'aborder en toute connaissance de cause. Mais nous allions bientôt changer d'avis.

En effet, dès les premières pages de l'ouvrage, on se rend vite compte que cette version de l'histoire du Graal est la seule authentique. Fondée contrairement aux autres sur une information de tout premier ordre, nous la devons à un certain Kyot de Provence, lui-même la tenant d'un dénommé Flégétanis.

Voici à leur propos la citation du texte de von Eschenbach :

> « Si l'un de vous m'avait naguère questionné à ce sujet et s'était fâché parce que je ne voulais pas lui révéler ces secrets, il eût mérité qu'on le blâmât grandement. Il me fallait, à l'exemple de Kyot, les celer encore... Mais il faut bien maintenant en parler.

Kyot, le maître illustre, trouva à Tolède, parmi des manuscrits abandonnés, la matière de cette histoire, notée en écriture arabe. Il fallut d'abord qu'il apprît à discerner les caractères, a, b, c (mais il n'essaya point de s'initier à la magie noire)...
Un païen, qui avait nom Flégétanis, avait acquis haut renom par son savoir. Ce grand connaisseur de la nature était de la lignée de Salomon ; ses parents appartenaient à une famille d'Israël, en des temps très anciens, où les hommes n'étaient pas encore protégés par le baptême contre le feu de l'enfer. C'est lui qui écrivit l'histoire du Graal. Flégétanis était né d'un père arabe ; il adorait un veau...
Flégétanis le païen savait prédire la disparition de chaque étoile et le moment de son retour... C'est par la ronde des astres que sont réglées toutes choses sur terre. Le païen Flégétanis découvrit, en examinant les constellations, de profonds mystères dont il ne parlait qu'en tremblant.
Il était, disait-il, un objet qui s'appelait le Graal. Il en avait clairement lu le nom dans les étoiles. Une troupe d'anges l'avait déposé sur terre. Depuis lors, c'étaient des hommes devenus chrétiens par le baptême et aussi purs que des anges qui devaient en prendre soin. C'étaient toujours des hommes de haut mérite que l'on appelait à garder le Graal.
Kyot, le maître sage, chercha alors dans les livres latins où avait pu vivre un peuple assez pur et assez enclin à une vie de renoncement pour devenir le gardien du Graal. Il lut les chroniques des royaumes de Bretagne, de France et d'Irlande et de beaucoup d'autres encore, jusqu'à ce qu'il trouvât en Anjou ce qu'il cherchait. Il lut en des livres très véridiques l'histoire de Mazadan. Il trouva notée toute la suite de ses descendants[14]. »

Quatre points de ce texte méritent d'être relevés : le premier est que l'histoire du Graal est associée à la famille d'un certain Mazadan. Le second que la maison d'Anjou y tient un rôle important. Le troisième que la version originale semble être venue, depuis les Pyrénées, de l'Espagne musulmane et de Tolède plus précisément, centre important d'études ésotériques juives et musulmanes ; enfin, dernier point, et non le moindre, que les aventures du Graal ont une origine juive. Élément inattendu car si le Graal, comme on l'a vu, est un mystère chrétien, pourquoi a-t-il été transmis par des initiés juifs, et pourquoi des écrivains juifs ont-ils eu accès à des textes chrétiens ignorés de la Chrétienté elle-même ?...

Évidemment, ce texte soulève une première et grave question : qui sont Kyot et Flégétanis ? Les débats ont été nombreux à leur sujet, certains les considérant comme des personnages fictifs, d'autres comme des personnages réels. Pour notre part, à la faveur de nos recherches sur les Templiers, nous optons résolument pour la seconde hypothèse, dans le cas tout au moins de Kyot de Provence. En effet, presque certainement, il s'agit pour nous de ce Guiot de Provins, moine et troubadour, fixé en Provence, qui a écrit des chansons d'amour, des vers satiriques contre l'Église et des œuvres à la gloire de l'ordre du Temple dont il était l'un des porte-parole. On sait de plus qu'il se rendit à Mayence, en Allemagne, en 1184, à l'occasion des fêtes de Pentecôte où le saint empereur romain Frédéric Barberousse nommait ses fils chevaliers. Poètes et troubadours de toute la Chrétienté assistaient évidemment aux cérémonies et parmi eux ne pouvait manquer de se trouver Wolfram von Eschenbach, chevalier du Saint Empire romain. Homme de haute culture, ce dernier rencontra selon toute vraisemblance le poète Guiot de Provins qui, heureux d'échanger des propos avec un interlocuteur d'une telle qualité, lui confia sans doute, sous une forme au besoin symbolique, certaines informations secrètes touchant au Graal...

Quant à Flégétanis, tout porte à croire que si Kyot de Provence exista vraiment, il en fut de même pour lui.

Sinon, on peut toujours penser que Eschenbach ou Guiot, ou les deux ensemble, l'imaginèrent, avec ses traits caractéristiques, dans un but déterminé.

Wolfram von Eschenbach, dans son histoire du Graal, accorde une place importante aux Templiers puisqu'ils y sont gardiens du Graal et de sa famille. Il peut certes s'agir là d'une liberté dont usaient souvent à l'époque les poètes peu exigeants en matière de chronologie, mais il ne faut pas oublier non plus que *Perlesvaus*, lui aussi, contenait de nombreuses allusions aux Templiers. Il serait donc bien étonnant que les deux auteurs, celui de *Perlesvaus* et celui de *Parzival*, se soient rendus coupables du même anachronisme ; il est en revanche plus vraisemblable qu'en associant de façon aussi manifeste l'ordre du Temple aux mystères du Graal ils aient tous les deux cherché à faire comprendre quelque chose. Or si les Templiers étaient présentés comme les gardiens du Graal, c'est que celui-ci existait non seulement à l'époque arthurienne mais aussi pendant les Croisades, époque où les romans furent composés. Le Graal, par conséquent, n'appartenait pas uniquement au passé. Il faisait aussi partie de la réalité contemporaine, et c'était là sans doute l'un des messages communs aux deux romans.

La toile de fond du poème d'Eschenbach revêt, on le voit, une grande importance et le rôle des Templiers, comme l'identité de Kyot et de Flégétanis, auraient pu peut-être, du moins l'espérions-nous, éclairer le mystère du Graal. Mais rien, malheureusement, dans le texte de *Parzival*, ne devait se révéler de grande utilité à ce sujet, l'auteur affirmant, décrivant, mais somme toute n'expliquant jamais, se contentant uniquement d'insister sur le « sérieux » de son œuvre, sorte de « document initiatique », en regard de la fable fantastique inventée par Chrétien de Troyes. Les mystères du Graal, rappelle-t-il sans équivoque, dissimulent de nombreuses réalités, cachées derrière les apparences ; il faut savoir lire entre les lignes car ce qui s'y dissimule est susceptible de se révéler lourd de conséquences ; mais il faut aussi en être digne car le Graal ne se dévoile pas à tous. Il est et doit rester un secret :

> «... Car personne ne peut accomplir la quête du Graal sans être en telle estime auprès du Ciel qu'on le désigne d'en haut pour être admis dans son voisinage [15]... »

Il est gardé « par ceux que Dieu lui-même a désignés[16] »... Qu'est donc alors le Graal pour Wolfram von Eschenbach ? D'abord et surtout cet objet mystérieux entr'aperçu par Chrétien de Troyes :

> «... Elle était vêtue d'une soie d'Arabie. Sur un tissu de vert achmardi elle portait un objet si auguste que le Paradis n'a rien de plus beau, chose parfaite à quoi rien ne manquait et qui était tout à la fois racine et floraison. Cet objet, on l'appelait le Graal. Il n'était sur la terre chose si merveilleuse qu'il ne la surpassât. La dame qui avait reçu du Graal lui-même mission de le porter avait nom Répanse de Joie (de Schoye). La nature du Graal était telle qu'il fallait que celle qui en prenait soin fût d'une pureté parfaite et qu'elle s'abstînt de toute pensée déloyale [17]. »

Puis il devient une sorte de corne d'abondance, renfermant tout le bonheur, toutes les douceurs du monde :

> « Cent pages reçurent l'ordre de venir prendre avec respect devant le Graal du pain qu'ils emportaient ensuite dans des serviettes blanches... On m'a dit et je vous répète à mon tour... qu'on trouvait devant le Graal, prêts à être mangés, tous les mets dont les convives désiraient goûter...
> "Mais, vont m'objecter beaucoup de ceux qui m'écoutent, on ne vit jamais rien de pareil sur

terre." C'est là douter bien mal à propos. Car le Graal était la fleur de toute félicité ; il apportait sur terre une telle plénitude de bienfaits que ses mérites égalaient presque ceux que l'on reconnaît au royaume du Ciel [18]. »

Là encore il s'agit donc d'un objet terrestre, matériel, et sans pouvoir spécifique. Mais plus tard Parzival entendra de la bouche de son oncle l'ermite une définition du Graal d'un tout autre ordre, portant en elle un écho de la pensée gnostique :

> «… De vaillants chevaliers ont leur demeure au château de Montsalvage, où l'on garde le Graal. Ce sont des Templiers qui vont souvent chevaucher au loin, en quête d'aventures. Quelle que soit l'issue de leurs combats, gloire ou humiliation, ils l'acceptent d'un cœur serein, en expiation de leurs péchés… Tout ce dont ils se nourrissent leur vient d'une pierre précieuse, qui en son essence est toute pureté… On l'appelle "lapsit exillis". C'est par la vertu de cette pierre que le phénix se consume et devient cendres ; mais de ces cendres renaît la vie ; c'est grâce à cette pierre que le phénix accomplit sa mue pour reparaître ensuite dans tout son éclat, aussi beau que jamais. Il n'est point d'homme si malade qui, mis en présence de cette pierre, ne soit assuré d'échapper encore à la mort, pendant toute la semaine qui suit le jour où il l'a vue. Qui la voit cesse de vieillir. À partir du jour où cette pierre leur est apparue, tous les hommes et toutes les femmes reprennent l'apparence qu'ils avaient au temps où ils étaient dans la plénitude de leurs forces… Cette pierre donne à l'homme une telle vigueur que ses os et sa chair retrouvent aussitôt leur jeunesse. Elle porte aussi le nom de Graal [19]. »

Le Graal est donc devenu pierre, et ses exégètes ont proposé de très nombreuses interprétations, plus ou moins plausibles, des mots « lapsit exillis ». On y voit en effet des déviations possibles de « lapis ex caelis » (« pierre venue des cieux »), de « lapsit ex caelis » (« tomba des cieux »), de « lapis lapsus ex caelus » (« pierre tombée du ciel »), ou enfin de « lapis elixir », la célèbre et fabuleuse pierre philosophale des alchimistes[20]. Tout ce passage en effet, comme l'ensemble du roman de von Eschenbach, fourmille de symboles alchimiques, tel le phénix, signe bien connu de la renaissance et emblème, dans l'iconographie médiévale, de Jésus mort et ressuscité.

Pierre… Jésus… Ce n'est pas la première fois que nous rencontrons cette double allégorie. Pierre le disciple, Pierre le rocher sur qui Jésus établit son Église. Pierre enfin, Jésus lui-même, « pierre négligée par les bâtisseurs », pierre rejetée, clé de voûte du Temple, rocher de Sion… Et parce qu'elle était « fondée » sur ce rocher, une tradition royale, égale aux dynasties régnantes d'Europe, avait vu le jour à partir de Godefroi de Bouillon.

Plus loin cependant, la Crucifixion remplace la pierre, puis Madeleine apparaît, derrière le symbole de la colombe :

> « C'est aujourd'hui Vendredi saint ; c'est le jour où l'on peut voir une colombe descendre du ciel en planant ; elle apporte une petite hostie blanche et la dépose sur la pierre… Chaque Vendredi saint, elle vient apporter l'objet sacré qui donne à la pierre la vertu de fournir les meilleurs des breuvages et les meilleurs des mets dont jamais le parfum se soit répandu en ce monde… La pierre en outre procure à ses gardiens du gibier de toute sorte… c'est la prébende que, grâce à ses secrètes vertus, le Graal fournit à la chevaleresque confrérie[21]. »

Arrivent enfin, à la suite de cette extraordinaire et mystérieuse cohorte, ceux que le Graal appelle à son service :

« Quant à ceux qui sont appelés à se rendre auprès du Graal, je veux vous dire comment on les reconnaît. Sur le bord de la pierre on voit apparaître une mystérieuse inscription qui dit le nom et la lignée de ceux qui, jeunes garçons ou pucelles, sont désignés pour accomplir ce bienheureux voyage... Heureuse la mère qui a mis au monde un enfant destiné à servir un jour le Graal ! Pauvres et riches se réjouissent également quand on leur fait connaître qu'il leur faut envoyer leur enfant rejoindre la troupe sainte. On va chercher les élus dans les pays les plus divers ; ils sont dès lors, et pour toujours, protégés des pensées pécheresses d'où naît la honte, et ils reçoivent au ciel une belle récompense[22]... »

Dans la mesure où les protecteurs du Graal sont les Templiers, ses propriétaires sont tous membres d'une famille spécifique, aux branches nombreuses éparpillées dans le monde entier, certaines ignorant même leur véritable identité. L'une de ces branches habite le château du Graal, Munsalvaesche, éventuellement la légendaire forteresse cathare de Montsalvat, identifiable à celle de Montségur au funeste destin[23]. Ce château est peuplé de visages énigmatiques : la gardienne et porteuse du Graal, Repanse de Schoye (« Repanse de Joie ») et Anfortas le Roi Pêcheur, comme chez Chrétien de Troyes, oncle de Parzival, seigneur des lieux, blessé au point de ne pouvoir ni procréer ni mourir. Et lorsque à la fin du poème la malédiction sera levée, c'est Parzival qui deviendra l'héritier du château du Graal.

Les serviteurs du Graal doivent être également initiés à une sorte de mystère ; parfois aussi ils sont envoyés dans le monde pour agir en son nom et, éventuellement, occuper un trône, car le Graal possède apparemment le pouvoir de créer les rois :

> « Un sort heureux s'offre souvent aux chevaliers du Graal : ils aident autrui et ils sont eux-mêmes aidés par le destin. Ils accueillent en leur château de jeunes enfants de noble lignée et de belle figure. Il arrive parfois qu'un royaume se trouve sans maître ; si le peuple de ce royaume est soumis à Dieu, et s'il désire un roi choisi dans la troupe du Graal, on exauce son souhait. Il faut que le peuple respecte le roi ainsi choisi ; car il est protégé par la bénédiction de Dieu[24]... »

On croit comprendre ailleurs que la famille du Graal aurait, dans le passé, encouru la colère divine, et une allusion au « courroux de Dieu à leur égard » ne manque pas d'évoquer les nombreux textes composés sur les Juifs au Moyen Âge. Elle évoque aussi un ouvrage mystérieux, inséparable du nom de Nicolas Flamel, *Le Livre Sacré d'Abraham le Juif, Prince, Prêtre, Lévite, Astrologue et Philosophe à la Tribu des Juifs qui, par suite du courroux de Dieu, furent dispersés parmi les Gaulois*. Flégétanis, auteur présumé du récit original du Graal, descendrait, si l'on en croit encore Eschenbach, de Salomon. Dans ces conditions se pourrait-il donc que la famille du Graal soit d'origine juive ?

Maudite ou non dans le passé, celle-ci jouit manifestement à l'époque de Parzival de la faveur divine et d'un très grand pouvoir. Pourtant elle ne doit rien dévoiler de son identité : « C'est en secret que Dieu fait partir ses élus[25]... »

Les femmes à la rigueur peuvent révéler leurs origines, mais pour les hommes c'est là un interdit absolu, étant même tenus à n'autoriser aucune question à ce propos. Détail important, car Wolfram y revient à la fin de son poème :

> «... On aperçut sur le Graal une inscription. Elle disait : si jamais Dieu désigne l'un des Templiers pour devenir le roi d'un peuple étranger, ce cheva-

lier devra exiger qu'on ne cherche à connaître ni son nom ni sa famille. Dès qu'une question lui aura été posée, il s'éloignera sans retour[26]. »

Tout cela nous ramène, bien sûr, à Lohengrin, fils de Parzival, quittant les siens derrière les cygnes, sa femme l'ayant interrogé sur ses origines. Quelle est donc une nouvelle fois la raison de ce secret ? Pourquoi un tel mystère autour de la famille du Graal ? Parce qu'elle est juive ? Est-ce bien là l'explication ? L'histoire de Lohengrin, il est vrai, pourrait le laisser croire, Lohengrin appelé parfois Helios mais aussi Elie, ou Eli[27]...

Dans le roman de Robert de Boron comme dans le *Perlesvaus*, Perceval appartient au lignage, juif et saint, de Joseph d'Arimathie ; mais pour Wolfram von Eschenbach ces détails semblent secondaires, et beaucoup moins importants que les moyens utilisés pour se montrer digne de cette lignée. Parzival doit avant tout se conformer aux exigences de sa race, exigences permettant de mesurer l'importance extrême attribuée par le poète à ce sang.

Car toute l'attention de Wolfram von Eschenbach se porte sur la famille, sur la race du Graal. Il lui accorde une signification insigne. Elle devient le thème central de son *Parzival* et de ses autres œuvres, accapare tout son intérêt, tous ses soins, les gardiens et leur généalogie ayant finalement à ses yeux plus d'importance que le mystérieux objet qui leur a été confié.

Arbre généalogique d'abord relativement facile à dresser... Le héros est le neveu du Roi Pêcheur Anfortas, seigneur du château du Graal, lui-même fils de Frimutel et petit-fils de Titurel. Puis la lignée s'embrouille. Elle remonte éventuellement à un certain Laziliez, peut-être le Lazare du Nouveau Testament, frère de Marthe et Marie. Quant aux parents de Laziliez, les ancêtres de la race du Graal, ils se nomment Mazadan et Terdelaschoye, équivalent allemand de l'expression française « terre choisie ». L'origine de Mazadan, elle, est en revanche plus obscure. Peut-être le nom vient-il de l'Ahura Mazda de Zoroastre, principe dualiste de la lumière, mais sa phonétique peut évoquer aussi et plutôt Masada, bastion de la résistance juive contre l'occupation romaine en l'an 68 de notre ère...

Les noms des membres de la famille du Graal ne peuvent malheureusement rien nous apprendre sur le plan historique. On connaît depuis longtemps l'un des jalons essentiels de la lignée en la personne de Godefroi de Bouillon, mais on ignore tout de ses ancêtres, mythiques ou réels, qui gardèrent sur leurs origines un silence absolu. Selon Wolfram von Eschenbach, nous l'avons dit, Kyot de Provence avait trouvé un récit de l'histoire du Graal dans les archives de la maison d'Anjou, et Parzival lui-même était de sang angevin. Or la maison d'Anjou, on s'en souvient, était étroitement liée aux Templiers et à la Terre sainte. Foulques d'Anjou deviendra, en partie du moins, Templier puis en 1131, ayant épousé la légendaire Mélusine, nièce de Godefroi de Bouillon, il sera roi de Jérusalem. Enfin au dire des « documents du Prieuré », les seigneurs d'Anjou – les Plantagenêt – étaient alliés à la race mérovingienne et leur nom se voulait peut-être un écho de celui de « Plant-Ard » ou Plantard.

Liens bien fragiles certes..., mais ne pouvant cependant être négligés, Wolfram von Eschenbach situant son poème en France et, contrairement à certains chroniqueurs postérieurs, la cour d'Arthur, Camelot, à Nantes, à la limite occidentale du vieux royaume mérovingien au faîte de sa gloire[28].

Dans un des manuscrits de Chrétien de Troyes, Perceval d'autre part déclare être né à « Scaudone » ou « Sinadon » dans une région montagneuse ; selon Wolfram von Eschenbach, le héros viendrait de « Waleis ». Il était donc tentant, et ce fut bientôt fait, d'associer « Waleis » à « Wales », pays de Galles, et « Sinadon » à « Snowdon ». Mais comment expliquer alors que, dans les divers romans du Graal, les personnages vont et viennent entre Waleis et la cour d'Arthur à Nantes ou autres lieux de France, sans jamais traverser une étendue d'eau, et en entendant toujours parler la même langue ? Négligence de la part des nombreux auteurs, ou plus simplement fausse route, « Waleis » ne correspondant pas à « Wales » ?

Ne pouvait-on avoir affaire au nom de « Valois », région de l'ancienne France sur la rive gauche de l'Oise ? Mais à son tour le Valois, essentiellement plat, incompatible avec les descriptions de Wolfram, ne pouvait être sérieusement retenu. C'est alors, après de nombreux tâtonnements, que Waleis fut localisé, dans une région montagneuse conforme à l'ensemble des descriptions. C'était le Valais, en Suisse, sur les rives du lac Léman à l'est de Genève. Quant à Sinadon, c'était Sidonensis, ancienne capitale du Valais, dont le nom moderne n'est autre que celui de... Sion.

Ainsi pouvions-nous établir, selon Wolfram, que la cour d'Arthur se trouvait en Bretagne, à la hauteur de Nantes, et que Parzival pouvait être né en Suisse. Mais la famille du Graal ? Et le château ?

Wolfram von Eschenbach a répondu à ces deux questions dans une œuvre importante, inachevée à sa mort, *Der Junge Titurel*, dans laquelle il apporte de nombreuses précisions sur la généalogie du Graal et sur les dimensions, les matériaux, la configuration de son château, la chapelle par exemple, circulaire comme celle des Templiers. Et le château est situé dans les Pyrénées.

Enfin l'un des derniers poèmes de Wolfram, inachevé aussi, *Willehalm*, est consacré à Guillem de Gellone, chef mérovingien de la petite principauté proche des Pyrénées. Il y est associé à la famille du Graal[29] et, seul de tous les personnages du poète, peut être identifié sur le plan historique. Et pourtant Wolfram von Eschenbach s'est toujours révélé, dans ses créations, d'une précision méticuleuse. Il semble donc en l'occurrence se référer à un groupe d'individus réels, et non mythiques ou fictifs, à une famille ayant véritablement existé, et tout naturellement réunie autour de Guillem de Gellone. *Parzival* a avoué cacher quelque chose, ne l'oublions pas. Selon nous, nous n'avons donc pas affaire à un simple roman mais à une œuvre initiatique, dépositaire d'une somme de secrets qu'il appartient au lecteur de savoir découvrir.

Le Graal et la Cabale

Pour Wolfram von Eschenbach, plus encore que pour l'auteur anonyme de *Perlesvaus*, le Graal se définit donc comme le symbole d'une expérience intérieure, d'un état de l'être et de l'esprit impliquant recherche et transformation, illumination, union mystique. On peut parler à son propos de démarche initiatique et, le replaçant dans le contexte gnostique qui est naturellement le sien, y voir une expression spécifique de la pensée cabalistique. Celle-ci, à l'époque où les romans du Graal virent le jour, était déjà très répandue; Tolède, où Kyot de Provence avait entendu l'histoire du Graal, possédait notamment un centre célèbre d'études qui lui était consacré et il y en avait d'autres encore à Gérone, Montpellier et dans diverses villes du sud de la France. Mais il y en avait un aussi, détail extrêmement important, à Troyes, datant de 1070, époque de Godefroi de Bouillon, et dirigé par Rashi, le plus célèbre des cabalistes médiévaux.

Comme il n'est pas possible, dans les limites de ce chapitre, de décrire en détail le contenu de la Cabale, nous allons donc nous contenter de déterminer ses liens avec les romans consacrés au Graal.

Un mot seulement pour rappeler brièvement que la Cabale est à l'origine l'interprétation, spécifiquement juive, ésotérique et symbolique, des textes de la Bible. Mais dans le langage de l'occultisme le terme est devenu synonyme de démarche métaphysique, d'expérience mystique au cours de laquelle la conscience est soumise à un ensemble d'épreuves et de transformations, démarche que l'on trouve également par exemple dans les religions hindoue, bouddhiste et taoïste, et dans certaines formes de yoga et de zen.

L'expérience cabalistique comprend une série de rituels qui, d'étape en étape, conduisent l'initié vers un plus haut niveau de conscience et de connaissance. Ces étapes peuvent être sujettes à diverses interprétations, mais elles ne recouvrent qu'une seule et même réalité. Ainsi, le « Tiferet » est un degré précis de cette démarche initiatique où l'individu, abandonnant le monde des formes, pénètre dans celui de l'informel, « transcende son ego » selon la terminologie moderne. Tuant, sacrifiant en quelque sorte son « moi », il dépasse sa propre personnalité pour renaître à un autre univers, celui de l'harmonie et de l'unité parfaites, les adaptations chrétiennes de la science cabalistique ne manquant pas d'associer à ce « Tiferet » le personnage de Jésus.

Au Moyen Âge, certains symboles spécifiques étaient liés à ce degré « Tiferet » de l'initiation cabalistique. Parmi eux figuraient un ermite, un guide ou un vieil homme sage, un roi, un enfant, un dieu sacrifié[30] auxquels vinrent s'ajouter plus tard une pyramide tronquée, un cube, une croix rouge. Inutile donc de préciser les rapports évidents existant entre ces signes allégoriques et les romans du Graal, tels le vieil et sage ermite, oncle de Parzival ou de Perceval, et son guide spirituel, le cube, probablement la « pierre » de von Eschenbach et surtout, comme derrière les diverses manifestations du Graal de *Perlesvaus*, les étapes successives de l'initiation au « Tiferet ».

Ainsi voit-on Graal et Cabale se rejoindre dans une même et personnelle démarche tendant vers une plus grande perfection. Le Graal, symbole initialement chrétien, s'est peu à peu transformé en un symbole juif[31].

Où l'on joue avec les mots...

Un jeune chevalier, au cours d'une série d'épreuves destinées à prouver sa valeur, est initié à un secret d'une exceptionnelle importance. Ce secret est placé sous la garde d'un ordre, apparemment de chevalerie, mais il est lié aussi à une famille spécifique. Le héros, soit par son mariage, soit par droit héréditaire, soit pour les deux raisons à la fois, devient seigneur du Graal et de son univers...

Telle est, succinctement reconstituée, la trame générale des romans du Graal, et, de nouveau, force nous est de constater l'importance accordée aux notions de race et d'héritage, de lignée et de généalogie. Il est également frappant de voir que ces notions, pourtant abstraites, se croisent et s'entrecroisent régulièrement avec certaines réalités historiques de notre enquête, ayant pour nom, par exemple, maison d'Anjou, Guillem de Gellone ou bien encore Godefroi de Bouillon. Se pourrait-il donc, dans ces conditions, que le Prieuré de Sion ou Rennes-le-Château aient aussi un lien avec le Graal ? Aurions-nous sans le savoir, sur les pas de Perceval, mené notre propre quête d'un Graal moderne ? Vers quelle étonnante découverte nous acheminions-nous ? Où nous entraînait, à sa suite, le « Saint Graal » ?...

Saint Graal... San Graal..., appellations différentes d'un même et seul symbole, l'expression « Sangraal » ou, comme chez Malory, « Sangreal » étant également employée dans les toutes premières versions des romans qui lui sont consacrés. Or, si l'on coupe ce mot d'une façon plus correcte qu'il ne l'a été dans les versions ultérieures, on obtient non plus « San Graal » ou « San Greal », mais « Sang Raal » ou « Sang Real », qui ne signifie pas autre chose dans le langage moderne que « Sang Royal »...

Ainsi revenions-nous à une notion de lignée, de lignée royale, et le Graal étant, entre autres choses, un vase, il pouvait contenir du sang, le sang d'une race. Mais de quel sang s'agissait-il, et de quelle race ?...

Les rois perdus et le Graal

En même temps que les romans du Graal allaient paraître en France et en Allemagne, à la fin du XIIe et au début du XIIIe siècle, d'autres et nombreuses œuvres appelées à une égale célébrité : ainsi *Tristan et Yseult*, chef-d'œuvre du grand poète alsacien Gottfried de Strasbourg, *Érec et Énide*, de Chrétien de Troyes, ou bien encore les romans courtois de Hartmann von Aue qui sans être explicitement consacrés au Graal évoluent tous dans la même période mythico-historique, puisqu'ils traitent, à des degrés divers, du roi Arthur. Or Arthur, on le sait, vécut à la fin du Ve et au début du VIe siècle, c'est-à-dire en pleine époque mérovingienne, et fut le contemporain de Clovis au faîte de sa gloire, partageant avec la lignée royale la même appellation de « Ursus », ours, et avec elle peut-être une partie des vertus qui lui étaient attribuées.

Mais l'époque mérovingienne, toile de fond des cycles romanesques consacrés à Arthur et au Graal, servit aussi de décor à une littérature d'inspiration différente, également écrite au temps des Croisades. C'est le cas de la célèbre épopée allemande, le *Chant des Nibelungen*, dans laquelle Wagner, au XIXe siècle, puisera son inspiration pour sa grande tétralogie lyrique *L'anneau du Nibelung*. Comme toujours mythes et légendes s'y confondent bien entendu avec l'Histoire, mais il n'est pas sans intérêt de rappeler que le terme de Nibelung désignait une tribu germanique vivant à la fin de l'époque mérovingienne, et que certains noms du *Nibelungenlied* – Siegfried, Brunehilde, Krimhilde ou Sieglinde – sont authentiquement mérovingiens. De même, de nombreux épisodes du poème allemand se réfèrent également à des événements survenus à l'ère mérovingienne.

Tout porte donc à croire que cette époque exerça une véritable fascination sur les imaginations des XIIe et XIIIe siècles. Attrait poétique, certes, pour les innombrables et magnifiques légendes jaillies en même temps de tous les sols d'Europe, mais attrait aussi pour les éléments historiques qu'elles contenaient. Ainsi cette *Queste del Saint Graal*, composée entre 1215 et 1230, où étaient apparemment explicitement rapportés des événements survenus 454 ans après la résurrection de Jésus[32]. Or, si Jésus est mort en l'an 33 de notre ère, la saga du Graal devait par suite se dérouler en l'an 487, au début même de l'épopée mérovingienne et neuf ans avant le baptême de Clovis.

Rappelons-nous par ailleurs que Wolfram von Eschenbach et d'autres romans du Graal avec lui situaient à Nantes la cour du roi Arthur, et non en Angleterre comme nous l'avions cru trop longtemps, l'action de son poème se déroulant dans les limites de la Gaule. Considérons enfin que l'ensemble des traditions médiévales attribuaient à Magdeleine le transport du Graal, de Jérusalem jusqu'à Marseille, ville située elle aussi en Gaule.

C'est donc à l'époque mérovingienne, oui, mais aussi en Gaule sur le continent, et non pas en Angleterre comme l'avaient laissé entendre de nombreux commentateurs du Graal[33] que nous pouvions, sans aucun risque d'erreur, situer les événements contés dans les romans du Graal. Peut-être même alors le Graal lui-même, le « sang réal », avait-il bien un lien avec le sang royal de la dynastie mérovingienne, sang considéré comme sacré et investi de pouvoirs magiques et miraculeux.

Peut-être aussi les romans du Graal racontaient-ils, sous une forme symbolique ou allégorique, certains événements de l'époque mérovingienne rencontrés, pourquoi pas, au cours de notre investigation. Un très ancien mariage, par exemple, d'où serait née la légende de la double origine de Mérovée ; ou une anecdote, dans la famille du Graal, symbolisant la survie clandestine de la lignée mérovingienne, « rois perdus » dans les montagnes et les cavernes du Razès, ou bien leur exil en Angleterre entre la fin du IXe et le début du Xe siècle, ou encore ces alliances dynastiques secrètes grâce auxquelles la vigne mérovingienne, comme celle du Graal, allaient s'épanouir en Godefroi de Bouillon ou la maison de Lorraine. Et l'« ours » Arthur, lui, incidemment peint sous les traits d'un chef celte ou gallo-romain, était-il en réalité « Ursus », les écrivains du Graal s'étant emparés du légendaire et héroïque Arthur des chroniques de Geoffrey de Monmouth pour en faire le véhicule d'une tradition, différente et très secrète ?... Tout alors pouvait prendre une signification nouvelle expliquant notamment que les Templiers, nommés par le Prieuré de Sion gardiens du lignage mérovingien, aient été déclarés gardiens du Graal et de sa famille... En effet, si la famille du Graal et la lignée mérovingienne se confondaient, il n'y avait plus rien d'étonnant à ce que les Templiers aient veillé sur lui à l'époque où se forgeaient les romans qui lui étaient consacrés, et leur présence n'y avait par suite rien d'anachronique.

Hypothèses séduisantes, où les féeries de la légende allaient rencontrer les réalités de l'Histoire, où le lignage du Graal allait fusionner, en un seul et même rameau, avec la descendance de Mérovée. Oui, mais...

Si les romans du Graal se situaient à l'époque mérovingienne ils étaient liés aussi, nous l'avons vu, à Jésus, à Joseph d'Arimathie et à Magdeleine. Liés de très près même, puisque Robert de Boron voyait en Galaad le fils de Joseph d'Arimathie et que la *Queste del Saint Graal* le disait, comme Jésus, rejeton de la maison de David. Le nom de Galaad était d'ailleurs, pour beaucoup d'écrivains médiévaux, une forme dérivée de Gilead, appellation mystique de Jésus[34].

Si le Graal devait être identifié à la lignée mérovingienne, qu'en advenait-il de ses liens avec Jésus ? Comment concilier deux relations séparées l'une de l'autre par quatre longs siècles et de nombreuses divergences ? Par quel lien le Graal pouvait-il tenir d'une part à l'époque mérovingienne, et d'autre part à l'arrivée en Gaule de Magdeleine transportant avec elle un vase mystérieux ?

Si, comme le dit la tradition, ce vase contenait le sang de Jésus crucifié, pourquoi et comment fallait-il l'associer à la dynastie mérovingienne, à l'époque des Croisades précisément, au moment où celle-ci portait sur sa tête la couronne du royaume de Jérusalem protégée par l'ordre du Temple et le Prieuré de Sion ?

Sang de Jésus et sang mérovingien... À quel niveau insoupçonné se situait leur lien ? Apparemment très éloignés l'un de l'autre dans le temps, l'espace et le contexte historique, se rejoignaient-ils quelque part, se croisaient-ils ou se confondaient-ils ? Nous ne pouvions encore répondre. Pourtant, un point commun existait entre eux. Cela nous en étions désormais presque sûrs...

Synthèse

Ces rapports, si difficiles à établir, entre individus, dates et faits innombrables appartenant soit au domaine du mythe, soit à celui de la réalité, soit aux deux à la fois, pourquoi étions-nous les premiers à en faire la synthèse ? Les divers éléments de ce vaste ensemble existaient depuis des siècles, plus ou moins subtils ou manifestes certes et toujours éparpillés dans des zones géographiques et culturelles diverses, et personne pourtant, à notre connaissance, ne s'était encore avisé de les assembler en une trame cohérente. À quoi donc tenait cette carence ?

La culture et la conscience occidentales, nul ne l'ignore, sont, depuis le XVIIIe siècle dit « des Lumières », marquées par l'esprit d'analyse plus que par celui de synthèse. C'est la raison pour laquelle nous assistons aujourd'hui à cet impitoyable clivage des connaissances, à la notion, très stricte, de « disciplines distinctes » et de spécialisation, signe de notre époque, dans tous les domaines, culturel ou scientifique, scolaire ou universitaire.

L'érudition littéraire subit la même loi. Elle est compartimentée, nous le constatons quotidiennement, en sphères rigoureusement distinctes, en champs clos, domaines bien définis de « spécialistes », d'« experts » enclins à explorer leur propre territoire sans accorder le moindre regard, sinon de soupçon ou de mépris, au champ de leur voisin ! La recherche interdisciplinaire, pour eux, n'existe pas, l'éclectisme non plus, et l'on refuse en toute bonne conscience l'idée d'aller chercher ailleurs que chez soi la parcelle de connaissance manquante…

Ce tableau, un peu caricatural mais navrant, s'applique donc évidemment à notre propre recherche. Ayant des racines enfouies dans les sols les plus divers et les époques les plus reculées, touchant à des réalités humaines apparemment sans aucun lien, à des cultures, à des modes de pensée *a priori* incompatibles, l'énigme que nous avions choisi d'élucider avait bien sûr suscité avant nous des curiosités, jamais regroupées, sans pour autant provoquer jamais des recherches approfondies et globales.

Nombreuses, sérieuses, fascinantes dans leur diversité ont été, et demeurent encore, la veine n'en semblant pas tarie, les études consacrées au Graal ; nombreuses, aussi sérieuses et passionnantes, celles consacrées aux Templiers et aux Croisades. Mais dans le premier cas les spécialistes, non historiens, ne pensaient pas à chercher dans l'épopée des croisés de possibles incidences littéraires ; dans le second, les historiens attachés aux événements écrits plus qu'à la tradition orale, source de toute légende, rejetaient les romans du Graal, contes mythologiques, interprétations symboliques, simples fruits du rêve et de l'imagination, donc inutilisables dans le cas d'une science dite exacte. Chercher une vérité historique dans les romans du Graal ? Hérésie !... Et pourtant, quelque cent ans auparavant, Schliemann n'avait-il pas dû sa découverte de Troie à une lecture appliquée des textes d'Homère ?

Quelques tentatives, il est vrai, avaient été faites, çà et là, pour rendre crédibles les légendes attribuant aux Templiers le rôle de gardiens mystiques d'un Graal indéterminé, mais aucune démonstration sérieuse n'avait jamais donné corps à d'intéressantes conclusions. Les Templiers étaient une réalité historique, le Graal appartenait au domaine de la fiction, ils étaient donc *a priori* et pour longtemps inconciliables.

Or cette attitude des XIXe et XXe siècles avait été très probablement celle des temps médiévaux. On imagine mal, en effet, un spécialiste du XIIe siècle ayant puisé sa démonstration dans les nombreux romans du Graal, pas plus qu'on ne connaît aujourd'hui un seul chroniqueur de l'époque mérovingienne ayant fait mention des légendes arthuriennes, qui pourtant auraient pu lui être de quelque utilité.

L'ensemble de ces réflexions s'applique d'ailleurs également aux études bibliques. Les siècles successifs ont interrogé, démonté, mis en pièces, démoli puis reconstruit, défini d'une façon puis d'une autre le personnage de Jésus dans le contexte historique du Nouveau Testament. Mais personne, jamais, n'a, à son propos, évoqué le Graal. L'un appartenait à l'histoire des religions, et se situait au Proche-Orient ; l'autre, composé en Europe occidentale plus de mille ans après, relevait de la poésie fantastique. Il ne fallait donc pas chercher à expliquer l'un par l'autre.

De nombreux exemples, puisés au hasard des héritages culturels, témoignent, s'il en était besoin, de l'étroitesse et des limites de cette attitude intellectuelle. En effet, d'Homère, cité plus haut, aux anciennes sagas irlandaises faisant état du passage du matriarcat au patriarcat ou à *Guerre et Paix*, tableau de la Russie à l'époque napoléonienne, de nombreuses œuvres démontrent que le roman, comme l'Histoire, peut être source de connaissances exactes. Aucun matériel ne doit être rejeté *a priori* et il faut, en matière de recherche, accueillir toutes les découvertes, imaginer toutes les possibilités, tenter n'importe quel rapprochement, même apparemment impossible, entre événements, dates, individus et réalités de toutes sortes.

Dans le cas particulier de notre investigation, qui avait pour cadre la civilisation occidentale entière, et pour époque deux pleins millénaires, il ne fallait par conséquent pas hésiter à sauter du IIIe au XIIe puis au XXe siècle, ou bien à chercher le lien existant entre des documents extérieurement aussi disparates que les textes du Nouveau Testament, les romans du Graal, les chroniques mérovingiennes et les écrits de la franc-maçonnerie. Ainsi devions-nous découvrir que les seconds éclairaient les premiers, et particulièrement la vie et la personnalité de Jésus. Or n'est-ce pas là un phénomène relativement répandu de considérer qu'un document moderne explique parfois une réalité plus ancienne ?

Le fait historique, n'en déplaise aux spécialistes, est en lui-même insuffisant. Ses racines remontent loin dans le passé, ses ramifications s'étendent très loin dans le temps et dans l'espace, et sous des formes parfois inattendues, celles du mythe ou de la légende par exemple. Osons comparer ces faits à des cailloux jetés dans le grand océan de l'Histoire ; ils disparaissent dans les profondeurs de l'eau et seules les rides remuant, s'élargissant et se confondant à la surface, marquent en leur centre l'endroit où ils sont tombés.

Nous avions, pour notre part, regardé se former et se défaire de nombreuses rides à la surface de l'Histoire ; il nous fallait maintenant retrouver le caillou gisant depuis plus de deux mille ans au fond de l'eau...

Magdeleine, nous l'avons vu dans les légendes médiévales, aurait débarqué en Gaule, apportant avec elle le Saint Graal ou le Sang Royal. Étroitement associé à Jésus, ce Graal semblait aussi lié de très près à une lignée. Il avait inspiré un grand nombre de romans, situés à l'époque mérovingienne et composés seulement après Godefroi de Bouillon, « rejeton » fictif de la famille du Graal mais réel de la race mérovingienne, placé sur le trône de Jérusalem sans pourtant posséder le titre de roi.

S'il s'était agi d'un personnage historique quel qu'il fût mais autre que Jésus, nous n'aurions sans doute pas hésité à formuler sans détour les conclusions provoquées par cette suite de réflexions. Mais il s'agissait de Jésus et notre épilogue, explosif, ne pouvait par conséquent manquer de soulever les passions. Dans ces conditions, il était donc plus sage de ne le présenter encore que comme une simple hypothèse. Cette hypothèse, la voici :

Magdeleine, le personnage mystérieux de l'Évangile, était en réalité la femme de Jésus. Tous deux avaient un ou plusieurs enfants et après la Crucifixion cette dernière gagna clandestinement la Gaule où elle savait pouvoir trouver refuge auprès des communautés juives fixées dans le sud du pays. Une descendance directe de Jésus prit donc racine en Gaule, Magdeleine ayant emmené avec elle un ou plusieurs de ses enfants, et ce « sang réal » par excellence se perpétua dans le plus grand secret pendant environ quatre cents ans, laps de temps normal pour un haut lignage. Plusieurs alliances dynastiques s'ensuivirent avec d'autres familles juives, mais aussi avec des Romains et des Wisigoths. Au Vᵉ siècle la lignée de Jésus, se croisant avec celle des Francs, engendra la dynastie mérovingienne.

Si cet ensemble de suppositions, simples hypothèses répétons-le, se révélaient exactes, de nombreux éléments de notre investigation s'en trouveraient expliqués : la vénération dont Magdeleine fut l'objet à l'époque des Croisades et les statuts exceptionnels accordés aux rois mérovingiens ; la naissance légendaire de Mérovée, fils d'une créature marine « d'au-delà des mers », peut-être symbolisée, comme Jésus, par le poisson mystique ; le pacte entre l'Église romaine et la lignée de Clovis, descendant en réalité de Jésus, pacte idéal pour une Église édifiée sur son nom ; la réhabilitation de Dagobert II après son assassinat, l'Église s'étant en l'occurrence rendue complice non seulement d'un régicide, mais d'une forme de déicide ; l'acharnement à effacer Dagobert de l'Histoire, puis celui des Carolingiens à se légitimer, comme saints empereurs romains, en s'alliant à la dynastie mérovingienne...

Une lignée issue de Jésus et se perpétuant en Dagobert pouvait expliquer aussi la famille du Graal, son énigmatique rayonnement et son aura de mystère, le Roi Pêcheur, malade et impuissant à régner, Perceval enfin, héritier du château du Graal. Du même coup la lignée justifiait les origines mystiques de Godefroi de Bouillon, fils ou petit-fils de Lohengrin, petit-fils ou arrière-petit-fils de Perceval, donc membre de la famille du Graal. Et si Godefroi de Bouillon descendait de Jésus, sa prise de Jérusalem en 1099, bien plus qu'une simple victoire sur les Infidèles, prenait une tout autre signification, son engagement total s'expliquant alors par sa volonté de reconquête d'un héritage sacré.

Par ailleurs, les nombreuses allusions à la viticulture rencontrées au cours de notre enquête, symbole des diverses alliances dynastiques, prenaient également un sens, celui de la continuité de la descendance de Jésus, souvent identifié, et s'identifiant souvent lui-même, à la vigne. Une nouvelle découverte allait venir confirmer cette hypothèse : celle d'une porte sculptée représentant Jésus sous la forme d'une grappe de raisin. Or cette porte se trouvait en Suisse, à Sion...

Notre scénario, on le voit, ne manquait ni de cohérence ni d'intérêt. Mais malgré tout, nous devinions en lui quelque fragilité, une faiblesse de structure l'empêchant de s'imposer avec toute la force voulue. Il manquait à notre démonstration, nous le sentions, pour être tout à fait convaincante, une certitude, un argument irréfutable qui nous aiderait à résoudre les détails inexpliqués, les doutes, les interrogations en suspens. Alors seulement, nous pourrions, fermement et définitivement, nous arrêter à cette hypothèse, et la proposer.

Dans cette perspective, il nous fallait maintenant ouvrir et consulter les Évangiles, passer au crible l'ensemble du contexte historique du Nouveau Testament et les écrits des premiers Pères de l'Église...

12

Le Prêtre-Roi qui n'a jamais régné

On a tendance, aujourd'hui plus que jamais peut-être, à parler du christianisme comme d'une entité, en faisant abstraction des formes diverses et parfois très incohérentes qu'il peut emprunter.

Des catholiques aux anglicans et des orthodoxes aux innombrables sectes protestantes de notre époque, le christianisme revêt en effet un visage si souvent différent qu'il est difficile, sans entrer dans le détail de ses divergences, d'en donner une définition autre que très succincte. Nous dirons donc que les chrétiens, partageant une même croyance en Jésus, acceptent – à des niveaux divers il est vrai, plus ou moins littéralement ou symboliquement selon leur religion – la parole du Nouveau Testament à son propos, particulièrement en ce qui concerne sa crucifixion et sa résurrection.

Dans le Nouveau Testament par exemple, les quatre Évangiles sont regardés par l'ensemble des chrétiens comme une somme définitive, source de tout ce que l'on sait et croit, dès son enfance, au sujet de Jésus. À ce titre, les auteurs de ces écrits sont par suite eux aussi considérés comme indiscutables, leurs témoignages respectifs se complétant et se confirmant dans une seule et unique perspective. En fait bien peu de chrétiens savent que les quatre Évangiles, en réalité, non seulement divergent mais sont parfois violemment en désaccord.

Ainsi la naissance et les origines de Jésus, que l'on croit connaître : deux évangélistes seulement abordent le sujet, et aucun des deux ne dit la même chose ! Pour Matthieu, Jésus était un aristocrate, descendant du roi David par Salomon, à la limite roi légitime lui-même ; chez Luc, bien qu'appartenant aussi à la famille de David, il avait des origines moins brillantes. Les deux généalogies divergent fortement tandis que Marc de son côté, en termes très vagues, accrédite la légende du « pauvre charpentier ».

Selon Luc aussi, Jésus reçut à sa naissance la visite de bergers ; pour Matthieu c'étaient des rois. Chez Luc, la famille de Jésus vivait à Nazareth d'où elle se rendit à Bethléem pour un recensement considéré par l'Histoire comme hypothétique ; Jésus naquit là, dans la pauvreté d'une étable. Chez Matthieu au contraire, les parents de Jésus étaient fixés à Bethléem, et c'est dans une maison qu'il naquit. La persécution entreprise par Hérode contre les enfants nouveau-nés de la ville, toujours dans la version de Matthieu, les obligea à fuir en Égypte et à leur retour seulement ils s'installèrent à Nazareth.

Chacun de ces détails, à l'exception peut-être du recensement, est d'un côté et de l'autre parfaitement plausible ; mais ils se contredisent formellement d'un auteur à l'autre, et dans ces conditions il est impossible de concilier le récit de Matthieu avec celui de Luc. Soit l'un des deux est inexact, soit ils le sont tous les deux, mais de toute façon on est bien obligé d'en arriver à la conclusion que les Évangiles ne sont pas irréfutables puisqu'ils se réfutent mutuellement.

Et les contradictions se poursuivent... Selon Jean, en effet, la Crucifixion eut lieu la veille de Pâques, alors que, selon Matthieu, Luc et Marc, elle n'eut lieu que le lendemain... De même, la personnalité de Jésus change d'un Évangile à l'autre, et parfois du tout au tout. Agneau chez Luc, il est chez Matthieu un souverain tout-puissant, « venu apporter non la paix, mais la guerre ». Quant aux dernières paroles de Jésus sur la Croix, elles sont les mêmes chez Marc et Matthieu : « Mon Dieu, mon Dieu, pourquoi m'as-tu abandonné ? » ; mais chez Luc Jésus s'écrie : « Père, en tes mains je remets mon esprit » et chez Jean il ne prononce que ces trois mots : « Tout est accompli. »

La déduction s'impose donc d'elle-même. Les Évangiles se présentent comme une source d'informations incontestablement sérieuses, mais il faut savoir les apprécier à leur juste valeur. Ils ne sont pas nés de Dieu, ne l'oublions pas, mais de la main des hommes qui les ont censurés, révisés, raturés et, souvent, recomposés à leur idée. La Bible, rappelons-le, fut d'ailleurs, dès son origine, un choix d'ouvrages relativement arbitraire, d'où certains textes furent délibérément exclus. On sait qu'en 367 l'évêque Athanase d'Alexandrie dressa la liste des titres destinés à former le Nouveau Testament, liste que ratifièrent le concile d'Hippone en 393, puis celui de Carthage quatre ans plus tard. Ainsi naquit le livre que nous connaissons aujourd'hui, fruit d'une sélection, redisons-le, œuvre humaine donc sujette à l'erreur. Car d'après quels critères ces conclaves d'ecclésiastiques décidèrent-ils que tel texte appartiendrait au Nouveau Testament, et que tel autre en serait écarté ?

Ce n'est pas tout. En 1958, le Pr Morton Smith, de l'université de Columbia, découvrit dans un monastère proche de Jérusalem une lettre contenant un fragment inconnu de l'Évangile de Marc. Cette lettre était adressée par l'évêque Clément d'Alexandrie à son disciple Théodore à la suite d'un différend survenu entre celui-ci et la secte gnostique des carpocratiens.

Après lui avoir recommandé de bien distinguer dans cette affaire « la vérité qui semble vraie aux yeux de l'opinion humaine, et la vraie vérité, celle qui l'est selon la foi [1] », Clément d'Alexandrie en arrive à l'objet du litige, l'Évangile de Marc et la mauvaise utilisation qu'en ont faite les carpocratiens. Il s'agit d'un texte composé par l'évangéliste, sur la base de ses notes et de celles de Pierre, à l'usage de « ceux qui se trouvent sur le chemin de la perfection » et « s'initient aux grands mystères », mais non destiné à être divulgué auprès de tous les chrétiens. À sa mort, Marc confia donc sa « composition » à l'Église d'Alexandrie qui la conserva soigneusement jusqu'au jour où l'un de ses membres, poussé par les « démons destructeurs », en livra un exemplaire à Carpocrate. Celui-ci, s'empressant alors de mêler aux mots « saints et irréprochables » de Marc des mensonges scandaleux, en donna une interprétation conforme au contenu impie et blasphématoire de sa doctrine de la chair[2].

Telle est l'histoire de l'« Évangile secret » de Marc, reconnue et racontée par l'évêque Clément d'Alexandrie, qui conclut en conseillant à son disciple de ne jamais concéder aux carpocratiens que ce texte était l'œuvre de Marc car, précise-t-il encore, « toutes les choses vraies ne sont pas bonnes à dire à tous les hommes[3] ». Puis le Père de l'Église termine sa lettre en citant intégralement un passage de cet Évangile non lisible par les sectes gnostiques :

> « Pour toi cependant, je n'hésiterai pas à répondre aux questions que tu as posées, et à réfuter les mensonges par les mots mêmes de l'Évangile. Ainsi après "Et ils allaient sur la route qui mène à Jérusalem" jusqu'à "après trois jours il ressuscitera", [l'Évangile secret] dit mot pour mot :
> "Ils se rendirent à Béthanie, et il y avait là une femme dont le frère était mort. Elle vint à Jésus, se prosterna et dit : Fils de David, aie pitié de moi ! Mais les disciples la repoussèrent. Alors Jésus, en colère, se rendit avec elle dans le jardin où se trouvait la tombe, et aussitôt un grand cri en sortit. Jésus s'approcha, enleva la pierre qui se trouvait là, entra dans le tombeau, tendit la main au jeune homme et le fit se lever. Or le jeune homme, l'ayant regardé, l'aima aussitôt et le supplia de le prendre

avec lui. Ils sortirent de la tombe et se rendirent à la maison du jeune homme, qui était riche. Après six jours, Jésus lui dit ce qu'il devait faire, et le soir le jeune homme vint à lui, vêtu seulement d'un drap blanc. Ils restèrent ensemble cette nuit-là, et Jésus lui enseigna les mystères du royaume de Dieu. Puis il le quitta et se retira de l'autre côté du Jourdain [4]." »

Cet épisode n'existe pas dans l'Évangile de Marc mais on le connaît bien, il s'agit de la résurrection de Lazare décrite dans le quatrième Évangile, celui de Jean. Les textes se ressemblent beaucoup, à quelques détails près, tel le « grand cri » jailli de la tombe avant que Jésus en ait poussé la pierre de côté et ordonné à son occupant de sortir. Marc laisse donc supposer que Lazare n'était pas mort, et qu'il n'y eut donc pas de miracle. Par ailleurs cette anecdote peut suggérer, plus que ne le fait le récit rapporté par Jean, une éventuelle relation entre l'homme enfermé dans la tombe et celui qui le « ressuscite ». Peut-être même les carpocratiens, dont la doctrine consistait à transcender les sens en les utilisant de façon outrancière, y virent-ils une quelconque allusion d'ordre homosexuel... Mais ce n'est d'ailleurs pas du tout l'avis du Pr Smith qui voit plutôt dans cet épisode de la résurrection de Lazare l'évocation d'un rituel symbolique de la mort et de la renaissance comme il en existait alors de nombreuses formes au Proche-Orient.

Toujours est-il que la résurrection de Lazare n'apparaissant dans aucun autre Évangile que celui de Jean, on peut raisonnablement penser que Théodore suivit les conseils de Clément d'Alexandrie, et fit disparaître cette relation de l'événement signée de la main de Marc.

Des détails disparurent donc de l'Évangile de Marc, mais d'autres, indiscutablement, lui furent ajoutés. Ainsi la version originale de son livre se terminait par la Crucifixion, la mise au tombeau et la découverte du sépulcre vide, mais sans aucune mention de résurrection ni d'apparition aux disciples. Or aujourd'hui il s'achève de façon plus conventionnelle, et notamment sur la constatation de la résurrection. Et, répétons-le, il s'agit là d'une addition postérieure datant de la fin du IIe siècle et accolée au texte primitif de Marc[5].

Ce qui par suite est valable, et démontré, pour l'Évangile de Marc l'est très probablement aussi pour les autres textes du Nouveau Testament qui ont de leur côté dû subir, n'en doutons pas, des corrections, des coupures et des ajouts du même ordre, ne pouvant également qu'en altérer la portée initiale.

Honnêtement, considérant ces conclusions sans aucun parti pris, comment dans le cadre de notre enquête pouvions-nous par conséquent considérer les Évangiles comme des textes irréfutables dans leur intégralité ? Mais comme d'un autre côté leur majeure partie en était certainement authentique, et constituait un témoignage de première source sur les événements survenus en Terre sainte il y a deux mille ans, nous prîmes la décision de ne les utiliser qu'avec circonspection et prudence, en essayant, avec le plus de rigueur possible, de dissocier de la fable la vérité, l'arrachant au moule de convention dans lequel elle n'avait pu manquer d'être coulée. Mais pour cela il fallait d'abord nous familiariser avec cette réalité historique qu'avait été la Terre sainte à l'avènement du christianisme, les Évangiles ne pouvant être des entités vides, flottant hors du temps sur l'océan des siècles. Au même titre que beaucoup d'autres documents historiques – les manuscrits de la mer Morte, les poèmes d'Homère ou de Virgile et les romans du Graal –, leurs racines ne peuvent que plonger en un lieu précis et à une époque déterminée. À l'évidence ils sont aussi le reflet d'un peuple, le miroir d'une civilisation et d'un ensemble de facteurs spécifiques.

La Palestine au temps de Jésus

La Palestine était déjà au Ier siècle terre d'instabilité et de désordres, en proie à d'innombrables luttes intestines entrecoupées de véritables guerres et affaiblie par d'incessants changements de dynasties, qui maintenaient une agitation quasi permanente dans le pays. Un royaume juif avait vaguement tenté de l'unifier au IIe siècle avant J.-C. mais il restait fragile, et en 63 avant notre ère la Terre sainte était de nouveau dans un état d'anarchie avancé, offerte aux convoitises de tout envahisseur avisé.

L'envahisseur ayant pris le visage de Pompée, cinquante ans avant la naissance de Jésus, la Palestine devenait donc une province romaine. Mais Rome était à l'époque trop préoccupée par son propre destin pour assumer effectivement celui de sa nouvelle et lointaine colonie. Aussi confia-t-elle ce soin à une lignée de rois, chargés en son nom de faire respecter l'ordre impérial sur la côte orientale de la « Grande Mer », rois appelés les Hérodiens, et qui étaient non pas juifs mais arabes. Antipater, le premier d'entre eux, allait occuper le trône de Palestine en 63 avant J.-C. jusqu'à sa mort en 37 où il fut remplacé par son fils Hérode le Grand qui, lui, régna jusqu'en l'an 4 avant notre ère. La situation était alors en Terre sainte celle de tout pays en état d'occupation soumis à un régime militaire sévère et les habitants, tout en conservant leurs coutumes et leur religion, durent se plier à la loi du vainqueur, la toute-puissante autorité romaine représentée sur place par une armée dont l'organisation et l'efficacité avaient fait leurs preuves dans de nombreux pays.

C'est alors, au cours de l'an 6 après J.-C., que les choses soudain se compliquèrent, dans un État organisé en province et deux tétrarchies, la Galilée gouvernée par Hérode Antipas et la Judée, centre spirituel et séculier de la Palestine, relevant directement de Rome et administrée, de Césarée, par un procurateur romain.

Trois mille condamnations sommaires à la crucifixion, taxes et tortures, pillage et profanation du Temple avaient en effet marqué les débuts du nouveau régime romain en Judée, et nombreux avaient été ses habitants à préférer le suicide, Ponce Pilate, procurateur de 26 à 36, n'ayant fait qu'aggraver la situation. Contrairement à ce que laissent croire les Évangiles, c'était d'ailleurs un homme cruel et corrompu qui perpétua, en les intensifiant, les abus de ses prédécesseurs et l'on s'étonne de n'y trouver à ce propos que de bien faibles critiques relatives à un pouvoir et à un joug probablement très lourds et mal supportés.

Toujours est-il que les Juifs de Terre sainte étaient alors divisés en un grand nombre de sectes. Citons parmi les principales les sadducéens, membres pour la plupart de familles sacerdotales aisées, conservateurs dans les domaines politique et religieux et s'accommodant fort bien de la présence romaine ; les pharisiens, intransigeants et formalistes, passivement opposés à Rome et enfin les esséniens, austères, mystiques, qui jouissaient d'une influence non négligeable. D'autres sectes de moindre importance venaient s'y ajouter, trop longues à définir, telle celle des nazorites par exemple dont faisait déjà partie Samson, des siècles auparavant, ou celle des nazoréens, ou nazarènes, terme qui serait appliqué, semble-t-il, à Jésus et à ses disciples, la version grecque originale du Nouveau Testament faisant en effet allusion à « Jésus le Nazarène », épithète désignant alors, répétons-le, une secte juive précise et non la ville de Nazareth.

Or l'un de ces groupuscules intéresse particulièrement notre enquête. Il s'agit de celui des zélotes fondé en l'an 6, date à laquelle Rome avait pris le contrôle direct de la Judée, par le rabbi pharisien Judas de Galilée. Ce groupe n'était pas à proprement parler une secte, mais plutôt un parti politique nationaliste et révolutionnaire, formé de pharisiens et d'esséniens venus de sectes les plus diverses et qui, du temps de

Jésus, ne cesseraient de prendre une part grandissante dans les affaires du pays dont ils étaient l'un des éléments politiques déterminants. Remuants et actifs, ils avaient continué à exercer leur influence bien après la Crucifixion, tant et si bien qu'en 44 un affrontement parut inévitable.

La révolte, en effet, éclata en 66, et toute la Judée se souleva contre l'autorité romaine. Tentative désespérée, courageuse et inutile, qui se solda pour la seule ville de Césarée par le massacre de vingt mille Juifs. Puis, au cours des quatre années suivantes, les légions romaines occupèrent Jérusalem, rasèrent la ville, incendièrent et pillèrent le Temple (en 70), un seul bastion de résistance ayant pu subsister trois années durant à l'intérieur des montagnes, dans la forteresse de Masada défendue par un descendant de Judas le Galiléen.

La révolte de la Judée entraîna donc un premier exode massif des Juifs hors de Terre sainte, suivi d'un second soixante ans après, en 132, consécutif à une nouvelle et infructueuse rébellion qui provoqua l'expulsion, décrétée en 135 par l'empereur Hadrien, de tous les Juifs hors de Judée. Jérusalem, désormais interdite, devint par suite colonie romaine sous le nom de Aelia Capitolina.

La vie de Jésus, on le voit, se déroula à une période particulièrement tumultueuse appelée à durer cent quarante ans, c'est-à-dire longtemps après sa mort. Elle fut donc marquée par les inévitables symptômes psychologiques et culturels inhérents à de telles situations, notamment celui de l'attente et de l'espoir d'un messie qui délivrerait son peuple de la main de l'oppresseur. Dans ce sens, on peut donc avancer que l'attribution exclusive de ce terme à Jésus fut le résultat d'une analyse incomplète des faits tant au niveau historique que sémantique.

Aucune notion de divinité n'était, d'ailleurs à cette époque, liée à celle de messie, et les contemporains de Jésus n'auraient pas manqué de s'étonner d'une telle association d'idées. « Messie » se dit en grec « christos » ou « christ » ; comme en hébreu, il signifie simplement « l'oint de Dieu », et s'appliquait le plus souvent à un souverain. Ainsi David, lorsqu'il fut sacré roi, devint explicitement un « messie » ou un « christ », comme à sa suite tous les rois juifs de l'Ancien Testament. En Judée encore sous l'occupation romaine, le haut prêtre désigné par l'administration portait également le titre de « Prêtre-Messie » ou de « Prêtre-Christ[6] ».

Pour les zélotes et l'ensemble de l'opposition à Rome, ce prêtre était à l'évidence un « faux messie ». Le vrai, le Messie attendu, était tout à fait autre ; c'était le « roi perdu » légitime, le descendant, encore inconnu, de la maison de David destiné à sauver son peuple de la tyrannie de Rome. Cette attente allait atteindre les proportions d'un véritable délire collectif pendant la vie de Jésus, sans pour autant disparaître après sa mort, et la révolte des années 66 à 70 fut très certainement facilitée par la propagande et l'agitation entretenues à dessein par les zélotes au nom de l'arrivée imminente du Messie.

Messie strictement humain, on le voit, attendu sous les traits d'un roi revêtu de l'onction et prenant également visage, dans l'opinion populaire, de libérateur politique. Personnage, de même, essentiellement étranger à l'idée chrétienne ultérieure de « fils de Dieu ». Bref, Jésus à l'origine avait été appelé « Jésus le Messie » c'est-à-dire en grec « Jésus le Christ », et c'est cette appellation, titre purement fonctionnel qui se déforma pour devenir le nom propre de « Jésus-Christ ».

L'histoire des Évangiles

La répression brutale exercée sur le peuple juif entre les années 66 et 74 à la suite de sa vaine tentative de soulèvement mit du même coup un terme définitif à ses espoirs messianiques. En apparence du moins car ceux-ci, prenant désormais une forme religieuse, se cristallisèrent dans les Évangiles où ils puisèrent une force nouvelle.

Les Évangiles, on le sait, ne datent pas de l'époque de Jésus ; ils ont été rédigés, pour leur plus grande partie, entre 66-74 et 132-135, c'est-à-dire entre les deux périodes où la Judée tentait de réagir contre les rigueurs de l'autorité romaine. Mais leurs sources avaient évidemment des origines plus anciennes : documents écrits, puis disparus dans la tourmente générale, et traditions orales surtout. Celles-ci, en la circonstance, se perpétuaient par des récits de seconde, troisième, voire quatrième main, donc forcément déformés dans un sens ou dans l'autre, ou bien ne pouvaient avoir pour bases que des souvenirs personnels d'individus ayant connu Jésus, l'ayant rencontré ou ayant assisté à la Crucifixion et ayant dû par suite faire appel à leur seule mémoire.

Composé peu après 64 et pendant toute la durée du premier soulèvement de la Judée, l'Évangile de Marc est considéré comme le plus ancien, à l'exception de l'addition postérieure relative à la Résurrection. Originaire de Jérusalem, Marc ne semble pas avoir fait partie des premiers disciples de Jésus ; en revanche il fut très probablement l'un des compagnons de saint Paul car son texte porte indubitablement la marque de la pensée paulinienne. Ce texte, on l'a vu dans la lettre de Clément d'Alexandrie, fut composé à Rome et pour un public essentiellement gréco-romain. Ce détail est important car, au moment où Marc rédigeait son livre, la Judée se trouvait plongée dans un état de rébellion avancé, et des milliers de Juifs avaient déjà été condamnés à la crucifixion. Il n'était donc pas judicieux, si Marc voulait trouver audience auprès des Romains, de présenter Jésus comme un agitateur politique, ou comme un ennemi de l'autorité romaine alors toute-puissante. Pour faire passer son message auprès des Romains, il devait donc ignorer leur responsabilité dans la mort de Jésus, innocenter le pouvoir en place et, discrètement, reporter l'accusation sur certains milieux juifs. Or cette attitude allait être adoptée par les autres évangélistes comme par l'ensemble des premiers chrétiens car c'est à cette seule condition que leurs textes et l'Église elle-même, neuve et fragile, pouvaient avoir des chances de survivre.

On date l'Évangile de Luc des environs de l'année 80. Médecin grec, son œuvre était destinée au public romain cultivé de Césarée, capitale administrative de la Palestine, et lui aussi veilla à ne pas s'attirer l'hostilité des Romains en tentant maladroitement de déterminer les responsabilités de la mort de Jésus. Quant à Matthieu, qui composa son texte aux environs de 85, il adopta le même parti que Marc et Luc, en choisissant également de disculper le pouvoir romain. Rédigés en grec et fortement imprégnés de pensée hellène, plus de la moitié de ses écrits s'inspirent de ceux de Marc. Notons à propos de Matthieu qu'il était vraisemblablement juif, peut-être réfugié de Palestine, et qu'il ne doit pas être confondu avec le disciple du même nom, de langue araméenne, qui vécut avant lui.

En ce qui concerne les Évangiles de Marc, Luc et Matthieu, rappelons enfin qu'ils ont été appelés « synoptiques » en raison des similitudes qui les caractérisent, ressemblances que l'on peut constater souvent d'un seul coup d'œil, en juxtaposant les textes en colonnes parallèles. Tous trois en effet semblent avoir une incontestable origine commune, soit orale soit écrite mais, dans ce dernier cas, disparue depuis leur rédaction.

L'Évangile de Jean n'a pas les mêmes sources, et diffère en tout point des trois premiers. On ne sait rien de son auteur, aucune indication ne figurant à son sujet dans l'ouvrage lui-même et ce n'est qu'au IIe siècle que la tradition ecclésiastique le nomma Jean. Or ce quatrième, et dernier, Évangile, vraisemblablement rédigé peu après l'année 100 dans les environs de la cité grecque d'Éphèse, présente des caractéristiques originales du plus haut intérêt.

C'est un texte beaucoup plus mystique que les autres, teinté d'un gnosticisme certain. Il ne mentionne rien au sujet de la naissance de Jésus, mais alors que les synoptiques insistent sur ses activités en Galilée beaucoup plus que sur les événements survenus dans le sud de la Palestine, Jean, lui, s'il parle peu des débuts de la vie publique de Jésus, s'étend en revanche plus longuement sur sa présence en Judée et surtout à Jérusalem. Contrairement à Matthieu, Marc et Luc, son récit de la Crucifixion semble même basé sur un témoignage de première main et il relate par ailleurs un certain nombre d'événements qui ne figurent pas dans les trois autres Évangiles, comme les noces de Cana, l'entretien avec Nicodème, l'intervention de Joseph d'Arimathie, la résurrection de Lazare – supprimée, on l'a vu, du texte de Marc.

Sur la base de ces constatations, de nombreux commentateurs sont enclins à penser que l'Évangile de Jean, malgré sa composition tardive, est peut-être le plus authentique des quatre. Non seulement l'auteur connaît les traditions concernant Jésus auxquelles les synoptiques s'étaient référés de leur côté, mais il utilise des sources particulières et inconnues des autres ; il semble en tout cas posséder une connaissance très exacte et personnelle de la cité de Jérusalem avant la révolte de 66. « Derrière le quatrième Évangile, estime l'un de ces commentateurs, repose une tradition ancienne, indépendante de celle des autres Évangiles[7] » ; et un autre, car ce n'est pas là une opinion isolée : « L'Évangile de Jean, malgré sa date tardive et une chronologie différente de celle de Marc, semble issu d'une tradition plus ancienne, et probablement plus authentique[8]. »

Cet avis, nous le partageons. Le texte de Jean a certes subi autant de modifications que ceux de ses prédécesseurs, mais il reste en dernière analyse le plus fidèle et le plus proche de la vérité. Et comme pour nous donner raison c'est lui qui allait nous fournir les preuves dont nous avions besoin pour étayer notre hypothèse.

Le statut marital de Jésus

Loin de vouloir discréditer les Évangiles, nous n'avions d'autre intention que de les passer au crible afin de démêler le vrai du faux et essayer de trouver, derrière la gangue de l'affabulation, les traces de la réalité historique qui lui avait obligatoirement servi de fondement. Dans cette perspective il nous fallait d'abord chercher les éléments permettant de conclure à un mariage entre Jésus et la femme nommée « la Magdaléenne ». Ces éléments bien sûr ne se manifesteraient pas de façon explicite ; il nous faudrait les déceler entre les lignes, derrière les sous-entendus et les allusions, au-delà de tel détail apparemment anodin ou de tel autre, contradictoire, dans les oublis ostensibles aussi et certaines omissions inexplicables. Que découvririons-nous alors ? Non pas les preuves formelles de ce mariage, bien sûr, mais peut-être un ensemble suffisamment solide de circonstances susceptibles de montrer qu'un tel événement avait pu logiquement se produire.

D'emblée nous nous trouvions confrontés à un certain nombre de questions, dont la première, et la plus importante, était la suivante :

1) Existe-t-il dans les Évangiles un témoignage en faveur d'un possible mariage de Jésus ?

Non, il n'y en a aucun, c'est évident, mais il n'y en a aucun, non plus, en faveur du contraire, et c'est très surprenant, comme le souligne le Pr Geza Vermes, de l'université d'Oxford : « Les Évangiles gardent un silence complet sur le statut marital de Jésus... Il s'agit là d'une situation inhabituelle dans le monde juif antique, qui mériterait une enquête particulière[9]. » Or, on sait par les Évangiles qu'un grand nombre de disciples, Pierre par exemple, étaient mariés, et que Jésus de son côté ne préconisait pas le célibat : « N'avez-vous pas lu que le Créateur, dès l'origine, les fit homme et femme ?... Ainsi donc l'homme quittera son père et sa mère pour s'attacher à sa femme et les deux ne feront qu'une seule chair, déclare-t-il en effet au chapitre XIX de Luc. Cela, et l'ancienne coutume juive selon laquelle il était non seulement courant, mais presque obligatoire de choisir la voie du mariage, peuvent déjà laisser supposer que Jésus s'était lui aussi probablement marié. Le célibat était d'ailleurs alors fortement réprouvé – un écrivain juif de la fin du Ier siècle va même jusqu'à le comparer à un meurtre – et à l'exception de certaines communautés esséniennes il était aussi obligatoire pour un père de famille juif de trouver une femme à son fils que de le faire circoncire. Jésus non marié, donc se singularisant auprès de ses contemporains et transgressant manifestement la loi ancestrale, n'aurait pas manqué d'attirer l'attention sur lui, et les Évangiles en auraient parlé comme d'une particularité digne d'être relevée. Or nulle part il n'est question d'un éventuel célibat de Jésus, et ce silence constitue en lui-même à notre avis un indice non négligeable en faveur de son mariage. « Étant donné l'environnement culturel de l'époque, écrit encore un théologien moderne, il est fort improbable que Jésus n'ait pas été marié bien avant le début de son ministère public. S'il s'était prononcé en faveur du célibat, ses discours auraient fait du bruit et laissé des traces dans les Évangiles ; or leur silence à cet égard est un argument suffisant en faveur de l'hypothèse d'un mariage. Dans le contexte juif, le célibat volontaire était alors tellement inhabituel qu'il éveillait l'attention générale et provoquait des commentaires de part et d'autre[10]. »

Le titre de « rabbi », rabbin, souvent appliqué à Jésus dans les Évangiles, vient en outre renforcer cette supposition. Ce terme, pris dans son sens le plus large, peut évidemment désigner seulement une sorte d'orateur, prenant la parole en son nom et pour son plaisir. Mais le haut degré d'instruction de Jésus, dont témoigne son dialogue avec les docteurs du Temple, suggère qu'il était beaucoup plus qu'un orateur ; probablement pratiquait-il même une forme élevée d'enseignement religieux qui lui donnait effectivement droit au titre officiel de « rabbi ». Mais dans ce cas et si, comme le veut une certaine tradition, Jésus était vraiment « rabbi » au sens strict du mot, son mariage n'est plus vraisemblable, mais certain, la loi juive étant tout à fait explicite à cet égard : « Un homme non marié ne peut prétendre à enseigner[11]. »

On trouve d'ailleurs dans le quatrième Évangile le récit d'un mariage. Ce récit nous est familier, car c'est celui des « noces de Cana », mais il soulève cependant un certain nombre de questions.

Ce mariage villageois semble n'être qu'une modeste cérémonie locale, dont le marié et la mariée restent anonymes. Pourtant Jésus y est « invité », chose curieuse étant donné qu'il n'a pas encore commencé sa vie publique ; mais plus surprenante encore est la présence de sa mère à ses côtés, présence attestée, mais qui apparemment n'a pas de raison d'être.

Connaissant l'évocation des « noces de Cana », on croit en fait la posséder si bien qu'on ne prend plus la peine de s'étonner ! Et pourtant, relisons-la avec des yeux neufs, et regardons Marie. Elle ne se contente pas de suggérer à son fils de remplir les jarres à vin, elle semble le lui demander, comme si elle-même était l'hôtesse des lieux : « Or il n'y avait plus de vin, car le vin des noces était épuisé. La mère de Jésus lui dit : “Ils n'ont pas de vin.” Jésus lui dit : “Que me veux-tu, femme ? Mon heure n'est pas encore arrivée.” » Mais cette réponse ne trouble pas Marie, qui s'adresse alors directement aux serviteurs : « Tout ce qu'il vous dira, faites-le », leur demande-t-elle. Et les serviteurs d'obéir aussitôt, comme s'ils avaient tout à fait l'habitude de recevoir des ordres de Jésus et de sa mère.

Or celui-ci, semble-t-il sans beaucoup d'empressement, ayant exaucé le désir de sa mère, nous assistons, au tout début de l'Évangile de Jean, à son premier miracle, celui de l'eau changée en vin. Pourtant il n'a jamais jusqu'alors dévoilé ses extraordinaires pouvoirs, et Marie n'a apparemment aucune raison de les connaître. Et quand bien même les eût-elle soupçonnés, pourquoi tenir à ce qu'il en fît la démonstration pour la première fois, à l'occasion d'une cérémonie finalement assez banale ? Ils ne sont en effet l'un et l'autre, si l'on en croit l'évangéliste, que deux « invités » à des noces, et ce n'est nullement à eux de veiller au bon déroulement du repas, mais à leur hôte. À moins... à moins qu'il ne s'agisse en l'occurrence du propre mariage de Jésus, hypothèse où son intervention devient tout à fait plausible...

Un dernier détail semble confirmer cette interprétation des faits. Immédiatement après le miracle, le « maître du repas » – probablement un majordome, ou un maître des cérémonies –, ayant goûté le nouveau vin, « *appelle le marié* et lui dit : "Tout homme sert d'abord le bon vin et, quand les gens sont ivres, le moins bon. *Toi*, tu as gardé le bon vin jusqu'à présent !" » Or ces mots s'adressent manifestement à Jésus ; et pour Jean, soulignons-le, ils s'adressent au « marié »... Ne faut-il donc pas en conclure, selon toute logique, que l'un et l'autre ne faisaient qu'un ?

La femme de Jésus

2) Si Jésus était marié, avons-nous un moyen d'apprendre par les Évangiles l'identité de son éventuelle épouse ?

À l'exception de Marie, sa mère, deux femmes seulement y figurent comme faisant partie de l'entourage proche de Jésus. La première est Magdeleine, ou plus précisément Marie de Migdal, ou de Magdala en Galilée, appelée aussi la Magdaléenne, dont le rôle ambigu semble avoir été délibérément obscurci. Ainsi chez Marc et Matthieu, elle n'apparaît sous son nom que tard, au moment de la Crucifixion et parmi les disciples de Jésus ; mais Luc la mentionne beaucoup plus tôt, lorsque Jésus au début de son ministère prêche encore en Galilée d'où, semble-t-il, elle partira pour l'accompagner en Judée, ou tout au moins s'y rendre, sur ses pas, avec un certain empressement. Comment imaginer alors qu'elle n'était pas mariée, puisqu'il était impensable à l'époque pour une femme célibataire de parcourir seule les routes de Palestine, et encore moins dans l'entourage d'un « rabbi » ? Détail embarrassant qui donna lieu souvent à différentes hypothèses, l'une d'elles laissant entendre que Marie de Magdala était en fait la femme de l'un des disciples de Jésus ; mais dans ce cas ses rapports très particuliers avec le maître, et leur intimité, n'auraient pas manqué de susciter des soupçons, et peut-être même des accusations d'adultère...

Contrairement à la croyance accréditée par la tradition populaire, Marie de Magdala ne figure de surcroît nulle part dans les Évangiles en tant que prostituée. Luc en parle seulement au début de son livre comme d'une femme d'où « étaient sortis sept démons », laissant supposer par là qu'elle était possédée et que Jésus pratiqua sur elle une sorte d'exorcisme. Mais ces mots peuvent aussi faire allusion à quelque conversion ou rituel initiatique. On sait par exemple que le culte d'Ishtar, ou Astarté, « déesse mère » et « Reine du Ciel », impliquait une initiation en sept degrés, et il n'est pas exclu qu'avant sa rencontre avec Jésus la Magdaléenne en ait été l'un des nombreux adeptes.

Au cours du chapitre précédant l'allusion à la Magdaléenne aux sept démons, Luc mentionne encore une femme qui « oignait de parfum » les pieds de Jésus. Marc de son côté cite la même anecdote, sans préciser non plus le nom de la femme. Ni l'un ni l'autre en tout cas ne l'identifient à Marie de Magdala, mais Luc cependant spécifie qu'il s'agit d'une « pécheresse ». On a donc plus d'une fois émis l'opinion que les sept démons chassés symbolisaient les péchés de la Magdaléenne, qui devenait par suite pécheresse à son tour ; et dans ces conditions elle ne faisait avec la femme au parfum qu'une seule et même personne. D'ailleurs, si elle participait à un culte païen, n'en devenait-elle pas du même coup « pécheresse » aux yeux de Luc, et à tous ceux des générations à venir ?

Mais la Magdaléenne était beaucoup plus que la simple prostituée de la tradition populaire. Elle avait en effet pour amie, nous dit Luc, l'épouse de l'intendant d'Hérode et toutes deux, avec diverses autres compagnes, « assistaient de leurs biens » Jésus et ses disciples. La Magdaléenne était par conséquent vraisemblablement fortunée, comme l'était aussi l'autre pécheresse, Marc, dans son Évangile, ayant insisté sur le prix élevé du parfum de nard utilisé pour baigner les pieds du maître.

Bref, pourquoi cet épisode de la vie de Jésus semble-t-il revêtir une telle importance ? À notre avis probablement pour la raison que ce geste, bien plus que la réaction spontanée d'une femme impulsive, pouvait appartenir à un rite spécifique. L'onction, ne l'oublions pas, était en effet la prérogative des rois, et du « messie légitime » dont le nom signifie « l'oint de Dieu ». En vertu de cette onction, Jésus devenait donc un messie authentique, la femme le consacrant dans ce rôle suprême revêtant à son tour une égale importance.

Importance manifeste qui ira grandissant jusqu'à la fin du ministère de Jésus puisque, selon les trois Évangiles synoptiques, la Magdaléenne viendra en tête des femmes cheminant à ses côtés à travers villes et villages, tout comme Simon Pierre viendra en tête de ses disciples. C'est elle aussi qui sera la première à trouver le tombeau vide au lendemain de la Crucifixion, c'est elle, encore la première également, que Jésus choisira, « le premier jour de la semaine », pour lui révéler sa résurrection. Marie de Magdala jouit donc à travers les Évangiles d'une place privilégiée et ce traitement de faveur, dans la réalité, dut éveiller la jalousie des amis ou autres disciples de Jésus. Peut-être est-ce d'ailleurs la raison pour laquelle la tradition postérieure s'efforça de noircir son personnage. En la présentant comme une courtisane, on se vengeait de la place de choix qu'elle avait occupée dans la vie de Jésus et de son intimité avec lui ; en lui accordant ce lien, unique dans tous les Évangiles, avec le maître spirituel, on ne manquait pas de la salir aux yeux de la postérité. Et c'est ce qui se produisit. Aujourd'hui on pense à elle comme à une prostituée, et au Moyen Âge les maisons destinées aux courtisanes repentantes étaient appelées des « magdaléennes ». Heureusement les Évangiles sont là pour témoigner à quel point elle méritait peu cette réputation, fondée tout entière sur l'envie et la calomnie.

Marie de Magdala, si ambiguë soit-elle, n'est pas pour autant la seule femme possible pour Jésus ; il y en a en effet une autre, présente dans le quatrième Évangile, appelée Marie de Béthanie, sœur de Marthe et de Lazare, trois personnages intimes de Jésus, intimes fortunés car ils possédaient une maison dans les faubourgs de Jérusalem, suffisamment grande pour recevoir Jésus et tous ses disciples. On sait en outre que cette maison contenait un tombeau, et un grand jardin, preuve que la famille de Lazare ne manquait pas de ressources et faisait partie probablement de l'aristocratie locale.

Dans le quatrième Évangile, lorsque Lazare tombe malade, Jésus a quitté Béthanie depuis peu et se trouve avec ses disciples sur les bords du Jourdain. Il apprend la nouvelle, mais demeure néanmoins deux jours encore près du fleuve et, alors seulement, se met en route pour la Judée. À son arrivée, Lazare est donc déjà dans la tombe, et Marthe, en pleurs, l'accueille en ces termes : « Seigneur, si tu avais été ici, mon frère ne serait pas mort ! »

Ce récit des faits est intéressant dans la mesure où il nous apprend que Marthe, lorsqu'elle accueille Jésus, est seule et que sa sœur Marie, au lieu d'être à ses côtés, est assise dans la maison d'où elle ne sortira qu'à la demande du maître. Or l'Évangile secret de Marc, évoqué plus haut, est à ce sujet beaucoup plus explicite, car il fait, lui, sortir Marie de la maison avant que Jésus ne lui en donne l'ordre, en ajoutant qu'elle fut aussitôt et brutalement repoussée par les disciples, Jésus ayant dû s'interposer pour ramener le calme.

Cette attitude de Marie restant assise à l'intérieur de la maison tandis que, dehors, sa sœur se précipite à la rencontre de Jésus, est parfaitement plausible puisque, selon la coutume juive du « Shiva », elle ne fait que respecter les sept jours réglementaires du deuil. Mais alors pourquoi ne rejoint-elle pas Marthe dans le jardin ? Là aussi à notre avis une explication existe, fort simple : en effet selon la loi juive, les femmes en période de « Shiva » n'étaient autorisées à sortir de chez elles que sur l'ordre formel de leur mari et dans ce sens l'attitude de Jésus et de Marie de Béthanie semble absolument conforme au comportement traditionnel d'un couple juif.

Luc relate par ailleurs l'épisode suivant, propre à confirmer l'hypothèse d'un éventuel mariage entre Jésus et Marie de Béthanie :

> « Comme ils faisaient route, il entra dans un village, et une femme, nommée Marthe, le reçut dans sa maison. Celle-ci avait une sœur, appelée Marie, qui, s'étant assise aux pieds du Seigneur, écoutait sa parole.
> Marthe, elle, était absorbée par les multiples soins du service. Intervenant, elle dit : "Seigneur, cela ne te fait rien que ma sœur me laisse servir toute seule ? Dis-lui donc de m'aider."
> Mais le Seigneur lui répondit : "Marthe, Marthe, tu te soucies et t'agites pour beaucoup de choses ; pourtant il en faut peu, une seule même. C'est Marie qui a choisi la meilleure part ; elle ne lui sera pas enlevée" » (Luc, X, 38-42).

On devine, à la prière de Marthe, que Jésus exerce sur Marie une autorité certaine ; mais plus importante encore est sa réponse où l'on peut apparemment déceler une allusion aux liens du mariage et comprendre également que Marie de Béthanie était certainement, comme Marie de Magdala, une disciple fervente du maître.

Nombreuses, nous l'avons vu, sont les raisons nous permettant de regarder la Magdaléenne et la femme parfumant les pieds de Jésus comme une seule et même personne. Or celle-ci ne pourrait-elle être aussi Marie de Béthanie, sœur de Marthe et de Lazare ? Et par suite n'aurait-on pas affaire à une seule et même femme apparaissant dans les Évangiles sous trois formes différentes et dans divers contextes ? Tel fut en tout cas l'avis de l'Église médiévale et, après elle, d'une certaine tradition populaire, avis partagé à l'heure actuelle par de nombreux commentateurs bibliques.

Toujours d'après Matthieu, Marc et Jean, la Magdaléenne était présente à la Crucifixion, mais non Marie de Béthanie. Si pourtant celle-ci était le disciple fidèle qu'elle semble avoir été, son absence lors de ce moment terrible du destin du maître, à savoir sa mort par crucifixion, n'est-elle pas incompréhensible pour ne pas dire scandaleuse ? Ou bien y assistait-elle vraiment mais sous un autre nom, celui de Marie de Magdala cité par les Évangiles ? Dans l'hypothèse, bien sûr, d'une seule et même femme représentant les deux, tout s'explique et Marie de Béthanie dans ce cas peut avoir été présente à la Crucifixion.

Ainsi identifiée à Marie de Béthanie, la Magdaléenne peut l'être aussi à la femme versant du parfum sur les pieds de Jésus et enfin, comme dans le quatrième Évangile, à Marie, sœur de Marthe et de Lazare, de manière fort explicite d'ailleurs et à deux reprises. D'abord au chapitre XI, 1-2 :

> « Il y avait un malade, Lazare, de Béthanie, le village de Marie et de sa sœur Marthe. Marie était

> celle qui oignit le Seigneur de parfum et lui essuya les pieds avec ses cheveux ; c'était son frère Lazare qui était malade. »

Et une seconde fois au chapitre suivant :

> « Six jours avant la Pâque, Jésus vint à Béthanie, où était Lazare, que Jésus avait ressuscité d'entre les morts.
> On lui fit un repas. Marthe servait. Lazare était l'un des convives.
> Alors Marie, prenant une livre de nard pur, de grand prix, oignit les pieds de Jésus et les essuya avec ses cheveux ; et la maison s'emplit de la senteur du parfum » (Jean XII, 1-3).

Selon ces deux citations Marie de Béthanie et celle qui verse le parfum sont donc indubitablement une seule et même personne et, très probablement, la même aussi que la Magdaléenne. Si Jésus fut marié, il le fut par voie de conséquence à cette femme apparaissant plusieurs fois dans les Évangiles sous trois noms, et dans trois rôles différents.

Le disciple bien-aimé

3) Si Marie de Magdala et Marie de Béthanie sont une même femme, celle de Jésus, Lazare est son beau-frère. Trouve-t-on à ce propos dans les Évangiles une trace d'une telle parenté ?

Ni Luc, ni Matthieu, ni Marc ne mentionnent la résurrection de Lazare, mais on a vu précédemment qu'elle fut supprimée du texte initial de Marc sur le conseil de Clément d'Alexandrie. C'est donc uniquement grâce au quatrième évangéliste, Jean, que la postérité a pris connaissance de cet événement de la vie de Jésus. Lazare semble y être considéré comme un ami très cher du maître, plus proche de lui que ses propres disciples – indépendamment de toute résurrection – et pourtant, curieusement, il n'appartient pas au cercle réduit de ses intimes.

Contrairement aux disciples Lazare se trouvera également menacé, nous apprend Jean, lorsque les grands prêtres décideront de se débarrasser de Jésus et de le tuer avec lui. Assistait-il donc le maître dans ses activités, plus que ne le faisaient les disciples eux-mêmes et d'une autre façon, sans appartenir pour autant à son entourage proche où il n'est en effet jamais cité ? Et faut-il voir dans la menace qui pèsera sur lui la raison probable de son absence le jour de la Crucifixion, absence pour le moins surprenante de la part d'un homme revenu à la vie grâce à Jésus ?

Pourquoi enfin, constatation tout aussi troublante, va-t-il ensuite complètement et à jamais disparaître des Évangiles ? À moins... Mais essayons tout d'abord d'y voir un peu plus clair en récapitulant les faits :

Ayant séjourné trois mois à Béthanie, Jésus se retire avec ses disciples sur les bords du Jourdain où un messager lui apporte la nouvelle de la maladie de Lazare. Ce messager ne prononce pas de nom ; il se contente de dire, comme s'il parlait d'un personnage bien connu : « Seigneur, celui que tu aimes est malade. » Or, à cet instant, Jésus a une réaction curieuse ; au lieu de se hâter vers cet homme qu'il « aime » pour lui porter secours, il semble au contraire accueillir la nouvelle avec détachement, pour ne pas dire avec une certaine indifférence. « Cette maladie ne mène pas à la mort, dit-il seulement, elle est pour la gloire de Dieu : afin que le fils de Dieu soit glorifié par elle » (Jean XI, 4). Quant à son attitude, elle n'est pas moins déconcertante, puisqu'« il demeura deux jours encore dans le lieu où il se trouvait », sans s'inquiéter apparemment de la santé du malade.

Enfin il se décide à rentrer à Béthanie en annonçant à ses disciples : « Notre ami Lazare repose, mais je vais aller le réveiller. » À cet instant, précise Jean, Jésus parle bien de la mort, et en effet quelques versets plus loin il répète : « Lazare est mort, et je me réjouis pour vous de n'avoir pas été là-bas, afin que vous croyiez. Mais allons auprès de lui ! » À quoi Thomas « appelé Didyme » répond, s'adressant aux autres disciples : « Allons, nous aussi, pour mourir avec lui » (Jean XI, 16). Que signifient ces paroles ? Si Lazare est bien mort, les disciples n'ont en tout cas sûrement pas l'intention de mettre collectivement fin à leurs jours ! Et comment expliquer davantage le peu d'empressement que Jésus semble manifester à rejoindre rapidement Béthanie ?

Pour le Pr Morton Smith nous assistons là en réalité au déroulement de l'un des mystères initiatiques très nombreux en Palestine à l'époque de Jésus. Ces mystères comprenaient une succession de rites symboliques parmi lesquels figuraient une « mort » et une « résurrection », un bref passage dans un tombeau – prélude à une renaissanc ; venait ensuite le rite devenu aujourd'hui le baptême – immersion symbolique dans l'eau puis la coupe de vin, symbole du sang du prophète ou du mage présidant à la cérémonie. Le disciple en partageait le contenu avec lui en signe d'union mystique parfaite, où l'un et l'autre, le maître et l'initié, ne faisaient plus qu'un. Là se retrouvent en effet selon lui les représentations fondamentales du baptême chrétien défini par saint Paul, et de la « dernière Cène » vécue entre Jésus et ses disciples.

La vie de Jésus, toujours pour le Pr Smith, rappelle d'ailleurs de très près celle de ces innombrables mages et guérisseurs qui hantaient alors les routes et les villes du Proche-Orient[12], conciliabules, entretiens à voix basse avec les miraculés, ordre de ne rien divulguer, et habitude de ne parler qu'en paraboles et allégories, ponctuant continuellement leurs démarches.

Il semblerait donc à la faveur de cette perspective que Lazare, pendant le séjour de Jésus au bord du Jourdain, ait pu se trouver engagé dans un rite initiatique dont la phase finale était une résurrection symbolique après un séjour provisoire dans un tombeau. Le désir des disciples de participer à ce rite en « mourant avec lui » se justifierait alors, comme se justifierait la sérénité de Jésus apprenant la prétendue mort de Lazare. Marthe et Marie, il est vrai, semblent, elles, en revanche profondément troublées, ayant soit mal compris – ou mal interprété – l'événement. Un incident aussi a pu intervenir au cours de l'initiation, à moins qu'il ne s'agisse en définitive que d'une mise en scène habile, connue de quelques intimes seulement.

Initiation, amitié privilégiée... Lazare entretient avec Jésus, beaucoup plus qu'avec l'ensemble des disciples, c'est certain, des liens exceptionnels ; et ces derniers, jaloux peut-être, ont tenté de le rejoindre dans l'expérience du mystérieux rituel. Mais pourquoi Lazare en est-il l'unique sujet ? Pourquoi, inconnu jusqu'alors, et seul de ses proches, jouit-il auprès du maître de cette faveur insigne ? Pourquoi, un siècle plus tard, les carpocratiens hérétiques feront-ils si grand cas de ce récit, pourquoi Clément d'Alexandrie le fera-t-il disparaître de l'Évangile de Marc ? Est-ce parce que Lazare fut celui que Jésus « aima » plus que tout autre, est-ce en raison des liens étroits de parenté qu'ils suggéraient entre eux, ou les deux à la fois ? Le quatrième Évangile est, de toutes les façons, formel à cet égard, car lorsque Jésus revient à Béthanie et pleure, ou feint de pleurer, la mort de l'ami, les témoins de la scène s'écrient, reprenant les mots mêmes du messager : « Voyez comme il l'aimait ! » (Jean XI, 36).

Or rappelons que l'auteur du quatrième Évangile, le seul où figure la résurrection de Lazare, ne se nomme jamais lui-même. Il ne parle pas de « Jean » mais, à maintes reprises, du « disciple bien-aimé », « celui que Jésus aimait », laissant entendre par là qu'il avait été choisi, entre tous, et désigné à la tendresse du maître. C'est lui d'ailleurs que l'on verra recevant, seul, les confidences de Jésus au cours du dernier repas :

> « Un de ses disciples, celui que Jésus aimait, se trouvait à table tout contre Jésus.
> Simon Pierre lui fait signe et lui dit : "Demande quel est celui dont il parle." Celui-ci, se penchant alors vers la poitrine de Jésus, lui dit : "Seigneur, qui est-ce ?" Jésus répond : "C'est celui à qui je donnerai la bouchée que je vais tremper." Trempant alors la bouchée, il la prend et la donne à Judas, fils de Simon Iscariote » (Jean XIII, 23-26).

Or quel peut donc être ce « disciple bien-aimé » sur lequel repose tout le témoignage du quatrième Évangile, sinon Lazare en personne, « que Jésus aimait » ? Tous deux ne semblent-ils pas faire un, Lazare étant alors la véritable identité de « Jean » ? C'est en tout cas la conclusion à laquelle est parvenu de son côté le Pr William Brownlee, expert en études bibliques et grand spécialiste des manuscrits de la mer Morte. Pour lui en effet, sans aucun doute : « Il ressort de toute évidence du quatrième Évangile que le disciple bien-aimé est Lazare de Béthanie[13]. »

Pour nous, un certain nombre d'anomalies trouvent leur explication dans cette nouvelle étape de nos conclusions. D'abord l'étrange disparition de Lazare des récits évangéliques et son absence, non moins déconcertante, lors de la Crucifixion. S'il est le « disciple bien-aimé », il assistait bien à la mort de Jésus, tous les textes le mentionnent, et c'est à lui, son beau-frère, que le maître mourant confie sa mère :

> « Jésus, voyant donc sa mère et, se tenant près d'elle, le disciple qu'il aimait, dit à sa mère : "Femme, voici ton fils." Puis il dit au disciple : "Voici ta mère." Dès cette heure-là, le disciple l'accueillit chez lui » (Jean XIX, 26-27).

Ce dernier mot de la citation nous semble particulièrement révélateur. En effet, les autres disciples ont abandonné leur foyer de Galilée et sont pour ainsi dire sans abri. Mais Lazare-Jean, on le sait, possède cette grande maison à Béthanie où Jésus avait l'habitude de séjourner.

Dès l'instant où les grands prêtres ont décidé de tuer Lazare, celui-ci, nous l'avons vu, n'est donc plus mentionné sous son nom. En réalité, on peut le suivre jusqu'à l'extrême fin du quatrième Évangile, sous les traits du « disciple bien-aimé ». À preuve, les derniers versets précédant la conclusion, relatant une péripétie suffisamment curieuse pour qu'on s'y arrête un instant. Jésus vient en effet de prédire le martyre de Pierre, puis lui a demandé de le suivre ; alors, se retournant,

> « Pierre aperçoit, marchant à leur suite, le disciple que Jésus aimait, celui-là même qui, durant le repas, s'était penché sur sa poitrine, et avait dit : "Seigneur, qui est-ce qui te livre ?" Le voyant donc, Pierre dit à Jésus : "Seigneur, et lui ?" Jésus lui dit : "Si je veux qu'il demeure jusqu'à ce que je vienne, que t'importe ? Toi, suis-moi."
> Le bruit se répandit alors chez les frères que ce disciple ne mourrait pas. Or Jésus n'avait pas dit à Pierre : "Il ne mourra pas", mais : "Si je veux qu'il demeure jusqu'à ce que je vienne" » (Jean XXI, 20-24).

Texte limpide dans son ambiguïté ! Le disciple bien-aimé attendra le retour de Jésus, non un retour symbolique au sens de « second avènement », mais l'instant réel où tous deux devront se retrouver. Jésus, ayant envoyé ses autres disciples de par le monde, reviendra vers « celui qu'il aime ».

Or si le « disciple bien-aimé » est Lazare, cette sorte de connivence, cette complicité entre le maître et lui n'est pas sans précédent. La semaine avant la Crucifixion en effet, Jésus s'apprête à faire son entrée triomphale à Jérusalem ; mais, conformément aux prophéties de l'Ancien Testament, il doit alors avoir pris place sur le dos d'un âne (Zacharie IX, 9-10). Il faut donc se procurer la bête et dans l'Évangile de Luc, Jésus dépêche deux disciples à Béthanie où, leur dit-il, un âne les attend ; il leur suffira de dire à son propriétaire : « Le Seigneur en a besoin. » Et les choses se déroulent comme Jésus l'a prédit, les disciples trouvent et détachent l'ânon, chacun criant aussitôt au miracle. Or qu'y a-t-il là de si extraordinaire ? Ne peut-on pas plutôt en conclure qu'il y avait là un plan soigneusement élaboré entre Jésus et le propriétaire de l'âne livrant sa bête au bon moment, cet homme étant évidemment Lazare ?

Pour Hugh Schonfield[14], c'est une quasi-certitude : Jésus, à l'insu des autres disciples, a confié à Lazare les détails de son entrée triomphale à Jérusalem. Mais cette organisation supposait un cercle d'intimes et de compères, peut-on dire, amis ou membres de la famille, possédant toute la confiance du maître et admis dans ses projets et ses confidences. Lazare, pour Hugh Schonfield, faisait à l'évidence partie de ce petit groupe, comme le pense d'ailleurs de son côté le Pr Smith insistant sur le statut préférentiel dont jouissait ce dernier depuis son initiation et sa mort symbolique à Béthanie. À ce propos peut-être Béthanie était-il un lieu réservé à des mystères présidés par Jésus, et ainsi s'expliquerait ce nom rencontré plusieurs fois au cours de notre enquête. Le Prieuré de Sion, rappelons-le en effet, avait appelé « Béthanie » son « arche » de Rennes-le-Château et Saunière, apparemment à sa demande, avait nommé « villa Bethania » la grande villa qu'il s'y était fait construire.

Toujours est-il qu'on retrouve dans les mystérieux versets de la fin du quatrième Évangile cette complicité déjà remarquée entre Jésus et « l'homme de Béthanie » au sujet de l'ânon. Selon ces textes, Jésus demande au « disciple bien-aimé » de rester sur place et d'attendre son retour. N'ont-ils pas certaines dispositions à prendre ensemble ? Et ces dispositions ne concerneraient-elles pas la famille de Jésus ? Au moment de la Crucifixion en effet, le maître a confié sa mère à son disciple préféré et s'il a une femme et des enfants, il faut bien les lui confier aussi, à plus forte raison si ce disciple est son beau-frère.

Selon la tradition, la mère de Jésus mourut en exil à Éphèse où le quatrième Évangile aurait aussi été composé ; mais on ignore si le disciple la garda chez lui jusqu'à la fin de sa vie. Or pour Hugh Schonfield, le quatrième Évangile ne fut pas composé à Ephèse, mais seulement révisé, définitivement rédigé et édité, probablement à leur idée, et pour une grande part, par les disciples grecs de Jean[15].

Mais si le « disciple bien-aimé » ne se rendit pas à Éphèse, qu'advint-il de lui ? Si comme nous le croyons il ne formait qu'un avec Lazare, il existe une réponse à cette question car la tradition est parfaitement explicite à ce sujet, comme le sont certains écrivains des premiers temps de l'Église. Selon eux, Lazare, Marie de Magdala, Marthe, Joseph d'Arimathie et quelques autres gagnèrent Marseille en bateau[16]. De là, Joseph partit en Angleterre où il fonda l'Église de Glastonbury mais Lazare et la Magdaléenne demeurèrent en Gaule. Elle, selon la même tradition, finit sa vie en Provence, dans une grotte d'Aix appelée depuis la Sainte-Baume, et lui à Marseille, où il fonda le premier évêché, tandis que l'un de leurs compagnons, saint Maximin, instituait celui de Narbonne.

Ainsi s'effacèrent ensemble de l'Histoire Lazare et le « disciple bien-aimé », tous deux se confondant l'un l'autre après avoir apporté à Marseille, en compagnie de Marie de Magdala, le Saint Graal, le « Sang Royal ». Et ce départ, c'est Jésus lui-même qui l'avait voulu et préparé avec son disciple préféré. Si l'on en croit du moins la fin du quatrième Évangile...

4) Ce mariage entre Jésus et la Magdaléenne, s'il a existé servait-il un but précis ? En d'autres termes, cachait-il par exemple une alliance dynastique, ou des implications politiques ? Bref la lignée issue de cette union méritait-elle alors l'appellation de « royale » ?

Si l'on en croit Matthieu, établissant dès les débuts de son Évangile les origines royales de Jésus à partir de David et Salomon, celui-ci avait en effet des droits légitimes sur le trône d'une Palestine unifiée ; peut-être même était-il le seul prétendant légal, et dans ces conditions l'inscription fixée au sommet de la Croix perd son aspect sarcastique pour le désigner réellement comme le « Roi des Juifs ». Mais Jésus représentait dans cette perspective une menace sérieuse pour Hérode et les Romains, car il était alors le prêtre-roi susceptible d'unifier le pays et tout le peuple juif.

Beaucoup pensent aujourd'hui que le fameux « massacre des Innocents » ordonné par Hérode n'eut jamais lieu ou, s'il eut lieu, qu'il n'atteignit pas les proportions rapportées par les Évangiles et la tradition ultérieure. Pourtant cet épisode tragique n'a pu être inventé de toutes pièces : Hérode redoutait, il est vrai, d'être détrôné, sa situation était précaire et entièrement soumise au bon vouloir des Romains. Elle ne reposait de plus que sur l'autorité brutale de leurs cohortes et était honnie par l'ensemble de ses sujets.

Mais en dépit de ce contexte psychologique peu rassurant et des rumeurs relatives à un sauveur spirituel, comme il en courait alors beaucoup à travers la Palestine, les événements étaient-ils inquiétants au point de justifier un tel acte ? S'il fut cependant à ce point effrayé, ne faut-il pas plutôt en déduire que la menace avait un caractère réellement concret, politique, et provenait d'un prétendant légitime au trône jouissant peut-être déjà d'un important soutien populaire ? Si par conséquent le « massacre des Innocents » a très bien pu ne jamais exister, admettons en revanche que la tradition avait de bonnes raisons d'en maintenir l'éventuelle vraisemblance, en s'appuyant sur les craintes justifiées d'Hérode et, par suite, sur sa tentative plausible de se débarrasser au plus vite d'un dangereux rival.

Mais si Jésus par là même prend figure de prétendant sérieux à la couronne, celle de « pauvre charpentier de Nazareth » ne peut plus guère lui être attribuée. N'oublions pas d'ailleurs que d'autres faits viennent à l'appui de ce raisonnement. En effet il n'est d'une part nullement certain qu'il soit « de Nazareth » mais plutôt, nous l'avons vu, « le Nazorite » ou « le Nazoréen », ou bien encore « de Génésareth » ; d'autre part il n'est pas davantage démontré que la ville de Nazareth ait vraiment existé au temps de Jésus. Elle ne figure nulle part sur les cartes ou dans les documents des Romains ; elle n'est pas mentionnée dans le Talmud et on ne la trouve pas citée, et encore moins associée au nom de Jésus, dans les écrits de saint Paul rédigés avant les Évangiles. Enfin et surtout elle ne paraît en aucun cas sur l'inventaire des villes de Galilée dressé par Flavius Josephus, le plus célèbre chroniqueur de l'époque, qui commandait les troupes romaines de la province. Et elle n'y paraît pas pour la raison très simple qu'elle vit le jour, semble-t-il, seulement après la révolte des années 68-74. Aussi associera-t-on plus tard son nom à celui de Jésus par simple erreur de sémantique, erreur accidentelle ou délibérée, comme on en rencontre hélas beaucoup dans le Nouveau Testament.

Quoi qu'il en soit, le doute porte moins sur ce terme de « Nazareth » que sur celui de « pauvre charpentier »[17], car aucun des Évangiles ne dépeint Jésus comme tel, bien au contraire. Manifestement, il est très instruit, et a même suivi des études religieuses lui permettant de parler en « rabbi ». Certes il a des amis pauvres, mais il en a aussi de très riches comme Joseph d'Arimathie ou Nicodème, les « noces de Cana » révélant d'ailleurs sans ambiguïté le niveau de sa position sociale.

Ce mariage, il faut y revenir, semble en définitive avoir été une réunion importante, moins simple que nous ne l'imaginions au départ. Les invités se comptaient par centaines, les serviteurs y étaient nombreux et diligents, un « maître du repas », sorte de maître des cérémonies, orchestrait l'ensemble du banquet, et occupait peut-être dans la société locale une situation non négligeable. Le vin enfin coulait en abondance, les six cents litres, a-t-on avancé, changés par Jésus venant s'ajouter aux jarres déjà vidées. Réception brillante, donc, où se retrouvait une société choisie et où la seule présence de Jésus, même dans l'hypothèse où il ne s'agissait pas de son propre mariage, démontrait clairement qu'il appartenait bien à cette caste, à preuve notamment l'empressement manifesté à son égard par les serviteurs.

Donc si Jésus faisait partie de ce monde et s'il était marié à la Magdaléenne, il est probable que cette dernière occupait une position similaire dans la société, ses relations à la cour d'Hérode justifiant à elles seules cette conjecture. Mais elle peut, à notre avis, avoir été encore bien davantage.

Jérusalem, cité sainte et capitale de la Judée, était en effet à l'origine, nous l'avons vu, propriété de la tribu de Benjamin ; mais cette dernière, en lutte avec les autres tribus d'Israël, dut prendre la route de l'exil en laissant derrière elle, précisent les « documents du Prieuré », un certain nombre de ses membres décidés à ne pas quitter leur patrie. Saint Paul plus tard, au chapitre XI de l'Épître aux Romains, déclarera d'ailleurs être lui-même un descendant de ces benjamites.

Or, malgré ses conflits avec Israël et les pertes sévères subies au cours des combats, la tribu, nous l'avons vu aussi, lui donna son premier roi, Saül, consacré par le prophète Samuel, et sa première dynastie royale. Puis,

Saül fut lui-même déposé par David de la tribu de Juda, et David, établissant sa capitale à Jérusalem, dépouilla les benjamites de leurs droits au trône et de leur héritage légitime.

Jésus, appartenant à la lignée de David selon le Nouveau Testament, était donc membre de cette tribu de Juda ; c'est dire qu'aux yeux des benjamites il pouvait par suite faire figure d'usurpateur. Mais tout changeait s'il épousait une benjamite, et cette alliance entre deux dynasties ennemies devenait lourde de conséquences politiques : Israël y gagnait un prêtre-roi, Jérusalem revenait à ses propriétaires légitimes, l'unité populaire s'en trouvait renforcée et les droits de Jésus au trône bénéficiaient d'une nouvelle justification.

Pour en revenir donc à la Magdaléenne ou Marie de Magdala, si rien n'indique dans le Nouveau Testament à quelle tribu elle appartenait exactement, selon certaines légendes elle était bien de lignage royal, et, précise la tradition, était issue de la tribu de Benjamin.

Cette accumulation d'indices, on le voit, convergeant dans un même sens et chaque nouvelle précision venant s'ajouter logiquement à la précédente, il nous est possible désormais d'entrevoir l'amorce d'une trame : prêtre-roi de la lignée de David ayant un droit légitime au trône, Jésus aurait contracté une alliance dynastique d'un indiscutable intérêt pour son avenir politique. Grâce à elle, il se serait trouvé en mesure d'unifier son pays, de mobiliser les foules, de chasser l'oppresseur, et de restaurer dans toute sa gloire l'ancienne monarchie de Salomon. Or n'était-ce pas là, pour un homme, justifier plus explicitement l'appellation, non contestable celle-là, de « Roi des Juifs » ?

La Crucifixion

5) Un chef spirituel, soutenu par la ferveur populaire, peut sans aucun doute constituer une menace vis-à-vis

d'un gouvernement. Mais un homme marié, ayant des droits légitimes au trône et des enfants pour perpétuer sa dynastie, est beaucoup plus dangereux encore. Les Romains, dans les Évangiles, semblent-ils avoir été conscients de cette menace représentée par Jésus ?

Pilate, interrogeant Jésus, l'appelle on le sait, plusieurs fois « Roi des Juifs » et, lors de la Crucifixion, un panneau de bois portant ces mots sera fixé au haut de la Croix. Or comme l'affirme notamment le Pr S.G.F. Brandon, de l'université de Manchester, il convient de considérer cette inscription avec le plus grand sérieux, car elle ne peut avoir été clouée en signe de dérision, comme on le pense couramment. Les quatre Évangiles la mentionnent d'ailleurs, et eu égard à ce qu'elle sous-entend à cet instant décisif de la vie de Jésus, elle n'a pu être inventée ultérieurement.

Ayant interrogé Jésus, dans l'Évangile de Marc, Pilate demande aux grands prêtres : « Que ferai-je donc de celui que vous appelez le Roi des Juifs ? » (Marc XV, 12). Certains Juifs parlent donc de Jésus comme de leur roi, et Pilate pour sa part, dans les quatre Évangiles, n'y semble pas opposé. Or on ne trouve, dans son attitude, aucune trace d'ironie ou de sarcasme ; bien au contraire, on le voit, selon Jean, écouter et interroger avec le plus grand sérieux, malgré les protestations de son entourage. Quant à la réponse de Jésus à la question « Tu es le Roi des Juifs ? », elle est la même dans les quatre textes : « Tu le dis... », c'est-à-dire : tu as bien parlé ; ce qui implique qu'il reconnaît et avoue ses droits au titre de roi.

Les Évangiles, il est important de le redire, furent composés pendant et après la rébellion des années 68-74 – période à laquelle la Judée, réalité politique et sociale, avait cessé d'exister. Ils étaient donc destinés à un public gréco-romain et dans cette perspective se devaient de respecter certaines exigences, comme nous l'avons vu plus haut. Rome avait mené contre les Juifs une lutte coûteuse, elle en ressortait victorieuse, et il était plus sage pour les auteurs des quatre livres d'adapter leurs récits aux nécessités de l'heure. De même en était-il pour Jésus ; l'agitation, longtemps latente en Judée, s'était transformée en une véritable rébellion, et mieux valait effacer de son personnage les dimensions de révolté politique peu faites pour agréer au pouvoir en place. L'élémentaire prudence consistait par suite à minimiser la responsabilité des Romains dans le procès et l'exécution de Jésus, et à les rendre le plus étrangers possible aux événements. Ainsi Pilate est-il présenté tolérant, conciliant et peu enclin à se prononcer en faveur d'une crucifixion hâtive[18]. Cependant, malgré les nombreuses libertés prises par nécessité avec l'Histoire par les rédacteurs des quatre Évangiles, n'est-il pas possible de déterminer la véritable position de Rome dans cet épisode ?

Selon les Évangiles, Jésus fut d'abord condamné par le Sanhédrin, ou Conseil des Anciens, qui l'amena ensuite chez Pilate, pressant le procurateur de se prononcer contre lui. Or cela n'a aucun sens. Dans les trois synoptiques en effet, Jésus est arrêté et condamné par le Sanhédrin la nuit de la Pâque alors que selon la loi juive il était formellement interdit au Sanhédrin de se réunir pendant la Pâque[19]. Dans les Évangiles, l'arrestation et le procès de Jésus se déroulent la nuit, devant le Sanhédrin, mais la loi juive interdisait également au Sanhédrin de se réunir après la tombée du jour dans des maisons particulières ou ailleurs hors de l'enceinte du Temple. Dans les Évangiles enfin, le Sanhédrin ne semble pas autorisé à prononcer une sentence de mort, et c'est la raison pour laquelle il conduit Jésus à Pilate ; or le Sanhédrin était parfaitement habilité à prononcer les sentences de mort par lapidation, sinon par crucifixion. Si le Conseil des Anciens avait donc eu vraiment envie de disposer de la vie de Jésus, il l'aurait de son propre chef envoyé à la lapidation, point n'étant besoin pour cela d'obtenir l'autorisation de Pilate.

Les différents auteurs des récits évangéliques tentent à plusieurs reprises de faire glisser la responsabilité des événements des Romains sur les Juifs, notamment lors de l'épisode de Pilate offrant à la foule de libérer le prisonnier de son choix, comme c'était souvent la coutume, nous disent Marc et Matthieu, pour la fête de la Pâque. Mais en vérité cette version des faits est totalement erronée[20] et de nombreux savants s'accordent aujourd'hui à reconnaître que les Romains ne pratiquèrent jamais une politique semblable. L'offre du procurateur romain – Jésus ou Barabbas ? – est pure fiction, comme sont pure fiction sa réticence à condamner Jésus et sa mauvaise grâce à céder aux pressions de la foule. En réalité, il était absolument impensable pour un représentant de la loi romaine, et particulièrement pour un homme aussi cruel que Pilate, de se plier aux caprices du peuple, et encore moins de lui demander son avis. Tout le but de cette affabulation, répétons-le, consistait en fait à dégager la responsabilité des Romains, à la transférer sur les Juifs et à faire de Jésus un personnage susceptible de ne pas déplaire aux futurs lecteurs des quatre Évangiles.

Certes tous les Juifs, c'est fort possible, ne furent pas entièrement innocents dans cette affaire et par ailleurs, même si elle redoutait la menace de ce prêtre-roi, prétendant au trône de ses ancêtres, l'administration romaine ne pouvait pas adopter ouvertement des mesures répressives susceptibles de provoquer une rébellion des Juifs à grande échelle. Il était par conséquent beaucoup plus judicieux pour elle de faire en sorte que cet homme soit ostensiblement trahi par ses compatriotes, et à ces fins elle utilisa probablement les services des sadducéens. Une chose reste néanmoins certaine : Jésus fut la victime de l'administration romaine, d'une cour de justice romaine, d'une sentence romaine, de la brutalité de soldats romains et d'une exécution réservée exclusivement par les Romains aux ennemis de Rome. Jésus ne fut pas crucifié pour des

« crimes » envers les Juifs, mais en raison d'agissements qui menaçaient l'Empire romain[21].

Les détails de la Crucifixion

6) Jésus a pu engendrer un certain nombre d'enfants avant la Crucifixion, et plus encore s'il a survécu au supplice. Mais existe-t-il une preuve sérieuse qu'il ait échappé à la mort, ou que sa crucifixion n'ait été qu'une imposture ?

La personnalité de Jésus telle qu'elle apparaît dans les Évangiles rend sa crucifixion quelque peu inexplicable. En effet, on nous dit que ses principaux ennemis étaient les Juifs influents de Jérusalem ; or ces ennemis, n'ayant nullement besoin du consentement de Rome pour le lapider, auraient aussi bien pu décider entre eux de l'élimination de l'importun. Jésus, au dire des Évangiles, ne s'étant par ailleurs nullement querellé avec l'autorité romaine, n'ayant aucunement violé ses lois, allait cependant être condamné par des Romains, en accord avec leurs édits et selon leurs procédures. Plus étonnant encore, le châtiment retenu était la crucifixion, mise à mort exclusivement réservée, nous l'avons vu, à ceux s'étant rendus coupables de crime contre l'empire. Ne faut-il pas en conséquence conclure que Jésus n'était pas aussi innocent sur le plan politique que veulent bien le dire les Évangiles, et que d'une façon ou d'une autre il avait provoqué le courroux, non pas des Juifs, mais des Romains ?

Sa mort sur la Croix est, de toute manière, entourée de contradictions, et l'on peut d'ores et déjà avancer que cette crucifixion, telle que la décrivent les Évangiles, n'avait pas toutes les raisons de lui être fatale.

La pratique romaine de la crucifixion se déroulait en effet selon un mode et une technique très précis[22]. Après la sentence, la victime était flagellée et, perdant beaucoup de sang, se trouvait assez rapidement dans un état de grande faiblesse. Ses bras étendus étaient alors fixés soit par des lanières, soit le plus souvent par des clous, à une lourde poutre de bois placée horizontalement en travers du cou et des épaules. Chargé de ce fardeau, le condamné se rendait alors au lieu de l'exécution où la poutre était hissée, avec la victime, puis elle était fixée à un poteau ou à un pieu vertical.

Ainsi pendu par les mains, le crucifié ne pouvait plus respirer, sauf si ses pieds étaient également fixés au bois, car il pouvait alors s'y appuyer pour soulever la poitrine, dégager ses poumons et assurer les faibles mouvements d'une respiration minimale. Dans ces conditions, et surtout s'il était en bonne santé, il avait quelque chance de pouvoir survivre un jour ou deux, dans un état il est vrai proche de l'agonie. Ainsi certains suppliciés, les pieds en quelque sorte soutenus, résistaient-ils quelque temps suspendus à la croix, respirant à peine, avant de mourir d'épuisement, de soif ou, si les clous étaient rouillés, d'empoisonnement du sang. Pour mettre un terme à ses souffrances et accélérer la mort, on brisait parfois les jambes ou les genoux de la victime comme s'apprêtèrent à le faire, selon les Évangiles, les bourreaux de Jésus ; ce geste ne correspondait d'ailleurs pas à un plaisir sadique, mais au contraire à un geste de pitié, « coup de grâce » en l'occurrence destiné à accélérer le trépas, la pression exercée sur la poitrine de la victime devenant vite intolérable et entraînant très rapidement une asphyxie totale.

Tout porte à croire aujourd'hui que l'auteur du quatrième Évangile fut, entre tous, le seul témoin oculaire de la Crucifixion. Or d'après lui, les pieds de Jésus étaient fixés à la croix, lui permettant donc de respirer un peu, et ses jambes n'étaient pas brisées. En théorie donc, peut-être aurait-il pu survivre assez longtemps ; or, à peine est-il sur la croix, depuis quelques heures seulement, la mort intervient, Pilate lui-même s'étonnant selon l'Évangile de Marc (XV, 44) d'une telle rapidité.

De quoi Jésus est-il donc mort ? Non pas du coup de lance dans son côté puisque le quatrième Évangile précise (XIX, 33) qu'il n'était déjà plus en vie à cet instant. D'épuisement alors, de la suite des sévices qu'il venait d'endurer ? Possible, mais non certain, ces conditions réunies n'entraînant pas obligatoirement la mort, tout au moins de manière aussi rapide. Mais quelque chose semble encore plus suspect. Pourquoi avoir été à deux doigts de lui briser les jambes, toujours selon le quatrième Évangile, pour accélérer la mort s'il était déjà moribond, ce procédé n'étant utilisé en principe que lorsque la mort tardait à venir ?

Dans le cas de Jésus, cette dernière survient donc pour le moins à un moment particulièrement opportun, juste à temps pour empêcher les soldats de lui rompre les os, juste à temps aussi pour que se trouve accomplie une des paroles de l'Écriture. À ce propos, nombreux sont d'ailleurs les commentateurs à estimer que Jésus « programma » sa vie en fonction des prophéties de l'Ancien Testament relatives notamment à la venue d'un messie. C'est pour cette raison par exemple, Zacharie l'ayant annoncé, qu'il dut se procurer un âne à Béthanie lors de son entrée triomphale à Jérusalem et pour les mêmes motifs, devant coïncider avec la réalisation des anciennes prédictions[23], que s'expliquent également certains détails de la Crucifixion. Bref, cette prétendue mort de Jésus, le sauvant *in extremis* d'un trépas évident et permettant ainsi la réalisation des prédictions de l'Ancien Testament, est pour le moins suspecte. Invraisemblable et trop parfaite elle coïncide vraiment trop bien avec l'arrivée du soldat prêt à intervenir pour hâter sa fin. Dans ces conditions, une interpolation postérieure aux faits ou l'accomplissement d'un scénario soigneusement élaboré à l'avance ne peuvent être exclus, les probabilités se situant davantage au niveau de la seconde solution.

Dans le quatrième Évangile Jésus, pendu à la Croix, se plaint d'avoir soif et quelqu'un, aussitôt, lui tend une éponge imbibée de vinaigre. Or ce geste, également rapporté dans les autres Évangiles, contrairement aux idées solidement ancrées, n'était nullement malveillant. Le vinaigre, ou vin aigre, était une boisson acidulée, réputée stimulante, souvent utilisée alors par les soldats romains en cas de blessure ou par les esclaves des galères trop épuisés pour poursuivre leur tâche.

Mais curieusement, dans le cas de Jésus, le vinaigre produit l'effet inverse. À peine a-t-il senti, ou goûté l'éponge qu'il prononce ses dernières paroles et « rend l'esprit ». Une telle réaction s'avère donc physiologiquement inexplicable, à moins que l'éponge n'ait été, non pas imprégnée de vinaigre, mais imbibée d'une drogue ou d'un soporifique, d'un mélange d'opium et de belladone par exemple comme il s'en fabriquait alors couramment au Proche-Orient... Mais pourquoi avoir voulu donner à Jésus une telle drogue ? Pourquoi, sinon pour avoir là aussi voulu obéir à l'une des exigences d'un ingénieux stratagème tendant à accréditer la mort de la victime, cette dernière étant encore en vie. Ainsi sauvait-on non seulement la vie de Jésus mais on réalisait aussi, apparemment du moins, les prophéties de l'Ancien Testament.

Même en dehors de ce contexte, d'autres aspects de la Crucifixion sont aussi sujets à caution. Ainsi le lieu même de la Crucifixion dans les Évangiles se situe au « Golgotha », c'est-à-dire au lieu-dit « du crâne », identifié par la tradition comme la colline, dénudée et plus ou moins en forme de crâne, située au nord-ouest de Jérusalem. Or le site de la Crucifixion ne ressemblait à rien de tel puisqu'on trouve dans le quatrième Évangile la description suivante : « Or il y avait un jardin au lieu où il avait été crucifié, et, dans ce jardin, un tombeau neuf, dans lequel personne n'avait encore été mis » (Jean XIX, 41). Jésus fut donc crucifié dans un jardin contenant un tombeau privé, ou dans un lieu très proche, et non dans l'un de ces endroits publics réservés aux exécutions, au sommet d'une colline dénudée. Selon Matthieu (XXVII, 60), la tombe et le jardin étaient même la propriété personnelle de Joseph d'Arimathie, homme riche et disciple secret de Jésus.

La tradition populaire dépeint par ailleurs la Crucifixion comme un événement important, ouvert à tous, et auquel assista une foule de spectateurs. Là encore il y a contradiction totale, les Évangiles, eux, faisant état d'une version différente. Chez Matthieu, Marc et Luc en effet, les amis de Jésus, parmi lesquels figuraient de nombreuses femmes, assistaient à l'exécution et se tenaient « à distance », ce mot, encore une fois, confirmant que celle-ci se déroulait en privé, dans une propriété particulière, probablement le jardin de Gethsémanie. Si ce jardin appartenait donc à l'un des disciples « secrets » de Jésus, son utilisation par Jésus avant sa Crucifixion devient en outre parfaitement plausible[24].

Faut-il préciser par suite qu'une mise en croix se déroulant dans ces conditions, et suffisamment loin des regards, autorisait n'importe quel scénario orchestré en fonction d'un événement attendu, les spectateurs se trouvant en effet dans l'impossibilité de vérifier l'identité du crucifié et moins encore de s'assurer s'il était vraiment mort ou non ?

Bien sûr une telle mystification nécessiterait évidemment la connivence de Ponce Pilate ou d'un membre influent de l'administration romaine. Or cette complicité peut parfaitement s'envisager, Pilate étant cruel et tyrannique, corrompu aussi, et sûrement facile à soudoyer. Pourquoi aurait-il donc hésité à échanger la vie de Jésus contre de l'argent ou contre sa promesse de ne plus intervenir dans la vie politique nationale ? Même sans aller jusque-là, il n'en reste pas moins indiscutable qu'il fut mêlé de très près à toute cette affaire, qu'il connaissait parfaitement les aspirations de Jésus au titre de « Roi des Juifs », et qu'il s'étonna ou feignit de s'étonner de sa mort rapide, avant d'accepter de livrer, point essentiel, le corps de Jésus à Joseph d'Arimathie...

Selon la loi romaine, un crucifié n'avait pas droit à la sépulture[25], et des gardes étaient généralement placés près de la croix pour empêcher parents ou amis de venir l'enterrer. La victime était abandonnée sur la croix, livrée aux éléments et aux oiseaux de proie. Or Pilate, transgressant délibérément la loi, permit à Joseph d'Arimathie d'enlever le corps. N'est-ce pas là, entre toutes, la preuve flagrante de sa complicité, cette preuve attestant bien d'autres choses encore ?

Dans l'Évangile de Marc en effet, Joseph d'Arimathie réclame à Pilate le corps de Jésus. Celui-ci s'étonnant alors de cette fin si rapide la fait vérifier par un centurion et, satisfait, octroie le corps à Joseph. Apparemment donc tout est simple ; or dans la version grecque du même Évangile, le contexte est beaucoup plus compliqué, car lorsque Joseph demande le corps il utilise le mot *soma*, terme s'appliquant uniquement aux corps en vie, alors que Pilate, ayant également consenti à donner suite à sa requête, use cette fois du mot *ptoma* signifiant corps-cadavre[26]..., version des faits laissant clairement entendre qu'en l'occurrence la demande de Joseph concernait un corps vivant, l'autorisation de Pilate ayant trait à un corps mort, ce dernier, peut-être, feignant du moins de le croire tel.

La loi romaine refusait la sépulture aux crucifiés, et dans ces conditions, on s'étonne que Joseph ait reçu l'autorisation de disposer du corps de Jésus. Mais pour quelle raison le réclamait-il ? Avait-il seulement des droits sur lui ? Ou agissait-il en disciple « secret » du condamné, cette seule démarche constituant un aveu ? à moins que Pilate ne connût déjà ses convictions, ou qu'un autre facteur ne justifiât la prière de Joseph d'Arimathie.

On sait peu de chose sur Joseph d'Arimathie, si ce n'est qu'il était membre du Sanhédrin, le Conseil des Anciens dirigeant la communauté juive de Jérusalem sous les auspices romains, et possédait des biens assez importants, au nombre desquels figurait ce jardin aux portes de la ville, avec un tombeau. En revanche, ce qui est certain, c'est qu'il jouissait d'une influence suffisamment importante pour pouvoir entretenir des relations concrètes avec Pilate.

La tradition médiévale, elle, va encore plus loin puisqu'elle attribue à Joseph d'Arimathie la garde du Saint Graal, et voit en Perceval l'un de ses descendants. Selon même certaines sources plus récentes, des liens de sang l'auraient uni à Jésus et à sa famille, hypothèse l'autorisant évidemment en toute légitimité à réclamer le corps de son parent et permettant d'autant plus à Pilate, facile à suborner, d'accepter de le lui livrer.

En un mot, si Joseph d'Arimathie, membre riche et influent du Sanhédrin, a été véritablement parent de Jésus, nous avons là la preuve des origines aristocratiques de ce dernier. Cette parenté avec Jésus apporte en tout cas une explication quant à ses liens avec le Saint Graal et le « Sang Royal ».

Le scénario

Nous avons déjà tenté une hypothèse relative à l'existence d'une lignée issue de Jésus. Nous allons maintenant lui donner de nouvelles dimensions et une plus grande cohérence, grâce à l'explication, même provisoire, de certains détails décisifs.

Jésus, manifestement prêtre-roi, aristocrate et prétendant légitime au trône de Palestine, a essayé de recouvrer son héritage légitime. Natif de Galilée, profondément hostile au régime imposé par les Romains, il comptait à travers le pays, particulièrement dans la capitale, Jérusalem, de nombreux partisans riches et influents ; parmi eux figurait un membre puissant du Sanhédrin, probablement l'un de ses parents. Le prêtre-roi disposait aussi, grâce à sa femme ou à sa belle-famille, d'une grande maison à Béthanie, dans les faubourgs de Jérusalem, où il séjourna la veille de son entrée triomphale dans la capitale. C'est dans cette maison qu'il conviait ses disciples à des initiations rituelles, comme ce fut le cas pour son beau-frère.

Ce faisant, il ne pouvait que susciter un important mouvement d'opposition à son égard parmi l'administration romaine et certains milieux juifs traditionnels comme les sadducéens qui réussirent apparemment à contrecarrer ses projets sans pour autant parvenir complètement à le neutraliser, en raison notamment de ses appuis en haut lieu. En connivence avec un procurateur romain corrompu, ceux-ci décidèrent alors de manigancer un simulacre de crucifixion, dans une propriété privée, à laquelle n'assistaient que quelques intimes, le public ayant été contenu à distance suffisante. Ainsi se déroula une prétendue exécution, au terme de laquelle un inconnu ayant pris sur la croix la place du prêtre-roi fit mine de mourir. Puis sous couvert d'une pénombre crépusculaire, on emporta le « corps » jusqu'à une tombe voisine d'où un ou deux jours plus tard il disparut « miraculeusement »...

En admettant ce scénario exact, qu'advint-il alors de Jésus ?

Dans la mesure où la notion de lignée est acquise, ni cette question ni sa réponse ne présentent un intérêt capital. Les hypothèses les plus diverses ont d'ailleurs été avancées sur sa fin et sa mort, les légendes indienne et islamique le faisant vivre jusqu'à un âge avancé, quelque part à l'Est, au Cachemire le plus souvent, un Australien ayant, lui, de son côté, démontré de façon assez convaincante qu'il était mort à Masada, lors de la prise de la forteresse par les Romains en l'an 74[27].

Enfin, selon la lettre que nous avions nous-mêmes reçue, les documents trouvés par Bérenger Saunière à Rennes-le-Château contenaient la preuve « formelle » que Jésus était encore vivant en 45 ; mais où ? En Égypte peut-être, à Alexandrie où, à cette même époque, Ormus créait la Rose-Croix en tentant de concilier les principes chrétiens et les anciens mystères pré chrétiens ? Ou bien dans les environs de Rennes-le-Château où, allait-on jusqu'à dire, était caché le corps momifié de Jésus, cette hypothèse expliquant alors le message chiffré des parchemins de Saunière : « IL EST LÀ MORT »… ?

Or, à notre avis, il y a bien peu de chances pour qu'il ait accompagné sa famille à Marseille. D'abord en raison de son mauvais état physique, ensuite parce que sa présence aurait présenté d'inutiles dangers pour ses proches. Mieux valait par conséquent rester en Terre sainte, et avec son frère saint Jacques poursuivre ses objectifs.

Force nous est donc de reconnaître que nous n'avons aucune hypothèse satisfaisante à formuler sur ce qu'il advint de Jésus après la Crucifixion, mais, répétons-le, dans les limites de notre enquête, ce détail ne nous semble pas du tout essentiel. En revanche, ce qu'il advint de son beau-frère, de sa femme et de ses enfants présente à notre sens beaucoup plus d'intérêt. En effet, nous l'avons vu, ayant quitté ensemble la Terre sainte en bateau ils débarquèrent à Marseille. Détentrice d'un inestimable trésor, Marie de Magdala, la Magdaléenne, apportait en France avec elle le « Sangraal », le « Sang Royal », l'avenir sacré de la maison de David.

13

Le grand secret de l'Église

Ce scénario, nous en étions pleinement conscients, était pour le moins fort éloigné de l'enseignement chrétien traditionnel. Mais plus nous progressions dans cette voie, plus cet enseignement, vieux de plusieurs siècles, nous semblait résulter d'options, d'éliminations et de remaniements pratiqués sur la base de matériaux beaucoup plus denses et disparates. En d'autres termes, le Nouveau Testament offrait une image de Jésus et de son époque conforme aux nécessités et intérêts de sociétés et d'individus ayant, à des degrés divers, de lourds enjeux à préserver. Aussi avaient-ils effacé tous les éléments gênants ou embarrassants, comme l'Évangile « secret » de Marc par exemple, pour ne laisser subsister qu'une mouture de textes peu compromettants, justifiant et appelant toutes les conjectures possibles.

Si Jésus était prétendant légitime au trône, il avait probablement acquis, au début du moins, le soutien d'une partie non négligeable de la population – famille immédiate, membres de l'aristocratie locale et personnalités de la Judée et de Jérusalem. Mais c'était évidemment insuffisant pour l'aider dans la réalisation de ses projets, dont le principal était de s'emparer du trône. Il s'était donc trouvé dans l'obligation de solliciter un appui plus substantiel auprès des diverses autres couches de la société, et pour cela il avait adopté le procédé le plus sûr pour lui attirer des partisans, celui de délivrer un message. Non pas l'un de ces messages cyniques et subversifs d'aujourd'hui, mais un message tout de noblesse et de générosité, de bonne foi et d'idéalisme, ayant néanmoins, en dépit de sa profonde originalité sur le plan du contenu religieux, pour objectif fondamental de remporter le plus grand nombre d'adhésions possible. Jésus s'adressa donc d'abord aux opprimés, aux affligés et aux persécutés, foule innombrable d'humbles et de malheureux particulièrement disposés à entendre des paroles de réconfort et d'espoir.

Si le lecteur moderne voulait bien quelques instants faire fi des innombrables préjugés et idées toutes faites qui obscurcissent collectivement notre jugement, il discernerait là un mécanisme extraordinairement semblable à celui que nous rencontrons un peu partout aujourd'hui autour de nous, mécanisme consistant à unir les individus au nom d'une cause commune pour en faire les instruments de la victoire contre un régime despotique et dominateur. Éthique et politique, le message de Jésus fut donc destiné avant tout aux affligés et aux persécutés, aux humbles et aux malheureux, pouvant lui apporter le soutien dont il avait besoin, et non aux sadducéens, collaborateurs des Romains, fort peu enclins à partager leurs biens ou à compromettre leur sécurité.

Or le message de Jésus, tel que nous le transmettent les Évangiles, n'avait en soi rien de nouveau ni d'exceptionnel puisque l'on y trouve des éléments de la doctrine pharisaïque et, comme le prouvent les manuscrits de la mer Morte, des traces manifestes de la pensée essénienne. Mais si l'enseignement n'était pas vraiment original, en revanche son mode de transmission, lui, l'était : Jésus en effet possédait à un très haut degré le don du charisme, celui de guérir et de faire des miracles, de parler aux foules à l'aide de paraboles imagées et évocatrices, accessibles à tous. En outre, contrairement à ses précurseurs esséniens, il ne se confinait pas dans l'annonce de la venue d'un messie ; il se présentait lui-même comme ce messie et sa crédibilité comme son autorité s'en trouvaient fortement accrues.

Il est certain que lors de son entrée à Jérusalem Jésus avait recruté un nombre appréciable de disciples. Mais ceux-ci, il faut bien le préciser, se composaient de deux catégories distinctes, dont les intérêts divergeaient fondamentalement. D'un côté le petit noyau d'« initiés » – famille immédiate, membres de la noblesse locale et personnalités influentes pressées de voir leur candidat installé sur le trône – ; de l'autre la foule, le petit peuple, plus pressé encore de voir s'accomplir la promesse contenue dans le message. Il est donc extrêmement important de bien marquer la distinction entre ces deux groupes dont les buts politiques étaient les mêmes, mais les motivations entièrement différentes.

Aussi l'unité, déjà difficile entre eux, cessa-t-elle tout à fait d'exister avec l'échec de leurs projets communs. Pris de peur, le petit noyau des proches se hâta aussitôt de sauver en priorité le seul trésor vraiment essentiel à ses yeux comme à ceux de toute famille noble ou royale, la lignée, fût-ce au prix de l'exil. Quant aux adeptes du message, indifférents au destin de la race, ils n'allaient s'attacher qu'à transmettre et à diffuser la bonne parole.

Ce message, nous le leur devons, c'est celui du christianisme, tel qu'il a traversé les siècles pour parvenir jusqu'à nous. Tant d'études et de traités ont été consacrés à la manière dont il a pu se développer et se propager qu'il est inutile d'aborder ici ce sujet. Disons seulement qu'avec saint Paul le message allait se cristalliser dans sa forme définitive, et que sur cette base s'élèverait tout l'édifice théologique de la foi chrétienne. On peut donc avancer qu'à l'époque où les Évangiles furent rédigés les principes essentiels de la nouvelle religion étaient déjà virtuellement définis.

Celle-ci, nous l'avons vu, essentiellement destinée à un auditoire romain ou romanisé, devait lui présenter favorablement les événements, c'est-à-dire en minimisant son rôle au désavantage des Juifs. Mais là n'est pas le seul élément de la liberté prise avec la réalité historique par le christianisme naissant. En effet les Romains, accoutumés à déifier leurs leaders, ayant divinisé César, il fallait aussi, pour leur permettre de rivaliser à armes égales, faire de Jésus un dieu. Et ce fut l'œuvre de Paul.

Mais pour s'imposer en Palestine, s'infiltrer et gagner la Syrie et l'Asie Mineure, la Grèce, l'Égypte, Rome et l'Europe occidentale, la nouvelle religion devait partout se faire accepter des populations, et se mesurer avec leurs croyances. En d'autres termes, les pouvoirs, la majesté, les miracles du nouveau dieu devaient être capables de concurrencer ceux des dieux qu'il voulait évincer. Bref si Jésus désirait s'implanter dans le monde romanisé de son époque, il lui fallait se présenter non comme un messie au vieux sens du terme, non comme un prêtre-roi, mais comme un véritable dieu incarné. Comme ses semblables syrien, phénicien, égyptien ou autres, il était donc tenu de traverser le monde souterrain et l'obscurité funèbre des Enfers pour en émerger, triomphant et rajeuni, avec le printemps. Rien d'étonnant par suite à ce que la notion de résurrection ait pris une telle importance, Jésus devant impérativement supporter la comparaison avec Tammuz, Adonis, Attis, Osiris, et l'innombrable cohorte des dieux mourant et ressuscitant qui peuplaient alors le monde et les consciences. C'est aussi la raison essentielle pour laquelle fut promulguée la doctrine de sa naissance d'une vierge, la raison enfin de la fête de la Pâque, fête de la mort et de la résurrection qui coïncidait avec les rites du printemps et de l'éternel renouveau des autres cultes et mystères contemporains.

Mais, dans la mesure où il fallait promouvoir le mythe d'un « dieu », sa famille terrestre, les contingences politiques et dynastiques de son histoire devenaient superflues car, liées comme elles l'étaient à une époque et à un lieu spécifiques, elles gênaient sa volonté d'universalité. C'est pourquoi elles furent systématiquement exclues de la biographie de Jésus, de même que toutes allusions aux zélotes et aux esséniens, car il eût été pour le moins embarrassant de mêler un dieu aux sordides détails d'une conspiration vouée de surcroît à l'échec. Seuls subsistèrent donc dans les Évangiles les textes que nous connaissons aujourd'hui, récits d'une simplicité austère, mythique, se déroulant incidemment dans une Palestine du Ier siècle occupée par les Romains, mais, fondamentalement, dans cet éternel présent propre à tous les mythes.

Tandis que le « message » commençait ainsi son destin, la famille et les disciples de Jésus partaient pour le leur. Ayant accusé les Hérode d'avoir fait disparaître avec les archives relatives aux familles juives nobles toutes les preuves de leurs droits au trône, ils émigrèrent à travers le monde, rapporte Julius Africanus au IIIe siècle, emportant avec eux les quelques documents ayant échappé à la destruction des années 66 à 74[1].

Mais cette famille pouvait devenir rapidement encombrante, dangereuse même pour le mythe. En effet, connaissant pour en avoir été témoin la réalité historique lui servant de fondement, elle risquait de le mettre en doute, de jeter le discrédit sur lui et, ce faisant, de compromettre gravement son expansion à venir. C'est pourquoi, très vite, le christianisme s'efforça d'effacer de son passé toutes traces d'une famille, d'une lignée et de ses ambitions ; il s'efforça de supprimer aussi, dans la mesure du possible, la famille elle-même. Ainsi s'expliquent le silence et la clandestinité de celle-ci, l'intolérance des premiers Pères de l'Église à l'égard de la moindre déviation hors des voies orthodoxes qu'ils s'efforçaient d'imposer et peut-être, aussi, l'une des origines de l'antisémitisme. En reconnaissant les Romains innocents et les Juifs coupables, les « adeptes du message » et propagateurs du mythe atteignaient en effet deux objectifs : ils adaptaient le message au public romain, et ils compromettaient la réputation de la famille de Jésus, qui était juive. L'antisémitisme ainsi provoqué allait en outre servir mieux encore leurs intérêts car, si la famille trouvait refuge dans une communauté juive de l'empire, peut-être, grâce à un soulèvement populaire habilement conduit, disposait-on là d'un moyen de réduire au silence ces témoins gênants.

Flattant ainsi l'auditoire romain, divinisant Jésus et utilisant les Juifs comme boucs émissaires, les germes de l'orthodoxie chrétienne avaient toutes les chances de rencontrer un terrain favorable, puis de se développer et de se fortifier au cours du IIe siècle. Plusieurs personnalités allaient aider à cette évolution, parmi lesquelles figure en bonne place Irénée, évêque de Lyon aux environs de 180.

Plus que tous les premiers Pères de l'Église, Irénée contribua en effet à donner une forme stable et cohérente à la jeune théologie chrétienne. Sa volumineuse *Réfutation de la fausse gnose, Libros Adversus Haereses*, dénonce et condamne avec véhémence toutes les déviations connues par l'orthodoxie depuis les plus lointaines origines des courants hérétiques ; à leur diversité, à leurs méfaits et à leurs erreurs, il oppose l'unité, la vérité et la supériorité de l'Église chrétienne, seule « digne d'attachement », seule capable d'offrir le salut, et hors de laquelle n'existent que des hérétiques dignes des pires châtiments.

La gnose était notamment aux yeux d'Irénée la plus néfaste des formes déviationnistes revêtues par la doctrine chrétienne. Reposant sur une expérience personnelle et sur une union individuelle avec Dieu, elle minimisait le rôle des prêtres et des évêques, et empêchait la réalisation d'une véritable unité. L'évêque de Lyon s'attacha donc à détruire le gnosticisme en décourageant la démarche personnelle au profit d'une foi collective devenue indiscutable grâce à l'établissement de certains dogmes définitifs. Ainsi naquirent un système théologique et un ensemble de principes fondamentaux codifiés de façon à ne laisser aucune place à l'initiative individuelle. À celle-ci, Irénée opposait une seule Église « catholique », c'est-à-dire universelle, fondée sur la tradition apostolique d'une part, et sur les Écritures d'autre part. Mais auparavant il lui fallait définir et fixer une fois pour toutes le contenu du message écrit qui allait désormais servir de canon. C'est ainsi qu'entre les mains d'Irénée le Nouveau Testament fut passé au crible, abrégé, allongé ou altéré selon les cas, pour constituer l'ensemble des textes que nous connaissons aujourd'hui.

Les hérésies n'en cessèrent pas pour autant, bien au contraire; mais le christianisme, avec Irénée, était devenu une doctrine solide et structurée, condition indispensable à sa survie et à son succès. Dans cette perspective, on peut penser raisonnablement que l'évêque de Lyon prépara la voie aux événements survenus pendant et immédiatement après le règne de Constantin : la christianisation de l'Empire romain.

Le rôle de Constantin dans l'histoire et le développement du christianisme a fait l'objet d'interprétations aussi nombreuses qu'erronées, très embrouillées de surcroît par l'épisode de sa prétendue « donation ». C'est à lui pourtant, et non sans raison, que l'on attribue la victoire décisive des « adeptes du message » de Jésus; mais là encore, pour déterminer les circonstances réelles qui présidèrent à ce moment capital, il nous fallut faire la part de l'Histoire et de l'affabulation.

Selon la tradition ecclésiastique, Constantin avait hérité de son père un penchant marqué pour le christianisme. Dans la réalité, ce goût devait être lié de très près à des questions d'intérêt car les chrétiens étaient alors nombreux, et Constantin avait besoin de tous les soutiens possibles contre Maxence, son rival au trône impérial. En 312, Maxence ayant été vaincu au pont Milvius, Constantin restait seul maître de l'empire, mais auparavant s'était produit un fait où la légende allait largement le disputer à l'Histoire. Alors qu'il priait, Constantin, dit-on, vit apparaître dans le ciel une croix lumineuse entourée de la devise *In hoc signo vinces*, « Par ce signe, tu vaincras » ; puis une voix lui ordonna de placer les boucliers et les enseignes de ses soldats sous la protection de cet emblème. Aussitôt tous s'ornèrent du monogramme du Christ, formé des deux premières lettres, « X » et « P », le *khi* et le *rhô* grecs, du nom « Xpistos ». Ainsi allait être remportée la victoire du pont Milvius, désormais représentée comme le triomphe miraculeux du christianisme sur le paganisme.

Tel est donc, selon la tradition populaire, le rôle de Constantin dans la conversion de l'Empire romain à la nouvelle religion. Mais si, dans la légende, celle-ci lui doit tout, la réalité historique, inutile de le préciser, se présente de façon tout à fait différente et mérite d'être analysée avec beaucoup de soin.

Tout d'abord la « conversion » de Constantin, puisque tel est le terme consacré, ne fut en aucun cas chrétienne, mais indiscutablement païenne. Le futur empereur semble en effet avoir eu une sorte de vision, ou d'expérience de la divinité, près d'un temple païen dédié à Apollon Gaulois soit dans les Vosges, soit dans les environs d'Autun. Selon un témoin qui accompagnait Constantin et son armée, la vision représentait le dieu du soleil, adoré dans certains cultes sous le nom de « Sol Invictus » (Soleil Invincible), et il est très vraisemblable que Constantin, juste avant cette apparition, avait été initié à l'un de ces mystères, car lorsque le sénat romain éleva un arc de triomphe près du Colisée pour célébrer la victoire du pont Milvius, il dédicaça le monument en ces termes : *instinctu divinitatis*, mots très vagues en définitive, mais qui faisaient état d'une victoire due « à l'inspiration de la divinité ». Or celle-ci, dans une Rome imprégnée de paganisme, ne pouvait être Jésus, ni autre que « Sol Invictus », le dieu du soleil[2].

Contrairement à ce que l'on croit trop souvent, Constantin en outre ne reconnut nullement le christianisme comme religion officielle de l'Empire romain. En réalité on ne cessa d'adorer sous son règne le soleil, et lui-même, toute sa vie, fut le haut prêtre de son culte. Ce « Soleil Invincible » était d'ailleurs partout, sur les bannières impériales et sur toutes les monnaies frappées dans le royaume. L'image de Constantin transformé en chrétien fervent est donc contraire à la vérité, surtout si l'on pense qu'il ne se fit baptiser qu'en 337, sur son lit de mort, trop faible apparemment pour manifester la moindre opposition. Quant au monogramme formé du *khi* et du *rhô* grecs, il est impossible de lui faire revêtir une signification bien précise puisqu'une inscription semblable fut trouvée sur une tombe de Pompéi, datant de deux siècles et demi auparavant[3]...

Le culte du « Sol Invictus », d'origine syrienne, avait d'ailleurs été imposé à leurs sujets par les empereurs romains un siècle avant le règne de Constantin. Malgré certaines similitudes avec ceux de Baal et d'Astarté, c'était un culte essentiellement monothéiste car il octroyait au soleil tous les attributs des autres dieux, reconnaissant ainsi la primauté d'une seule divinité d'universel rayonnement. En outre il s'harmonisait avec le culte de Mithra, dieu solaire lui aussi et personnification d'un astre, vénéré alors dans tout l'Empire romain. Pour Constantin donc, soucieux à un point extrême d'unité, politique, religieuse ou territoriale, ce culte d'un soleil toujours vainqueur des ténèbres était parfaitement opportun et, dans la mesure où il coiffait l'ensemble des autres cultes, servait parfaitement ses objectifs.

Il fut donc relativement aisé au monothéisme chrétien de se glisser, puis de grandir et de se développer à l'ombre tolérante de l'astre déifié, ce dernier facilitant largement l'implantation de celui-là, le premier adaptant en retour certains de ses comportements à un rituel solaire depuis longtemps enraciné dans la terre romaine. Ainsi en 321, un édit de Constantin ordonna la fermeture des cours de justice le « jour vénérable du soleil », décrété désormais journée de repos. Or le jour consacré au culte divin était jusqu'alors chez les chrétiens celui du sabbat juif, le samedi. Celui-ci fut donc remplacé par le dimanche et la nouvelle religion, harmonieusement mêlée à l'ancienne, se dissocia un peu plus de ses origines juives. De même jusqu'au IVe siècle, la naissance de Jésus avait été célébrée le 6 janvier ; or pour le culte du dieu solaire invaincu, le jour le plus important de l'année, jour de sa fête aussi, était le 25 décembre, date à laquelle, l'astre reprenant pour une nouvelle année sa marche ascendante au lendemain du solstice d'hiver, les jours commencent à rallonger. Symbole de la naissance, ou de la renaissance entre toutes, cette date en tout cas allait être désormais, pour les chrétiens, celle de la naissance de Jésus.

Enfin, comme il existait de nombreux points communs entre les deux cultes de Mithra et du Sol Invictus[4] – même dieu, même jour de repos, même anniversaire du 25 décembre –, il allait naturellement en exister entre le christianisme et Mithra, l'un et l'autre mettant l'accent sur l'immortalité de l'âme, le jugement dernier et la résurrection des morts.

Fidèle à ses rêves d'unité, Constantin fit alors en sorte de réduire au maximum les différences entre les trois religions, et choisit délibérément de ne voir entre elles aucune contradiction. Ainsi toléra-t-il un Jésus divinisé, manifestation terrestre du Soleil Invincible. Puis il dota Rome d'une monumentale basilique chrétienne en faisant ériger de concert une statue tout aussi monumentale de la déesse mère Cybèle et en ordonnant de frapper ses portraits à l'effigie géante du dieu soleil. Gestes, dictés par l'éclectisme, d'un empereur essentiellement préoccupé par l'unité harmonieuse et la paix de son royaume… La foi chez lui était inséparable de la politique et, dans la mesure où elle était génératrice de cohésion, toute foi pour lui méritait entière tolérance.

Sans être donc à proprement parler le grand chrétien de la tradition, Constantin fit beaucoup pour l'unité et l'uniformité de l'orthodoxie chrétienne. En 325, il réunit à Nicée le premier concile œcuménique qui fixa la date de Pâques dans le calendrier liturgique, définit l'autorité des évêques, germe de la future toute-puissance ecclésiastique, et décréta par vote[5] que Jésus était un dieu, et non un prophète mortel. Mais ce ne sont ni la piété, répétons-le, ni les convictions religieuses qui lui dictèrent alors son attitude. S'il était un dieu, Jésus pouvait parfaitement s'entendre avec le soleil, dieu lui-même, mais s'il n'était qu'un prophète mortel, cet accommodement s'avérait beaucoup plus difficile. Ainsi l'orthodoxie chrétienne se prêta-t-elle sans réticence à sa fusion avec la religion d'État en échange du soutien sage et total de l'empereur romain.

L'année qui suivit le concile de Nicée, Constantin décida encore la destruction et la confiscation de toutes les œuvres, soit païennes, soit « hérétiques », dangereuses pour la nouvelle religion, puis il alloua à l'Église un revenu fixe et installa l'évêque de Rome dans le palais du Latran[6]. En 331 enfin, en commandant et en finançant la fabrication de nouveaux exemplaires de la Bible, il rendait à la religion chrétienne un inestimable service, unique dans toute son histoire.

En 303 en effet, un quart de siècle plus tôt, l'empereur païen Dioclétien avait ordonné la destruction du plus grand nombre possible d'écrits chrétiens. En confiant donc à ses rédacteurs le soin de remédier à ce mal, Constantin donnait aux gardiens du dogme l'occasion de réviser et de corriger les textes selon leurs convictions ou les nécessités du moment, ce dont ils ne se privèrent pas. C'est en effet à cette époque, très probablement, qu'eurent lieu les modifications les plus importantes du Nouveau Testament; à cette époque aussi que se précisèrent et se fixèrent des définitions relatives à Jésus sur lesquelles il serait désormais impossible de revenir.

L'incontestable importance du rôle de Constantin ne peut donc être sous-estimée. Des cinq mille exemplaires encore existants des premières versions du Nouveau Testament, aucun n'est antérieur au IVe siècle[7]. Le Nouveau Testament, tel que nous le connaissons aujourd'hui, est par suite né pour sa plus grande part au cours de ce siècle, ou lui est postérieur. En conséquence il ne peut être considéré que comme l'œuvre de gardiens de l'orthodoxie, d'« adeptes du message », pénétrés avant tout par l'obligation supérieure d'intérêts à sauvegarder.

Les zélotes

Ce travail de censure, pratiqué au IVe siècle sur les documents chrétiens antérieurs, excluait un certain nombre de textes, non moins anciens, non moins habilités à éclairer de leur propre lumière l'histoire et la signification du « message », non moins authentiques enfin que les récits des Évangiles officiellement retenus. On les désigna pourtant en employant le terme d'« apocryphes ».

Parmi eux figure l'Évangile de Pierre, dont un exemplaire, découvert dans une vallée du haut Nil en 1886, est déjà mentionné par l'évêque d'Antioche en 180. Selon lui, Joseph d'Arimathie était un ami intime de Ponce Pilate. Or ce point, s'il est exact, vient donner une certaine vraisemblance à l'hypothèse d'une crucifixion simulée. Selon Pierre aussi, la tombe où Jésus fut enterré était située dans un lieu dit « le jardin de Joseph », et les véritables derniers mots de Jésus sur la Croix furent : « Mon pouvoir, mon pouvoir, pourquoi m'as-tu abandonné[8] ? »

Un autre texte « apocryphe » non dénué d'intérêt est l'Évangile de l'enfance de Jésus-Christ qui date, au plus tard, du IIe siècle, et peut-être même d'une époque antérieure. Jésus y est décrit comme un enfant brillant mais éminemment humain, trop même. Violent et indiscipliné, il est enclin à la colère et à l'exercice irréfléchi de ses pouvoirs puisque, affirme-t-il, il lui arrive même de terrasser de la seule force de son regard quiconque prétend lui résister ! Cette dernière précision peut bien sûr n'être considérée que comme une exagération notoire, mais elle montre bien en tout cas l'aura surnaturelle qui s'attacha à lui dès son enfance.

Ces Évangiles de l'enfance de Jésus rapportent également un épisode curieux. Lors de sa circoncision, une vieille femme inconnue aurait recueilli le prépuce de l'enfant pour le conserver dans une boîte d'albâtre destinée à l'huile de nard ; et « c'est cette boîte d'albâtre que Marie la Pêcheresse se procura plus tard et utilisa pour verser le parfum sur la tête et les pieds de son Seigneur Jésus-Christ[9] ».

Certes l'onction semble ici, comme d'ailleurs dans les Évangiles officiels, dépasser sa propre dimension pour s'apparenter à une sorte de rituel. Mais dans ce cas précis ce n'est pas un événement fortuit ; cette onction, prévue et préparée depuis longtemps, suppose une entente préalable entre la Magdaléenne et la famille de Jésus, entente bien antérieure aux débuts de sa mission officielle à l'âge de trente ans. Même si cette curieuse requête était normale, les parents de l'enfant n'auraient certainement pas accordé son prépuce à n'importe qui, et le seul fait d'avoir osé le réclamer prouve que soit la vieille femme était en relation étroite avec eux, soit qu'elle était une importante personnalité de la contrée. De même, le fait que la Magdaléenne ait pu se trouver plus tard en possession de cette étrange relique, ou tout au moins de la boîte, prouve qu'elle avait, aussi, des liens évidents avec la vieille femme. Là encore les événements semblent se dérouler à deux niveaux, l'un, laissé dans l'ombre et non expliqué, devant être interprété à la seule lumière de l'autre.

Certains passages des livres apocryphes, notamment ceux relatifs à certains excès de sa jeunesse, étaient évidemment embarrassants pour les chrétiens de l'époque, comme ils le seraient d'ailleurs pour ceux d'aujourd'hui. Mais, rédigés eux aussi par des « adeptes du message » dans le contexte de la divinisation de Jésus, ils ne contenaient finalement rien de véritablement compromettant pour ce message. Il nous fallait donc chercher ailleurs des précisions sur les activités politiques ou les ambitions dynastiques de Jésus.

Un nombre important de groupes, sectes et groupuscules juifs, religieux et autres, se partageaient la Terre sainte à l'époque de Jésus. Les Évangiles pour leur part en mentionnent deux seulement, les pharisiens et les sadducéens, les premiers, on l'a vu, hostiles à l'occupant romain, les seconds bien adaptés au contraire à sa présence. Or Jésus, lui, sans être véritablement un pharisien, était indiscutablement marqué par leur tradition[10].

Cette discrétion des évangélistes est probablement imputable à un souci de prudence aisément compréhensible de leur part. En revanche, leur silence absolu au sujet des zélotes, nationalistes militants et révolutionnaires, s'explique mal, le lecteur romain pouvant même, à la limite, s'étonner de ne voir jamais passer, dans les textes évangéliques, l'ombre de son pire ennemi. Existait-il donc dans ces conditions une raison plausible à ce mutisme ? La réponse, le Pr Brandon semble l'avoir trouvée[11] : Jésus était probablement lié de très près avec les zélotes, et les Évangiles, pour éviter de le compromettre dangereusement, ont préféré glisser sur le sujet et le taire définitivement.

Jésus, c'est certain, fut crucifié en tant que zélote, entouré de deux autres *lestai*, terme désignant les zélotes dans la bouche des Romains. Certains passages des Évangiles démontrent d'ailleurs de sa part une véhémence et une agressivité militariste dignes des leurs. Ne déclare-t-il pas, ici, apporter non la paix, mais la guerre ? Ne commande-t-il pas, ailleurs, à chacun de posséder sa propre épée (Luc XXII, 36) ? Et plus loin encore, après la célébration de la Pâque, ne compte-t-il pas lui-même les glaives aux mains de ses disciples (Luc XXII, 38) ? Lors de son arrestation enfin, dans le quatrième Évangile, Simon Pierre est armé aussi, et ces différentes images, il faut en convenir, s'accordent mal avec celle du sauveur pacifique que nous connaissons, ne pouvant accepter par principe de voir l'un de ses disciples favoris brandir l'épée à ses côtés.

Jésus était-il donc zélote ? Non probablement, mais il est hors de doute qu'il avait des liens étroits avec ce mouvement révolutionnaire. Barabbas est décrit comme un *lestai*, Jacques, Jean et Simon Pierre ont également de toute évidence des sympathies parmi les zélotes et le sont peut-être même comme peuvent le laisser supposer les noms sous lesquels ils sont désignés dans les Évangiles ; Judas Iscariote, on le sait d'ailleurs, est une déformation de « Judas le Sicarii », c'est-à-dire « le Zélote », ce terme désignant plus particulièrement l'élite des assassins professionnels ; enfin le disciple connu sous le nom de Simon est appelé *Kananaios* dans la version grecque du texte de Marc, équivalent du mot araméen signifiant lui aussi « zélote ». (On trouve parfois l'expression, erronée, de « Simon le Canaanite », mais Luc ne laisse aucun doute à ce sujet en parlant de « Simon Zelotes ».)

Si les zélotes sont donc absents des Évangiles, ils ne sont pas les seuls : les esséniens le sont aussi. Comme ils constituent alors une secte aussi importante que celles des pharisiens et des sadducéens, il est impensable que Jésus ait pu les ignorer, Jean-Baptiste, croit-on, étant lui-même un essénien. Force est de constater par suite que leur exclusion des Évangiles tient aux mêmes raisons que celle concernant les zélotes : Jésus était en rapport étroit avec eux, nul ne l'ignorait, et dans ces conditions il était préférable pour les évangélistes de garder le silence à leur égard, et de ne pas les mentionner.

On sait que depuis leur apparition, en 150 avant notre ère, les esséniens avaient fondé de nombreuses communautés en Palestine et hors de ses frontières. Leur lecture de l'Ancien Testament s'accompagnait d'une interprétation des textes plus allégorique que littérale, et ils avaient tendance à rejeter le judaïsme conventionnel au profit d'une forme de dualisme gnostique mêlé de pensée pythagoricienne et de culte solaire. Très versés dans les disciplines thérapeutiques, ils étaient connus pour leurs talents de guérisseurs ainsi que pour leur ascétisme et le grand vêtement blanc qui ne les quittait jamais.

Les célèbres manuscrits trouvés à Qumran sont aujourd'hui considérés comme esséniens, et il est vrai que la communauté d'ascètes installée près de la mer Morte présentait de nombreux points communs avec eux : mêmes éléments d'une théologie dualiste, même importance accordée à la venue d'un messie, oint et descendant de la lignée de David[12], même calendrier – conforme aussi au quatrième Évangile – fixant au mercredi et non au vendredi la célébration de la Pâque, enseignement identique, enfin, sous de nombreux aspects. Or ce dernier point nous paraît important car il peut laisser supposer que Jésus connaissait les membres de la communauté de Qumran et qu'il s'inspira par suite de leur doctrine pour élaborer la sienne; peut-être même, va jusqu'à avancer aujourd'hui un spécialiste des manuscrits de la mer Morte, leur interprétation de l'Ancien Testament lui servit-elle à guider ses pas en fonction des espérances en un messie que l'on trouve dans les textes de l'ancienne alliance[13].

Mais on rencontre ailleurs que dans son enseignement et ses talents de guérisseur les marques de l'influence essénienne sur la personnalité et dans l'existence de Jésus.

Les esséniens étaient en effet facilement identifiables à leurs vêtements blancs qui, n'en déplaise à de nombreux peintres et metteurs en scène actuels, n'étaient pas extrêmement répandus alors en Terre sainte. Or dans l'Évangile « secret » de Marc, la robe blanche est inséparable de l'idée de rituel et si Jésus présidait tout de blanc vêtu des mystères initiatiques, à Béthanie ou ailleurs, on peut être certain qu'il s'agissait là de cérémonies de caractère essénien. On retrouve d'ailleurs cette même notion de vêtement blanc dans les quatre Évangiles officiels, notamment après la Crucifixion, puisque c'est un personnage en blanc qui occupe la tombe lorsque le corps de Jésus a disparu « miraculeusement ». Même caractéristique chez Matthieu (XXVIII, 3) où il est question d'un ange dont la robe est également « blanche comme neige » ; chez Marc (XVI, 5) aussi : un jeune homme « vêtu d'une robe blanche ». Quant à Luc (XXIV, 4), il parle de « deux hommes en habit éblouissant », le quatrième Évangile (XX, 12) évoquant de son côté « deux anges en vêtements blancs ». Deux de ces récits font par ailleurs allusion à des êtres non pas surnaturels, mais mortels et inconnus des disciples, des esséniens donc selon toute vraisemblance. On peut en effet supposer que, Jésus ayant été descendu de la Croix dans un état de faiblesse extrême, les soins d'un guérisseur avaient été indispensables et qu'il avait fallu par conséquent faire appel à un essénien dont les talents dans ce domaine étaient alors reconnus dans toute la Terre sainte. Même si Jésus présentait toutes les apparences de la mort, on avait forcément sollicité l'intervention d'un des hommes réputés les plus qualifiés en la matière.

Selon notre hypothèse, une fausse crucifixion fut donc organisée avec la complicité de Pilate, dans une propriété privée, par certains des partisans de Jésus. Non pas des « adeptes du message », mais des protecteurs de sa lignée, famille immédiate, amis intimes, membres de son entourage proche. Peut-être étaient-ils en rapport avec des esséniens, peut-être étaient-ils esséniens eux-mêmes, mais de toute façon eux seuls étaient au courant du stratagème, contrairement à l'ensemble des partisans de Jésus, les « adeptes du message » représentés par Simon Pierre.

Transporté dans le tombeau prêté par Joseph d'Arimathie, Jésus avait besoin par suite d'une sorte de surveillance médicale, ce qui explique la présence d'un ou de deux esséniens. De même, plus tard, il fallut poster près du tombeau vide un comparse, inconnu de l'ensemble des disciples, ayant pour mission de rassurer les « adeptes du message », d'expliquer l'absence de Jésus à ses amis et de prévenir les accusations de vol et de profanation de tombe que ces derniers ne manqueraient pas de lancer contre les Romains, sans se soucier de provoquer un incident diplomatique.

Le scénario se déroula-t-il vraiment ainsi ? Nul ne peut l'affirmer, mais une chose reste certaine, c'est le lien existant entre Jésus et les zélotes d'une part, Jésus et les esséniens de l'autre, malgré les différences notoires, pour ne pas dire incompatibles, du moins en apparence, caractérisant les deux communautés, les premiers, on l'a vu, étant agressifs, querelleurs, prêts à n'importe quel acte de violence pour défendre leurs convictions, les seconds sereins et pacifistes, détachés de tout engagement politique. Or les zélotes, faction politique et non secte religieuse, n'en comptaient pas moins dans leurs rangs non seulement des pharisiens, hostiles aux Romains, mais de nombreux esséniens, capables eux aussi, lorsqu'il le fallait, de prouver leur patriotisme.

Les liens entre zélotes et esséniens apparaissent d'ailleurs clairement dans les écrits de Josephus, qui relatent à peu près tout ce que l'on sait sur la Palestine du Ier siècle. Né en 37 d'une grande famille juive, Joseph ben Matthias avait été nommé gouverneur de Galilée au début de la rébellion de 66, date à laquelle il prit le commandement des troupes s'opposant aux Romains. Mais, rapidement capturé par l'empereur Vespasien, il tourna casaque et devint un collaborateur zélé, acquit la citoyenneté romaine sous le nom de Flavius Josephus (Flavius Josèphe), et abandonna sa femme pour une riche héritière romaine. Puis il accepta de l'empereur différentes largesses et faveurs dont un appartement privé dans le palais impérial et une terre confisquée aux Juifs. C'est au cours de l'année 100, celle de sa mort, que l'on vit paraître les premières de ses nombreuses chroniques.

Son ouvrage *De la guerre des Juifs*, source de nombreux traités ultérieurs, nous offre notamment un récit détaillé de l'insurrection survenue entre 66 et 74 et de son issue désastreuse, ainsi que des circonstances du sac de Jérusalem, du pillage du Temple, de la chute enfin, en 74, de la forteresse de Masada au sud-ouest de la mer Morte.

Comme Montségur quelque douze cents ans plus tard, Masada allait rester dans l'Histoire le symbole de l'héroïsme, de la ténacité et du martyre d'un peuple au service d'une cause perdue. Dernier bastion de résistance face à l'ennemi vainqueur, la forteresse, on le sait, avait supporté longtemps sans faiblir les assauts de la lourde machinerie militaire romaine ; puis lorsque, la nuit du 15 avril, il apparut certain que l'ennemi s'apprêtait à pénétrer dans la citadelle par une brèche, neuf cent soixante hommes, femmes et enfants, comme à Montségur, choisirent de périr ensemble en se suicidant à l'intérieur des murailles, de telle sorte qu'au matin les Romains ne trouvèrent que des corps calcinés dans un reste de flammes.

Josephus accompagnait les troupes romaines à l'aube du 16 avril, et avec elles, il pénétra dans le charnier de Masada. Trois survivants, une femme et deux enfants cachés pendant le drame dans les égouts de la forteresse, lui racontèrent les horribles événements de la nuit, un certain Éleazar (Lazare ?), commandant la garnison, ayant selon eux utilisé toute son éloquence, toute sa persuasion à convaincre les rebelles de l'atroce nécessité où ils se trouvaient de mourir ensemble.

Flavius Josephus nous rapporte dans sa chronique ces exhortations d'Éleazar telles qu'il les entendit de la bouche même des survivants, et ces propos sont pour nous d'un très grand intérêt, car ils font état d'une défense organisée par des militants zélotes, Josephus utilisant de son côté les termes de « zélotes » et de « sicarii ». Mais l'intérêt majeur de ces discours réside à notre avis dans leur contenu, très éloigné de la pensée juive traditionnelle, et indubitablement marqué d'influence essénienne et gnostique.

La vie, et non la mort, est considérée comme une « calamité » pour l'homme ; la vraie liberté, spirituelle et non charnelle, est donc obtenue par la destruction de la misérable enveloppe terrestre ; la nature divine et impérissable de l'âme s'oppose au corps mortel, lourd et encombrant, l'une emprisonnée dans l'autre mais lui insufflant la vie[14]..., autant d'éléments reflétant sans équivoque la doctrine dualiste des deux principes irréductibles commandant l'univers. S'en inspirant totalement, Éleazar, exhortant à la mort les occupants de la forteresse de Masada, les compare à ces hommes courageux, ayant hâte de libérer leurs âmes de leurs enveloppes charnelles sans y être impérativement tenus, et si désireux d'atteindre la vie éternelle qu'ils proclament autour d'eux leur départ imminent[15].

Personne, à notre connaissance, n'a encore songé aujourd'hui à commenter ces paroles et c'est tout aussi étonnant que regrettable, car elles soulèvent de nombreuses interrogations. Jamais auparavant, en effet, aucun texte juif n'avait fait semblable allusion à l'âme, et moins encore à sa nature invisible, immortelle ou impérissable. Un tel concept était totalement étranger à la tradition judaïque, comme l'était celui de la suprématie de l'esprit sur la matière, de l'union avec Dieu dans la mort et de la condamnation de la vie, œuvre du diable. Tous ces thèmes, gnostiques et dualistes, avaient une autre mystérieuse origine, et dans le contexte de Masada il ne peut s'agir que d'une origine essénienne.

Or, dans leurs grandes lignes, ces allocutions d'Éleazar peuvent être, au même titre, aussi bien considérées comme chrétiennes ; non pas dans le sens qu'allait prendre ce mot ultérieurement, mais comme l'entendaient les premiers disciples de Jésus, prêts, on s'en souvient, dans le quatrième Évangile, à rejoindre Lazare dans la mort. Faut-il donc en conclure que certains chrétiens pouvaient également figurer parmi les héroïques défenseurs de la citadelle puisque, au cours de cette insurrection, on le sait, un grand nombre d'entre eux combattirent contre les Romains avec autant d'ardeur que les Juifs eux-mêmes ? À l'appui de cette déduction ajoutons que beaucoup parmi les « premiers chrétiens » étaient en réalité des zélotes, et que tout par suite donne à penser qu'ils participèrent effectivement à la résistance de Masada.

L'historien Flavius Josephus, il est vrai, ne suggère rien de tel, à moins que certaines allusions n'aient été supprimées plus tard de ses textes... De même peut-on à juste titre s'étonner qu'un historien de la Palestine, écrivant au Ier siècle, n'ait jamais mentionné le nom de Jésus, sinon dans des éditions postérieures, et de façon tellement conforme à une orthodoxie déjà très structurée dans ses définitions qu'on a tout lieu de croire qu'il s'agit en l'occurrence d'additions datant de l'époque de Constantin.

En revanche, un exemplaire de cette *Guerre des Juifs* de Josephus, très différent des autres, a été découvert en Russie. Transcrit en ancien slave, le texte date approximativement de 1261, et l'auteur de la traduction ne semble pas être un Juif orthodoxe car il retient de nombreuses références « pro-chrétiennes ». Dans cette version de Josephus, Jésus est cependant décrit comme un être humain, un révolutionnaire politique et, surtout, un « roi qui n'a pas régné[16] », présentant « à la manière des Naziréens[17] » une ligne dans le milieu de la tête, précise encore le texte.

On a bien entendu beaucoup et longtemps controversé sur l'authenticité de ce « Josephus slave ». Mais pour notre part nous aurions plutôt tendance à le considérer comme vrai et à y voir la transcription d'un ou de plusieurs exemplaires de l'œuvre de l'historien ayant échappé à la destruction ordonnée par Dioclétien, puis au zèle des rédacteurs de Constantin. Plusieurs considérations nous ont en effet amenés à cette conclusion. Quel intérêt d'abord y aurait-il eu à inventer un « Josephus slave » ? Son image d'un Jésus roi aurait difficilement été acceptée par le public juif du XIIIe siècle ; et celle de Jésus, être humain à part entière, ne l'aurait pas davantage été de la Chrétienté de l'époque. Et puis surtout pourquoi existe-t-il chez Origène, exégète et théologien du début du IIIe siècle, une allusion précise à une version de l'œuvre de Josephus où l'auteur dénie à Jésus tout rôle de messie[18] ? C'est donc, selon nous, probablement là qu'il convient de chercher les véritables origines du texte slave de Flavius Josephus.

Les écrits gnostiques

Un second soulèvement contre l'autorité romaine eut lieu, on l'a vu, soixante ans après le premier, entre 132 et 135. À son issue, tous les Juifs furent expulsés de Jérusalem qui devint cité romaine. Mais l'Histoire, depuis longtemps déjà, ne s'intéressait plus à la Terre sainte, et nous ne savons rien des événements qui s'y déroulèrent au cours des deux siècles suivants ; sans doute ceux-ci ne furent-ils pas fondamentalement différents de cet « âge des ténèbres » où se trouvait alors plongée l'Europe entière.

Si un grand nombre de croyants juifs et chrétiens restèrent cependant en Palestine, hors de Jérusalem, la majorité d'entre eux franchirent les frontières de la Terre sainte, emportant et diffusant dans leur entourage les grands principes de leurs doctrines respectives. La population juive qui se dispersa dans le monde entier vivait ainsi la deuxième diaspora de son histoire puisque déjà, sept cents ans auparavant, elle avait dû fuir Jérusalem tombée aux mains des Babyloniens. Quant à la Chrétienté, elle aussi s'engageait sur les grands chemins qui allaient la conduire en Asie Mineure, en Grèce et à Rome, en Gaule, en Angleterre et en Afrique du Nord. Malheureusement, en chaque lieu du monde civilisé où se fixait une communauté, prenait aussitôt racine une version différente des événements survenus autour de l'année 33 ; innombrables, obligatoirement divergents, ces récits qualifiés officiellement d'hérésies ne pouvaient que se propager et se développer un peu partout de manière très anarchique, en dépit des efforts conjugués de Clément d'Alexandrie, d'Irénée et de leurs semblables.

Certaines de ces « hérésies », selon le terme consacré, émanant de témoins oculaires, étaient soigneusement entretenues par des Juifs pieux ou convertis à l'une ou l'autre forme de christianisme, d'autres reposaient sur la légende et les rumeurs, ou encore sur diverses croyances de l'époque, égyptiennes, grecques ou mithriaques. Mais toutes en tout cas constituaient un grave danger pour les « adeptes du message » et pour l'orthodoxie, encore bien chancelante.

On sait cependant peu de chose sur elles, en dehors des informations, plus ou moins erronées, que firent circuler leurs ennemis. Selon ces dernières, ces hérésies se divisaient alors en deux courants principaux : celles qui considéraient Jésus comme un dieu à part entière, sans rien d'humain, ou presque, et celles pour lesquelles il n'était qu'un prophète mortel, un peu comme l'avait été Bouddha, ou comme le serait, un demi-millénaire plus tard, Mahomet.

Parmi les hérésiarques de la première heure figure Valentin, natif d'Alexandrie, qui passa la majeure partie de sa vie (136-165) à Rome et compta Ptolémée parmi ses adeptes. Prétendant posséder certains « enseignements secrets » de Jésus, il refusa de se soumettre à l'autorité et à la hiérarchie romaines, leur jugeant préférable la relation directe, source de connaissance personnelle, doctrine contraire au dogme déjà en vigueur, et qui ferait l'objet des plus violentes réfutations d'Irénée de Lyon.

Citons aussi Marcion, auteur d'une non moins grave hérésie. Riche propriétaire de navires, devenu évêque, il vint à Rome vers 140 mais son enseignement lui attira les foudres de l'excommunication quatre ans plus tard. En effet, il avait osé établir une distinction radicale entre la « loi » et l'« amour », respectivement associés à l'Ancien et au Nouveau Testament, idées que l'on retrouvera en partie plus de mille ans après, dans une œuvre comme *Perlesvaus*. Marcion fut également le premier écrivain à dresser une liste canonique des livres de la Bible, d'où il excluait la totalité de l'Ancien Testament, le considérant comme non conforme à son idéal. C'est d'ailleurs pour directement y répondre qu'Irénée en proposa aussitôt une autre, base de la Bible que nous lisons aujourd'hui.

Le troisième grand hérésiarque de cette époque fut Basilide, philosophe de l'École d'Alexandrie qui exprima ses convictions entre 120 et 130. Connaissant aussi bien les anciennes Écritures et les Évangiles chrétiens que les pensées égyptienne et hellénistique, il ne composa pas moins de vingt-quatre commentaires des Évangiles, promulguant, selon Irénée, la plus abominable des hérésies à savoir que la Crucifixion était une imposture : Jésus n'était pas mort sur la Croix car Simon de Cyrène y avait pris sa place[19].

De telles déclarations avaient évidemment de quoi surprendre, et pourtant elles s'avérèrent tenaces puisque, au VIIe siècle, le Coran avança la même argumentation, Simon de Cyrène étant également pour ce texte sacré l'homme crucifié à la place de Jésus[20]. Or c'est ce point de vue, le même exactement, dont nous avions pris connaissance, rappelons-le, dans la lettre mystérieuse du prêtre anglican, prêtre prétendant détenir la « preuve formelle » de cette substitution.

Mais c'est en Égypte, et particulièrement à Alexandrie, seconde ville de l'Empire romain, lieu de rencontre de toutes les civilisations, creuset d'une variété infinie de croyances et d'enseignements, où affluèrent croyants juifs et chrétiens après les deux insurrections de la Judée, que ces premières hérésies virent le jour. C'est donc en Égypte aussi, et selon toute logique, que nous allions trouver la preuve définitive de notre hypothèse, dans ces « Évangiles gnostiques » connus sous le nom de « manuscrits de Nag Hammadi ».

En décembre 1945, un paysan égyptien creusant près du village de Nag Hammadi, en Haute-Égypte, avait exhumé une jarre d'argile rouge renfermant treize parchemins enveloppés de cuir. Loin de se douter de l'importance de leur découverte, lui-même et sa famille utilisèrent alors une grande partie des documents à divers usages domestiques, jusqu'au jour où, par chance, des experts eurent vent de leur existence. L'un des textes retrouvés ayant été toutefois vendu hors d'Égypte, irrégulièrement et à des fins mercantiles, la « C.G. Jung Foundation » fit l'acquisition d'une partie d'entre eux, dans laquelle se trouvait le célèbre Évangile de Thomas.

Le gouvernement égyptien ayant ensuite nationalisé, en 1952, le reste de la collection de Nag Hammadi, c'est neuf années plus tard, en 1961, sous l'égide d'une assemblée d'expert internationaux, qu'eurent lieu la retranscription et la traduction effectives de l'ensemble des manuscrits. En 1972, l'édition photographique d'un premier volume était achevée et, en 1977 paraissait enfin en langue anglaise la première traduction de toute la collection des documents.

Celle-ci se compose d'un certain nombre de textes bibliques, chaque « codex » renfermant plusieurs traités, de caractère fortement gnostique, datant, semble-t-il, de la fin du IVe ou du début du Ve siècle. Ce sont des copies, dont les originaux remonteraient à une époque très antérieure puisque certains d'entre eux, l'Évangile de Thomas, l'Évangile de Vérité et l'Évangile des Égyptiens, sont déjà mentionnés par les premiers Pères de l'Église, Clément d'Alexandrie, Irénée de Lyon et Origène. Peut-être même, d'après certains, auraient-ils été, pour une grande part, rédigés avant l'année 150, l'un des textes au moins paraissant antérieur aux quatre Évangiles du Nouveau Testament[21].

Toujours est-il que ces manuscrits de Nag Hammadi constituent un ensemble remarquablement représentatif de la toute première littérature chrétienne, et dans ce sens ils n'ont rien à envier aux Évangiles. Rédigés à l'usage d'un public égyptien, ils n'ont été en effet l'objet d'aucun remaniement et n'ont subi aucune altération. Ils reposent avant tout sur des témoignages de première main, sur des récits recueillis par des Juifs fuyant la Terre sainte et ayant par suite eu des chances d'avoir connu personnellement Jésus. Garantissant ainsi une fidélité à la réalité historique que les Évangiles, pour leur part, sont incapables d'offrir, ils remplissent, à notre avis, les conditions les plus sérieuses d'authenticité.

Rien d'étonnant par conséquent à ce que ces manuscrits, non conformes aux dogmes de la nouvelle religion décidés par Rome, aient soulevé une violente hostilité parmi les « adeptes du message ». L'un d'eux par exemple, non daté, la « Paraphrase de Seth », fait état de l'argumentation utilisée par l'hérétique Basilide en déclarant que Jésus a échappé à la mort sur la croix grâce à une substitution ingénieuse.

> Je n'étais mort qu'en apparence, dit en substance Jésus dans ce texte, c'est un autre qui a bu à ma place le fiel et le vinaigre. Ils m'ont frappé avec le roseau mais c'est un autre, Simon, qui a porté la

croix sur ses épaules. C'est sur un autre qu'ils ont placé la couronne d'épines... Et moi je souriais de leur ignorance[22].

D'autres précisions encore, inexistantes dans les Évangiles officiels, apparaissent au grand jour dans les écrits de Nag Hammadi, tels certains signes manifestes d'un profond dissentiment entre Pierre et la Magdaléenne, éventuelle manifestation d'un schisme entre les « adeptes du message » et les protecteurs de la lignée de Jésus : Ma sœur, lit-on en effet dans l'Évangile de Marie, nous savons que le Sauveur t'aimait plus que toutes les autres femmes. Rapporte-nous les paroles dont tu te souviens, celles que tu as entendues et que nous ne connaissons pas[23]. Mais plus loin le disciple interroge, sans chercher cette fois à cacher son indignation. Allons-nous tous devoir l'écouter ? La préférait-il vraiment à nous ? A-t-il vraiment parlé en notre absence à une femme au lieu de parler ouvertement avec nous[24] ? Je le crois, répond alors à Pierre un autre disciple, car le Sauveur la connaissait mieux que quiconque, et c'est pourquoi il l'aimait plus que nous[25].

Plusieurs passages de l'Évangile de Philippe semblent d'ailleurs vouloir nous éclairer sur les raisons de cette discorde entre Pierre et Marie de Magdala, qui ressemble à s'y méprendre à une manifestation de jalousie. D'abord l'allusion à la chambre nuptiale[26], où d'aucuns ne manqueront pas de discerner une image symbolique ; mais mieux encore ces lignes très explicites : Elles étaient trois qui marchaient toujours avec le Seigneur ; Marie sa mère, sa sœur et la Magdaléenne, celle qu'on appelait sa compagne[27]. Sa compagne ?... Ou faut-il traduire ce terme par celui d'épouse[28] ? Philippe en effet laisse peu de doute à cet égard lorsqu'il relate sans ambiguïté le comportement de Jésus envers elle :

> La compagne du Sauveur était Marie de Magdala. Le Christ l'aimait plus que tous les disciples et souvent l'embrassait sur la bouche. Les autres disciples, précise-t-il alors, s'en offensaient sans chercher à dissimuler leur désapprobation, et demandaient à Jésus : Pourquoi l'aimes-tu davantage que chacun d'entre nous ? Et le Sauveur de répondre à son tour : Pourquoi ne l'aimerais-je pas plus que vous[29] ?

Les divers commentaires à ce propos dans l'Évangile de Philippe ne manquent pas eux non plus d'intérêt : – Il ne faut redouter ni la chair ni l'amour. Si vous les craignez, vous en serez l'esclave, mais si vous en abusez ils vous dévoreront et vous paralyseront tout entier[30]. – Et encore : – Grand est le mystère du mariage, car sans lui le monde n'aurait pas existé. L'existence du monde dépend de l'homme et celle de l'homme, du mariage[31]. – Puis, enfin : – Il y a le Fils de l'homme et il y a le fils du Fils de l'homme. Le Seigneur est le Fils de l'homme, et le fils du Fils de l'homme est celui qui est créé à travers le Fils de l'homme[32].

14

La dynastie du Graal

Ainsi grâce aux manuscrits de Nag Hammadi, l'éventualité d'une descendance directement issue de Jésus devenait vraisemblable. Quelle raison en effet de douter d'un témoignage « gnostique » certes, mais non moins authentique, ni moins digne de foi en lui-même que les textes du Nouveau Testament ? Quel motif particulier de rejeter en bloc une version des faits – même discutable, comme la substitution sur la Croix, la discorde entre Pierre et la Magdaléenne, le mariage de Jésus, et la naissance d'un « fils du Fils de l'homme » ? Qu'on nous entende bien cependant. Notre propos, répétons-le une fois encore, se situe avant tout au niveau historique et non point théologique. Or l'Histoire au temps de Jésus était aussi complexe qu'elle l'est aujourd'hui, et passible d'autant d'interprétation diverses.

Comme nous l'avons donc supposé précédemment, le conflit entre Pierre et Marie de Magdala évoqué dans les manuscrits de Nag Hammadi était très probablement le reflet de celui qui opposait alors les « adeptes du message » à ceux de la lignée de Jésus. Les premiers, non les seconds, devaient en sortir vainqueurs, et le cours de la civilisation occidentale allait s'en trouver transformé. La « parole » en effet rayonnerait et ferait tache d'huile sur cette partie du monde où, petit à petit, le monopole de la lecture, de l'écriture et de l'enseignement serait leur, ne laissant subsister aucune trace de la famille de Jésus et, par suite, aucune possibilité d'établir le moindre lien entre elle et la dynastie mérovingienne.

Non que la victoire ait été facile pour ceux qui s'appliquaient à défendre le message de Jésus, les hérésies continuant à proliférer après le IIe siècle, en dépit des efforts d'Irénée sur le plan théologique et de Constantin, sur le plan plus strictement politique, pour consolider la jeune orthodoxie.

Si donc l'ensemble de ces hérésies divergeaient quelque peu sur le plan théologique, elles avaient en commun un certain nombre de facteurs essentiels : gnostiques ou marquées de gnosticisme, elles refusaient la structure hiérarchisée de Rome et prônaient l'expérience personnelle en lieu et place d'une foi aveugle. Dualistes, elles considéraient le bien et le mal plutôt comme éléments d'un immense ensemble cosmique et non sous l'angle de notions éthiques spécifiquement terrestres. Jésus enfin était pour elles un être mortel, né humainement de parents humains ; un prophète, peut-être inspiré, mais sans rien de divin, mort sur la Croix ou ayant réussi à échapper à cette mort. Mettant l'accent sur l'humanité de Jésus, elles se référaient avant tout à l'autorité de saint Paul écrivant dans son épître aux Romains : « Jésus-Christ, notre Seigneur, né de la postérité de David selon la chair. »

Mais parmi elles le manichéisme, amalgame d'un christianisme gnostique et d'éléments empruntés à Zoroastre et à Mithra, a été probablement la plus grave des hérésies de l'époque. Elle était l'œuvre de Mani (ou Manes en grec), né à Bagdad en 214, et introduit très jeune dans une secte de mystiques perses en robe blanche, pratiquant l'ascétisme, le célibat et le baptême. Mani avait commencé à prêcher sa propre doctrine en 240 et, à l'image de Jésus, était devenu vite célèbre pour ses guérisons et ses exorcismes. On le disait né d'une vierge, condition alors nécessaire pour accéder au titre de divinité, et on l'appelait d'ailleurs « le nouveau

Jésus » ou bien encore le Sauveur, l'Apôtre, l'Illuminateur, le Seigneur, le Maître de la mort, le Pilote et le Timonier, ces deux derniers termes signifiant aussi, nous l'avons vu, Nautonier, c'est-à-dire grand maître du Prieuré de Sion...

Selon de nombreux historiens arabes, Mani composa notamment un certain nombre d'ouvrages destinés surtout à révéler ce que Jésus n'avait fait qu'évoquer de façon ambiguë. Ce dernier, Zarathoustra et Bouddha étaient ses précurseurs, tous avaient reçu le même enseignement, provenant de la même source, et ayant pour base un dualisme gnostique lié aux grandes lois de la cosmologie universelle. Le fondement de sa doctrine reposait aussi sur la coexistence des deux principes opposés du bien et du mal, de la lumière et des ténèbres, éternel conflit dont l'âme humaine était évidemment l'enjeu.

Comme plus tard les Cathares, Mani croyait en la réincarnation et en une classe d'initiés, choisis en vue d'une expérience privilégiée. Pour lui Jésus était le « fils de la Veuve » (terme utilisé, on s'en souvient, par la franc-maçonnerie), un être essentiellement mortel, dont l'aspect divin n'était que symbolique, et non pas mort sur la croix, un autre l'ayant remplacé[1].

Emprisonné par ordre royal en 276, Mani allait finir ses jours tragiquement. Battu à mort, écorché et décapité, son corps mutilé, probablement pour empêcher toute éventuelle résurrection, fut exposé en public. L'influence de Mani cependant allait largement survivre à ce martyre, et sa doctrine, le « manichéisme », en reçut comme un souffle nouveau ; il s'étendit sur le monde christianisé avec une rapidité inimaginable, et l'on eut beau le combattre, il survécut à toutes les attaques, son influence se perpétuant jusque dans la pensée de saint Augustin et très tard dans le Moyen Âge. Particulièrement bien enracinés en Espagne et dans le sud de la France, les centres manichéens établirent des liens très étroits, à l'époque des Croisades, avec les manichéens italiens et bulgares, et l'on sait aujourd'hui que les Cathares eux-mêmes, loin de descendre des Bogomiles bulgares comme on l'a longtemps cru, avaient pour origine ces premiers manichéens français. La croisade contre les Albigeois ne fut donc à ce titre qu'une croisade contre le manichéisme, et en dépit des efforts de Rome le mot survivrait et traverserait les siècles jusqu'à nous.

Tel fut, disons-le aussi, le destin de l'arianisme qui fit peser une lourde menace sur l'orthodoxie chrétienne pendant toute la durée de son premier millénaire. Né à Alexandrie aux alentours de 256 et mort en 335, le prêtre Arius niait, lui, la nature divine de Jésus, le reconnaissant uniquement comme un simple prophète ; Dieu en effet, être unique, suprême et omnipotent, n'avait pu s'incarner ni souffrir, et encore moins subir la mort et l'humiliation, théorie d'ailleurs commune à celle de certaines sectes juives, les ébionites par exemple, nombreux à Alexandrie et susceptibles d'avoir fortement influencé son action. Ajoutons que cette image d'un Dieu qui ne s'était pas compromis avec le monde terrestre connaissait alors un grand succès dans tout l'Occident, probablement parce qu'elle semblait plus conforme à la représentation idéale d'une divinité supérieure.

Le concile de Nicée condamna l'arianisme en 325 et pourtant Constantin, particulièrement à la fin de sa vie, ne cacha pas sa sympathie pour cette doctrine hérétique. De même en fut-il pour son fils et successeur, Constantius, auteur de divers conciles qui eurent pour effet de mener à l'exil les chefs de l'Église orthodoxe. De sorte que, en 360, l'arianisme fut très près de détrôner définitivement le christianisme romain avant d'être à nouveau officiellement condamné en 381. Son influence cependant n'allait pas cesser de s'étendre, et lorsque, au cours du Ve siècle, les Mérovingiens arrivèrent au pouvoir, les évêchés de la Chrétienté, nous l'avons dit plus haut, étaient tous vacants, ou ariens.

Les Goths, païens convertis à l'arianisme au IVe siècle, se comptaient parmi ses plus fervents adeptes ; les Suèves, les Lombards, les Alains, les Vandales, les Burgondes et les Ostrogoths l'étaient aussi, comme les Wisigoths d'ailleurs qui, en 480, pillèrent Rome et détruisirent toutes les églises chrétiennes. Si donc à la veille de l'avènement de Clovis les premiers Mérovingiens étaient prêts à accepter une religion, c'était bien celle du christianisme d'Arius, pratiquée par leurs plus proches voisins les Wisigoths et les Burgondes.

L'arianisme régnait en effet désormais en maître en Espagne, dans les Pyrénées et dans le sud de la Gaule où la famille de Jésus avait trouvé refuge. Il y a par conséquent tout lieu de penser que, sous la loi de ces Wisigoths ariens, elle n'eut à subir aucune persécution et que, au contraire, elle put sans difficulté s'allier à la noblesse locale avant de se mêler aux Francs pour engendrer les Mérovingiens. La preuve en existe d'ailleurs dans certains noms sémites de la famille royale wisigothe, Béra par exemple, père de la seconde épouse de Dagobert II, qui revient plusieurs fois dans la généalogie wisigo-mérovingienne issue de Dagobert II et de Sigisbert IV. De même l'Église de son côté a prétendu que le fils de Dagobert s'était converti à l'arianisme[2], hypothèse tout à fait vraisemblable, car malgré le pacte signé entre Rome et Clovis, tous les Mérovingiens furent favorables à cette religion et Chilpéric, entre autres, ne chercha jamais à cacher ses convictions à son égard.

Si l'arianisme ne fut pas hostile au judaïsme, il ne le fut pas davantage à l'islam qui, au VIIe siècle, s'élança comme un météore dans le ciel des religions. Pour l'un comme pour l'autre, Jésus, mentionné plus de trente fois dans le Coran, n'était rien d'autre qu'un prophète, au même titre que Mahomet, porte-parole et messager d'un Dieu suprême, mais être humain par excellence. Enfin tout comme Basilide et Mani, le Coran déclarait hautement que Jésus n'était pas mort sur la Croix :

«... Ils ne l'ont ni tué ni crucifié, mais son sosie a été substitué à leurs yeux[3]. » Et certains commentateurs musulmans du texte islamique d'ajouter que Simon de Cyrène avait pris sa place sur la Croix, d'autres encore évoquant l'événement vécu par Jésus et assistant en spectateur à la crucifixion d'un autre, dissimulé dans une anfractuosité d'un mur, version coïncidant avec celle exposée dans les manuscrits de Nag Hammadi.

Le judaïsme et les Mérovingiens

Il est inutile de souligner avec quelle force et quelle conviction, fût-ce au prix de sanglantes persécutions, l'ensemble de ces hérésies défendit le caractère humain et mortel de la personnalité de Jésus. Mais ni les unes ni les autres ne furent jamais en mesure de prouver formellement leurs assertions. Hormis les allusions rencontrées dans les manuscrits de Nag Hammadi, rien en effet ne permettait à nos yeux de démontrer de manière irréfutable l'éventualité d'une lignée issue de Jésus. Bien entendu on pouvait également, et non sans raisons, supposer que certains documents, archives ou généalogies très anciennes avaient été systématiquement détruits au cours des diverses et nombreuses persécutions subies par ceux qui bravaient l'autorité de Rome ; la violence même et l'acharnement de l'Église à leur égard ne soulignaient-ils pas sa crainte de voir, par le truchement de telles « déviations », certaines vérités gênantes éclater au grand jour, avant de convaincre et de rayonner ?...

Toujours est-il que nous n'avions quant à nous pas davantage le moyen d'établir la preuve d'un lien direct entre la famille de Jésus, au Ier siècle, et les Mérovingiens, au IVe, époque à laquelle ils firent leur apparition dans l'Histoire. Il nous fallait par conséquent de nouveau chercher ailleurs, chez les Mérovingiens eux-mêmes par exemple, au tout début de leurs origines.

Mais là non plus la moisson, à première vue, ne s'annonçait pas très fructueuse. Il y avait, c'est vrai, la naissance légendaire de Mérovée, dont la double origine symbolisait à coup sûr une alliance entre deux dynasties ; mais ce « monstre marin d'au-delà des mers », ce poisson, apportait-il une preuve concluante ? Il y avait aussi le pacte entre Clovis et l'Église romaine, mais où pouvait-on en trouver les traces concrètes ? Quant au sang des Mérovingiens prétendu sacré et de nature divine, étions-nous vraiment autorisés à y voir celui de Jésus ? Quel lien spécifique, reconnu, avait existé entre les deux lignées ? Savait-on seulement si les Juifs avaient, d'une façon ou d'une autre, influencé ou marqué le cours de l'histoire mérovingienne et n'était-ce pas en tout cas dans ce sens que nous devions, en premier lieu, diriger nos recherches ?

Les rois mérovingiens n'étaient certes pas antisémites, cela nous le savons. Ils accueillaient même les Juifs et les protégeaient, en dépit des protestations de Rome, n'hésitant pas à s'allier parfois avec eux. Mieux encore, leur collaboration, leur bienveillance à leur égard, et ce à différents titres, ne sont plus à démontrer, les importants domaines juifs, particulièrement dans le sud de la Gaule, où ils entretenaient esclaves et serviteurs chrétiens, et les situations élevées qu'ils occupaient dans l'entourage immédiat des souverains exprimant à eux seuls l'ampleur et l'excellence de leur implantation. Cette bonne entente, il est important de le noter, fut d'ailleurs un exemple unique dans tout l'Occident jusqu'à la réforme luthérienne, mais, comme on va le voir, Juifs et Mérovingiens avaient en commun un certain nombre d'autres particularités suffisantes en elles-mêmes à expliquer leurs liens.

Les Mérovingiens, on s'en souvient, n'avaient en effet pas le droit de couper leur chevelure, en raison des vertus miraculeuses qui lui étaient attribuées. Ainsi en était-il également des nazorites, dans l'Ancien Testament. Or Samson était des leurs et Jésus aussi, très vraisemblablement, comme Jacques, son frère.

Dans la famille royale mérovingienne, et dans sa parenté, se retrouvent aussi un certain nombre de noms spécifiquement juifs. En 577, un frère du roi Clotaire II est nommé Samson ; un Miron « le Lévite » est comte de Bésalou et évêque de Gérone ; un comte de Roussillon a pour prénom Salomon et un autre Salomon encore devient roi de Bretagne. Quant au nom de cet abbé mérovingien, Élisachar, n'est-il pas en fait une déformation de celui d'Éleazar ou de Lazare, celui même de Mérovée ayant son origine au Proche-Orient[4] ?

Les noms juifs d'ailleurs iront se multipliant à la faveur des mariages de plus en plus nombreux entre Mérovingiens et Wisigoths, à un point tel parmi ces derniers qu'on peut se demander si les Wisigoths n'étaient pas totalement juifs. On remarque en outre que les historiens de l'époque emploient indifféremment les termes de « Goth » et de « Juif », particulièrement dans le sud de la France et les marches espagnoles où étaient regroupées d'importantes communautés juives ; cette région, officiellement nommée la Septimanie, était de surcroît souvent appelée « Gothie », ces diverses confusions, volontairement entretenues pour la plupart, rendant extrêmement difficile la distinction entre Juifs authentiques et Goths appelés Juifs. Fort heureusement certains d'entre eux portaient ostensiblement des noms sémites qui permettent de les identifier plus facilement tel ce Béra, beau-père de Dagobert, dont la sœur avait épousé un homme du nom de Levy[5].

Mais ni ces noms juifs portés par les Mérovingiens et les Wisigoths, ni leur croyance commune dans les vertus magiques de leur chevelure ne pouvaient suffire, convenons-en, à apporter de façon vraiment convaincante la preuve d'un lien réel et indiscutable les unissant.

En revanche, un certain détail nous semblait, dans cette perspective, présenter beaucoup plus d'intérêt, et ce détail concernait la Loi salique. La dynastie royale mérovingienne issue, on l'a vu, d'une tribu franque, avait relevé d'abord de la Loi teutonique. Ayant ensuite adapté cette loi à ses nouveaux besoins, elle l'ordonna et la codifia à la façon des Romains de telle sorte qu'à la fin du ve siècle cette dernière était devenue le monument de la législation franque connu sous le nom de Loi salique. Insistons cependant sur le fait que cette Loi salique fut, à son origine, une loi tribale teutonique, donc antérieure à l'avènement de la chrétienté romaine en Europe occidentale. Au cours des siècles suivants, elle resta d'ailleurs la loi officielle du Saint Empire romain face à la loi ecclésiastique promulguée par Rome, et fut la cause jusqu'à la réforme luthérienne de violents griefs de la part de la chevalerie et de la paysannerie germaniques à l'encontre de l'Église catholique qui s'obstinait à l'ignorer.

Or un chapitre entier de la Loi salique, le quarante-cinquième, intitulé « De Migrantibus », a longtemps intrigué et intrigue encore les spécialistes du texte franc.

Comme son titre l'indique, le chapitre traite des clauses et conditions autorisant les « itinérants » à se fixer et à recevoir le droit de citoyenneté ; mais de l'avis unanime sa source ne serait pas celle du code salique, et son origine serait en fait tout autre. Mais quelle source alors ? Diverses hypothèses ont été avancées, et on a découvert récemment que ce texte dérivait directement de la loi juive[6], et plus particulièrement, d'un chapitre du Talmud. Ainsi la Loi salique, en partie du moins, c'était prouvé, puisait ses origines au cœur même de la loi juive traditionnelle, démontrant par là, de façon formelle, que les Mérovingiens, auteurs de sa codification, connaissaient non seulement les textes juifs, mais y avaient aussi accès.

Force nous était cependant de reconnaître que cette découverte, au même titre que les autres et si intéressante fût-elle pour notre hypothèse, ne suffisait toujours pas à prouver l'existence formelle d'une lignée issue de Jésus dans le sud de la Gaule, qui se serait ensuite unie à celle des Mérovingiens. Et puisque cette époque ne nous apportait en définitive aucun élément véritablement probant, il nous fallait une fois de plus chercher ailleurs, peut-être dans l'histoire de la dynastie qui allait immédiatement lui succéder.

On se souvient en effet que la race mérovingienne, remplacée sur le trône par les Carolingiens, n'avait pas définitivement disparu, ayant survécu dans le sud de la Gaule, dans la principauté indépendante du Razès qui existait déjà depuis cent cinquante ans, sous la conduite du célèbre Guillem de Gellone. Or si Guillem, on l'a vu, avait été l'un des grands héros de son temps, celui aussi de l'épopée de Wolfram von Eschenbach intitulée *Willehalm*, il avait été surtout membre de la famille du Graal et c'était là, dans son propre entourage, que nous devions enfin trouver les éléments nouveaux et déterminants manquant à notre démonstration.

Guillem de Gellone comptait parmi ses domaines situés au nord-est de l'Espagne les Pyrénées et l'ancienne région de Septimanie devenue le Razès. Le Razès se divisait entre le VIIIe et IXe siècle en trois comtés : Carcassonne, Narbonne et Rennes. Elle était peuplée, rappelons-le, de nombreuses colonies juives qui, aux VIe et VIIe siècles, avaient entretenu les plus cordiales relations avec leurs seigneurs wisigoths, eux-mêmes étroitement unis aux chrétiens ariens, tant et si bien que l'on parlait alors indifféremment des « Goths » et des « Juifs ».

Vers 711 pourtant, la situation des Juifs de Septimanie avait commencé à se dégrader sérieusement. Dagobert II avait été assassiné et ses descendants s'étaient vus contraints de vivre plus ou moins clandestinement dans la région du Razès autour de Rennes-le-Château. Peut-être le trône franc était-il encore occupé par des représentants de branches collatérales mérovingiennes, mais le véritable pouvoir était désormais aux mains des maires du Palais, futurs rois carolingiens, qui s'employaient peu à peu à instaurer leur propre dynastie, soutenus et aidés par Rome. Certains Wisigoths convertis au catholicisme commençaient d'ailleurs à persécuter les Juifs qui réagissaient aussitôt en ouvrant les bras aux Maures, nouveaux maîtres de l'Espagne.

Les Juifs espagnols étaient donc bien traités sous la loi musulmane, et placés à la tête d'importants postes administratifs dans des villes comme Grenade, Tolède et plus particulièrement Cordoue. Vivement encouragé, le commerce juif y connaissait une nouvelle prospérité et tant la pensée judaïque que celle de l'islam, cohabitant harmonieusement, s'épanouissaient dans une estime et une considération mutuelles.

C'est alors qu'au début du VIIIe siècle les Maures traversèrent les Pyrénées et pénétrèrent dans le Razès où ils allaient régner en maîtres de 720 aux environs de 759, non loin de Rhedae (Rennes) où vivaient cachés le petit-fils et l'arrière-petit-fils de Dagobert II. Le Razès, devenu à l'époque une principauté maure autonome, avec sa propre capitale, Narbonne, relevant de l'émirat de Cordoue, pouvait donc devenir la base de départ de l'invasion en direction du nord puis vers les territoires francs s'étendant jusqu'à la hauteur de Lyon.

Mais Charles Martel, maire du Palais et grand-père de Charlemagne, ayant stoppé l'avance ennemie, parvenait en 738 à les faire reculer jusqu'à Narbonne. Puis, ayant tenté en vain le siège de la ville parfaitement défendue par les Maures et par les Juifs, il se vengea en s'en prenant aux environs de la capitale qu'il dévasta de fond en comble.

En 752 cependant, son fils Pépin le Bref ayant contracté diverses alliances avec les seigneurs locaux, les Francs devenaient les maîtres du Razès Est et Nord. Seule Narbonne résisterait encore sept longues années à leurs assauts, véritable enclave au sein du pouvoir carolingien qu'il était pourtant urgent de consolider. Pépin et ses successeurs, conscients de cette faiblesse, tentèrent alors par tous les moyens de justifier leur légitimité et leur action. Ils s'allièrent aux survivants de la dynastie royale détrônée, puis, on l'a vu, donnèrent une signification nouvelle à la cérémonie du sacre grâce au rite de l'onction par lequel l'Église entérinait notamment sa prérogative de faire les rois. Mais ce rituel selon certains historiens avait un autre aspect : la monarchie franque n'était que la réplique, sinon le prolongement de la monarchie juive de l'Ancien Testament, suggestion extrêmement intéressante. Pourquoi, en effet, Pépin, ayant usurpé le trône mérovingien, avait-il voulu se justifier, lui et sa dynastie, à l'aide d'un symbole emprunté aux temps bibliques ? N'était-ce pas simplement parce que, avant lui, la race déposée avait utilisé ce même symbole ?

Pépin le Bref s'était donc trouvé confronté à deux problèmes majeurs : d'une part la résistance opiniâtre de Narbonne et d'autre part l'obligation de conforter sa nouvelle position en s'inspirant d'antécédents bibliques. Or il résolut l'un et l'autre, comme le démontre le Pr Arthur Zuckerman, de l'université Columbia, en signant en 759 un pacte avec la population juive de Narbonne. Celle-ci le reconnaissait comme successeur en quelque sorte des rois de l'Ancien Testament, et s'engageait du même coup à le soutenir dans sa lutte contre les Sarrasins ; en échange de quoi, le monarque franc accordait un territoire aux Juifs de Septimanie, et un roi conforme à leurs aspirations[7].

Ainsi vit-on, cette même année, la population juive de Narbonne se retourner brusquement contre ses alliés musulmans, les massacrer et ouvrir les portes de la citadelle aux assiégeants francs. Peu après, les Juifs reconnaissaient Pépin comme leur suzerain nominal et lui à son tour, comme il l'avait promis, créait en Septimanie une principauté juive soumise à sa seule autorité, donc pratiquement autonome. Un roi était nommé dans le Razès Est et Nord, appelé Aymery dans les romans, ou selon certains documents Théodoric ou Thierry, du moins dès qu'il prit place dans les rangs de la noblesse franque. Or Thierry, ou Théodoric, était le fils cadet de Sigisbert V et précisément le père de Guillem de Gellone formellement reconnu par Pépin et le calife de Bagdad comme « appartenant à la souche de la maison royale de David[8] ».

On sait peu de chose de ce Théodoric, et les avis à son sujet restent très partagés. Considéré par la plupart comme descendant des Mérovingiens[9], le Pr Zuckerman, y voit quant à lui un natif de Bagdad, l'un de ces « exilarques » descendant des Juifs fixés à Babylone depuis l'époque de la captivité. À moins encore que cet « exilarque » de Bagdad n'ait rien à voir avec Théodoric, et soit venu de là-bas uniquement pour consacrer le nouveau roi, avant d'être confondu plus tard avec lui, les « exilarques d'Occident », toujours au dire du Pr Zuckerman, ayant le sang plus pur que ceux d'Orient[10].

Or quels étaient ces « exilarques d'Occident », sinon les Mérovingiens ? Et pourquoi un descendant de la race mérovingienne aurait-il été reconnu roi des Juifs, maître d'une communauté juive et membre de la maison royale de David, comme c'était le cas pour Théodoric, si les Mérovingiens n'avaient précisément pas, en partie du moins, été juifs ? Déçus par la double trahison de l'Église consacrant le meurtre de Dagobert et l'avènement de la nouvelle dynastie, n'avaient-ils pas délibérément choisi de se détourner de Rome pour renouer avec leur ancienne foi, comme l'avait déjà fait Dagobert II en épousant Gisèle, fille d'un prince wisigoth portant le nom sémite de Béra ?

Quoi qu'il en soit, devenu souverain d'un royaume juif du Razès, Théodoric, ou Thierry, allait faire preuve de beaucoup de sagesse en épousant la sœur même de Pépin, Alda, tante de Charlemagne ; il ne se préoccupa plus, au cours des années suivantes, que de la prospérité de son pays agrandi des terres offertes par les Carolingiens et quelques autres appartenant à l'Église et qu'on lui octroya en dépit des protestations du pape Étienne III et de ses successeurs.

Le fils de Théodoric, roi des Juifs du Razès à son tour, fut donc Guillem de Gellone, comte de Barcelone, de Toulouse, d'Auvergne, et de Narbonne. Comme son père, il était mérovingien mais juif aussi et de sang royal, son appartenance à la maison de David étant reconnue non seulement par les Carolingiens et par le calife mais aussi, en dépit d'une certaine réticence, par le pape en personne.

Le judaïsme de Guillem ne laisse par conséquent plus aucun doute aujourd'hui, malgré les tentatives réitérées de l'Histoire pour le faire oublier. Un véritable cycle romanesque lui a d'ailleurs été consacré, dans lequel il figure sous le nom de Guillaume, prince d'Orange : il y parle couramment l'hébreu et l'arabe, et son emblème, identique à celui des « exilarques » d'Orient, est bien le lion de la tribu de Juda, lui-même ancêtre de la maison de David et, par conséquent, de Jésus. Enfin Guillem était surnommé « au courb nez » ou « nez crochu » et en pleine campagne militaire s'arrangeait toujours pour observer le sabbat et la fête juive des Tabernacles. À ce propos, Arthur Zuckerman fait encore et justement remarquer que le chroniqueur auquel on doit le compte rendu original du siège et de la chute de Barcelone se conforma en tout point dans son récit au calendrier juif : « Le duc Guillaume de Narbonne et Toulouse, précise-t-il, commandait l'expédition, en observant strictement les lois fondamentales de la religion juive. Il était assuré dans ce domaine de l'aide et de la compréhension du roi Louis[11]. »

Enfin, rappelons-le, Guillem de Gellone fut, au même titre que Roland, l'un des célèbres « pairs » de l'entourage de Charlemagne. Et, lorsque, en 813, celui-ci fit couronner son fils Louis le Pieux c'est à lui que revint l'honneur de poser la couronne sur la tête du nouvel empereur qui lui aurait dit alors : « Seigneur Guillaume, mon lignage n'existe que grâce au tien[12]. » Étranges paroles en vérité adressées à un homme dont les origines restent si paradoxalement obscures !...

Mais Guillem ne devait pas laisser à la postérité l'unique image d'un guerrier. Peu après 792, il fonda en effet à Gellone une académie où il fit venir des érudits et créa une bibliothèque renommée qui devint bientôt un centre important d'études judaïques. Flégétanis d'ailleurs, le savant israélite descendant de Salomon qui, d'après Wolfram von Eschenbach, confia à Kyot de Provence le secret du Saint Graal, passe pour y avoir séjourné.

Guillem abandonna la vie active en 806 et se retira dans son académie où il mourut aux environs de 812. Appelée à devenir plus tard le célèbre monastère de Saint-Guilhelm-le-Désert[13], Gellone, éminent centre d'études juives, était déjà, bien avant la mort de son fondateur, l'un des premiers hauts lieux du culte de la Magdaléenne en Europe[14].

Ainsi, les uns après les autres, les faits venaient-ils prendre place : Jésus appartenait à la tribu de Juda et à la maison royale de David. La Magdaléenne avait, dit-on, apporté en Gaule le Graal – Sangraal ou Sang Royal – , et au VIIIe siècle se trouvait dans le sud de la France un souverain de la tribu de Juda et de la maison royale de David, reconnu comme roi des Juifs. Ce roi était aussi un Mérovingien et, selon le poème de von Eschenbach, lui et sa famille étaient liés au Saint Graal...

La souche de David

Désormais les siècles à venir allaient s'employer à effacer de l'Histoire toute trace du royaume juif du

Razès et, dans ce sens, la confusion perpétuelle entretenue plus ou moins volontairement entre les termes de « Goths » et de « Juifs » est très significative. Certaines allusions, certains récits subsistèrent néanmoins, comme cette lettre de 1143 dans laquelle Pierre le Vénérable, abbé de Cluny, se plaint à Louis VII de France des déclarations des Juifs de Narbonne à propos d'un prétendu roi vivant parmi eux. En 1144, Theobald, moine de Cambridge, évoque à son tour « les Princes et les Rabbis juifs qui demeurent en Espagne [et] se rassemblent à Narbonne où se trouve la race royale[15] ». En 1165-1166 enfin, le célèbre voyageur et chroniqueur Benjamin de Tulleda rapporte qu'à Narbonne habitent « des sages, des puissants et des princes à la tête desquels est... un descendant de la maison de David, ainsi qu'il est dit dans son arbre généalogique[16] ».

Mais cette branche fixée à Narbonne aux environs du XIIe siècle n'était plus seule alors à représenter la postérité de David. Les arbres généalogiques grandissent, en effet, s'étendent, se subdivisent, feuillages et rameaux se multiplient, et un beau jour, l'arbre est devenu forêt. Ainsi, certains descendants de Théodoric et de Guillem de Gellone étaient bien restés à Narbonne, mais d'autres en étaient partis, pour se fixer sur d'autres terroirs, et s'y multiplier. Parfois même, ils connaissaient déjà de grands destins, tels la maison de Lorraine et le royaume franc de Jérusalem.

La lignée de Guillem de Gellone se retrouve également au IXe siècle, nous l'avons vu, dans les premiers ducs d'Aquitaine puis dans la maison ducale de Bretagne. Au Xe siècle, un certain Hugues de Plantard surnommé « Nez Long », descendant de Dagobert II et branche directe de Sigisbert IV, est le père d'Eustache, premier comte de Boulogne. Le petit-fils d'Eustache sera Godefroi de Bouillon, duc de Lorraine et conquérant de Jérusalem et Godefroi à son tour donnera naissance à une dynastie de « tradition royale », fondée sur le « rocher de Sion » et égale aux dynasties régnant alors sur la France, l'Allemagne et l'Angleterre. Ainsi, nous l'avons déjà dit, si les Mérovingiens descendaient vraiment de Jésus, Godefroi, de race royale mérovingienne, en arrachant Jérusalem aux mains des Infidèles, n'avait que reconquis son héritage légitime.

Au sein d'un monde christianisé, Godefroi et la maison de Lorraine se devaient évidemment d'être aussi catholiques. Il le fallait d'ailleurs, impérativement, pour survivre et leurs origines semblent avoir été connues, tout au moins de certains. On raconte en effet qu'au XVIe siècle, lorsque Henri de Lorraine, duc de Guise, entra dans la ville de Joinville en Champagne, il reçut un accueil délirant et que, parmi les hurlements de la foule, on entendait chanter « Hosannah filio David »...

Anecdote apparemment sans importance mais qui figure cependant dans une histoire moderne de la Lorraine parue en 1966. Or sa préface est l'œuvre de Otto de Habsbourg, aujourd'hui titulaire du titre de duc de Lorraine et de roi de Jérusalem[17].

15

Conclusions et perspectives

Nous avions décidé, en entreprenant cette étude, de ne chercher en aucun cas à approuver ou à réfuter l'une ou l'autre des conclusions auxquelles nous serions inévitablement amenés. De même était-il dans nos intentions de ne jamais mettre en doute, ou seulement d'ébranler, les principes fondamentaux du christianisme.

Nous l'avons déjà dit mais il n'est pas inutile de le répéter une fois encore, notre seul et unique but était alors d'éclaircir un mystère passionnant, d'apporter les réponses à certaines des questions qu'il soulevait et, par la même occasion, d'essayer de fournir des explications concernant quelques énigmes historiques qui avaient dû en intriguer bien d'autres avant nous. Un point c'est tout.

Nous allions donc être les premiers étonnés de l'ampleur insoupçonnée prise par notre enquête et des perspectives inattendues, apparemment totalement étrangères à notre propos initial, vers lesquelles elle nous avait entraînés. Quant à la conclusion à laquelle nous étions amenés, presque malgré nous, elle se révélait stupéfiante, irrecevable de prime abord, à la limite scandaleuse, et pour l'ensemble de ces raisons exposée aux plus vives controverses.

Une fois de plus, parvenus au terme de nos travaux, il fallait donc nous tourner vers la vie de Jésus et les origines de la religion qu'il avait instituée. Non pas dans le but, encore une fois, de détruire ses fondements, mais dans celui de vérifier si la suite de nos déductions tenait vraiment debout. Or un dernier examen approfondi de l'ensemble des recherches que nous avions effectuées dans la Bible vint renforcer notre conviction : non, rien ne pouvait sérieusement contredire des conclusions qui s'imposaient à nous, en toute logique historique ; au contraire, elles avaient, à notre avis, toutes les chances, ou presque, d'être les bonnes.

Bien entendu, nous ne pouvions pas, et nous ne pouvons toujours pas, démontrer formellement leur exactitude et, de ce fait, elles restent en tout état de cause des hypothèses. Mais des hypothèses parfaitement plausibles et cohérentes, ayant l'avantage d'apporter une réponse à de nombreuses questions, tout en constituant une interprétation extrêmement vraisemblable – la plus vraisemblable peut-être – relative à des événements et à des hommes qui, il y a deux mille ans, marquèrent de leur empreinte les consciences occidentales avant de façonner, à travers les siècles, nos cultures et nos civilisations.

Si donc nous-mêmes sommes, pour l'instant, dans l'impossibilité de justifier formellement nos assertions, du moins savons-nous en toute certitude, à la faveur de nos travaux et de nos recherches, grâce aussi aux précisions de certains de ses représentants, que le Prieuré de Sion, lui, est en possession de l'élément irréfutable susceptible de fournir la preuve définitive de notre hypothèse. Ne pouvant malheureusement pas apporter à ce sujet davantage de précisions, nous sommes néanmoins en mesure d'avancer la supposition suivante :

Selon notre hypothèse, la femme et les enfants de Jésus (engendrés entre ses seize ou dix-sept ans et la date de sa mort présumée) quittèrent la Terre sainte pour trouver refuge dans le sud de la France, au sein d'une communauté juive où ils connurent une paix relative. Puis, au cours du Ve siècle, leur postérité s'allia à la lignée royale franque, donnant naissance à la dynastie mérovingienne. En 496, l'Église signa un pacte avec la nouvelle dynastie, s'engageant à rester fidèle à la race mérovingienne dont elle connaissait probablement la véritable origine. Ainsi Clovis se vit-il offrir les titres de saint empereur romain et de « nouveau Constantin » ; en fait il ne fut pas « créé » roi, mais seulement reconnu comme tel.

L'Église, s'étant ensuite rendue complice de l'assassinat de Dagobert, trahit alors une seconde fois la dynastie mérovingienne en apportant son soutien aux Carolingiens. Coupable d'un crime injustifiable, la seule attitude possible était désormais pour elle de tout dissimuler car en révélant la véritable identité des Mérovingiens elle aurait compromis dangereusement sa position dans le monde.

Tous les efforts furent donc tentés pour supprimer la descendance de Jésus, c'est-à-dire celle des Mérovingiens, mais en vain, et celle-ci, envers et contre tout, parvint à survivre à travers les âges. D'une part, à travers les Carolingiens qui en quelque sorte se constituèrent une légitimation dans leur rôle d'usurpateurs en épousant des princesses mérovingiennes, d'autre part à travers le fils de Dagobert, Sigisbert, qui allait compter parmi ses descendants Guillem de Gellone, maître d'un royaume juif dans le Razès, puis Godefroi de Bouillon. Enfin avec la prise de Jérusalem en 1099, la lignée de Jésus regagnait son juste héritage, celui qui avait été le sien dans l'Ancien Testament.

À l'époque des Croisades, la véritable identité de Godefroi ne resta d'ailleurs pas aussi secrète sans doute que l'aurait souhaité l'Église. Rien, bien sûr, ne transpirera de manière tout à fait tangible, mais des rumeurs iront bon train un peu partout, des légendes naîtront, parmi lesquelles notamment celle de Lohengrin, ancêtre mythique de Godefroi, les romans du Graal, d'une extrémité à l'autre de l'Europe, propageant de leur côté la plus haute expression de cette tradition.

Si, encore une fois, notre hypothèse est exacte, le Saint Graal a donc eu une double signification. D'une part il a été le sang de la postérité de Jésus, « sang raal », « sang real » ou « sang royal » dont les Templiers, émanation directe du Prieuré de Sion, seront les fidèles gardiens ; d'autre part il a été, au sens le plus littéral du terme, la coupe, le réceptacle ayant reçu et conservé le sang de Jésus. En d'autres termes et par extension, l'un et l'autre se complétant, le Saint Graal a été le sein de la Magdaléenne, puis la Magdaléenne elle-même dont le culte, né au début du Moyen Âge, se serait peu à peu confondu avec celui de la Vierge. On sait par exemple qu'un grand nombre des célèbres « vierges noires » qui ont fait leur apparition dans les premiers siècles de l'ère chrétienne, représentant une mère et son enfant, étaient non l'image de Marie mais celle de la Magdaléenne. De même les cathédrales gothiques, vastes et majestueux symboles de pierre dédiés à Notre Dame, étaient en fait, selon *Le serpent rouge*, une offrande à l'épouse de Jésus plutôt qu'à sa mère.

Sang, coupe et sein, le Saint Graal eut aussi une autre signification. En 70, pendant la grande révolte de la Judée, les légions romaines de Titus ayant pillé le Temple de Jérusalem, son trésor prit le chemin des Pyrénées et il se trouverait aujourd'hui sous la garde du Prieuré de Sion, caché dans l'un des souterrains du Rocko-Négro. Or le Temple abritait probablement tout autre chose que de l'or et de l'argent. On sait en effet que politique et religion étaient étroitement liées dans le monde juif ancien, le Messie, prêtre-roi, détenant un pouvoir à la fois spirituel et temporel. Il est donc presque certain que le Temple de Jérusalem renfermait des archives officielles relatives à la lignée royale d'Israël, actes de naissance ou de mariage, papiers divers comme en possède toute grande famille. Des documents concernant Jésus, le « Roi des Juifs », s'y trouvaient donc selon toute vraisemblance, ainsi que son corps peut-être, ou son tombeau.

Rien n'indique d'ailleurs que Titus, se livrant au pillage, se soit emparé de quoi que ce soit ayant trait personnellement à Jésus, tout objet ou document le concernant ayant très bien pu être détruit, ou caché, lors de l'arrivée des soldats romains n'ayant en tête que de saisir le plus gros butin possible, sans se préoccuper d'autre chose. Quoi de plus normal en effet que d'imaginer les prêtres, voyant les cohortes ennemies déferler dans l'enceinte sacrée, livrer sans résistance or, argent et bijoux, après avoir préalablement mis à l'abri, peut-être sous le Temple lui-même, le seul trésor, pour eux inestimable, les archives relatives au roi d'Israël légitime, au Messie et à sa royale famille ?

Aux alentours des années 1100, les descendants de Jésus occupaient, nous l'avons vu, une position éminente en Europe et, grâce à Godefroi de Bouillon, en Palestine. Probablement connaissaient-ils leur origine, mais tous documents ayant disparu ils se trouvaient dans l'impossibilité de prouver leur identité. Or ces archives s'avérant indispensables à leurs projets, ils tentèrent de les récupérer par tous les moyens, allant jusqu'à fouiller sous l'enceinte du Temple, dans les anciennes écuries de Salomon. Ainsi le firent en effet et dans le plus grand secret les Chevaliers du Temple. Il est donc tout à fait vraisemblable que ces derniers furent envoyés en Terre sainte avec le but précis de retrouver ou d'obtenir quelque chose, et qu'une fois leur mission accomplie ils regagnèrent l'Europe.

Qu'advint-il alors de ce qu'ils avaient découvert à Jérusalem ? Cela on l'ignore, mais en revanche, il est hors de doute qu'à l'époque de Bertrand de Blanchefort, quatrième grand maître de l'ordre du Temple, « quelque chose » fut enfoui dans les environs de Rennes-les-Bains. Un contingent de mineurs vint même sur place, tout exprès, d'Allemagne, en 1664, pour y creuser et rechercher avec un luxe de précautions extraordinaire une excavation propre à dissimuler un secret considérable.

On peut, à ce sujet, échafauder bien sûr une quantité infinie d'hypothèses. S'agissait-il du corps momifié de Jésus ? D'un document relatif à son mariage ou à la naissance de ses enfants ? Ou encore d'une pièce essentielle, non moins capitale pour l'histoire de l'humanité ? Ce ou ces documents concernaient-ils le Saint Graal ? Ce ou ces documents, volontairement ou accidentellement, tombèrent-ils ensuite entre les mains des hérétiques cathares, et devinrent-ils une partie, ou l'ensemble, du trésor de Montségur ?...

Nous avons à plusieurs reprises évoqué dans cet ouvrage la « tradition royale » transmise par Godefroi et Baudouin de Bouillon, tradition fondée sur le « rocher de Sion », se plaçant à ce titre au niveau des plus anciennes dynasties d'Europe. Or si, comme l'affirment le Nouveau Testament et, après lui, la franc-maçonnerie, ce « rocher de Sion » représente effectivement Jésus, cette assertion d'ordre dynastique prend tout son sens et se trouve même totalement confirmée, c'est le moins que l'on puisse dire !

Une fois parvenue sur le trône de Jérusalem, la dynastie mérovingienne n'avait donc plus de raisons de ne pas approuver, et même d'encourager, les allusions concernant ses véritables origines. Ainsi s'expliquent l'apparition du cycle romanesque du Graal, et ses liens profonds avec les Chevaliers du Temple. On peut, dans ces conditions, imaginer la suite... Ayant consolidé sa position en Palestine, la « tradition royale » transmise par Godefroi de Bouillon aurait pu faire reconnaître sa véritable ascendance, le roi de Jérusalem aurait acquis la préséance sur les plus vieilles monarchies d'Europe et le patriarche de la cité sainte aurait supplanté le pape. Jérusalem, à la place de Rome, serait devenue alors la seule et unique capitale de la Chrétienté, de toute la Chrétienté et de beaucoup plus encore. Car si Jésus n'était qu'un prophète mortel, prêtre-roi et chef légitime de la lignée de David, les croyants musulmans et juifs le reconnaissaient à leur tour et son descendant, roi de Jérusalem, était en mesure de mettre à exécution l'un des principes fondamentaux de la politique de l'ordre du Temple : la réconciliation de la Chrétienté catholique avec l'islam et le monde juif.

Mais, on le sait, les circonstances historiques ne permirent pas aux événements de se réaliser dans ce sens, le royaume franc de Jérusalem n'étant jamais parvenu à affermir sa position. Perpétuellement en guerre avec les armées musulmanes, affaibli par un gouvernement et une administration instables, il ne put acquérir la force et la sécurité intérieure indispensables à sa survie, et moins encore à l'affirmation de sa suprématie sur les trônes d'Europe et l'Église romaine. Le destin grandiose qui aurait dû être le sien ne se réalisa donc pas. Un instant entrevue sa gloire commença de s'effriter, puis s'effondra définitivement avec la perte de la Terre sainte en 1291. Les Mérovingiens se retrouvèrent ainsi sans couronne, et les Chevaliers du Temple sans aucune utilité.

À plusieurs reprises, au cours des siècles suivants, les Mérovingiens tenteront avec l'aide ou la protection du Prieuré de Sion selon les cas, de rentrer en possession de leur héritage, mais en Europe seulement et en utilisant trois stratégies distinctes :

La première consistera à créer un climat psychologique propre à affaiblir secrètement l'hégémonie spirituelle de Rome ; au moyen par exemple des manifestes hermétiques et ésotériques, de certains rites francs-maçons, des écrits rosicruciens et, naturellement, en diffusant largement les symboles de l'Arcadie et du « flot souterrain ». Le second procédé sera plus strictement politique ; il inspira les intrigues et les tentatives de prise du pouvoir des familles de Guise et de Lorraine au XVIe siècle, et celles des responsables de la Fronde au XVIIe. Le troisième enfin sera envisagé à partir des alliances dynastiques.

Mais pourquoi donc, si les Mérovingiens descendaient vraiment de Jésus, avaient-ils dû utiliser de telles méthodes ? Pourquoi ne s'être pas contentés de révéler, en la prouvant, l'origine de leur race ? Le monde entier se serait incliné.

Les choses ne sont pas si simples. Jésus lui-même avait été rejeté par les Romains ; l'Église, apparemment sans remords, avait approuvé le meurtre de Dagobert puis la disparition de son lignage. Rien donc ne témoignait que les Mérovingiens, se disant ouvertement les descendants de Jésus, auraient été acceptés et reconnus comme tels. Peut-être même auraient-ils provoqué des réactions insoupçonnées, des drames et des crises de conscience parmi les croyants, les rois et les puissances ecclésiastiques. Peut-être les aurait-on rejetés, haïs même, et leur précieuse identité aurait été compromise à jamais. Mieux valait donc pour eux provisoirement se soumettre aux réalités de l'Histoire et de la politique, tâcher de conquérir le pouvoir et alors seulement abattre leurs cartes en dévoilant leurs origines.

Ainsi pour rentrer dans leurs droits, les Mérovingiens durent-ils avoir recours à des manœuvres conjoncturelles mais quatre fois au moins, sur le point de réussir, elles échouèrent pour des raisons étrangères à leur propre action : au XVIe siècle lorsque la maison de Guise faillit s'emparer du trône de France ; au XVIIe, lorsque les Frondeurs à leur tour mirent en péril la couronne de Louis XIV en voulant la confier à un membre de la maison de Lorraine ; à la fin du XIXe siècle, lorsqu'une sorte de Ligue Sainte se proposa d'unifier l'Europe catholique autour des Habsbourg, mais seule l'agressivité de l'Allemagne et de la Russie fit obstacle au projet, et provoqua une guerre qui fit chanceler toutes les dynasties continentales.

Mais c'est au XVIIIe siècle que la race mérovingienne fut le plus près de voir se réaliser ses espoirs. Par ses alliances avec les Habsbourg, la maison de Lorraine régnait enfin sur l'Autriche, et lorsque Marie-Antoinette, fille de François de Lorraine, monta sur le trône aux côtés de Louis XVI, elle avait tout lieu de penser que la France viendrait rapidement se joindre au Saint Empire romain. Et, n'eût été la Révolution française, il est fort concevable d'imaginer que la maison de Habsbourg-Lorraine aurait, aux environs de 1800, dominé l'Europe entière.

La Révolution porta donc un coup sévère et prolongé au rêve des Mérovingiens qui virent brusquement s'écrouler des projets et des espérances régulièrement entretenus depuis plus de cent cinquante ans. Les « documents du Prieuré » laissent d'ailleurs entendre de leur côté que ces années de tourmente et de désordre furent particulièrement funestes à Sion qui perdit alors une très grande partie de sa précieuse documentation. Ainsi s'expliquerait le choix, à la tête du Prieuré de Sion, dans la période qui suivit la Révolution, de personnalités intellectuelles, telles que Charles Nodier par exemple, susceptible, grâce à ses facilités d'accès aux archives les plus secrètes de France et d'Europe, de reconstituer le patrimoine perdu. Ainsi s'expliquerait aussi le rôle de Saunière. À la veille de la Révolution, son prédécesseur Antoine Bigou avait en effet probablement dissimulé les parchemins composés en 1753 par le chanoine J.-P. de Nègre, puis s'était enfui en Espagne où il mourut peu après. Or il est probable que Sion, pendant un certain temps tout au moins, ignora l'endroit exact où étaient cachés ces documents, en se doutant néanmoins qu'ils avaient été enterrés dans l'église de Rennes-le-Château. C'est donc dans l'intention de les récupérer qu'il fit nommer dans ce village un prêtre discret et peu bavard, prêt à lui obéir sans poser de questions, et surtout peu soucieux d'interférer dans les activités et les intérêts de l'ordre. Si en plus les parchemins faisaient état d'autre chose caché par exemple dans les environs de Rennes-le-Château, cet homme présenterait alors un intérêt inestimable.

Saunière étant mort sans rien divulguer de sa mission, comme après lui sa servante, Marie Denarnaud, de nombreuses fouilles furent effectuées au cours des années suivantes tout autour de Rennes-le-Château, sans apporter le moindre résultat. Or si, comme nous le pensons, des documents importants y avaient été dissimulés, il n'est pas douteux qu'ils seraient tombés entre les mains de l'un des multiples chasseurs de trésor attirés sur les lieux. À moins... à moins qu'ils n'aient été placés dans un lieu inaccessible au public, dans une crypte souterraine par exemple, ou sous une pièce d'eau creusée pour la circonstance dans une propriété privée. C'était évidemment là le seul moyen efficace de mettre les documents hors de portée des indiscrets et des fouilles anarchiques, car pour atteindre la crypte il aurait d'abord fallu vider l'étang, tâche impossible à effectuer de manière clandestine. Or une telle pièce d'eau existe, non loin de Rennes-le-Château, près d'un site nommé, comme à dessein, Lavaldieu (« la vallée de Dieu »), aménagée peut-être sur une crypte qui, selon Léon Fontan, par une succession de passages souterrains, peut facilement conduire aux innombrables cavernes enfouies au cœur des montagnes environnantes. Mais l'ingénieur Fontan abandonna, après d'autres chercheurs, le 20 juillet 1971 tous ses sondages...

Quant aux parchemins découverts par Saunière, deux d'entre eux, ou du moins leurs fac-similés, ont été largement reproduits, publiés et diffusés ; les deux autres, en revanche, gardés scrupuleusement secrets, auraient été déposés, selon le très honorable Lord Blackford, dans un coffre de la Lloyd's Bank Europe Limited à Londres. Autant dire hors de notre portée...

Et l'argent de Saunière ? Une partie, nous l'avons vu, provenait des transactions financières menées avec l'archiduc Johann de Habsbourg. Mais nous savons aussi que des sommes substantielles furent versées non seulement à Saunière, mais aussi à l'évêque de Carcassonne par l'abbé Henri Boudet, curé de Rennes-les-Bains. Il y a donc tout lieu de croire que la majeure partie des revenus de Saunière provenait de Boudet, par l'intermédiaire de Marie Denarnaud. Mais d'où Boudet à son tour, curé pauvre d'une petite paroisse de montagne, tenait-il des ressources aussi importantes ? Aucune réponse n'a pu encore, à ce jour, être donnée sur ce point. Travaillant probablement pour le Prieuré de Sion, ce dernier était-il à l'origine de l'argent dont disposait le curé de Rennes-le-Château ? Nous n'avons aucune preuve. Ces sommes provenaient-elles du trésor des Habsbourg ? Ou bien du Vatican, que Sion et les Habsbourg avaient peut-être, ensemble, soumis à un chantage politique sévère ?

Quoi qu'il en soit cette question d'argent, certes fort étrange, est en définitive relativement secondaire en regard de nos découvertes ultérieures, son principal intérêt restant, à nos yeux, celui d'avoir éveillé notre attention et suscité notre enquête.

Cette hypothèse d'une lignée issue de Jésus et se perpétuant jusqu'à nous peut-elle donc être considérée comme exacte dans ses moindres détails ? Oui, tout en nous refusant d'adopter en la matière une position catégorique et en admettant même que certains points puissent paraître contestables, nous sommes absolument convaincus qu'elle est, dans ses grandes lignes, conforme à la vérité. Bien entendu, peut-être avons-nous en cours de route mal interprété tel ou tel élément de cette investigation, au niveau des documents examinés ou d'un fait historique particulier ; mais l'essentiel n'est pas là. Il réside avant tout, nous le croyons, dans notre propre appréciation, maintenant définitive, du mystère de Rennes-le-Château. Or ce mystère, apparemment anodin comme nous le disions au début de cet ouvrage, est en réalité l'expression d'une tentative de rétablissement de la monarchie mérovingienne sur le trône de France et peut-être d'Europe ; et une tentative de cette envergure sous le couvert de personnalités influentes se justifie par les origines de la dynastie mérovingienne, qui descend en ligne directe de Jésus.

Dans cette perspective, un grand nombre des anomalies et des énigmes évoquées au cours de nos recherches trouvent une réponse logique. Ainsi s'expliquent par exemple le titre de l'ouvrage de Nicolas Flamel, *Le Livre sacré d'Abraham le Juif, Prince, Prêtre, Lévite, Astrologue et Philosophe à la Tribu des Juifs qui, par suite du Courroux de Dieu, furent dispersés parmi les Gaulois* ; le symbole de la coupe de René d'Anjou offrant à celui qui la vidait d'un trait la double vision de Dieu et de la Magdaléenne ; *Le mariage chimique* d'Andreä à propos duquel une mystérieuse enfant de sang royal, dépossédée de ses biens par les musulmans, échoue dans une barque sur un rivage abandonné ; l'énigme de Nicolas Poussin, ou encore le grand « SECRET » de Vincent de Paul entre 1605 et 1607 sur son voyage à Barbarie puis celui de la Compagnie du Saint-Sacrement...

Ainsi s'éclairent également pour nous de multiples aspects de l'Histoire restés dans l'ombre, au sujet desquels nous hésitions à nous prononcer tant ils nous semblaient peu crédibles et que nous sommes maintenant en mesure d'interpréter. En voici quelques-uns, parmi les plus significatifs : Louis XI, voyant dans la Magdaléenne l'origine de la lignée royale française, croyance apparemment absurde, même dans le contexte du XVe siècle[1] ; la couronne de Charlemagne, dont une réplique se trouve aujourd'hui dans le trésor des Habsbourg, portant l'inscription « Rex Salomon[2] » ; les *Protocoles des Sages de Sion* évoquant un nouveau roi « de la race de David[3] » ...

Enfin, pour en venir à la croix de Lorraine, pour quelles raisons apparemment mal définies devint-elle, pendant la Seconde Guerre mondiale, le symbole des Forces françaises libres conduites par le général de Gaulle ? Pourquoi cette croix, emblème de René d'Anjou, fut-elle à ce point assimilée à la France alors que la Lorraine, longtemps duché indépendant et ancienne terre d'Empire, n'en avait jamais été véritablement le cœur ?

La réponse est pour nous inscrite entre les lignes : sûrement en raison du rôle important joué par le Prieuré de Sion dans la Résistance et des rapports étroits qui ont existé entre le général de Gaulle et certains membres du Prieuré comme Pierre Plantard. N'est-il pas d'ailleurs extrêmement troublant de noter que, presque trente ans auparavant, Charles Péguy, ami intime de Maurice Barrès auteur de *La colline inspirée*, avait déjà consacré les vers suivants à la croix, peu de temps avant sa mort en 1914 à la bataille de la Marne :

Les armes de Jésus c'est la croix de Lorraine,
Et le sang dans l'artère et le sang dans la veine,
Et la source de grâce et la claire fontaine;

Les armes de Satan c'est la croix de Lorraine,
Et c'est la même artère et c'est la même veine
Et c'est le même sang et la trouble fontaine[4]...

Rappelons encore, pour terminer, qu'à la fin du XVIIe siècle le père Vincent, historien nancéien, publia un premier ouvrage consacré à Sion en Lorraine, puis un second, *La véritable histoire de saint Sigisbert*, augmentée d'un récit de la vie de Dagobert II[5]. Or quelle phrase figurait en épigraphe sur la page de titre de ce second volume ? Celle-ci, extraite du quatrième Évangile : « Il est parmi vous et vous ne le reconnaissez pas. »

Nous-mêmes, auteurs de cet ouvrage, bien avant le début de nos recherches, étions agnostiques, c'est-à-dire ni pour le Christ ni contre le Christ. Nous étions donc par nature moins intéressés par le contenu théologique ou dogmatique des religions que par la force de leur rayonnement et la part d'authenticité inhérentes à la plupart d'entre elles. Dans ce sens, toute foi était pour nous digne de respect, mais aucune ne possédait le monopole de la vérité.

Nous abordâmes donc le personnage de Jésus avec toute la circonspection voulue, n'ayant aucun désir de prouver ou de réfuter quoi que ce soit, et nul préjugé ne faussait notre approche. L'objectivité historique étant pour nous l'unique règle, la seule digne d'intérêt, nous n'avons eu par suite, dans nos conclusions, ni à remettre en question aucune de nos convictions personnelles, ni à modifier en quoi que ce soit notre échelle de valeurs. Bref nous n'avions en aucun domaine rien à perdre, rien à gagner.

Mais qu'en serait-il des autres ? De ces millions d'individus dans le monde pour lesquels Jésus est depuis toujours le fils de Dieu, le Sauveur et le Rédempteur de l'humanité ? Quelle menace allait représenter pour leur foi ce Jésus historique, ce prêtre-roi né de nos recherches ? Dans quelle mesure n'allait-on pas violer, bouleverser les concepts qui, pour tant de croyants, représentent la base même, l'inestimable fondement de leur approche du sacré ?

Or ces conclusions, nous en sommes tout à fait conscients, vont à l'encontre de certains dogmes essentiels du christianisme moderne, et les grands mots d'hérésie, sinon même de sacrilège, ne manqueront pas de se lever contre elles, et contre la façon dont nous avons transgressé un ordre immuable.

Il ne nous semble pourtant pas avoir, d'aucune façon, désacralisé Jésus, ni l'avoir en rien diminué aux yeux des très nombreux croyants qui le révèrent ; si, personnellement, nous n'adhérons pas au principe de sa divinité, aucune de nos conclusions ne se présente pourtant comme un obstacle à cette conviction. Nous pensons, très simplement, que dans le cas de Jésus cette notion de divinité n'est pas incompatible avec le fait d'avoir été marié et d'avoir eu des enfants, et qu'il n'y a aucune raison pour qu'elle soit obligatoirement subordonnée à une absence de réalité charnelle. Rien n'interdisait en effet à Jésus, tout en étant le fils de Dieu, de prendre femme et de fonder une famille.

L'ensemble de la théologie chrétienne repose sur le principe d'un Jésus incarnant Dieu sur terre. Dieu, empli de compassion pour sa création, prenant forme humaine et devenant homme parmi les hommes ; Dieu faisant l'expérience personnelle de la condition humaine et connaissant, comme sa créature, la souffrance, la solitude, l'angoisse et le désespoir ; Dieu confronté, comme celui qu'il a créé, aux vicissitudes terrestres, puis à la mort ; Dieu quittant son lointain royaume pour se faire homme au sens le plus profond, le plus complet du terme, partageant le destin quotidien de l'homme et connaissant celui-ci comme jamais encore, dans l'Ancien Testament, il ne lui a été donné de le connaître ; Dieu enfin rachetant et justifiant la nature humaine, non sans avoir auparavant souffert par elle jusqu'à la mort...

Comment d'ailleurs admettre que Jésus ait tout connu de l'expérience humaine s'il a ignoré deux de ses aspects essentiels, l'amour physique et la paternité ? Peut-on vraiment, dans ces conditions, prétendre qu'il ait été un homme ? C'est à nos yeux impossible, et l'Incarnation, pour nous encore une fois, ne peut prendre son vrai sens que dans la mesure où Jésus a été aussi époux et père. Le Jésus des Évangiles, celui du christianisme officiel, est incomplet, car Dieu, en lui, n'a pris que très partiellement le visage de l'homme. Celui que nous évoquons au contraire, un Jésus totalement homme, nous semble incontestablement plus crédible, plus accessible à l'homme d'aujourd'hui car il est ainsi vraiment à son image. C'est la raison fondamentale pour laquelle nous pensons sincèrement n'avoir en rien nui à son incomparable rayonnement.

Il nous est impossible à l'heure actuelle de désigner un homme comme étant le descendant de Jésus par excellence. Les arbres généalogiques, nous l'avons vu, grandissent et s'élargissent, d'une génération à l'autre, jusqu'à former de véritables forêts, et il existe aujourd'hui douze familles au moins de race mérovingienne, en Angleterre et en Europe, chacune comptant d'innombrables branches collatérales. Citons rapidement les noms de Habsbourg-Lorraine, Plantard de Saint-Clair, Luxembourg, Montesquiou, Montpezat et bien d'autres. Selon les « documents du Prieuré », la famille Sinclair, en Angleterre, en ferait aussi partie, au même titre que diverses branches des Stuarts ou de la famille Devonshire. La plupart de ces grandes familles peuvent donc prétendre remonter à Jésus, mais on ne sait évidemment pas lequel de leurs membres se présentera, un jour, comme le nouveau prêtre-roi. Il n'est d'ailleurs pas inutile, à ce propos, de donner quelques précisions.

Le descendant de Jésus, à notre connaissance, ne différera en rien du reste de l'humanité, et si le monde apprenait aujourd'hui que tel individu, ou tel groupe d'individus, avait Jésus pour ancêtre, il y aurait selon toute vraisemblance assez peu de réactions, beaucoup moins en tout cas qu'il y a un siècle ou deux. Même la plus formelle des démonstrations n'arriverait pas, à notre avis, à ébranler l'indifférence générale. Dans ce sens, les projets du Prieuré de Sion n'ont de chance de réussir que s'ils sont fondés sur la politique car, outre de graves répercussions théologiques, nos perspectives entraîneraient de profonds bouleversements dans les modes de pensée, dans les valeurs et les institutions du monde dans lequel nous vivons.

Il est certain que dans le passé les diverses familles de race mérovingienne étaient profondément engagées dans la politique, et que parmi leurs principaux objectifs le pouvoir tenait une place primordiale. Cela fut vrai du Prieuré de Sion et de certains de ses grands maîtres, et cela reste valable aujourd'hui autant qu'hier, pour Sion et la lignée mérovingienne. Sion, de toute évidence, rêve d'unifier l'Église et l'État, de rassembler en une seule entité le spirituel et le temporel, le sacré et le profane, la religion et la politique. Conformément à la tradition mérovingienne le nouveau roi, selon le Prieuré de Sion, « régnerait mais ne gouvernerait pas » ; il serait en fait un MONARQUE, aux fonctions essentiellement représentatives et symboliques, et le gouvernement politique au sens strict du terme serait confié à d'autres.

Ainsi le Prieuré, œuvrant à travers la franc-maçonnerie et le Hiéron du Val d'Or, tenta-t-il au XIXe siècle de créer un nouveau Saint Empire romain, sorte d'États-Unis d'Europe, théocratique, dirigé simultanément par les Habsbourg et par une Église radicalement réformée. La Première Guerre mondiale et la chute des grandes dynasties européennes firent échouer le projet, mais on peut penser raisonnablement que les objectifs actuels de Sion, tout au moins dans leurs grandes lignes, sont assez semblables à ceux du Hiéron du Val d'Or.

Inutile de préciser que ces objectifs peuvent être, bien entendu, sujets à de nombreuses spéculations. Mais, quoi qu'il en soit, il pourrait s'agir d'une confédération trans ou pan européenne, sorte d'empire moderne dirigé par une dynastie issue de Jésus, investie des pouvoirs temporels comme de ceux de saint Pierre. Cette dynastie régnerait sur un ensemble de royaumes et de principautés unis entre eux par le jeu des alliances, formant une sorte de confédération, mais n'ayant pas à souffrir des abus généralement inséparables de ce système. Une assemblée élue par le peuple en assumerait le gouvernement effectif, en tant que parlement européen, si l'on veut, possédant les pouvoirs exécutif et législatif.

Une telle Europe constituerait une puissance politique internationale, nouvelle et unifiée, comparable à ce que sont à l'heure actuelle l'Union soviétique et les États-Unis ; mais reposant sur des bases spirituelles et émotionnelles plus que sur des concepts idéologiques, elle ferait avant tout appel à la générosité de l'homme et serait par conséquent plus forte. Ainsi s'éveillerait pour un destin nouveau, dans un immense élan religieux, tout le psychisme collectif de l'Europe occidentale.

Or ces mouvements de masse sont possibles, l'Histoire nous l'a d'ailleurs démontré récemment avec les événements d'Iran. Sans armée, sans aucun parti politique derrière lui, Khomeyni a fait appel aux forces spirituelles d'un peuple entier qui, fanatisé, s'est levé pour le suivre.

Cette tragique péripétie iranienne est évidemment totalement étrangère à notre propos, mais elle démontre assez bien le potentiel d'énergie, les passions latentes sommeillant au plus profond d'individus au mysticisme exacerbé. Éveillées au moment propice, canalisées et habilement dirigées, à des fins politiques par exemple, ces forces peuvent même prendre une ampleur exceptionnelle, littéralement s'embraser comme on l'a vu lors de la Seconde Guerre mondiale, quand deux forces adverses s'affrontèrent dans un duel titanesque sur toute la surface de la terre.

Nous avons démontré maintes fois au cours de cet ouvrage le sérieux du Prieuré de Sion, l'ampleur de ses moyens financiers et la haute qualité de ses membres ; issus des horizons les plus divers, impliqués dans la vie politique, économique, artistique et religieuse d'une grande partie du monde, ses partisans sont aujourd'hui quatre fois plus nombreux qu'ils ne l'étaient en 1956. Ils semblent en tout cas travailler à l'unisson, pour un but précis qui est, selon les directives de son grand maître actuel, programmé dans le temps. Nous savons aussi que depuis 1956 l'ordre de Sion laisse divulguer à intervalles réguliers, discrètement et par bribes, des informations qui ont permis à cet ouvrage de voir le jour.

Le temps est donc venu pour le Prieuré de Sion de dévoiler ses objectifs. Les systèmes politiques et idéologiques qui, depuis le début du XXe siècle, promettaient tant ont tous plus ou moins échoué ; tous ont, d'une façon ou d'une autre, trahi ou déçu, sans qu'aucun des rêves qu'ils avaient suscités ait pu se réaliser. Les politiciens n'inspirent plus aujourd'hui qu'une profonde méfiance, et l'Occident entier vit dans le cynisme et l'insatisfaction tandis que d'autres parties du monde sont la proie de l'inquiétude et du désespoir.

Mais en même temps nous assistons à une sorte d'élargissement des dimensions spirituelles de l'individu. Nous constatons chez lui une soif de connaissance, d'émotion vraie. Une volonté nouvelle de croire l'habite indiscutablement, prouvant que notre monde, apparemment désacralisé, n'a jamais eu autant besoin de se dépasser lui-même, et n'a jamais eu, à ce point, le sens du sacré. La prolifération des sectes et des cultes religieux, l'une des grandes particularités de notre époque, ne s'explique-t-elle d'ailleurs pas ainsi ?

Le monde actuel, nous en sommes persuadés, est également à la recherche d'un véritable chef, d'un guide spirituel, d'un Monarque digne de recevoir sa confiance. Notre civilisation, trop longtemps matérialiste et consciente de ses lacunes, ne cache plus son désir de s'abreuver à une eau différente de celle du passé, une eau qui apaiserait ses soifs spirituelles, émotionnelles et psychologiques.

Le Prieuré de Sion est, à notre sens, parfaitement habilité à remplir cette mission, et l'ensemble de ses objectifs se situe dans la droite ligne de ce renouveau spirituel. Il dispose, pour ses projets, d'un atout fabuleux, d'un héritage unique, qui, peut-être, pour des raisons échappant à l'entendement des mortels, a traversé les siècles pour parvenir jusqu'à nous.

Annexes

Appendice

Les grands maîtres du Prieuré de Sion

Jean DE GISORS. Il fut, selon les « documents du Prieuré », le premier grand maître indépendant de Sion après la « coupure de l'orme » et la séparation des Chevaliers du Temple en 1188. Né en 1133, mort en 1220, il fut seigneur de la forteresse de Gisors, lieu de rencontre traditionnel entre les rois de France et d'Angleterre, où se déroula la querelle qui devait provoquer l'abattage d'un orme. Jean fut jusqu'en 1193 vassal des rois d'Angleterre Henri II puis Richard Ier ; il possédait des terres dans le Sussex et le manoir de Tichfield dans le Hampshire. Au dire des « documents du Prieuré », il aurait rencontré Thomas Becket en 1169 ; il n'en existe aucune preuve écrite, mais c'est probablement exact car Becket se rendit bien à Gisors cette année-là.

Marie DE SAINT-CLAIR. On sait peu de chose d'elle. Née aux environs de 1192, elle descendait de Henry de Saint-Clair, baron de Rosslyn en Écosse, qui accompagna Godefroi de Bouillon à la Ire croisade. Rosslyn était situé non loin de la plus importante commanderie du Temple en Écosse et sa chapelle, construite au XVe siècle, fut selon la légende un haut lieu de la Rose-Croix et de la franc-maçonnerie. La grand-mère de Marie de Saint-Clair entra par son mariage dans la famille Chaumont en France, comme le fit Jean de Gisors, et les trois généalogies se trouvèrent alors étroitement mêlées. On peut penser, sans preuves précises, que Marie de Saint-Clair fut la seconde femme de Jean de Gisors. Selon les généalogies des « documents du Prieuré », sa mère était une Isabel Levis ; on retrouve fréquemment ce nom, d'origine juive, en Languedoc où depuis l'ère chrétienne vivaient de nombreux Israélites.

GUILLAUME DE GISORS. Petit-fils de Jean de Gisors, il naquit en 1219, et son nom est lié à la tête mystérieuse trouvée dans la commanderie des Templiers à Paris après l'arrestation de 1307. C'est le seul cas où il soit fait mention de lui, hormis un acte daté de 1244, le reconnaissant comme un chevalier. Selon les « documents du Prieuré », sa sœur épousa un Jean des Plantard et Guillaume fut lui-même introduit en 1269 dans l'ordre du Navire et du Double Croissant créé par Saint Louis à l'intention des membres de la noblesse ayant participé à la désastreuse VIe croisade. Si Guillaume de Gisors appartenait réellement à cet ordre, il dut aussi accompagner le roi dans la campagne d'Égypte.

ÉDOUARD DE BAR. Né en 1302, il était petit-fils d'Édouard Ier d'Angleterre et neveu d'Édouard II. Il descendait d'une grande famille installée dans les Ardennes depuis l'époque mérovingienne, et certainement liée à cette dynastie. La fille d'Édouard entra par son mariage dans la maison de Lorraine, qui se trouva unie à la famille de Bar.

En 1308, à l'âge de six ans, Édouard ayant accompagné le duc de Lorraine en campagne fut capturé et rançonné en 1314 seulement. Arrivé à sa majorité, il acquit de son oncle Jean de Bar la seigneurie de Stenay, et en 1324 devint l'allié militaire de Ferry de Lorraine et Jean de Luxembourg, ce dernier appartenant probablement aussi à la race mérovingienne. Édouard de Bar mourut en 1336 dans un naufrage au large des côtes de Chypre.

Si, comme le maintiennent les « documents du Prieuré », il fut grand maître de Sion en 1307, il avait alors cinq ans, ce qui ne saurait étonner si l'on pense qu'il fut capturé sur un champ de bataille à l'âge de six ans. Le comté de Bar fut gouverné jusqu'à sa majorité par son oncle Jean de Bar qui fut peut-être aussi « grand maître régent » à sa place pendant cette même période. On imagine mal qu'un enfant aussi jeune ait pu être nommé à la charge de grand maître de Sion, sans qu'il y ait eu de sérieuses raisons d'ordre héréditaire ou familial.

Aucune source officielle n'établit de lien entre Édouard de Bar et Guillaume de Gisors, mais les généalogies des « documents du Prieuré » présentent Édouard comme le petit-neveu de la femme de Guillaume, Yolande de Bar. Rien ne vient ni confirmer ni contredire cette parenté.

Jeanne DE BAR. Née en 1295, elle était la sœur aînée d'Édouard et, elle aussi, petite-fille d'Édouard Ier et nièce d'Édouard II d'Angleterre. En 1310, à l'âge de quinze ans, elle épousa le comte de Warren, Surrey, Sussex et Strathern dont elle divorça cinq ans plus tard, après qu'il eut été excommunié pour adultère. Jeanne resta pourtant en Angleterre, mais on ignore ses activités dans ce pays ; elle semble avoir entretenu de très cordiales relations avec le roi de France qui, en 1345, l'invita à rentrer sur le continent où elle devint régente du comté de Bar. Elle retourna en Angleterre en 1353, malgré la guerre de Cent Ans et les hostilités entre les deux pays. Lorsque, en 1356, le roi de France fut capturé à la bataille de Poitiers et emprisonné à Londres, Jeanne fut autorisée à lui porter secours et réconfort ; on dit même que, malgré leur âge respectif avancé, elle fut alors sa maîtresse. Elle mourut à Londres en 1361.

Selon les « documents du Prieuré », Jeanne de Bar présida aux destinées de Sion jusqu'en 1351, dix ans avant sa mort. Elle fut donc la seule de toute la liste des grands maîtres à avoir soit abdiqué, soit été démise.

Jean DE SAINT-CLAIR. Nous n'avons rien trouvé sur lui, et il semble n'avoir été qu'un personnage mineur de la liste. Né en 1329, il descendait des familles françaises de Chaumont, Gisors et Saint-Clair, et, selon les généalogies des « documents du Prieuré », son grand-père épousa la tante de Jeanne de Bar. Cette parenté lointaine montre bien que le titre de grand maître de Sion était transmis encore exclusivement à l'intérieur d'un réseau de familles toutes liées entre elles.

Blanche D'ÉVREUX. Née en 1332, elle s'appelait en réalité Blanche de Navarre et était la fille du roi de Navarre qui lui légua les comtés de Longueville et d'Évreux proches de Gisors. Elle devint comtesse de Gisors en 1359, dix ans après avoir épousé le roi Philippe VI de France qui lui fit probablement connaître Jeanne de Bar. Elle passa la majorité de sa vie au château de Neauphle près de Gisors, et y mourut en 1398.

D'après de nombreuses légendes, Blanche s'adonnait à l'alchimie, et certains de ses châteaux renfermaient des laboratoires. Elle aurait eu en sa possession, dit-on, un traité d'alchimie sans prix, paru en Languedoc au cours du XIVe siècle, et ayant pour origine un manuscrit datant des derniers jours de la dynastie mérovingienne quelque sept cents ans auparavant. On dit aussi qu'elle aurait été la protectrice de Nicolas Flamel.

Nicolas FLAMEL. Il est le premier des grands maîtres de Sion à n'appartenir à aucune des généalogies des « documents du Prieuré », et le titre, avec lui, cesse d'être exclusivement un privilège familial. Né aux environs de 1330, Flamel fait pendant un certain temps office de copiste à Paris. Ainsi a-t-il accès à de nombreux livres rares, et grâce à eux il acquiert de multiples connaissances en peinture, poésie, mathématiques et architecture. Il s'intéresse aussi à l'alchimie, à la pensée cabalistique et hermétique.

En 1361 selon son propre récit, Flamel ouvre le traité d'alchimie qui va transformer sa vie. Il s'agit du *Livre Sacré d'Abraham le Juif, Prince, Prêtre, Lévite, Astrologue et Philosophe à la Tribu des Juifs qui, par suite du Courroux de Dieu, furent dispersés parmi les Gaulois*, destiné à devenir l'une des œuvres les plus célèbres de la tradition ésotérique occidentale. L'original se trouverait, dit-on, à la bibliothèque de l'Arsenal à Paris, et des générations de jeunes alchimistes se sont penchées assidûment, religieusement, mais en vain semble-t-il, sur ses nombreuses copies.

Flamel s'absorbe dans l'étude du traité, sans aucun succès pendant vingt et un ans. Enfin au cours d'un voyage en Espagne en 1382, il rencontre dans le pays de León un Juif converti qui lui en fournit l'interprétation. Dès son retour à Paris, Flamel met son enseignement en pratique et réussit sa première transmutation alchimique à midi, le 17 janvier, date fatidique dans toute l'histoire de Saunière et de Rennes-le-Château.

On ne sait si le récit de Flamel est véridique, mais il devint immensément riche et, à la fin de sa vie, possédait plus de trente maisons et des terrains, à Paris seulement. Toute sa vie pourtant, il resta un homme modeste que ne grisaient ni l'argent ni le pouvoir, et dépensa la majorité de sa fortune en bonnes œuvres. Aux environs de 1413, il avait fondé et doté quatorze hôpitaux, sept églises et trois chapelles à Paris, et un nombre égal à Boulogne, l'ancien comté du père de Godefroi de Bouillon. Cet altruisme, plus encore que ses succès retentissants, le rendit cher à la postérité; au XVIIIe siècle encore, Isaac Newton lui portait une véritable vénération, lisant toutes ses œuvres, les annotant abondamment et allant jusqu'à recopier l'une d'entre elles entièrement à la main.

René D'ANJOU. Nous n'avons trouvé trace d'aucun lien précis entre Flamel et lui, mais son seul personnage suffit amplement à donner matière à réflexion. Né en 1408, il fut l'une des personnalités les plus importantes des années précédant immédiatement la Renaissance, et compta entre autres titres ceux de comte de Bar, de Provence, de Piémont et de Guise, de duc de Calabre, d'Anjou et de Lorraine, de roi de Hongrie, de Naples et Sicile, d'Aragon, Valence, Majorque et Sardaigne ; enfin, le plus important de tous, celui de roi de Jérusalem, purement titulaire évidemment, mais remontant à Godefroi de Bouillon et reconnu par tous les souverains d'Europe. L'une des filles de René d'Anjou épousa Henri VI d'Angleterre en 1445, et devint l'une des figures marquantes de la guerre des Deux-Roses.

Selon les « documents du Prieuré », René devint grand maître de Sion en 1418, à l'âge de dix ans, mais son oncle Louis, cardinal de Bar, en aurait exercé la régence jusqu'en 1428. Nos recherches nous ont aussi appris que René entra en 1418 dans l'ordre du Lévrier Blanc dont nous ne savons rien, mais qui était peut-être une autre désignation pour celui de Sion.

Entre 1420 et 1422, le cardinal de Lorraine créa l'ordre de la Fidélité, et René y figura parmi ses premiers membres ; puis en 1448 il fonda son ordre propre, celui du Croissant, décrit comme une nouvelle version de l'ancien ordre du Navire, auquel avait appartenu Guillaume de Gisors, un siècle et demi auparavant. Les premiers « Chevaliers du Croissant » étaient entre autres Francesco Sforza, duc de Milan et père du protecteur de Léonard de Vinci, le comte de Lénoncourt, dont le descendant, au dire des « documents du Prieuré », allait établir les généalogies des *Dossiers secrets*, et un Ferri, seigneur de l'important fief de Sion-Vaudémont en Lorraine, datant des temps mérovingiens. L'ordre du Croissant se voulait une réplique de ceux de la Jarretière en Angleterre et de la Toison d'Or en Bourgogne, mais pour des raisons obscures il encourut les foudres ecclésiastiques et fut supprimé par le pape.

C'est de René d'Anjou que nous vient l'actuelle croix de Lorraine avec ses deux barres horizontales, qui fut le symbole des Forces françaises libres pendant la Seconde Guerre mondiale. René en fit son emblème personnel lorsqu'il devint duc de Lorraine.

Iolande DE BAR. Fille de René d'Anjou, née vers 1428, elle épousa en 1445 Ferri, seigneur de Sion-Vaudémont, l'un des premiers chevaliers de l'ordre du Croissant fondé par René. Après la mort de son mari, elle passa la plus grande partie de sa vie à Sion-Vaudémont qui, de petit pèlerinage local, devint sous ses auspices un haut lieu sacré de toute la Lorraine. Il l'était déjà pour les païens, comme le prouve la statue de Rosemerthe, ancienne déesse mère gallo-teutonique trouvée sur les lieux ; il l'était aussi au début de l'ère chrétienne, malgré la consonance juive du nom que Sion portait alors : mont Semita. On sait qu'une statue de la Vierge fut érigée à Sion-Vaudémont à l'époque mérovingienne et qu'en 1070 le comte de Vaudémont se proclama publiquement « vassal de la Reine du Ciel ». À son tour, la Vierge de Sion fut déclarée « souveraine du comté de Vaudémont », protectrice de la Lorraine, et des fêtes importantes avaient lieu au mois de mai en son honneur. Nous avons découvert au cours de nos recherches une charte de 1396 relative à une « Confraternité des chevaliers de Sion » installée sur la montagne qui, disait-on, faisait remonter ses origines[1] jusqu'à l'ancienne abbaye du mont Sion près de Jérusalem. Il semble qu'au XVe siècle Sion-Vaudémont était tombé dans l'oubli, et que Iolande de Bar lui redonna un peu de son ancienne gloire.

Le fils de Iolande, René II, élevé à Florence, se passionna pour les sciences occultes alors enseignées dans toutes les académies. En l'an 1471, alors âgé de dix-neuf ans, il fut obligé de gravir deux fois selon la tradition de Sion (une fois nu-pieds, une fois chaussé) la côte qui monte à Notre-Dame de Sion. Ce sanctuaire de Notre-Dame de Sion s'élève sur une hauteur, qui varie entre 490 et 550 mètres, et émerge en fer à cheval au-dessus d'une vaste vallée, qui d'en haut fait l'effet d'un immense jeu d'échecs.

En accomplissant ce rituel, René II se conformait au testament de son père Ferri, rédigé à Joinville le 30 août 1470. René II d'Anjou avait pour maître Georges Antoine Vespucci, l'un des principaux protecteurs de Botticelli.

Sandro FILIPEPI. Plus connu sous le nom de Botticelli, il naquit en 1444 et, comme Nicolas Flamel, n'était affilié à aucune des familles figurant dans les généalogies des « documents du Prieuré ». Il semble pourtant avoir entretenu des rapports étroits avec certaines d'entre elles comme les Médicis, les d'Este, les Gonzague et les Vespucci, dont le dernier fut précepteur du jeune duc de Lorraine ; ces familles lui fournirent de nombreux protecteurs. Botticelli fut l'élève de Filippo Lippi et Mantegna, tous deux protégés de René d'Anjou, ainsi que de l'alchimiste et hermétiste Verrocchio, maître de Léonard de Vinci.

Nous n'avions pas, de nous-mêmes, imaginé Botticelli sous l'aspect d'un occultiste, et il nous fallut pour en arriver là toute la force de conviction de spécialistes de la Renaissance comme Edgar Wind ou Frances Yates. D'après eux en effet, Botticelli avait un penchant très marqué pour la tradition ésotérique dont on trouve des traces indiscutables dans la plupart de ses œuvres. On attribue à Botticelli ou à son maître Mantegna le premier jeu de tarots connu, et l'on peut voir dans sa célèbre peinture du *Printemps* une illustration des thèmes ésotériques de l'Arcadie et du « flot souterain ».

Léonard DE VINCI. Né en 1452, il était intimement lié avec Botticelli, en partie grâce à leur apprentissage commun chez Verrochio, et jouissait des mêmes protections, auxquelles venait s'ajouter dans son cas celle de Ludovic Sforza, fils de Francesco Sforza, ami intime de René d'Anjou et l'un des premiers membres de l'ordre du Croissant.

Comme ceux de Botticelli, les penchants de Léonard de Vinci pour les sciences occultes ne laissent plus aucun doute et Frances Yates voit en lui un « Rosicrucien » de la première heure. Sans doute s'engagea-t-il même plus avant dans cette voie car d'après son biographe et contemporain Vasari il avait une « tournure d'esprit hérétique ». On ignore ce que recouvrent ces mots, mais on attribue aujourd'hui à Léonard de Vinci l'ancienne croyance hérétique selon laquelle Jésus aurait eu un jumeau. C'est la signification probable de l'esquisse intitulée *La Vierge avec saint Jean le Baptiste et sainte Anne*, et de la célèbre *Dernière Cène* où figurent en effet deux Christ identiques ; mais on ne sait pas si cette théorie d'un jumeau de Jésus s'envisageait sur un plan littéral ou symbolique.

Entre 1515 et 1517 Léonard de Vinci, ingénieur militaire, fut attaché à l'armée de Charles de Montpensier et de Bourbon, connétable de France, vice-roi du Languedoc et de Milan. En 1518 il se fixa au château de Cloux, non loin du connétable qui vivait alors à Amboise.

Connétable DE BOURBON. Né en 1490, Charles de Montpensier et de Bourbon, duc de Châtellerault et connétable de France, fut probablement le seigneur le plus puissant des premières années du XVIe siècle. Il était le fils de Claire de Gonzague et sa sœur épousa le duc de Lorraine, petit-fils de Iolande de Bar et arrière-petit-fils de René d'Anjou. Dans son entourage figurait Jean de Joyeuse qui devint par son mariage seigneur de Couiza, Rennes-le-Château et Arques où se trouvait la tombe identique à celle de la peinture de Nicolas Poussin.

Vice-roi de Milan, le connétable de Bourbon était en contact avec Léonard de Vinci, et il le fut de nouveau à Amboise. Mais en 1521, sur l'ordre de François Ier, il dut abandonner ses États et quitter le pays incognito. Il trouva refuge auprès de l'empereur Charles V, et devint commandant de l'armée impériale. En 1525, il vainquit et captura le roi de France à la bataille de Pavie et mourut deux ans plus tard au siège de Rome.

Ferdinand DE GONZAGUE. Plus connu sous le prénom de Ferrante, ce fils du duc de Mantoue et d'Isabelle d'Este, protecteurs de Léonard de Vinci, naquit en 1507 et se nomma d'abord comte de Guastalla. En 1527, il assista dans ses opérations militaires son cousin Charles de Montpensier et, quelques années plus tard, se ligua secrètement avec François de Lorraine, duc de Guise, qui manqua de très peu s'emparer du trône de France. Comme tous les Gonzague de Mantoue, Ferrante était un partisan assidu de la pensée ésotérique.

Nous nous sommes trouvés, avec lui, confrontés à la seule information manifestement fausse de tous les « documents du Prieuré ». Selon la liste des grands maîtres de Sion figurant dans les *Dossiers secrets*, Ferrante aurait en effet présidé aux destinées de l'ordre jusqu'à la fin de sa vie en 1575. Or, selon d'autres sources, il serait mort près de Bruxelles en 1557, dans des circonstances peu claires il est vrai, et pouvant laisser croire qu'on l'avait seulement cru mort. Par ailleurs la date avancée par les *Dossiers secrets* peut aussi être une erreur ; Ferrante avait un fils, César, qui mourut en 1575, et il y eut peut-être confusion, volontaire ou non, entre le père et le fils. C'est la seule inexactitude manifeste de tous les « documents du Prieuré », même dans les cas où ils manquent d'information ou traitent de personnages et d'événements particulièrement obscurs.

C'est pourquoi nous ne pouvons nous empêcher de penser qu'il ne s'agit pas en l'occurrence d'une erreur, mais plutôt d'un moyen déguisé de transmettre un message important, car dans le n° 4 de *Circuit*, on peut lire ce petit message bien étrange :

> «... Ferrant devait mourir le 15 novembre 1557, mais déjà destitué par le convent de Turin en 1556, son remplacement n'avait posé aucun problème. Michel devait pendant dix ans marquer le destin du monde. Sa mort sema pendant neuf ans la discorde dans l'Ordre, et l'interrègne fut assuré par le "triumvirat", dont Nicolas Froumenteau et le duc de Longueville étaient les dignitaires... »

Louis DE NEVERS. Louis de Gonzague, duc de Nevers, neveu de Ferrante de Gonzague, son prédécesseur sur la liste des grands maîtres de Sion, naquit en 1539. Son frère entra par son mariage dans la famille de Habsbourg et sa sœur épousa le duc de Longueville, titre jadis détenu par Blanche d'Évreux; sa petite-nièce enfin épousa le duc de Lorraine et porta un grand intérêt au vieux site de Sion-Vaudémont où elle fit installer une croix en 1622 et fonda, cinq ans plus tard, une maison religieuse et une école.

Au cours des guerres de Religion, Louis de Nevers fut l'allié de la maison de Lorraine et de sa branche cadette, la maison de Guise, qui mirent fin à l'ancienne dynastie française des Valois et, à leur tour, furent très près de s'emparer du trône de France. En 1584, Louis de Nevers signa avec le duc de Guise et le cardinal de Lorraine un traité contre Henri III de France, qui ne les empêcha pas de se réconcilier avec Henri IV. Devenu surintendant des Finances du nouveau roi, Louis travailla en étroite collaboration avec le père de Robert Fludd, trésorier du contingent militaire envoyé par Élisabeth Ire d'Angleterre pour soutenir le monarque français.

Comme tous les Gonzague, Louis de Nevers était très versé dans la tradition ésotérique ; il aurait même été lié avec Giordano Bruno, lui-même membre, selon Frances Yates, de certaines des sociétés secrètes ayant précédé les Rose-Croix. En 1582, Louis se rendit en Angleterre où il rencontra Sir Philip Sidney, l'auteur d'*Arcadia*, et le célèbre ésotériste anglais John Dee. Un an plus tard Bruno se rendit à Oxford et rencontra ces deux mêmes personnalités en compagnie desquelles il se livra aux activités spécifiques de leur organisation clandestine.

Robert FLUDD. Né en 1574, il fut à la suite de John Dee le principal représentant de la pensée ésotérique anglaise. Il écrivit et publia autour de ce sujet une grande quantité d'ouvrages, et développa l'une des formulations les plus intelligibles de la philosophie hermétique. Son œuvre, a-t-on suggéré, est comparable au « sceau ou au code secret d'une secte hermétique ». Fludd n'avoua jamais officiellement son appartenance aux « Rosicruciens », alors objets de scandale sur le continent, mais il ne cachait pas son amitié à leur égard.

Membre du Collège de Médecine de Londres, Fludd comptait parmi ses amis William Harvey, qui découvrit les lois de la circulation du sang. Jacques Ier et Charles Ier lui offrirent des terres dans le Suffolk ; et il participa à la traduction de la Bible dite « du roi James ». Il entra surtout très jeune en contact avec le milieu ésotérique d'Oxford où il fut élevé, puis en Europe entre 1596 et 1602, avec les futurs adeptes du mouvement rosicrucien et Gruter, ami personnel de Valentin Andreä.

En 1602, il fut appelé à Marseille pour assumer les fonctions de précepteur du plus jeune fils du duc de Guise, Charles, auprès duquel il semble être resté jusqu'en 1620. Charles avait épousé en 1610 Henriette-Catherine de Joyeuse qui lui apporta Couiza, au pied de Rennes-le-Château, et Arques où se trouve la fameuse tombe. Ayant conspiré contre le trône de France, le duc de Guise s'exila en Italie en 1631 ; sa femme l'y rejoignit bientôt, mais lorsque, veuve, elle demanda à rentrer en France, la couronne exigea en échange Couiza et Arques[2].

Johann Valentin ANDREÄ. Fils d'un pasteur et théologien luthérien, il naquit en 1586 dans le Wurtemberg qui bordait la Lorraine et le Palatinat du Rhin. Il voyagea en Europe dès 1610 et fut très vite introduit dans une société qui regroupait les initiés de la pensée ésotérique. Ordonné diacre en 1614, il vécut dans une petite ville proche de Stuttgart, à l'abri des tumultes de la guerre de Trente Ans (1618-1648).

Robert BOYLE. Dernier fils du comte de Cork, il naquit en 1627 et fut élevé à Eton où il pénétra vite dans l'entourage rosicrucien de Frédéric de Palatinat. Il s'embarqua pour l'Europe en 1639 et passa quelque temps à Florence où, malgré les injonctions du pape, les Médicis continuaient d'encourager ésotéristes et hommes de science, dont Galilée. Puis Robert Boyle vécut vingt et un mois à Genève où il étudia la démonologie, et se procura *Le diable de Mascon* dont le traducteur, Pierre du Moulin, allait devenir l'un de ses plus fidèles amis. Le père de Pierre du Moulin était chapelain privé de Catherine de Bar, femme d'Henri de Lorraine, duc de Bar, et protégé d'Henri de La Tour d'Auvergne, vicomte de Turenne et duc de Bouillon.

Dès son retour en Angleterre en 1645, Robert Boyle entra en contact avec le cercle de Samuel Hartlib, ami intime d'Andreä. Ses lettres de 1646 et 1647 parlent souvent de « l'Invisible Collège » ou du « Collège Philosophique » dont les « pierres angulaires » lui faisaient « de temps à autre l'honneur de leur compagnie ».

En 1654 il se rendit à Oxford où il rencontra John Wilkins, ancien chapelain de Frédéric de Palatinat ; en 1660, il fut l'un des premiers partisans du retour des

Stuarts sur le trône d'Angleterre et, en 1668, il se fixa à Londres chez sa sœur, parente par alliance de l'ami d'Andreä, John Dury. Il y reçut d'importants visiteurs comme Cosme III de Médicis, futur grand-duc de Toscane.

Isaac Newton et John Locke furent alors les deux grands amis de Boyle qui les initia aux secrets de l'alchimie. Puis Locke se rendit dans le sud de la France et là, spécialement, sur les tombes de Nostradamus et de René d'Anjou, et dans les environs de Toulouse, Carcassonne, Narbonne, donc très probablement Rennes-le-Château. Il passait pour bien connaître la duchesse de Guise et pour avoir étudié tous les rapports de l'Inquisition sur les Cathares, ainsi que les légendes relatives au Saint Graal apporté à Marseille par la Magdaléenne; il visita d'ailleurs la Sainte-Baume en 1676.

Boyle entretint une correspondance volumineuse avec le continent pendant tout le voyage de Locke en France, particulièrement avec un mystérieux George Pierre (pseudonyme?) auquel il faisait part de ses expériences alchimiques et de son appartenance à une société secrète comprenant le duc de Savoie et Pierre du Moulin. Entre 1675 et 1677, il publia deux ambitieux traités sur la transformation des métaux, puis en 1689 il cessa de recevoir des visiteurs certains jours de la semaine réservés à ses travaux. Son intention, avouait-il, était de laisser derrière lui une sorte de testament à l'usage des disciples de l'hermétisme, et de leur livrer un certain nombre de processus chimiques et médicaux plus élaborés que ceux qu'il avait précédemment publiés[3]; il désirait s'exprimer à ce propos le plus clairement possible, sans pourtant tout révéler de ses secrets, car malgré sa philanthropie il s'était engagé à respecter une certaine discrétion[4].

Aucun des documents annoncés par Robert Boyle ne fut jamais retrouvé; peut-être les remit-il entre les mains de Locke ou, plus vraisemblablement, de Newton. À sa mort en 1691, il leur confia en effet l'ensemble de ses papiers, ainsi que des échantillons de la mystérieuse « poudre rouge » dont il parlait abondamment dans sa correspondance et se servait dans ses expériences alchimiques.

Isaac NEWTON. Né dans le Lincolnshire en 1642, il prétendait avec insistance descendre d'une très ancienne noblesse écossaise, mais personne ne semble avoir pris cette déclaration très au sérieux. Élevé à Cambridge, élu à la Société Royale en 1672, il rencontra Robert Boyle pour la première fois l'année suivante. En 1689-1690, il s'associa à John Locke et à un très énigmatique Nicolas Fatio de Duillier, aristocrate genevois qui parcourait alors l'Europe ; on le disait espion, à la solde des ennemis de Louis XIV, et lié à toutes les personnalités scientifiques de son époque. Fatio de Duillier devint l'ami intime de Newton dès son arrivée en Angleterre, et le resta pendant toute la décennie suivante.

Nommé en 1696 directeur de la Monnaie Royale, Newton eut désormais la charge de fixer l'étalon-or, puis en 1703 il fut élu président de la Société Royale. Il s'y lia d'amitié avec un jeune protestant français réfugié, Jean Desaguliers, qui allait devenir l'une des figures de proue de la jeune et explosive franc-maçonnerie européenne, aux côtés de James Anderson, du chevalier Ramsay et de Charles Radclyffe. Maître de la Loge Maçonnique de La Hague, il présida en 1731 à l'initiation du premier prince européen entré dans la « corporation » ; c'était François, duc de Lorraine, qui après son mariage avec Marie-Thérèse d'Autriche devint saint empereur romain.

On ne sait si Newton fut lui-même franc-maçon, mais il était membre d'une institution semi-maçonnique, le « Gentleman's Club of Spalding », qui réunissait des personnalités comme Alexander Pope, Radclyffe, Ramsay et Desaguliers. Par ailleurs il partageait certaines idées propres à la franc-maçonnerie, comme de voir en Noé plus qu'en Moïse la source de toute sagesse ésotérique. En 1689, il entama ce qu'il considérait comme l'une de ses œuvres les plus importantes, une étude chronologique des anciennes monarchies, où il tentait d'établir les origines de la royauté et la primauté d'Israël sur les diverses cultures de l'Antiquité. Selon Newton, l'ancien judaïsme avait été le dépositaire de la connaissance divine, perdue par la suite et corrompue, mais qui avait pu filtrer jusqu'à Pythagore dont la « musique des sphères » était une métaphore de la loi de la gravité. Désireux de formuler une méthodologie scientifique précise dans le but de dater les événements des Écritures et des mythes classiques, il voyait dans la quête de la Toison d'Or de Jason, comme d'autres écrivains maçonniques et ésotériques, une allégorie alchimique fondamentale. Selon la tradition hermétique, il cherchait à établir des « correspondances » entre la musique et l'architecture, et attribuait une grande importance à la forme et aux dimensions du Temple de Salomon. Pour Newton comme pour tous les francs-maçons, elles dissimulaient en effet une formule alchimique, et les anciennes cérémonies du Temple avaient comporté des rites alchimiques.

Cet aspect de Newton était pour nous une véritable révélation. Certes on retrouvait en lui l'homme de science qui avait établi la distinction entre la théologie et les lois physiques, mais il nous apparaissait en outre comme un partisan acharné de la tradition occulte, un homme religieux à la recherche d'une unité divine et du réseau de correspondances couvrant la nature. Ainsi dut-il explorer, à travers la géométrie et la numérologie sacrées, les propriétés intrinsèques de la forme et du nombre. Il fut aussi un alchimiste assidu, attribuant une grande importance à son œuvre [5] et possédant, outre des exemplaires annotés des manifestes rosicruciens, plus de cent traités d'alchimie dont un, copie manuscrite exacte d'un ouvrage de Nicolas Flamel. Toute sa vie il se préoccupa d'alchimie, et échangea à ce sujet une correspondance abondante avec Boyle, Locke, Fatio de Duillier et d'autres.

Si les aspects scientifiques de Newton étaient moins orthodoxes que nous pouvions le penser au départ, ses vues religieuses l'étaient aussi peu. Il refusait l'idée de Trinité, et le déisme alors à la mode qui avait tendance à réduire le cosmos à une vaste machine construite par un ingénieur céleste. Il mettait en doute la divinité de Jésus et collectionnait tous les documents pouvant lui donner raison ; il mettait aussi en doute l'authenticité du Nouveau Testament, dont il considérait certains passages comme des altérations intervenues au cours du Ve siècle. Enfin, profondément intéressé par les premières hérésies gnostiques, il consacra une étude à l'une d'entre elles[6].

Sous l'influence de Fatio de Duillier, Newton montra une vive sympathie pour les Camisards ou « Prophètes des Cévennes » arrivés à Londres peu après 1705. Ainsi nommés à cause de leurs tuniques blanches, ils étaient apparus, comme les Cathares, dans le sud de la France et, comme eux, avaient proclamé la supériorité de la « gnose » ou connaissance directe, sur la foi exigée par Rome. Comme les Cathares aussi, ils doutaient de la divinité de Jésus et, comme eux, avaient fait au XVIIIe siècle l'objet d'une répression aussi brutale qu'au XIIe la croisade des Albigeois. Chassés du Languedoc, ils avaient trouvé refuge à Genève et à Londres.

Quelques semaines avant sa mort, Newton brûla une grande quantité de papiers et de manuscrits. Ses contemporains notèrent avec surprise qu'il mourut sans réclamer les derniers sacrements.

Charles RADCLYFFE. Il naquit en 1693 d'une grande famille de Northumbrie, dont les membres furent nommés comtes de Derwentwater en 1688 par Jacques II peu avant sa déposition. Sa mère étant une fille illégitime de Charles II et de sa maîtresse Moll Davis, Charles avait du sang royal dans les veines. Il était de ce fait cousin de Charles-Édouard Stuart, surnommé

« Bonnie Prince Charlie » et de George Lee, comte de Lichfield, autre petit-fils illégitime de Charles II ; il consacra sa vie à la cause des Stuarts.

Charles DE LORRAINE. Né en 1712, il était le plus jeune frère de François et tous deux subirent probablement dès leur jeunesse une influence jacobite, leur père ayant offert aux Stuarts en exil sa protection et un refuge à Bar-le-Duc. En 1736, François épousa Marie-Thérèse, impératrice d'Autriche, et huit ans plus tard, en 1744, Charles lui-même épousa la sœur de cette dernière, Marie-Anne ; il fut aussitôt nommé gouverneur général des Pays-Bas autrichiens et commandant en chef de l'armée d'Autriche.

François, par son mariage, avait renoncé à tous ses droits sur la Lorraine en échange de l'archiduché de Toscane ; mais Charles refusa de reconnaître cet accord, l'abdication de son frère lui donnant le titre de duc titulaire de Lorraine. En 1742, il prit la tête d'une armée de 70 000 hommes pour regagner son pays, et sans doute eût-il réussi s'il n'avait dû se rendre en Bohême pour prévenir une invasion française.

Au cours des opérations qui suivirent, Charles de Lorraine se révéla un excellent militaire ; il se heurta malheureusement à Frédéric le Grand qui remporta contre lui une de ses plus brillantes victoires, celle de Leuthen en 1757, mais continua de parler de lui en termes admiratifs, comme d'un redoutable adversaire.

Relevé de son commandement après cette défaite par Marie-Thérèse, il se retira dans sa capitale de Bruxelles où il s'entoura d'une cour élégante et cultivée, passionnée de littérature, de musique, d'art et de théâtre, et fort semblable à celle de son ancêtre René d'Anjou.

Charles de Lorraine devint en 1761 grand maître de l'ordre Teutonique, vestige des anciens Chevaliers allemands protégés des Templiers, et restés fort puissants sur le plan militaire jusqu'au XVIe siècle. En 1770, un nouveau coadjuteur de l'ordre fut nommé, c'était Maximilien de Lorraine, neveu favori de Charles, qui resta étroitement lié avec lui au cours des années suivantes. Maximilien assista en 1775 à l'érection de la statue équestre de son oncle à Bruxelles ; l'inauguration eut lieu le 17 janvier, date de la première transmutation alchimique de Nicolas Flamel, date figurant sur la pierre tombale de Marie de Blanchefort, date enfin de l'attaque cardiaque de l'abbé Saunière.

Maximilien DE LORRAINE. Né en 1756, Maximilien de Lorraine, ou de Habsbourg, était le dernier fils de l'impératrice Marie-Thérèse. Une malencontreuse chute de cheval l'ayant obligé à abandonner la carrière militaire, il se tourna vers l'Église et devint évêque de Münster en 1784, puis archevêque et Électeur de Cologne, enfin à la mort de son oncle Charles de Lorraine, en 1780, grand maître de l'ordre Teutonique.

Comme son oncle, il aimait les arts et protégea Haydn, Mozart et le jeune Beethoven qui songea à lui dédicacer sa *Première symphonie*, mais lorsqu'il l'eut achevée et publiée Maximilien était mort.

Maximilien de Lorraine était un homme intelligent et tolérant, l'un des plus cultivés de son époque, aimé de ses sujets et estimé de ses égaux, exemple parfait du monarque idéal de ce « XVIIIe siècle éclairé ». Lucide en politique, il fit tout son possible pour prévenir sa sœur Marie-Antoinette contre l'orage qui montait en France ; lorsque celui-ci éclata, il ne marqua aucune surprise. Partisan des objectifs fondamentaux de la Révolution, il ouvrit pourtant ses portes à l'aristocratie française en fuite.

Maximilien se défendait d'être franc-maçon mais néanmoins, en dépit de sa position au sein de l'Église et de la sévérité de Rome à cet égard, il appartint très probablement à l'une ou l'autre des sociétés secrètes de l'époque. Il ne cachait d'ailleurs pas son amitié pour certains membres de la « corporation », parmi lesquels figurait évidemment Mozart.

Comme Boyle, Radclyffe, Charles de Lorraine et d'autres grands maîtres de Sion, Maximilien était le dernier fils de sa famille. Comme eux aussi, il assuma très discrètement ses fonctions de grand maître, travaillant dans l'ombre derrière de plus hautes personnalités, culturelles par exemple comme Marie-Caroline, reine de Naples et Sicile, qui contribua fortement à l'expansion de la franc-maçonnerie dans ses États. Rappelons que Radclyffe agissait par l'intermédiaire du chevalier Ramsay puis de Hund, et Charles de Lorraine par celui de son frère François.

Charles Nodier. Né en 1780, il inaugure la lignée des grands maîtres de Sion qui suit immédiatement la Révolution française, n'appartenant à aucune ancienne noblesse, à aucune des généalogies des « documents du Prieuré » ni à aucune forme de pouvoir politique.

La mère de Nodier était une certaine Suzanne Paris qui n'aurait jamais connu ses parents ; son père, avoué à Besançon, franc-maçon actif et estimé, fut membre du club jacobite local avant la Révolution, puis maire et président du tribunal révolutionnaire de la ville.

Précoce, Charles Nodier s'intéressa très jeune à la culture et à la politique ; dès l'âge de dix-huit ans, il publia une œuvre abondante regroupant souvenirs de voyage, essais sur l'art et la littérature, études diverses allant du rôle de l'antenne chez l'insecte jusqu'à une théorie du suicide, recherches sur l'archéologie, la linguistique, le droit et l'ésotérisme, sans oublier les contes et romans. Il n'est plus considéré aujourd'hui comme un écrivain de premier plan.

D'abord partisan de la Révolution, Nodier lui devint vite hostile, ainsi qu'à Napoléon dès 1802. Il publia contre lui, à Londres, un poème satirique, *Le Napoléone*, qui lui valut un mois de prison. Néanmoins il avoua plus tard avoir participé à deux complots contre l'empereur en 1804 et 1812, ce qui est probablement vrai car il en connaissait les instigateurs depuis son enfance à Besançon.

Victor HUGO. Originaire de Lorraine, il naquit en 1802 à Besançon, alors véritable foyer d'activité subversive. Son père, général de Napoléon, entretenait pourtant d'excellentes relations avec les ennemis de l'empereur dont l'un, conspirateur actif, amant de sa femme et parrain de son fils, joua un grand rôle auprès du jeune Victor.

À dix-sept ans, celui-ci était déjà un disciple fervent de Nodier qui l'initia à l'architecture gothique, véritable sujet, dira-t-il lui-même, de son œuvre *Notre-Dame de Paris*. En 1819, tous deux fondèrent une maison d'édition où ils publièrent un magazine sous la direction de Nodier. En 1822, Victor Hugo se maria à Saint-Sulpice au cours d'une cérémonie assez spéciale et, trois ans plus tard, les deux amis partirent en Suisse en compagnie de leurs épouses. L'admission de Victor Hugo a été faite au Prieuré de Sion, le 2 mai 1825 à Blois par Nodier. En 1825 aussi, ils assistèrent au couronnement de Charles X et l'année suivante Victor Hugo ouvrit son propre salon, sur le modèle de celui de Nodier et fréquenté par les mêmes célébrités. Lorsque Nodier mourut en 1845, Victor Hugo figurait parmi ceux qui portaient le drap mortuaire.

À la fête de la Saint-Babolein en juin 1829, Victor Hugo fit l'admission dans l'Ordre de Théophile Gautier, qui avait été présenté par Gérard de Nerval et Pétrus Borel. Les 21-22 août 1834, il assiste au convent de Blois et s'élève contre la Justice et la peine de mort. Le 22 juillet 1844, à la Sainte-Madeleine, il est élu Grand Maître de l'Ordre, à une voix de majorité au quatrième tour. L'opposition tente de le destituer par un scandale en 1845 (dont l'instigateur secret serait Théophile Gautier... lequel après son échec s'embarque pour l'Algérie).

Hugo comme Newton était profondément religieux, mais de façon aussi peu orthodoxe, hostile à la Trinité et à la divinité de Jésus. Sous l'influence de Nodier, il se passionna toute sa vie pour la pensée ésotérique, gnostique et cabalistique, et resta en relation avec un ordre dit « Rose-Croix », comprenant Éliphas Lévi et le jeune Maurice Barrès.

Il est difficile de se prononcer sur ses opinions politiques, finalement très contradictoires. Victor Hugo admirait Napoléon tout en étant royaliste convaincu ; partisan de la restauration des Bourbons sur le trône de France, il semblait ne les considérer que comme une solution provisoire car il les méprisait et condamnait profondément Louis XIV ; mais il soutenait Louis-Philippe, « roi-citoyen » d'une monarchie populaire dont la femme, nièce de Maximilien de Lorraine, appartenait à la maison de Habsbourg-Lorraine.

Claude DEBUSSY. Né en 1862 dans une famille pauvre, il acquit vite la fortune et la notoriété grâce à son grand talent. Il joua du piano très jeune pour la maîtresse du président de la République puis fut adopté par un aristocrate russe, déjà protecteur de Tchaïkovski, qui l'emmena en Suisse, en Italie et en Russie. En 1884, il partit étudier à Rome et, jusqu'en 1906, alterna voyages et séjours à Paris, rencontrant d'innombrables personnalités apparemment toutes étrangères aux généalogies des « documents du Prieuré », et difficiles à identifier. Beaucoup de ses lettres en effet ont été détruites, et on remarque dans celles qui ont été publiées qu'un grand nombre de noms et de phrases ont été supprimés.

Debussy fit probablement la connaissance de Victor Hugo par l'intermédiaire de Paul Verlaine. Il était membre de tous les cercles symbolistes qui dominaient alors la vie culturelle parisienne et où l'on rencontrait le jeune ecclésiastique Émile Hoffet – par lui, Debussy connut Bérenger Saunière –, Emma Calvé, Stéphane Mallarmé dont il mit en musique *L'après-midi d'un faune*, Maurice Maeterlinck dont il transforma le drame de *Pelléas et Mélisande* en opéra, Villiers de l'Isle-Adam, auteur de l'œuvre rosicrucienne *Axel* et d'un drame occulte. Debussy eut l'intention de le transformer aussi en opéra mais mourut avant sa réalisation. Oscar Wilde, Yeats, Paul Valéry, André Gide et Marcel Proust fréquentaient ces mêmes cercles, ainsi que les célèbres « mardis » de Mallarmé. Tous baignaient dans l'ésotérisme et tous, autour de Debussy, participaient au renouveau de l'occultisme français.

Jean COCTEAU. Rien dans la vie de Jean Cocteau, né en 1889, ne pouvait nous laisser supposer qu'il était grand maître d'une importante société secrète, et si nous avons finalement réussi à trouver quelques éléments probants pour d'autres noms de la liste également surprenants, il n'en fut pas de même pour lui.

Notons pourtant qu'il appartenait à une famille influente, versée dans la politique – son oncle était diplomate –, et que, malgré une vie de bohème souvent agitée, il resta toujours en contact avec les milieux aristocratiques, politiques et gouvernementaux de son pays. Comme beaucoup d'autres grands maîtres de Sion, Boyle, Newton ou Debussy par exemple, il se tenait à l'écart de la politique à proprement parler ; il ne prit aucune part à la Résistance pendant l'occupation allemande, et se contenta de marquer sa désapprobation à l'égard de Pétain. Plus tard, il resta fidèle au général de Gaulle dont le frère le chargea d'un rapport sur l'état de la France.

Pour nous, la preuve la plus convaincante de son appartenance au Prieuré de Sion réside dans son œuvre – le film *Orphée*, sa pièce *L'aigle à deux têtes* consacrée à l'impératrice Élisabeth d'Autriche, membre de la famille des Habsbourg, ou la décoration de l'église Notre-Dame de France à Londres. Rappelons enfin, preuve formelle entre toutes, sa signature au bas des statuts du Prieuré de Sion.

Notes et références

Les indications bibliographiques non fournies dans ces pages doivent être recherchées dans la Bibliographie.

I – Le village du mystère

1. Gérard de Sède, *L'or de Rennes*, Robert Charroux, *Trésors du monde*, Paris, 1962, pp. 247 et suiv.
2. *Annuaire ecclésiastique*, p. 282.
3. De Sède, *L'or de Rennes*, p. 28. Il s'agissait, pense-t-on, de « saint Antoine l'Ermite ». Pour G. de Sède, c'était *La tentation de saint Antoine*, sans plus de précision ; nos recherches nous révélèrent par la suite que cette peinture était *Saint Antoine et Saint Jérôme dans le désert*.
4. Fédié, *Le comté de Razès*, pp. 3 et suiv. Le chiffre de 30 000 habitants est avancé par G. de Sède dans *L'or de Rennes*, p. 17, mais il ne donne pas ses sources.
5. Procopius, *Histoire des guerres*, livre V, XII.
6. On sait, depuis, qu'il s'agissait de Johann Salvator de Habsbourg, connu sous le pseudonyme de Jean Orth. Il renonça à tous ses titres et droits en 1889, et, dans les deux mois suivants, fut banni des territoires de l'Empire. Peu après, il fit sa première apparition à Rennes-le-Château et y mourut officiellement en 1890. En réalité, il mourut en 1910 ou 1911 en Argentine. Voir *Les maisons souveraines de l'Autriche* par le Dr Dugast-Rouillé, Paris, 1967, p. 191.

7. Deux fois, nous avons eu accès aux archives du Vatican relatives à cette affaire, et les deux fois nous n'y avons retrouvé aucune référence à Saunière ; son existence n'y est même pas mentionnée... Curieuse lacune dans des services par ailleurs admirablement tenus ! Il semblerait vraiment que toute la documentation concernant le prêtre ait été délibérément supprimée.
8. Lépinois, « Lettres de Louis Fouquet », pp. 269 et suiv. La lettre a été conservée dans les archives de la famille Cossé-Brissac, très engagée dans la franc-maçonnerie depuis le XVIIIe siècle.
9. Delaude, *Le cercle d'Ulysse*, p. 3. D'après l'auteur, la tombe est citée dans un mémoire de l'abbé Delmas datant du XVIIIe siècle, qui est certainement le même que celui de 1709. Ce manuscrit fut déposé à l'Académie Celtique d'où il disparut quelque temps pour réapparaître au début du siècle et faire l'objet d'une publication partielle dans : Courrent, *Notice historique*, pp. 9-17. Aucune mention de la tombe ne figure dans cet extrait, mais peut-être y est-il fait allusion dans la partie non publiée du manuscrit de Delmas qui appartient aujourd'hui à une collection privée, à Limoux. Nous n'y avons pas eu accès lors de nos recherches.

II – La grande hérésie des Cathares

1. Travaillant en 1888 à la bibliothèque municipale d'Orléans, Doinel trouva un manuscrit de 1022, composé par un gnostique qui monta sur le bûcher à la fin de la même année. Ainsi Doinel devint-il un gnostique acharné. Voir Lauth, « Tableau de l'au-delà », pp. 212 et suiv.
2. Les Manichéens étaient soupçonnés de pratiquer diverses formes de contrôle des naissances, ainsi que certains avortements justifiés, et il est pro-

bable que les Cathares leur empruntèrent leurs connaissances dans ce domaine. D'après Noonan, l'Église, condamnant les Cathares, renouvela sa condamnation de la contraception. Voir Noonan, *Contraception*, p. 281, Chadwick, *Priscillian*, p. 37.

3. D. de Rougemont, *L'amour et l'Occident*, p. 65.
4. En l'an 800 après J.-C., les Manichéens étaient encore objet de condamnation dans tout l'Occident. En 991, Gerbert d'Aurillac, futur pape Sylvestre II, continuait de formuler des croyances manichéennes. Voir Runciman, *The Medieval Manichee*, p. 117, Niel, *Les Cathares de Montségur*, pp. 276 et suiv.
5. Jean de Joinville, *Histoire de Saint Louis*.
6. Niel, *Les Cathares de Montségur*, pp. 291 et suiv.
7. Les Manichéens avaient une fête sacrée, la « Bema », célébrée au cours du mois de mars. Niel suggère que c'est peut-être cette fête qui se tint à Montségur le 14 mars, ajoutant qu'en 1244 l'équinoxe de printemps survint à cette date. Voir Niel, *Les Cathares de Montségur*, pp. 276 et suiv.
   Les Manichéens semblaient utiliser un ouvrage illustré montrant, peut-être de façon symbolique, les enseignements de Mani et le dualisme entre les Fils de Lumière et les Fils des Ténèbres. Ce livre était spécialement utilisé pendant la fête de la « Bema », et on peut penser qu'un recueil de symboles similaire figurait dans le trésor des Cathares. Voir Ort, *Mani*, pp. 168 et suiv., 180 et 253 et suiv.
8. Voir Waite, *Holy Graal*, pp. 524 et suiv.
9. Nelli, *Dictionnaire des hérésies*, pp. 216 et suiv. Otto Rahn, auteur de *Croisade contre le Graal* et de *La cour de Lucifer*, s'est particulièrement penché sur ce problème. Pour lui, le château du Graal, le « Munsalvaesche » de W. von Eschenbach, est Montségur. Les ouvrages de Rahn parurent en Allemagne en 1930, puis il rejoignit les rangs des

SS où il devint colonel. Ses recherches sur le Graal et les Cathares avaient l'appui du philosophe Alfred Rosenberg, porte-parole du parti nazi et ami de Hitler. Rahn disparut en 1939, s'étant, dit-on alors, suicidé au sommet du mont Kufstein. Pourtant un chercheur français a pu consulter de nombreux documents relatifs à un Rahn, dont les derniers étaient datés de 1945. Voir Bernadac, *Le mystère Otto Rahn*. Si ces documents se rapportaient à l'auteur du même nom, on peut se demander s'il n'était pas derrière les fouilles mystérieuses entreprises par les Allemands à Montségur et dans d'autres lieux cathares pendant la Seconde Guerre mondiale.

III – Les moines guerriers

1. Runciman, *History of the Crusades*, vol. II, p. 477.
2. D'après Esquieu, « Les Templiers de Cahors », p. 147, n° 1, Hugues de Payns ne serait pas né en Champagne, mais au château de Mahun, près d'Annonay, en Ardèche. Son acte de naissance a été retrouvé et donne la date du 9 février 1070. Probablement émigra-t-il plus tard en Champagne.
3. Guillaume de Tyr, *Historia rerum transmarinarum*, vol. I.
4. Addison, *History of the Knights Templars*, p. 19. Voir aussi les détails de la règle originale dans Curzon, *La règle du Temple*.
5. Addison, *History of the Knights Templars*, p. 19.
6. Cette date a été discutée, la bulle, dit-on, ne pouvant être antérieure à 1152.
7. Le roi Richard Ier, par exemple, était un ami intime de l'ordre et vivait avec les Templiers pendant son séjour à Acre. Il quitta la Terre sainte en 1192, déguisé en Templier, dans un navire de l'ordre, et accompagné par quatre chevaliers. Voir Addison, *History of the Knights Templars*, p. 148.

8. Daraul, *History of Secret Societies*, pp. 46 et suiv. Mais l'auteur omet de mentionner ses sources.
9. Voir Piquet, *Des banquiers au Moyen Âge*. Le but initial était de faciliter le pèlerinage en Terre sainte. Voir aussi Melville, *Vie des Templiers*, pp. 87 et suiv. Le premier prêt fut enregistré en 1135. D'après Seward, *The Monks of War*, p. 213, « l'œuvre la plus durable des "pauvres chevaliers", leur contribution à la destruction du monopole de l'Église en matière d'usure, fut économique. Aucune institution médiévale ne fit plus pour le développement du capitalisme ».
10. Melville, *Vie des Templiers*, p. 220.
11. Voir Mazières, « La venue et le séjour des Templiers », p. 235.
12. Le seigneur de Blanchefort avait combattu aux côtés du célèbre cathare Raymond-Roger de Trencavel. Voir Fédié, *Le comté de Razès*, p. 151.
    Bertrand de Blanchefort avait, en même temps que le jeune Trencavel, fait don aux Templiers d'argent et de terres. Ces transactions figurent dans des actes antérieurs à son entrée dans l'Ordre, alors qu'il était encore marié à sa femme Fabrisa. Voir Albon, *Cartulaire général*, p. 41. Charte XVI, 1133-4, où l'on trouve aussi des références à la femme de Bertrand et à ses deux frères, Arnaud et Raymond (Charte CLX, 1138, p. 112).
    Blanchefort fut détruit pendant la croisade des Albigeois ; le château tomba peu avant 1215, date à laquelle les terres furent données par Simon de Montfort à Pierre de Voisins. Isabelle de Voisins épousa en 1489 Bernard d'Hautpoul et lui apporta le Rocko-Négro sur lequel se trouvaient les ruines du château de Blanchefort. En 1662, Blaise Ier d'Hautpoul céda à Louis XIV le Rocko-Négro où Colbert fit rechercher des gisements d'or. À la suite des fouilles qui se révélèrent négatives, Louis XIV donna en 1698 à l'abbé André-Hercule

de Fleury la terre de Rocko-Négro et l'évêché de Fréjus. Le 4 janvier 1669, un fortin de 2 mètres sur 3 mètres situé à Coume-des-Bains devient « Château de Blanchefort »... il n'est pas mentionné au cadastre.

13. Mazières, « La venue et le séjour des Templiers », pp. 243 et suiv. Voir aussi Mazières, « Recherches historiques », p. 276. Un document trouvé dans les archives de la famille Mauléon de Bruyères et Mauléon montre comment les Templiers de Campagne et d'Albedune (Bézu) ouvrirent un refuge pour les « bonshommes » cathares. Ce document, comme d'autres, disparut pendant la guerre en novembre 1942.
14. Voir Léonard, *Introduction au cartulaire*, p. 76. Le commandeur du Temple à Toulouse, au début de la croisade des Albigeois, était un membre de la famille cathare des Trencavel.
15. Jean de Joinville contribua probablement pour sa part à prévenir les Templiers de l'imminence du danger, car, étant sénéchal de Champagne, il dut recevoir de Philippe le Bel les ordres secrets relatifs aux arrestations. Ses sympathies pour les Templiers étaient connues, et son oncle, André, avait été membre de l'ordre et commandeur de Payns autour de 1260 ; voir Léonard, *Introduction au cartulaire*, p. 145. Jean fit mention d'un mystérieux serment évoquant des crachats contre la Croix à l'époque où les Templiers en étaient accusés. En outre, il insinua très clairement que Saint Louis en avait connaissance depuis cinquante ans, mais se refusait à toute condamnation. Voir Jean de Joinville, *Histoire de Saint Louis*. Jean organisa une sorte de ligue de la noblesse pour s'opposer aux excès du roi de France contre le Temple, mais le souverain mourut, et la ligue perdit sa raison d'être.
16. Lorsque les officiers chargés des arrestations et accompagnés du roi en personne pénétrèrent

dans le temple de Paris en 1307, ils ne trouvèrent ni l'argent de l'ordre, ni aucun document. Le trésorier en était alors Hugues de Peraud, et Gérard de Villers, précepteur de France.

En 1308, soixante-douze Templiers de Poitiers durent aller témoigner devant le pape en personne (le chiffre est cité dans la bulle *Faciens misericordam*). Les dépositions n'ont pas toutes survécu, et un grand nombre d'entre elles disparurent probablement lorsque les archives secrètes du Vatican, comprenant l'ensemble des documents relatifs au Temple, regagnèrent Paris sur l'ordre de Napoléon. La confusion, alors, fut telle qu'on vit les commerçants utiliser les plus précieux documents pour emballer leurs marchandises.

Trente-trois des dépositions de Poitiers furent publiées par l'historien allemand Conrad Schottmüller en 1887, et sept autres par Heinrich Finke en 1907. Parmi ces dernières figure une curieuse déclaration de Jean de Châlons, selon laquelle Gérard de Villers, ayant eu connaissance des ordres d'arrestation, s'était enfui du Temple en compagnie de cinquante chevaliers puis avait pris la mer avec dix-huit galères de l'ordre. Hugues de Châlons, ajoutait la déclaration, était parti avec tout le trésor d'Hugues de Peraud – « cum toto thesauro fratris Hugonis de Peraudo ». Interrogé à ce sujet, Jean de Châlons répondit que personne n'en avait parlé car les Templiers avaient gardé la chose secrète par crainte d'être tués. Voir Finke, *Papsttum und Untergang des Templerordens*, vol. II, p. 339. Les faits ainsi rapportés sont plausibles. En effet lorsque les Templiers furent arrêtés à l'aube du 13 octobre, certains étaient absents et ne furent jetés en prison que quelques jours plus tard. Parmi eux se trouvaient Gérard de Villers et Hugues de Châlons. Voir Barber M., *Trial of the Templars*, p. 46.

17. L'anecdote est rapportée par Waite, *New Encyclopaedia of Freemasonry*, vol. II, p. 223.
18. Wolfram von Eschenbach, *Parzival*.
19. Shah, *The Sufis*, p. 225. Voir aussi l'introduction à l'ouvrage de Shah, par Robert Graves qui explique p. XIX le jeu de mots existant en arabe entre les termes « sage » et « noir ». Ainsi, précise l'auteur, les trois têtes noires figurant sur le blason de Hugues de Payns auraient-elles une double signification.
20. Oursel, *Le procès des Templiers*, p. 208.
21. Lobineau H., *Dossiers secrets*, pl. n° 4, *Ordre de Sion*, cite la p. 292 du *Livre des Constitutions* (de l'ordre de Sion), où la tête est appelée « caput LVIII ♍ » (tête 58 Virgo).
22. C'est la version de Ward, *Freemasonry and the Ancient Gods*, p. 305.
23. Voir Roger de Hoveden, *Annals*, vol. II, pp. 248 et suiv. Pour les anecdotes relatives à « Yse », voir Barber M., *Trial of the Templars*, pp. 185 et suiv. Selon l'auteur, l'histoire serait entièrement étrangère aux Templiers ; elle ferait partie d'un très ancien folklore et n'aurait été utilisée que comme une arme contre l'ordre.
24. Barber M., *Trial of the Templars*, p. 249. La liste est abrégée.
25. Michelet M., *Procès des Templiers*, vol. II, p. 384, déposition de Jean de Chaumes.
26. Schottmüller, *Der Untergang des Templer-Ordens*, vol. III, p. 67, déposition de Deodatus Jefet.
27. Michelet M., *Procès des Templiers*, pp. 383 et suiv., déposition de Foulques de Troyes.
28. Jean de Joinville, *Histoire de Saint Louis*. Voir aussi chap. III, note 15.
29. Albon, *Cartulaire général*, p. 2 (Charte III, 1125), mentionne un Templier du nom de « Roberti » – peut-être le Robert qui devint grand maître après la mort d'Hugues de Payns. P. 3 figure aussi une

allusion aux Templiers « Henrico et Roberto ». Voici donc deux noms à ajouter à ceux de Foulques d'Anjou et Hugues de Champagne, ce qui porte à quatre le nombre des nouvelles recrues de l'ordre.

30. « Audivimus et cognovimus quod Hierosolyman profecturus militiae Christi teipsum devoisti, illam evangelicam arrepturus militiam, quä cum decem millibus securè pugnatur adversus eum qui cum viginti millibus adversum nos pugnaturus accurrit... » Bouquet, *Recueil des historiens*, vol. XV *(Epistolae Ivonis Carnotensis Episcopi)*, p. 162, n° 245.
31. « ... La milice du Christ, la milice évangélique dont il est question dans cette lettre, n'est autre chose que l'ordre du Temple, *militia Templi*. Mais, en 1114, l'ordre du Temple n'était point établi ;... » Arbois de Jubainville, *Histoire... de Champagne*, t. II, pp. 113-114, n° 1.
32. Cette école fut fondée par le célèbre rabbin médiéval Rabbi Rashi (1040-1105).
33. Allegro, *Treasure of the Copper Scroll*, pp. 107 et suiv.
34. Arbois de Jubainville, *Histoire... de Champagne*, t. II, pp. 87 et suiv.
35. *Ibid.*, pp. 98 et suiv., t. I.
36. Communication personnelle de l'abbé Mazières à Henry Lincoln.
37. Arcons, *Du flux et reflux*, pp. 355 et suiv. Voir aussi Catel, *Mémoires... du Languedoc*, livre I, p. 51.
38. Mazières, « La venue et le séjour des Templiers », pp. 234 et suiv.
39. Communication personnelle de l'abbé Mazières à Henry Lincoln.

IV – Les dossiers secrets

1. Descadeillas, *Rennes et ses derniers seigneurs*.
2. Voir Descadeillas, « Mythologie » et de Sède, *Le vrai dossier*.

3. Paoli, *Les dessous d'une ambition politique*, p. 86.
4. *Le Monde*, 21 février 1967, p. 11. – *Le Monde*, 22 février 1967, p. 11. – *Paris-Jour*, 21 février 1967, n° 2315, p. 4.
5. Feugère, Saint-Maxent et Koker, *Le serpent rouge*, p. 4.

V – Ceux qui agissent dans l'ombre

1. Grousset, *Histoire des Croisades*, vol. III, p. XIV.
2. Vogüé, *Les Églises*, p. 326.
3. Vincent, *Histoire de l'ancienne image*, pp. 92 et suiv.
4. Röhricht, *Regesta*, p. 19, n° 83.
5. *Ibid.*, p. 25, n° 105.
6. Tillière, *Histoire... d'Orval*, pp. 3 et suiv.
7. Jeantin, *Les chroniques*, vol. I, p. 398. Hagenmeyer, dans *Le vrai et le faux sur Pierre l'Ermite*, nous apprend qu'avant de devenir moine Pierre, petit seigneur possédant le fief d'Achères près d'Amiens, était vassal d'Eustache de Boulogne, père de Godefroi. En revanche, d'après l'auteur, Pierre l'Ermite ne fut pas le précepteur de Godefroi.
   Pierre jouissait manifestement d'un prestige considérable, car après la prise de Jérusalem l'armée des croisés s'embarquant pour une autre campagne lui laissa la charge complète de la ville.
8. Guillaume de Tyr, *Historia rerum transmarinarum*, vol. I, p. 380. Voir aussi Runciman, *History of the Crusades*, vol. I, p. 292. Ce même évêque venu de Calabre était ami d'un certain Arnulf, petit ecclésiastique qui, avec l'aide de l'évêque, devint le premier « Patriarche latin de Jérusalem » ! Un groupe d'individus étranges survécut à la Ire croisade ; appelés « Tafurs », ils acquirent une grande notoriété lorsqu'une partie d'entre eux fut accusée de cannibalisme par l'émir d'Antioche. Ce

groupe comprenait une sorte de « collège » interne, présidé par un « roi Tafur » que, au dire des chroniques contemporaines, les princes de la croisade eux-mêmes n'approchaient qu'avec humilité et révérence. Il aurait assisté au couronnement de Godefroi de Bouillon, et connu Pierre l'Ermite. Ces individus et leur roi auraient-ils un lien avec les moines de Calabre ? Il suffit de peu pour changer « Tafur » en « Artus », qui est un nom rituel. Pour l'influence des « Tafurs », voir Cohn N., *Pursuit of the Millennium*, pp. 66 et suiv.

9. Lobineau H., *Dossiers secrets*, pl. n° 4.
10. *Ibid.*
11. Archives du Loiret, série D. 357. Voir aussi Rey E.G., « Chartes... du Mont-Sion », pp. 31 et suiv., et Le Maire, *Histoire et Antiquitez*, deuxième partie, chap. XXVI, pp. 96 et suiv.
12. Yates, *Rosicrucian Enlightenment*.
13. Voir par exemple Yates, *Giordano Bruno*, pp. 312 et suiv., et Yates, *Occult Philosophy*, p. 38. Dans ces deux ouvrages, l'auteur explore la transmission de la pensée hermétique et le développement des sociétés secrètes autour de certaines personnalités centrales.
14. Nous tenons cette information des sources mêmes du « Prieuré ». Le manuscrit existe à la bibliothèque de Rouen ; comme nous l'avons vu, il s'agit de l'*Histoire polytique de Gisors et du pays de Vulcsain* par Robert Denyau, et datant de 1629 (collection Montbret 2219, V 14a). Mais il est difficile de vérifier l'information, car des quelque 575 pages manuscrites composant le document beaucoup sont pratiquement illisibles, d'autres manquent, d'autres ont été arrachées, et des chapitres enlevés ou raturés. Seul le *Calendarium Martyrology* est vraiment déchiffrable.
15. Röhricht, *Regesta*, p. 375, n° 1440.
16. Bruel, *Chartes d'Adam*, pp. 1 et suiv.

17. Lobineau H., *Dossiers secrets*, pl. n° 4.
18. Oursel, *Le procès des Templiers*, p. 208.
19. Rey E.G., *Chartes... du Mont-Sion*, pp. 34 et suiv.
20. Il peut être intéressant de comparer les diverses listes des grands maîtres du Temple, ainsi que celle donnée officiellement par le Prieuré de Sion en 1957 :
A = Liste des *Dossiers secrets* d'Henri Lobineau :
Hugues de Payns 1118-1131
Robert de Bourgogne 1131-1150
Bernard de Tremblay 1150-1153
Bertrand de Blancafort 1153-1170
Janfeders Fulcherine 1170-1171
(= Gaufridus Fulcherius/Geoffroy Foucher)
François Othon de Saint-Amand 1171-1179
Théodore de Glaise 1179-1184
(= Theodoricus/Terricus)
François Gérard de Riderfort 1184-1190
B = Liste figurant dans une source moderne : Seward, *Monks of War*, p. 306 :
Hugues de Payns 1118-1136
Robert de Craon 1136-1146
Éverard des Barres 1146-1152
Bernard de Tremelai 1152-1153
André de Montbard 1153-1156
Bertrand de Blanquefort 1156-1169
Philippe de Milly 1169-1170
Eudes de Saint-Amand 1170-1179
Arnold de Torroge 1179-1185
Gérard de Ridefort 1185-1191
C = Liste donnée par le Prieuré de Sion de ses Grands Maîtres :
Fondateur : Godefroi de Bouillon
1er Hugues de Payen, 1118 au 24 mai 1131
2e Robert de Craon, juin 1131 à février 1147
3e Évrard de Barres, mars 1147 à mai 1150
4e Hugues de Blanchefort, mai 1150 à mai 1151
5e Bernard de Tremblay, juin 1151 au 16 août 1153

6e Guillaume de Chamaleilles, 18 août 1153 à mars 1154
7e Évrard de X.., 3 avril 1154 à décembre 1154
8e André de Montbard, 15 janvier 1155 au 17 octobre 1156
9e Bertrand de Blanchefort, 22 octobre 1156 au 2 janvier 1169
10e Philippe de Milly, 17 janvier 1169 au 3 avril 1170
11e Eudes de Saint-Amand, 16 avril 1170 au 19 octobre 1180
12e Arnaud de Toroge, 3 janvier 1181 au 30 septembre 1184
13e Gérard de Ridefort, octobre 1184, *destitué en 1188*
14e Jean de Gisors, 15 août 1188 à 1220.

Un seul exemple, celui du premier grand maître, suffira à démontrer la difficulté inhérente à l'établissement d'une telle liste.

La date de la mort d'Hugues de Payns (appelé Hugues de Payen dans les deux cas) varie. Pour le Prieuré, elle est 1131, et 1136 pour la liste d'aujourd'hui. Cette dernière date, qui ne peut être prouvée, est probablement fausse. La date de 1136 est donnée dans *L'art de vérifier les dates*, vol. V, Paris, 1818, p. 338, et le jour de la mort, 24 mai, dans l'*Obituaire de la commanderie... de Reims* (voir Barthélemy), p. 321, datant du XIIIe siècle, qui, lui, ne cite aucune année. Aussi doit-on consulter les chartes, encore existantes, signées de la main d'Hugues de Payns. Celles-ci indiquent qu'il mourut aux environs de 1131 ou peu après. Le *Cartulaire général* d'Albon cite plusieurs chartes au bas desquelles figure la signature d'Hugues, sous son nom entier, le plus souvent celui de « Hugo de Pagano ». La dernière charte ainsi signée date de 1130 (Albon, *Cartulaire général*, pp. 23 et suiv.), et tout laisse croire qu'il mourut peu

après, et avant 1133, où l'on trouve une charte mentionnant « Hugoni, magistro militum... Templi » (Albon, *Cartulaire général*, p. 42), mais non signée de sa main. Cette charte, généralement attribuée à Hugues de Payns, semblerait plutôt se référer à Hugues Rigaud, que l'on retrouve dans un grand nombre d'autres chartes reproduites par d'Albon. Rigaud aurait été le maître commun du Saint-Sépulcre et du Temple, ou du Temple à Jérusalem, de 1130 à 1133. Voir Gérard et Magnou, *Cartulaire*, p. XXXVIII. Ainsi la liste du Prieuré semblerait-elle avoir la vérité historique de son côté.
Notons aussi que Guillaume de Tyr ne cite nulle part ni Éverard des Barres ni André de Montbard comme grands maîtres des Chevaliers du Temple, contrairement à d'autres historiens postérieurs se fondant sur des sources extrêmement douteuses.

VI – Les grands maîtres et le flot souterrain

1. Lobineau H., *Dossiers secrets*, pl. n° 4, Ordre de Sion.
2. Loyd, *Origins of Anglo-Norman Families*, pp. 45 et suiv. Et Powicke, *Loss of Normandy*, p. 340.
3. Roger de Hoveden, *Annals*, vol. I, p. 322. « Thomas, l'archevêque de Canterbury, et quelques-uns de ses compagnons exilés se rendirent à une entrevue avec les légats, l'octave de Saint Martin, entre Gisors et Trie... » Sur ce lieu de rencontre, situé entre les deux châteaux, se trouvait l'orme célèbre qui fut plus tard abattu. Charles Nodier, dans ses *Voyages pittoresques, Normandy*, vol. II, p. 138, nous dit de façon assez mystérieuse que « Saint Thomas de Canterbury s'était préparé là à son martyre [sous l'orme de Gisors] ».

4. Lecoy de la Marche, *Le roi René*, vol. I, p. 69. Le duc de Lorraine n'avait pas de fils et c'est à René que, selon les conventions de l'époque, Jeanne fait allusion.
5. Voir Staley, *King René d'Anjou*, pp. 153 et suiv.
6. Staley, *King René d'Anjou*, p. 29. René en personne grava l'inscription.
7. Sir Philip Sidney était un ami de John Dee et un adepte de la pensée hermétique. Selon Yates, John Dee aurait été à la source des manifestes rosicruciens ; voir Yates, *Occult Philosophy*. Pour de plus amples informations sur Sidney et Dee, voir French, *John Dee*. Sidney était alors conscient du « flot souterrain » circulant à travers la culture occidentale.
8. Tous les manifestes sont reproduits dans Waite, *Real History of the Rosicrucians*.
9. Yates, *Rosicrucian Enlightenment*, p. 125.
10. *Ibid.*, p. 192.
11. La Royal Society détient un certain nombre de lettres, adressées à Robert Boyle, provenant d'une « société cabalistique et sacrée de Philosophes » dont il fut membre ; cette société semble avoir eu son siège en France. Voir Maddison, *Life of... Robert Boyle*, pp. 166 et suiv.
12. Voir Yates, *Rosicrucian Enlightenment*, pp. 223 et suiv. où l'auteur expose les liens existant entre le mouvement rosicrucien et la Royal Society.
13. Voir aussi sur Ramsay Walker, *The Ancient Theology*, pp. 231 et suiv., et Henderson, *Chevalier Ramsay*.
14. Le texte de ce *Discours* est reproduit dans Gould, *History of Freemasonry*, vol. V, pp. 84 et suiv.
15. Waite, *New Encyclopaedia of Freemasonry*, vol. II, p. 353, et Le Forestier, *La franc-maçonnerie*, pp. 126 et suiv.
16. Cette liste est reproduite dans Thory, *Acta Latomorum*, vol. II, p. 282. Elle suit celle de Sion jus-

qu'à la rupture de 1188 seulement; le grand maître était alors Gérard de Ridefort.

17. Nodier, *Voyages pittoresques, Normandy*, vol. II, pp. 137 et suiv.
18. Pingaud, *La jeunesse de Charles Nodier*, p. 39.
19. *Ibid.*, pp. 231 et suiv., où l'on trouve les règlements de la société. Certains sont curieux, comme le XVIIIe qui statue : « Les frères de la Société des Philadelphes portent un amour particulier à la couleur bleu de ciel, à la figure du pentagramme et au nombre 5. »
20. *Ibid.*, p. 47.
21. Nodier, *Contes*, pp. 4 et suiv.
22. Nodier, *Histoire des sociétés secrètes*, p. 105.
23. *Ibid.*, p. 116.
24. La personnalité la plus représentative des sociétés secrètes de l'époque fut Filippo Michele Buonarroti, descendant du frère de Michel-Ange, qui commença sa carrière comme page de l'archiduc de Toscane, fils de François de Lorraine, puis entra dans la franc-maçonnerie. Lorsque éclata la Révolution, il partit en Corse où il resta jusqu'en 1794 et fit la connaissance de Napoléon. À partir de 1800, il fonda une série de sociétés secrètes, en nombre tel que les historiens n'en connaissent pas le chiffre exact. « Buonarroti était une véritable divinité, sinon omnipotente, du moins omniprésente », dit Eisenstein, citant Lehning dans *The First Professional Revolutionist... Buonarroti*, p. 48. Il avait avec Nodier et Hugo de nombreux amis communs, Petrus Borel, Louis Blanc, Célestin Nanteuil, Jehan Duseigneur, Jean Gigoux, par l'intermédiaire desquels il fit certainement leur connaissance. L'absence de tout document relatif à leur rencontre est des plus suspectes, vu la personnalité de Buonarroti et son rôle dans la vie parisienne au cours des années suivantes.

Voir aussi Roberts, *Mythology of the Secret Societies*, pp. 233 et suiv., « pendant trente ans sans jamais s'arrêter, comme une araignée tissant sa toile, il tendit les fils d'une conspiration que tous les gouvernements à tour de rôle ont déjouée, et qu'il ne se lassait pas de renouveler ». Eisenstein, *The First Professional Revolutionist... Buonarroti*, p. 51. Buonarroti et Nodier étaient vraisemblablement membres du Prieuré de Sion ; de même, l'une des organisations fondées par Buonarroti devait s'appeler « les Philadelphes », du même nom que celle de Nodier.

25. Voir chap. VII, note 33.
26. Lucie-Smith, *Symbolist Art*, p. 110. Pour la vie de Péladan et de son cercle, voir Pincus-Witten, *Occult Symbolism in France*.
27. Lucie-Smith, *Symbolist Art*, p. 111.
28. Tel fut approximativement son propre commentaire lorsqu'on lui demanda de participer à la restauration de l'église Notre-Dame de France à Londres.
29. Voir Bander, *Prophecies of St. Malachy*, p. 93. Les termes latins sont « Pastor et Nauta », le mot « nauta » pouvant signifier « marin » ou « navigateur », c'est-à-dire, en ancien français, « nautonier ».
30. *Inde a primis*, publiée dans *L'Osservatore Romano*, le 2 juillet 1960.

VII – Conspiration à travers les siècles

1. Lobineau H., *Dossiers secrets*, pl. n° 4, Ordre de Sion.
2. De Sède, *Les Templiers*, pp. 220 et suiv. Pour l'histoire de Lhomoy, voir de Sède, pp. 20 et suiv. et pp. 231 et suiv. Voir aussi Chaumeil, *Le triangle d'or*, pp. 19 et suiv.
3. Le Maire, *Histoire et Antiquitez*, deuxième partie, chap. XXVI, pp. 96 et suiv.

4. Le cardinal de Lorraine était à l'origine de l'amnistie en faveur des huguenots accordée à Amboise le 7 mars 1560 ; il donnait aussi, dans le plus grand secret, de l'argent aux protestants.
5. C'est René d'Anjou qui fit de la croix à double barre horizontale l'emblème de la Lorraine. Il l'avait déjà adoptée pour lui, et elle figurait sur ses sceaux et ses monnaies. Elle devint définitivement célèbre sous René II, duc de Lorraine, à la bataille de Nancy en 1477. Voir Marot, *Le symbolisme*, pp. 1 et suiv.
6. Nostradamus évoluait dans des cercles liés à la maison de Lorraine. Il vécut quelque temps à Agen, au moment où l'évêque en était Jean de Lorraine, qui avait aussi à cette époque la haute main sur l'Inquisition en France. C'est lui probablement qui avertit Nostradamus de l'intérêt que lui portait cette redoutable institution. Par ailleurs Scaliger, ami du prophète à Agen, l'était aussi du cardinal de Lorraine et du célèbre hermétiste, créateur du « théâtre de la mémoire », Giulio Camillo (voir Yates, *Art of Memory*, chap. VI), lui-même assez lié avec Jean de Lorraine. Ce dernier enfin protégeait les deux « poètes de cour » Pierre de Ronsard et Jean Dorat, tous deux amis de Nostradamus, à la louange duquel le premier composa de nombreux poèmes. C'est Jean Dorat enfin qui envoya à Nostradamus Jean-Aimé de Chavigny, pour lui servir de secrétaire. Pour plus de précisions au sujet de ces liens, voir *The Dreamer of the Vine*, par Liz Grenne, Londres, 1979.
7. Le quatrain V, 74, par exemple, fait probablement allusion à Charles Martel repoussant les Sarrasins et les battant à Poitiers en 732. Le quatrain III, 83 évoquerait de son côté les rois mérovingiens aux cheveux longs s'emparant du royaume d'Aquitaine comme ils le firent après 507. Un grand nombre de quatrains et de prophéties parlent de « Rases »,

c'est-à-dire soit de la région du Razès, soit des comtes exilés, « rasés », les descendants des Mérovingiens.

8. Voir G. de Sède, *La race fabuleuse*, pp. 106 et suiv., où l'auteur perd quelque peu de sa crédibilité en prétendant que les Mérovingiens étaient des extraterrestres ! Nous lui demandâmes d'où il tenait que Nostradamus avait passé un certain temps à Orval, et il nous répondit qu'il en avait personnellement eu la preuve dans un manuscrit qui se trouve entre les mains d'un certain Éric Muraise. Nous interrogeâmes par ailleurs les moines de l'abbaye d'Orval sur la possibilité d'un séjour du prophète dans les lieux. Ils connaissaient en effet cette tradition, nous dirent-ils, elle était plausible, mais ils n'avaient pas plus les moyens de la confirmer que de la contredire.
9. Allier, *Une Cabale*, pp. 99 et suiv., où l'auteur établit que c'est la Compagnie qui suggéra à Olier de fonder Saint-Sulpice.
10. Allier, *Une Cabale*, p. 33.
11. Auguste, *La Compagnie... à Toulouse*, pp. 20 et suiv.
12. Allier, *Une Cabale*, p. 3.
13. Lobineau H., *Dossiers secrets*, pl. n° 1, 1100-1600, n., pl. n° 19, 1800-1900.
14. Sainte-Marie, *Recherches historiques*, p. 243.
15. Soultrait, *Dictionnaire topographique... de la Nièvre*, pp. 8 et 146. Le hameau des Plantard était proche de Sémelay, lieu de naissance de Jean XXII des Plantard.
16. Voir le *Bulletin de la société nivernaise des lettres, sciences et arts*, 2e série, t. VII (1876), pp. 110, 139, 140-141, 307. Voir aussi Chaumeil, *Le triangle d'or*, pp. 80 et suiv., ainsi que les monnaies découvertes sur le site.
17. De tels détails poussèrent certains auteurs à voir dans Fouquet la véritable identité de l'homme au

Masque de fer. Il existe dans ce sens des preuves plus convaincantes.

18. Blunt, *Poussin*, vol. I, p. 170.
19. La peinture est reproduite dans Ward, *Freemasonry and the Ancient Gods*, p. 134. Elle est la propriété de la « Supreme Grand Royal Arch Chapter of Scotland » à Édimbourg.
20. Delaude, *Le cercle d'Ulysse*, p. 3.
21. Gout, *Mont-Saint-Michel*, pp. 141 et suiv. Robert de Thorigny abbé de 1154 à sa mort en 1186 ; il fut l'auteur de cent quarante manuscrits sur parchemin. Quatre-vingt-dix-huit volumes terminés avant sa mort et le reste par les moines vers 1212 représentent une œuvre considérable. Un grand nombre fut consacré à l'histoire de la région (une soixantaine) et le reste (quatre-vingts) aux devises et blasons des familles. Il vit doubler le nombre des moines de l'abbaye, et celle-ci devenir un véritable « sanctuaire de la science ». Robert de Thorigny était un ami intime de Henri II et de Becket et, compte tenu du lien étroit existant entre ces derniers, le Prieuré de Sion, les Templiers et Gisors, il est très probable que l'abbé entra aussi en relation avec eux. Si vraiment la famille utilisa cette devise, Robert ne put manquer de le consigner car, d'une part, la famille Plantard vivait alors en Bretagne, et autre part, selon H. Lobineau, Jean VI des Plantard épousa en 1156 Idoine de Gisors, sœur de Jean de Gisors, neuvième grand maître de Sion et fondateur de l'ordre de la Rose-Croix. L'histoire mentionne Idoine, mais il nous semble que le titre porté au XIIe siècle par son mari n'était pas Plantard, mais comte de Rhedae ou Jean, comte de Rhedae... Des vandales déchirèrent des pages entières en 1946, et ces pages manuscrites ont été dispersées. Les listes qui subsistent ne font allusion à aucune généalogie. Nous devions apprendre plus tard que

le manuscrit qui nous intéressait se trouvait dans les archives « privées » de Saint-Sulpice où échoua, par la force des choses, notre investigation...

22. Myriam, « Les bergers d'Arcadie », in *Le Charivari*, n° 18, pp. 49 et suiv.
23. Thory, *Acta Latomorum*, vol. II, pp. 15 et suiv. Gould, *History of Freemasonry*, vol. II, p. 383.
24. Erdeswick, *A Survey of Staffordshire*, p. 189.
25. Peyrefitte, « *La Lettre Secrète* », pp. 197 et suiv. Cette lettre était annexée à la bulle d'excommunication publiée par le pape le 28 avril 1738.
26. Le Rite Oriental de Memphis fit son apparition en 1838, où Jacques Étienne Marconis de Nègre institua la Grande Loge Osiris à Bruxelles. Selon la légende, le rite provenait des mystères dionysiaques et égyptiens, que le sage Ormus aurait mêlés aux mystères chrétiens pour donner naissance à la Rose-Croix originale. Le Rite Oriental de Memphis comprenait quatre-vingt-dix-sept degrés, et des titres extrêmement nobles, comme ceux de Commandeur du Triangle Lumineux, Prince Sublime du Mystère Royal, Pasteur Sublime du Hutz, Docteur des Planisphères, etc. Voir Waite, *New Encyclopaedia of Freemasonry*, vol. II, pp. 241 et suiv. Puis le rite, réduit à trente-trois degrés, s'appela désormais le « Rite Ancien et Primitif » ; il fut introduit aux États-Unis, autour de 1854-1856 par H.J. Seymour, et en Angleterre en 1872 par John Yarker. Plus tard, il s'associa à l'Ordo Templi Orientis, et en 1875 le Rite fusionna avec le « Rite de Misraim ». Dans *History of the Ancient and Primitive Rite of Masonry*, Londres, 1875, le Rite de Memphis est dit provenir de celui des Philadelphiens de Narbonne, créés en 1779.
27. Voir aussi Genèse, XXVIII, 18, où Jacob répand de l'huile sur une stèle de pierre.
28. Pitois, bibliothécaire au ministère de l'Éducation

publique, fut chargé de trier l'ensemble des ouvrages envoyés à Paris des divers monastères et bibliothèques de province. Charles Nodier et lui s'attelèrent à la tâche, et déclarèrent par la suite avoir fait chaque jour de passionnantes découvertes.

29. Jean-Baptiste Hogan.
30. Il est tout à fait possible que la doctrine de l'infaillibilité du pape, prononcée le 18 juillet 1870, ait été, en partie du moins, une sorte de réaction de l'Église catholique aux tendances modernistes, à la pensée de Darwin et au pouvoir grandissant de la Prusse luthérienne.
31. Iremonger, *William Temple*, p. 490.
32. Une courte biographie de Hoffet est donnée dans Descadeillas, *Mythologie*, pp. 85 et suiv. Hoffet naquit à Schiltigheim en Alsace, le 11 mai 1873. Il commença ses études à Paris en 1884 à la Maîtrise de Montmartre, et les poursuivit au petit séminaire de Notre-Dame de Sion où il se prépara à la carrière ecclésiastique. Il débuta son noviciat à Saint-Gerlach en Hollande, et entra dans l'ordre des oblats de Marie en 1892. Ordonné prêtre à Liège en 1898, il fut missionnaire en Corse puis revint en France ; il vécut à Rome en 1903-1904 et finit par regagner Paris en 1914, pour y mourir en mars 1946. Il parlait couramment le grec, l'hébreu et le sanscrit, et publia de nombreux articles sur l'histoire des religions. Dans *Le vrai dossier*, pp. 33 et suiv., G. de Sède rapporte que Descadeillas, tout en traitant ouvertement par le mépris l'idée d'un « mystère » de Rennes, écrivit en 1966 aux autorités des « oblats de Marie » pour leur demander la preuve qu'Hoffet avait bien prêché à Rennes-le-Château. L'archiviste de l'ordre lui répondit : « Hoffet est l'auteur d'études très intéressantes sur la franc-maçonnerie qu'il a particulièrement étudiée et dont j'ai déniché de nombreux manuscrits...

J'avais demandé de mettre ces documents particulièrement intéressants en sécurité. » Voir aussi Chaumeil, *Le triangle d'or*, pp. 106 et suiv.

33. Papus naquit en Espagne le 13 juillet 1865. En 1887, il entra dans l'Association Théosophique qu'il quitta un an plus tard pour fonder son propre groupe, basé sur des principes martinistes. La même année, il participa à la fondation de « l'Ordre Kabbalistique de la Rose-Croix », aux côtés de Péladan et Stanislas de Guaïta avec lesquels, ainsi que Villiers de l'Isle-Adam, il créa aussi en 1889 la revue *L'initiation*. En 1891, un « conseil suprême » de l'ordre martiniste fut formé à Paris, dont Papus était le grand maître. À cette même époque, il seconda Doinel dans la fondation de l'Église Catholique Gnostique, puis en assuma seul la direction, sous la juridiction d'un patriarche, Doinel ayant regagné Carcassonne. En 1895, Papus devint membre de l'Order of the Golden Dawn, dans la loge parisienne « Ahathoor » ; à cette époque, il avait déjà fait la connaissance d'Emma Calvé. En 1899, son ami Philippe de Lyon se rendit en Russie où il fonda à la cour impériale une loge martiniste ; Papus l'y rejoignit l'année suivante, et devint très vite l'ami et le confident du tsar et de la tsarine. Il effectua à travers la Russie plusieurs voyages, dont le dernier date de 1906, et eut ainsi l'occasion de faire la connaissance de Raspoutine. Papus devint plus tard grand maître de l'Ordo Templi Orientis et de la Loge de Memphis et Misraim en France. Il mourut le 25 octobre 1916.
34. Nilus, *Protocoles*. Cette œuvre, jusqu'en 1960, aurait connu quelque quatre-vingt-trois éditions, tendant à prouver que l'antisémitisme est bien vivace en Grande-Bretagne. On trouve d'ailleurs chez Britons Publishing, qui appartient au groupement de presse catholique traditionaliste

Augustine Publishing, des titres tels que *Jews'Ritual Slaughter* ou *Jews and the White Slave Traffic*.

35. Pour l'histoire des *Protocoles*, voir Cohn, *Warrant for Genocide*, et Bernstein, *Truth about the « Protocols »*, qui donne les traductions des diverses sources possibles de l'ouvrage. Son contenu antisémite est détaillé dans Fry, *Waters Flowing Eastward*, document essentiellement controversable tentant, entre autres, de « prouver » à l'aide d'une photographie que le tsar Nicolas II fut tué dans un meurtre rituel par un Juif cabaliste !
36. Nilus, *Protocoles*, n° 13.
37. Loge de Memphis et Misraim. Voir note 33.
38. Nilus, *Protocoles*, n° 24. Cette déclaration ne paraît pas dans certaines des premières éditions de l'ouvrage.
39. Nilus, *Protocoles*, n° 24.
40. Blancassal, *Les descendants*..., p. 6.
41. Voir, dans la réédition de Boudet, *La vraie langue celtique*, Belfond, 1978, la préface de Pierre Plantard de Saint-Clair.
42. Chaumeil, *Le triangle d'or*, p. 136.
43. Rosnay, *Le Hiéron du Val d'Or*.
44. Chaumeil, *Le triangle d'or*, pp. 139 et suiv.

VIII – La société secrète aujourd'hui

1. Philippe de Chérisey, ancien camarade d'université de P. Plantard de Saint-Clair, est l'auteur d'un « roman » allégorique intitulé *Circuit*, dont l'action se situe entre Atlantis et Napoléon. Il se compose de vingt-deux chapitres ayant chacun pour titre l'un des principaux atouts du tarot, et n'existe qu'à un seul exemplaire, à la bibliothèque de Versailles. Une partie de cet ouvrage relate l'histoire de deux personnages symboliques, Charlot et Madeleine, qui découvrent un trésor à Rennes-le-Château.

Voir Chaumeil, *Le triangle d'or*, pp. 141 et suiv.

2. *Prieuré de Sion : statuts*, articles XI et XII, reçus par la sous-préfecture de Saint-Julien-en-Genevois le 7 mai 1956. Dossier KM 94550.
3. *Midi libre*, 13 février 1973, p. 5.
4. Myriam, « Les bergers d'Arcadie », in *Le Charivari*, n° 18, pp. 49 et suiv.
5. Dans H. Lobineau, *Dossiers secrets*, p. 1.
6. *Ibid.*
7. *Ibid.*
8. Roux S., *L'affaire de Rennes-le-Château*. Dans une autre page des *Dossiers secrets*, signée d'un certain Edmond Albe, S. Roux est identifié à l'abbé Georges de Nantes, comme dans l'ouvrage de M. Paoli, *Les dessous*, p. 82. G. de Nantes est la tête de la « Contre-Réforme catholique du XXe siècle », et l'auteur d'une violente attaque prolongée contre le pape Paul VI, *Liber Accusationis in Paulum Sextum*, où il accuse le Saint-Père d'hérésie en semblant se placer aux côtés de Mgr Lefebvre.
   Nous écrivîmes à l'abbé de Nantes en lui citant l'extrait de l'ouvrage de Paoli l'identifiant à S. Roux, et lui demandant de confirmer, ou de nier, cette identification. Il nous répondit qu'on l'avait déjà interrogé plusieurs fois à ce sujet, mais qu'il n'avait rien de commun avec Roux. « Ce texte, ajoutait-il, est un véritable tissu d'absurdités. Comment pouvez-vous le prendre au sérieux ? »
9. Roux, *L'affaire de Rennes-le-Château*, p. 1.
10. *Ibid.*, p. 2.
11. *Ibid.*
12. Delaude, *Le cercle d'Ulysse*, p. 6 (V).
13. *Guardian*, Londres, 11 septembre 1976, p. 13.
14. Aux dires de Mgr Brunon, qui remplaça Mgr Lefebvre à l'évêché de Tulle, celui-ci serait manipulé. Voir le *Guardian*, Londres, 1er septembre 1976, p. 4. Gianfranco Svidercoschi, décrit par le *Times* comme un correspondant expéri-

menté et généralement bien informé du Vatican, a déclaré que le pape était conscient de ce que Mgr Lefebvre était très subrepticement conditionné par d'autres gens. Voir le *Times*, Londres, 31 août 1976, p. 12.

15. *Guardian*, 30 août 1976, p. 16. Intrigués, nous avons écrit à ce sujet au père Peter Morgan, tête du mouvement « intégriste » anglais. Il ne nous a pas répondu.
16. Cette information est passée dans les quotidiens du 19 et 20 janvier 1981 ; l'article cité provient de la revue *Haut-Anjou*.
17. Aux dernières informations, ils ont été transférés à Paris le 13 octobre 1979 dans l'un des coffres privés de la Caisse d'Épargne du 4, place de Mexico.
18. *Le Charivari*, n° 18, pp. 56 et suiv.
19. Les anciens statuts furent enregistrés à la sous-préfecture le 7 mai 1956. D'après le second numéro de *Circuit*, en date du 3 juin 1956, une réunion eut lieu cette semaine-là, pour discuter des statuts. Les statuts portant la signature de Jean Cocteau sont datés du 5 juin 1956.
20. *Bonne Soirée*, n° 3053, 14 août 1980, p. 14.
21. Nous avons, au cours de notre étude, consulté un grand nombre d'ouvrages relatifs aux généalogies des familles nobles, tant anciennes que contemporaines, sans trouver de référence au nom « Plantard de Saint-Clair », sauf dans l'armorial du Languedoc-Roussillon de 1862 de Pétrus Delmas. Mais le nom de « Plantard » se retrouve à diverses époques et à l'état civil, où il est fait mention de « Plantard, comte de Saint-Clair et comte de Rhedae ». Il faut aussi tenir compte de leur clandestinité pendant des siècles ; leur absence dans des ouvrages (où les descendants mérovingiens étaient exclus) n'est donc pas véritablement concluante.
22. *Le Charivari*, n° 18, p. 60, *Gisors et son secret*.

23. L'ouvrage principal de G. de Sède, *Les Templiers sont parmi nous*, contient un chapitre intitulé « Point de vue d'un hermétiste ». Il consiste en un long entretien avec P. Plantard de Saint-Clair, où l'auteur pose à son interlocuteur, considéré comme une autorité indiscutable, une multitude de questions. P. Plantard semble aussi être mêlé à l'ouvrage de G. de Sède sur Rennes-le-Château. Pendant le tournage de notre film *Le trésor perdu de Jérusalem ?* nous reçûmes en effet des éditeurs de G. de Sède une grande quantité de documents photographiques utilisés dans l'ouvrage ; tous portaient, au dos, la mention « Plantard ». Probablement étaient-ils la propriété de P. Plantard qui les avait prêtés à G. de Sède pour la réalisation de son livre.
24. *Le Charivari*, n° 18, p. 55.
25. *Ibid.*
26. *Ibid.*, p. 53.
27. Nous avons en effet reçu de P. Plantard photocopie d'une déposition légalisée émanant d'un membre de la Légion d'honneur, officier de la Résistance française. Il affirme que P. Plantard publia clandestinement le journal résistant *Vaincre* à partir de 1941, et qu'il fut emprisonné par la Gestapo à Fresnes d'octobre 1943 à février 1944. Cette déposition était timbrée et datée du 11 mai 1953.
Ce document est-il vraiment convaincant ?
De nombreux journaux, publiés pendant la guerre par des groupes de résistants, portaient ce même nom de « Vaincre ». Pourtant, il semble s'agir là de la revue *Vaincre* publiée par le Comité Local du Front National de Lutte pour l'Indépendance de la France, dont il n'existe plus à la Bibliothèque nationale que l'exemplaire n° 27 daté d'avril 1943, et édité à Saint-Cloud.
Nous avons adressâmes aux services historiques

de l'armée française pour obtenir des renseignements plus précis sur les activités de P. Plantard pendant la Résistance; mais c'est le « ministère de la Défense et du Territoire » qui nous répondit qu'il s'agissait là d'une information personnelle et confidentielle.

28. Voir Vazart, *Abrégé de l'histoire des Francs*, pp. 271 et 272, notes 1 et 2. La dernière note contient la lettre du général de Gaulle.
29. Cette information nous fut livrée au cours d'un entretien avec J.-L. Chaumeil. Sachant que M. Paoli avait travaillé pour la TV suisse à l'époque où il écrivait son livre, nous tentâmes par ce biais d'obtenir des renseignements à son sujet. L'administrateur en chef de la radio-télévision de la Suisse romande nous répondit que M. Paoli les avait quittés en 1971 ; depuis, croyait-il, il avait gagné Israël pour travailler à la TV israélienne à Tel-Aviv. Notre piste dut malheureusement s'arrêter là.
30. Paoli, *Les dessous*, p. 86.
31. Quelques exemplaires de *Circuit* existent à la bibliothèque de Versailles. Les divers numéros de la revue sont, dans leur ensemble, entourés d'obscurité.

   La première série commence le 27 mai 1956 et sort, à raison d'une publication par semaine, jusqu'à l'édition spéciale qui suit le numéro 11, datée du 2 septembre 1956. Les revues sont polycopiées, et consistent le plus souvent en deux ou quatre pages; elles proviennent de Sous-Cassan, Annemasse, et possèdent toutes une introduction de P. Plantard. Beaucoup rapportent les comptes rendus des réunions tenues pour établir et enregistrer les statuts du Prieuré de Sion à la sous-préfecture d'Annemasse, bien que pas une fois le nom du Prieuré n'y soit mentionné. En fait, l'organisme officiellement responsable de la revue n'est pas appelé « Prieuré de Sion », mais, non sans un certain humour, « Bulletin d'Information et de Défense des Droits et de la Liberté des Foyers HLM de Sous-Cassan ». En même temps, certains des noms rencontrés dans les statuts de Sion se retrouvent dans ces exemplaires de *Circuit*, comme celui de M. Defago, auteur d'un article sur l'astrologie dans le n° 8 du 22 juillet 1956, déjà rencontré comme trésorier dans les statuts fictifs de Sion. Dans cet article, Armand Defago expose la fausseté du système astrologique utilisant douze signes et non treize, le treizième, appelé Ophiuchus, étant placé entre le Scorpion et le Sagittaire.

La seconde série des numéros de *Circuit*, parue en 1959, portait le nom de *Publication périodique culturelle de la Fédération des Forces françaises*. Beaucoup d'entre eux ont disparu, et nous n'avons retrouvé que les numéros 2 d'août 1959, 3 de septembre, 5 de novembre et 6 de décembre. M. Paoli pour sa part mentionne un numéro 1 de juillet 1959 et un numéro 4, et *Le Charivari* un numéro 8. Où sont les exemplaires manquants ?

Tous contiennent des articles allant d'Atlantis aux « cycles astronomiques de Nostradamus » ou des prévisions politiques sur les années à venir, élaborées par P. Plantard au moyen de l'étude des cycles. Tous sont marqués du symbole de l'organisation et de la mention « Plantard ».

32. Vazart, *Abrégé de l'histoire des Francs*, p. 271.
33. M. Paoli, *Les dessous*, p. 94.
34. *Ibid.*
35. *Ibid.*, pp. 94 et suiv.
36. *Ibid.*, p. 102.
37. *Ibid.*, p. 103.
38. *Ibid.*, p. 112.

IX – Les rois aux cheveux longs

1. Cochet, *Le tombeau de Childéric Ier*; Dumas, *Le tombeau de Childéric.*
2. Selon Cochet, *Le tombeau de Childéric Ier*, Léopold-Guillaume, qui était aussi grand maître des Chevaliers Teutoniques, garda pour lui vingt-sept des abeilles. Il ne nous est pas possible de nous étendre davantage sur ce détail, et nous nous contenterons de noter que le Prieuré de Sion possédait alors vingt-sept commanderies.
3. C'est grâce aux nombreuses références des généalogies des *Dossiers secrets*, citant parmi leurs sources l'œuvre de l'abbé Pichon, que nous trouvâmes le nom de Napoléon lié à cette histoire. Entre 1805 et 1814 en effet, Pichon réalisa une étude sur la descendance mérovingienne de Dagobert II jusqu'au 20 novembre 1809 où Jean XXII des Plantard naquit à Sémelay dans la Nièvre ; il disait se fonder sur des documents découverts après la Révolution française. Par ailleurs, nous apprîmes par la publication « Alpina » de Madeleine Blancassal (p. 1) que l'abbé Pichon s'était vu confier ce travail par Sieyès (Officiel du Directoire, 1795-1799) et Napoléon. *L'or de Rennes pour un Napoléon*, par Ph. de Chérisey, aujourd'hui sur microfiche à la Bibliothèque nationale, apporte à ce sujet d'importants renseignements. Selon lui, l'abbé Sieyès avait appris, par les recherches de Pichon sur les archives royales enlevées, la survivance de la race mérovingienne. Il en entretint aussitôt Napoléon, le pressant d'épouser Joséphine de Beauharnais, ex-femme d'un descendant mérovingien. C'est la raison pour laquelle Napoléon adopta plus tard ses deux enfants, qui portaient le « sang royal » dans leurs veines.
   Napoléon demanda plus tard à l'abbé Pichon (de son vrai nom François Dron) d'établir une généa-

logie définitive ; il s'y intéressait entre autres pour prouver que la dynastie des Bourbons était illégitime. Son couronnement, comme empereur des Français, et non de France, eut lieu, dit-on, au cours d'une cérémonie à caractère mérovingien, et savamment élaborée par Pichon et Sieyès. On peut, à ce détail, penser que Napoléon envisageait la réalisation d'un nouvel empire mérovingien.
Ayant divorcé de Joséphine, et sans enfants, il épousa Marie-Louise, fille de l'empereur d'Autriche, donc de souche mérovingienne ; leur fils, Napoléon II, était porteur du même « sang royal », mais il mourut sans enfants. Napoléon III, fils de Louis Bonaparte et d'Hortense de Beauharnais, avait lui aussi du sang mérovingien.
Chérisey suggère discrètement que l'archiduc Karl, frère de la femme de Napoléon, fut prié de perdre la bataille de Wagram en 1809 en échange d'une partie du trésor des Mérovingiens trouvé par Napoléon dans le Razès. Une autre partie de ce trésor fut en effet découverte en 1837 à Petroassa, alors domaine des Habsbourg. Leurs origines mérovingiennes expliquent les raisons pour lesquelles ces derniers tenaient tant à ce trésor.

4. Carpenter, *Folktale, Fiction and Saga*, pp. 112 et suiv.
5. Le nom romain d'Artémis était Diane, et le culte d'Arduina était souvent dit « Diane des Ardennes ». Une immense statue d'elle a existé, jusqu'à sa destruction par saint Vulfilau au VIe siècle. Son culte était un culte lunaire, où la déesse figurait, un croissant de lune à la main ; elle était considérée comme la divinité des fontaines et des sources. La fondation de l'abbaye d'Orval, attribuée par la légende au jaillissement d'une source mystique, pourrait être une survivance de ce culte de Diane-Arduina. Voir Calmet, « Des Divinités », pp. 25 et suiv.

6. Voir par exemple Grégoire de Tours, *Histoire des Francs*, livre V, chapitre XLIV.
7. Wallace-Hadrill, *The Long-haired Kings*, pp. 203 et suiv.
8. *Ibid.*, p. 158.
9. Dill, *Roman Society in Gaul*, p. 88.
10. Wallace-Hadrill, *The Long-haired Kings*, p. 171.
11. Les principales sources utilisées pour la vie de Dagobert II sont Digot, *Histoire du royaume d'Austrasie*, vol. III, pp. 220 et suiv., pp. 249 et suiv. (chap. XV) et pp. 364 et suiv. ; Folz, « Tradition hagiographique », et Vincent, *Histoire fidelle de saint Sigisbert*.
12. Lanigan, *An Ecclesiastical History*, vol. III, p. 101.
13. H. Lobineau, *Dossiers secrets*, pl. n° 1, 600-900 ; Blancassal, *Les descendants...*, p. 8 et tableau n° 1.
14. Saint Amatus aurait encouru l'inimitié d'Ébroin, maire du Palais du roi Thierry III, l'un des auteurs de la mort de Dagobert. Il dut quitter son évêché à peu près à l'époque où Dagobert rentrait dans ses droits, et la coïncidence des dates laisse supposer qu'Amatus joua un rôle dans ce retour. Dagobert, pour regagner son royaume, préféra vraisemblablement traverser les territoires de l'évêque en arrivant du Razès, plutôt que ceux de Thierry.
15. H. Lobineau, *Dossiers secrets*, pl. n° 2, 1500-1650 ; Blancassal, *Les descendants...*, p. 8. Ce trésor rejoint la liste de ceux qui se trouvèrent, ou se trouvent encore, dans les environs de Rennes-le-Château.
16. Wallace-Hadrill, *The Long-haired Kings*, p. 238.
17. Appelé *Satanicum* dans les chartes latines, à cause d'un temple dédié à Saturne qui s'y trouvait autrefois.
18. Voir note 16.
19. Pour le culte de Dagobert, voir Folz, « Tradition hagiographique ».

20. Digot A., *Histoire du royaume d'Austrasie*, vol. III, pp. 370 et suiv.
21. Jules Doinel, fondateur de l'Église Catholique Gnostique et bibliothécaire à Carcassonne, publia très curieusement en 1899 une petite brochure où il déplorait la substitution des Mérovingiens par les Carolingiens.
22. Wallace-Hadrill, *The Long-haired Kings*, p. 246.
23. *Ibid.*, p. 248.
24. Einhard, *Life of Charlemagne*, p. 81.
25. Paoli, *Les dessous*, p. 111.
26. Dagobert fut « redécouvert » en 1646 par Adrien de Valois, et replacé dans les généalogies mérovingiennes par le jésuite bollandiste Henschenius dans *Diatriba de tribus Dagobertus*. Voir Folz, « Tradition hagiographique », p. 33. Il est donc intéressant de noter que, à une époque où personne ne connaissait Dagobert, Robert Denyau l'avait mentionné dans son *Calendarium Martyrology*, daté de 1629, et encore avant lui Gaspare Bruschio en 1549 dans *Magni Operis de Omnibus Germanie*, t. I, pp. 55 et suiv.
27. Delaude, *Le cercle d'Ulysse*, p. 4. Cette charte, supposée provenir de « Villas Capitanarias » ultérieurement nommée Trapas, relate la fondation du monastère Saint-Martin d'Albières. Nous avons tenté, sans succès, de retrouver la charte.
    Quelques archives de Capitanarias font partie des Archives de l'Aude, série H, mais la charte n'y figure pas. Voici ce qu'écrivait Jean Delaude :

« En vérité bien étrange histoire, celle de ce monastère situé sur des mines d'or, entre Auriac et Albières, à 20 km de Rennes-le-Château, dédié au légendaire Saint Martin qui déchire son manteau ! Avec une charte qui disparaît ou réapparaît au moment opportun. Introuvable en 760, elle fut présentée par l'Archevêque Sigebod en 850 au Pape Jean VIII, puis au roi Louis le Bègue. En 870 on la recherche vainement. De retour en 884 l'archevêque Sigebod obtient son bénéfice pour l'église de Narbonne. Perdue encore... et retrouvée en 898 par l'archevêque Arnuste, ce dernier obtient de Charles le Simple confirmation de ses droits et en plus ceux de l'Abbaye de Cubières. »

Nous avons noté avec grand intérêt une lettre du 9 août 1977 adressée à Jean Delaude, lui demandant l'origine de son information sur le document et signée d'un membre de l'Université de Lille. Jean Delaude répondait le 15 octobre 1977, à propos de cette charte :

«... cet acte n'existe qu'aux Archives nationales. Il a fallu d'ailleurs deux mois à un chartiste pour en retrouver trace. De plus, 8/10 de ces archives n'ont, à ce jour, encore été répertoriées. Les actes anciens ne sont pas à la disposition du public et ne peuvent être traduits que par des spécialistes. »

Voir Chérisey, *L'énigme de Rennes*, lettres n° 4 et 5, 1977.

28. Ponsich, *Le Conflent*, p. 244.
29. *Ibid.*, fig. 1. Voir aussi Vaissete, *Histoire générale de Languedoc*, vol. II (notes), p. 276.
30. Vaissete, *Histoire générale de Languedoc*, vol. III, pp. 4 et suiv.
31. Cette légende fait son apparition en 1686 où le Dr Plot la rapporte dans son ouvrage intitulé *Natural History of Staffordshire*, pp. 316 et suiv., au cours de ses recherches sur la franc-maçonnerie.
32. Le titre attaché au duché de Godefroi de Bouillon, en Basse-Lorraine, disparut en 1190 pour laisser place à celui de duc de Brabant. La duchesse de Bouillon et la duchesse de Brabant ne sont donc qu'une seule et même personne.
33. Anselm, dans son *Histoire généalogique et chronologique*, qui reste une œuvre fondamentale, nous offre un aperçu détaillé de la maison de

Boulogne, vol. VI, pp. 247 et suiv. Mais une certaine confusion se fait jour au niveau du comte Eustache Ier de Boulogne, grand-père de Godefroi. En effet son père n'y est pas mentionné, mais seulement sa mère, Adeline, et son second mari, Ernicule, comte de Boulogne. Celui-ci adopta le jeune Eustache et en fit son héritier ; mais le nom de son véritable père est resté ignoré de l'histoire.
Les *Dossiers secrets*, pl. n° 2, 900-1200, voient pour père d'Eustache Hugues des Plantard, surnommé « Long-Nez », assassiné, selon l'abbé Pichon, en 1015.

X – La tribu exilée

1. Graves, *White Goddess*, p. 271.
2. Le texte est le suivant :
   « UN JOUR LES DESCENDANTS DE BENJAMIN QUITTÈRENT LEUR PAYS, CERTAINS RESTÈRENT, DEUX MILLE ANS APRÈS GODEFROY VI DEVINT ROI DE JÉRUSALEM ET FONDA L'ORDRE DE SION. – De cette légende merveilleuse qui orne l'histoire, ainsi que l'architecture d'un temple dont le sommet se perd dans l'immensité de l'espace et des temps, dont POUSSIN a voulu exprimer le mystère dans ses deux tableaux, *Les bergers d'Arcadie*, se trouve sans doute le secret du trésor devant lequel les descendants paysans et bergers du fier Sicambre méditent sur "et in arcadia ego", ✡ et le Roi "*Midas*". Avant 1200 de notre ère, un fait important est l'arrivée des Hébreux dans la terre promise et leur lente installation en Canaan. Dans la Bible, au Deutéronome 33, il est dit sur BENJAMIN : C'est le bien-aimé de l'Éternel, il habitera en sécurité auprès de lui. L'Éternel le couvrira toujours, et résidera entre ses épaules. ⸸. Il est encore dit à Josué 18 que le sort donna

pour héritage aux fils de Benjamin parmi les quatorze villes et leurs villages : JÉBUS, de nos jours JÉRUSALEM avec ses trois points d'un triangle : GOLGOTHA, SION et BÉTHANIE. Et enfin il est écrit aux Juges 20 et 21 : "Aucun de nous ne donnera sa fille pour femme à un Benjamite. Ô Éternel, Dieu d'Israël, pourquoi est-il arrivé en Israël qu'il manque aujourd'hui une tribu d'Israël" À la grande énigme de l'Arcadie Virgile, qui était dans le secret des dieux, lève le voile aux *Bucoliques* X-46/50 : "Tu procul a patria (nec sit mihi credere tantum !)./Alpinas, ah, dura, nives et frigora Rheni/Me sine sola vides. Ah, te ne frigora laedant !/Ah tibi ne teneras glacies secet aspera plantas !"

✡

SIX PORTES ou le sceau de l'Étoile, voici les secrets des parchemins de l'Abbé SAUNIÈRE, Curé de Rennes-le-Château et qu'avant lui le grand initié POUSSIN connaissait lorsqu'il réalisa son œuvre à la demande du PAPE, l'inscription sur la tombe est la même. »
Lobineau, *Dossiers secrets*, pl. n° 1, 400-600.

3. Graves, *Greek Myths*, vol. I, p. 203, n° 1.
4. Mitchell, *Sparta*, p. 173. Les Spartiates vénéraient Artémis et Aphrodite, déesses de la guerre. La dernière est la forme souvent revêtue par Ishtar et Astarté, et cette assimilation dénonce une probable influence sémite.
5. II, *Maccabées* V, 9.
6. I, *Maccabées* XII, 21.
7. Le terme « sémitique » fut utilisé pour la première fois par le savant allemand Schlözer en 1781 pour désigner un groupe de langues relativement proches. Puis il s'élargit à ceux qui utilisaient ces langues ; ils devinrent les « Sémites ». Le mot pro-

vient de « Shem », fils de Noé. Si cette montagne avait été occupée par une colonie juive, elle se serait naturellement appelée la « montagne de Shem ». Il faut aussi envisager une autre éventualité : le mot latin *semita* signifiant « voie, sentier ».

XI – Le Saint Graal

1. Elles avaient probablement un lien avec Otto Rahn ; voir chap. II, note 9.
2. Philippe de Flandre se rendait souvent en Champagne, et en 1182 il tenta, en vain, d'épouser Marie de Champagne, fille d'Éléonore d'Aquitaine, devenue veuve l'année précédente. *Le conte du Graal* date probablement de cette époque.
   Il existe un lien entre les maisons d'Alsace et de Lorraine. Gérard d'Alsace, à la mort de son frère en 1048, devint premier duc héréditaire de Haute-Lorraine, aujourd'hui simplement nommée Lorraine. Tous les ducs suivants furent donc ses descendants.
3. Il semble qu'il ait existé une information originale relative au Graal, à laquelle Philippe de Flandre aurait eu accès, et qui servit de base commune aux deux romans de Chrétien de Troyes et de Robert de Boron. Selon le Pr Loomis, Robert de Boron parlait à juste titre d'un ouvrage relatif aux secrets du Graal qui lui aurait fourni la plus grande partie de son information. Voir Loomis, *The Grail*, pp. 233 et suiv.
4. Voir Barber R., *Knight and Chivalry*, p. 126.

5 à 13. *Perlesvaus*.

14. Wolfram von Eschenbach, *Parzival*, t. II, pp. 23-24.
15. *Ibid.*, t. II, p. 35.
16. *Ibid.*, t. II, p. 38.
17. *Ibid.*, t. I, p. 206.
18. *Ibid.*, t. I, p. 208.
19. *Ibid.*, t. II, pp. 36-37.

20. *Ibid.*, t. II, p. 36.
21. *Ibid.*, t. II, p. 37.
22. *Ibid.*, t. II, pp. 37-38.
23. Rahn, *Croisade contre le Graal*, pp. 77 et suiv., et *La cour de Lucifer*, p. 69.
24. Wolfram von Eschenbach, *Parzival*, t. II, p. 57.
25. *Ibid.*, t. II, p. 57.
26. *Ibid.*, t. II, p. 334.
27. Barral, *Légendes capétiennes*, p. 64.
28. Il est intéressant de noter à ce propos que la ville d'Avallon date de l'époque mérovingienne. Elle était la capitale d'une région, puis d'un comté, qui faisait partie du royaume d'Aquitaine et donna son nom à la contrée entière : l'Avallonnais.
29. Greub, « The Pre-Christian Grail Tradition », p. 68.
30. Halevi, *Adam and the Kabbalistic Tree*, pp. 194, 201 ; Fortune, *Mystical Qabalah*, p. 188.
31. On dit parfois que les traditions chrétienne et cabalistique ne se trouvèrent réunies qu'au XVe siècle entre les mains d'écrivains comme Pic de la Mirandole. Le *Perlesvaus* semblerait pourtant prouver qu'elles fusionnèrent dès le début du XIIIe siècle, mais ceci demanderait une étude plus approfondie.
32. *Queste del Saint Graal*, p. 34.
33. Cette confusion est peut-être due au fait que le roi Dagobert passa une grande partie de sa jeunesse en Angleterre.
34. *Queste del Saint Graal*, Introduction.

XII – Le Prêtre-Roi qui n'a jamais régné

1. Smith, *Secret Gospels*, pp. 14 et suiv.
2. *Ibid.*, pp. 15 et suiv.
3. *Ibid.*, p. 16.
4. *Ibid.*, pp. 16 et suiv. Le jeune homme vêtu seulement d'un linge blanc paraît ultérieurement en

Marc XIV, 51-52 : en effet lorsque Jésus est trahi à Gethsémani, il est accompagné d'un « jeune homme n'ayant pour tout vêtement qu'un drap », et qui s'enfuira tout nu lorsqu'on tentera de le saisir.

5. Les plus anciens manuscrits des Écritures comme le *Codex Vaticanus* et le *Codex Sinaiticus*, n'attribuent pas à l'Évangile de Marc la fin que nous lui connaissons aujourd'hui dans l'un et l'autre cas, il se termine en XVI, 8. Ces deux documents datent du IVe siècle, où l'ensemble des textes de la Bible furent réunis pour la première fois.
6. Maccoby, *Revolution in Judaea*, p. 99.
7. Dodd, *Historical Tradition in the Fourth Gospel*, p. 423.
8. Brandon, *Jesus and the Zealots*, p. 16.
9. Vermes, *Jesus the Jew*, p. 99.
10. Charles Davis, dans l'*Observer*, Londres, 28 mars 1971, p. 25.
11. Phipps, *Sexuality of Jesus*, p. 44.
12. Smith, *Jesus the Magician*, pp. 81 et suiv.
13. Brownlee, « Whence the Gospel according to John », p. 192.
14. Schonfield, *Passover Plot*, pp. 119, 134 et suiv.
15. *Ibid.*, p. 256.
16. Jacques de Voragine donne corps à cette tradition dans sa *Légende dorée*, « Vie de sainte Marie Magdeleine », en 1270. Mais on en trouve déjà une trace dans la « Vie de Marie Magdeleine », par Rabanus (776-856), archevêque de Mainz. C'est dans *The Antiquities of Glastonbury*, de Guillaume de Malmesbury, que la légende atteint de plus larges dimensions avec l'arrivée de Joseph d'Arimathie en Angleterre ; celle-ci est souvent considérée comme une addition postérieure au récit de Malmesbury.
17. Vermes, *Jesus the Jew*, p. 21, mentionne que dans le Talmud le mot araméen pour « charpentier » ou

« artisan » (*naggar*) signifie « homme instruit » ou « érudit ».

18. Maccoby, *Revolution in Judaea*, pp. 57 et suiv., cite Philon d'Alexandrie décrivant Pilate comme « cruel par nature ».
19. Cohn, H., *Trial and Death of Jesus*, pp. 97 et suiv.
20. De l'avis unanime, un tel privilège n'exista jamais, et fut inventé de toutes pièces pour provoquer la culpabilité des Juifs. Voir Brandon, *Jesus and the Zealots*, p. 259, Cohn, *Trial and Death of Jesus*, pp. 166 et suiv. (Haim Cohn est ex-attorney général d'Israël, membre de la Cour suprême et spécialiste de l'histoire des lois.) Voir aussi Winter P., *On the Trial of Jesus*, p. 94.
21. Le Pr Brandon insiste sur le fait que toute enquête relative à la réalité historique de Jésus doit avoir pour point de départ son exécution par les Romains pour sédition. Il ajoute que son titre de « roi des Juifs » doit être considéré comme authentique, les premiers chrétiens n'ayant pu inventer un détail finalement aussi ambigu. Voir *Jesus and the Zealots*, p. 328.
22. Pour les détails de la Crucifixion, voir Winter, *On the Trial of Jesus*, pp. 62 et suiv. et Cohn H., *Trial and Death of Jesus*, pp. 230 et suiv.
23. Voir Schonfield, *Passover Plot*, pp. 154 et suiv., pour d'autres détails.
24. Voir à ce sujet Allegro, *Treasure of the Copper Scroll*, pp. 100 et suiv.
25. Cohn H., *Trial and Death of Jesus*, p. 238.
26. Voir *The Interlinear Greek-English New Testament*, p. 214 (Marc XV, 43-45).
27. Joyce, *Jesus Scroll*. L'auteur y raconte qu'au cours d'un voyage en Israël on lui demanda d'aider à sortir du pays un manuscrit volé dans les fouilles de Masada. Il refusa, non sans avoir jeté un regard au document. Celui-ci était signé d'un certain « Yeshua ben Ya'akob ben Gennesareth », âgé de

quatre-vingts ans, qui se prétendait le dernier des rois légitimes d'Israël (p. 22). Une fois traduit, le nom devient « Jésus de Gennezareth, fils de Jacob ». Joyce identifie l'auteur de ce manuscrit à Jésus de Nazareth en personne.

XIII – Le grand secret de l'Église

1. Eisler, *Messiah Jesus*, pp. 606 et suiv.
2. Chadwick, *The Early Church*, p. 125.
3. Goodenough, *Jewish Symbols*, vol. VII, pp. 178 et suiv.
4. Voir Halsberghe, *The Cult of Sol Invictus*, où l'auteur explique que ce culte fut introduit à Rome au IIIe siècle après J.-C par l'empereur Elagabalus. La réforme religieuse d'Aurélien consista donc à rétablir le culte de Sol Invictus, tel qu'il existait à l'origine.
5. Dans la proportion de 218 voix pour, et deux contre. Ainsi le Fils fut-il défini comme étant de même nature que le Père.
6. C'est en 384 seulement que l'évêque de Rome se nomma lui-même « pape » pour la première fois.
7. Peut-être pourtant en compte-t-on aujourd'hui quelques-uns. En 1976 en effet, un nombre important de manuscrits anciens fut découvert au monastère de Sainte-Catherine au mont Sinaï. La nouvelle fut gardée secrète deux ans, puis rendue publique dans un journal allemand en 1978. Il s'agissait de milliers de fragments, dont certains antérieurs à l'an 300 de notre ère, et comprenant entre autres huit pages manquantes du *Codex Sinaiticus* aujourd'hui au British Museum. Les moines qui détiennent les documents n'ont donné qu'à un ou deux savants grecs l'autorisation de les approcher. Voir *International Herald Tribune*, 27 avril 1978.
8. Évangile de Pierre V, 5.

9. Évangile de l'Enfance de Jésus-Christ II, 4.
10. Maccoby, *Revolution in Judaea*, p. 129. L'auteur ajoute que l'aspect antipharisien de Jésus avait probablement pour but de le présenter comme un ennemi de la religion juive plus que de Rome.
11. Brandon, *Jesus and the Zealots*, p. 327 ; voir aussi Vermes, *Jesus the Jew*, p. 50 : « Zélote ou non, Jésus fut certainement accusé, jugé et condamné en tant que tel. »
12. Allegro, *Dead Sea Scrolls*, p. 167.
13. *Ibid.*, p. 175.
14. Josephus, *La guerre des Juifs*.
15. *Ibid.*
16. *Ibid.*, Appendice.
17. Eisler, *Messiah Jesus*, p. 427.
18. *Ibid.*, p. 167.
19. Irénée de Lyon, *Cinq Livres… contre les Hérésies*.
20. Le Coran, IV, 157 ; voir aussi Parrinder, *Jesus in the Qur'an*, pp. 108 et suiv.
21. Pagels, *Gnostic Gospels*, pp. XVI et suiv.
22. « The Second Treatise of The Great Seth », *in* Robinson J., *Nag Hammadi Library in English*, p. 332.
23. « Gospel of Mary » (Évangile de Marie), *in* Robinson J., *Nag Hammadi Library in English*, p. 472.
24. *Ibid.*, p. 473.
25. *Ibid.*
26. « Gospel of Philip » (Évangile de Philippe), *in* Robinson J., *Nag Hammadi Library in English*, p. 140.
27. *Ibid.*, pp. 135 et suiv.
28. Phipps, *Was Jesus married ?*, pp. 136 et suiv.
29. « Gospel of Philip » (Évangile de Philippe), *in* Robinson, *Nag Hammadi Library in English*, p. 138.
30. *Ibid.*, p. 139.
31. *Ibid.*
32. *Ibid.*, p. 148.

XIV – La dynastie du Graal

1. Parrinder, *Jesus in the Qur'an*, pp. 110 et suiv.
2. Blancassal, *Les descendants*..., p. 9.
3. *Le Coran*, IV, 157.
4. Pensons au taureau sacré de Méroé, à Héliopolis. On sait que les taureaux étaient tenus en grand respect par les Sicambres : en effet une tête de taureau en or fut trouvée dans le tombeau de Childéric, père de Clovis.
5. H. Lobineau, *Dossiers secrets*, pl. n° 1, 950-1400, n° 1.
6. Rabinowitz, *De Migrantibus*.
7. Zuckerman, *Jewish Princedom*, pp. 36 et suiv.
8. Zuckerman, *Jewish Princedom*, p. 59.
9. Ponsich, *Le Conflent*, p. 244, note 10, et Levillain, « Nibelungen », année 50 (1938), généalogie p. 46.
10. Zuckerman, *Jewish Princedom*, p. 81.
11. *Ibid.*, p. 197.
12. *William, Count of Orange, The Crowning of Louis*, p. 4.
13. Dont une partie est aujourd'hui aux « Cloisters » de New York.
14. Saxer, *Marie Madeleine*, vol. II, p. 412. Le culte, qui a lieu le 19 janvier, remonte au moins aux années 792-795.
15. Zuckerman, *Jewish Princedom*, p. 64.
16. *Ibid.*, p. 58.
17. Pange, *La maison de Lorraine*, p. 60.

XV – Conclusions et perspectives

1. Lacordaire, *Sainte Marie Magdeleine*.
2. *Encyclopaedia Britannica*, 14e éd. (1972), *Crown and Regalia*, fig. 2.
3. Nilus, *Protocoles*, n° 24.
4. Péguy Charles, « La tapisserie de sainte Geneviève », in *Œuvres complètes*, Paris, 1957, p. 849.
5. Saint Sigisbert était le père de Dagobert II.

Appendice – Les grands maîtres du Prieuré de Sion

1. Voir Digot P., *Notre-Dame de Sion*, p. 8. Nous avons obtenu une copie de la charte originale de l'ordre, les archives se trouvant à la bibliothèque municipale de Nancy.
2. Fédié, *Le comté de Razès*, p. 119.
3. Birch, *Life of Robert Boyle*, p. 274.
4. *Ibid.*
5. Voir Manuel, *Portrait of Isaac Newton*, et Dobbs, *Foundations of Newton's Alchemy*.
6. Newton était aussi un adepte des sociniens, pour lesquels la divinité de Jésus était due à ses fonctions plutôt qu'à sa nature ; ils étaient de tendance arienne, et Newton lui-même était d'ailleurs considéré comme un arien.

Bibliographie

1. Les « documents du Prieuré »

ANTOINE L'ERMITE, *Un trésor mérovingien à Rennes-le-Château*, Anvers, 1961.

BEAUCÉAN, Nicolas, *Au pays de la Reine Blanche*, Paris, 1967.

BLANCASSAL, Madeleine, *Les descendants mérovingiens ou l'énigme du Razès wisigoth*, Genève, 1965.

BOUDET, Henri, *La vraie langue celtique*, Carcassonne, 1886.

BOUDET, Henri, *La vraie langue celtique*, édition fac-similé avec une préface par Pierre Plantard de Saint-Clair, Paris, 1978.

CHÉRISEY, Philippe de, *Circuit*, Liège, 1968.

CHÉRISEY, Philippe de, *L'énigme de Rennes*, Paris, 1978.

CHÉRISEY, Philippe de, *L'or de Rennes pour un Napoléon*, Liège, 1975.

DELAUDE, Jean, *Le cercle d'Ulysse*, Toulouse, 1977.

FEUGÈRE, Pierre, SAINT-MAXENT, Louis et KOKER Gaston de, *Le serpent rouge*, Pontoise, 1967.

HISLER, Anne Lea, *Trésor au pays de la Reine Blanche*, 1969.

HISLER, Anne Lea, *Rois et gouvernants de la France*, Paris, 1964.

LOBINEAU, Henri, *Généalogie des rois mérovingiens et origine des diverses familles françaises et étrangères de souche mérovingienne*, Genève, 1956.

MYRIAM, D., « Les bergers d'Arcadie », *Le Charivari*, n° 18, Paris, 1973.

ROUX, S., *L'affaire de Rennes-le-Château*, Levallois-Perret, 1966.
STUBLEIN, Eugène, *Pierres gravées du Languedoc*, Limoux, 1884.
Reproductions des planches XVI à XXIII par l'abbé Joseph Courtauly, Villarzel-du-Razès, 1962.
TOSCAN DU PLANTIER, Philippe, *Dossiers secrets d'Henri Lobineau*, Paris, 1967. Référence BN 4° Lm[1] 249.

2. Références générales

ADDISON, C.G., *The History of the Knights Templars*, Londres, 1842.
ALART, M., « Suppression de l'ordre du Temple en Roussillon », *Bulletin de la société agricole, scientifique et littéraire des Pyrénées-Orientales*, vol. XV, Perpignan, 1867.
ALBON, M. de, *Cartulaire général de l'ordre du Temple*, Paris, 1913.
ALLEGRO, J.M., *The Dead Sea Scrolls*, 2e éd., Harmondsworth, 1975.
ALLEGRO, J.M., *The Treasure of the Copper Scroll*, Londres, 1960.
ALLIER, R., *La cabale des dévots, 1627-1666*, Paris, 1902.
ALLIER, R., *Une société secrète au XVIIe siècle. La Compagnie du Très-Saint-Sacrement*, Paris, 1909.
ANDERSON, J., *The Constitutions of the Free Masons*, Paris, 1723.
ANDRESSOHN, J.C., *The Ancestry and Life of Godfrey of Bouillon*, Bloomington, 1947.
Annuaire ecclésiastique, Paris, 1896.
ANSELME, le P., *Histoire généalogique et chronologique de la maison royale de France*, 9 vol., Paris, 1726-1733.
ARBOIS DE JUBAINVILLE, M.H. d', *Histoire des ducs et des comtes de Champagne*, 7 vol., Paris, 1859-1869.
ARCONS, C. d', *Du flux et reflux de la mer et des longitudes avec des observations sur les mines métalliques de France*, Paris, 1667.

AUBERT DE LA CHENAYE DES BOIS, F.A., *Dictionnaire de la noblesse*, 19 vol., 3e éd., Paris, 1863-1876.

AUGUSTE, A., *La Compagnie du Saint-Sacrement à Toulouse*, Paris, 1913.

BANDER P., *The Prophecies of St. Malachy and St. Columbkille*, 4e éd., Gerards Cross, 1979.

BARBER, M., *The Trial of the Templars*, Cambridge, 1978.

BARBER, R., *King Arthur in Legend and History*, Ipswich, 1973.

BARBER, R., *The Knight and Chivalry*, 2e éd., Ipswich, 1974.

BARING-GOULD, S., *Curious Myths of the Middle Ages*, Londres, 1881.

BARRAL, A. de, *Légendes capétiennes*, Tours, 1884.

BARTHÉLEMY, E. de, *Obituaire de la commanderie du Temple de Reims*, Paris, 1882.

BEGOUEN comte de, *Une société émule de la Compagnie du Saint-Sacrement : l'AA de Toulouse*, Paris, 1913.

BERNADAC, C., *Le mystère Otto Rahn*, Paris, 1978.

BERNSTEIN, H., *The Truth about « The Protocols »*, New York, 1935.

BIRCH, T., *The Life of Robert Boyle*, Londres, 1744.

BLUNT, A., *Nicolas Poussin*, 2 vol., Londres, 1967.

BOUQUET, M., *Recueil des historiens des Gaules et de la France*, vol. XV, Paris, 1738.

BRANDON, S.G.F., *Jesus and the Zealots*, Manchester, 1967.

BRANDON, S.G.F., *The Trial of Jesus of Nazareth*, Londres, 1968.

BROWNLEE, W.H., « Whence the Gospel According to John », James H. Charlesworth, *John and Qumran*, Londres, 1972.

BRUEL, A., « Chartes d'Adam, abbé de N.-D. du Mont-Sion et le prieuré de Saint-Samson d'Orléans », *Revue de l'Orient latin*, vol. X, Paris, 1905.

BULL, N.J., *The Rise of the Church*, Londres, 1967.

CALMET dom, « Des divinités payennes », *Œuvres inédites de dom A. Calmet*, 1re série, Saint-Dié, 1876.

CARPENTER, R., *Folk-tale, Fiction and Saga in the Homeric Epics*, Los Angeles, 1946.
CARRIÈRE, V., *Histoire et cartulaire des Templiers de Provins*, Paris, 1919.
CATEL, G. de, *Mémoires de l'histoire du Languedoc*, Toulouse, 1633.
CHADWICK, H., *The Early Church*, Harmondsworth, 1978.
CHADWICK, H., *Priscillian of Avila*, Oxford, 1976.
Le Charivari, n° 18, Paris, oct.-déc. 1973.
CHASSANT, A., et TAUSIN, H., *Dictionnaire des devises historiques et héraldiques*, Paris, 1878.
CHATELAIN, U.V., *Le surintendant Nicolas Foucquet*, Paris, 1905.
CHAUMEIL, J.-L., *Le trésor du triangle d'or*, Paris, 1979.
CHRÉTIEN DE TROYES, *Le conte du Graal*.
COCHET Abbé, *Le tombeau de Childéric Ier*, Paris, 1859.
COHN, H., *The Trial and Death of Jesus*, New York, 1971.
COHN, H., *The Pursuit of the Millennium*, St. Albans, 1978.
COHN, H., *Warrant for Genocide*, Harmondsworth, 1970.
COLLIN, H., « Après Azincourt. Bar, capitale ducale, et la compagnie du Lévrier Blanc », *Bulletin des sociétés d'histoire et d'archéologie de la Meuse*, n° 12, Bar-le-Duc, 1975.
Le Coran, trad. Régis Blachère.
COURRENT P., *Notice historique sur les bains de Rennes*, Carcassonne, 1934.
CURZON, H. de, *La règle du Temple*, Paris, 1886.
CUTTS, E.L., *The Sepulchral Slabs and Crosses of the Middle Ages*, Londres, 1849.
DARAUL, A., *A History of Secret Societies*, New York, 1969.
DELABORDE, H.F., *Jean de Joinville et les seigneurs de Joinville*, Paris, 1894.
DEMAY, G., *Inventaire des sceaux de la Normandie*, Paris, 1881.

DENYAU, R., *Histoire polytique de Gisors et du pays de Vulcsain*, Gisors, 1629. Manuscrit à la bibliothèque de Rouen, coll. Montbret 2219, V 14a.

DESCADEILLAS, R., « Mythologie du trésor de Rennes », *Mémoires de la Société des arts et des sciences de Carcassonne*, 4e série, vol. VII, partie 2, Carcassonne, 1974.

DESCADEILLAS, R., *Rennes et ses derniers seigneurs*, Toulouse, 1964.

DIDRIT, abbé Th., « La montagne de Sion-Vaudémont et son sanctuaire », *Mémoires de la société d'archéologie lorraine*, 3e série, vol. XXVII, Nancy, 1899.

DIGOT, A., *Histoire de Lorraine*, 3 vol., Nancy, 1856.

DIGOT, A., *Histoire du royaume d'Austrasie*, 4 vol., Nancy, 1863.

DIGOT, A., « Mémoire sur les établissements de l'ordre du Temple en Lorraine », 2e série, *Mémoires de la Société d'archéologie lorraine*, vol. X, Nancy, 1868.

DIGOT, P., *Notice historique sur Notre-Dame-de-Sion*, Nancy, 1856.

DILL S., *Roman Society in Gaul in the Merovingian Age*, Londres, 1926.

DOBBS, B.J.T., *The Foundations of Newton's Alchemy*, Cambridge, 1975.

DODD, C.H., *Historical Tradition in the Fourth Gospel*, Cambridge, 1963.

DODU, G., *Histoire des institutions dans le royaume latin de Jérusalem*, Paris, 1894.

DOINEL, J.S., *Note sur le roi Hildérik III*, Carcassonne, 1899.

DRUMMOND, J.S., *The Twentieth Century Hoax*, Londres, 1961.

DUGAST-ROUILLÉ, Dr, *Les maisons souveraines de l'Autriche*, Paris, 1967.

DUMAS, F., *Le tombeau de Childéric*, Paris, n.d.

EINHARD, « The Life of Charlemagne », *Two Lives of Charlemagne*, Harmondsworth, 1979.

EISENSTEIN, E.L., *The First Professional Revolutionist: Filippo Michele Buonarroti*, Harvard, 1959.

EISLER, R., *The Messiah Jesus and John the Baptist*, trad. A.H. Krappe, Londres, 1931.
ERDESWICK, S., *A survey of Staffordshire*, nouv. éd., Londres, 1844.
ESCHENBACH, Wolfram von, *Parzival*, trad. E. Tonnelet, Paris, 1977.
ESQUIEU, L., « Les Templiers de Cahors », *Bulletin de la Société des études littéraires, scientifiques et artistiques du Lot*, vol. XXII, Cahors, 1897.
EVISON, V.I., *The Fifth-century Invasions South of the Thames*, Londres, 1965.
FÉDIÉ, L., *Le comté de Razès et le diocèse d'Alet*, Carcassonne, 1880 ; réimpression Bruxelles, 1979.
FINKE, H., *Papsttum und Untergang des Templerordens*, 2 vol., Münster, 1907.
FlANIUS JOSÈPHE, *De la guerre des Juifs*.
FOLZ, R., « Tradition hagiographique et culte de Saint Dagobert, roi des Francs », *Le Moyen Âge*, 4e série, vol. XVIII, Bruxelles, 1963.
FORTUNE, D., *The Mystical Qabalah*, 9e éd., Londres, 1970
FRAPPIER, J., *Chrétien de Troyes*, Paris, 1968.
FRENCH, P.J., *John Dee : The World of an Elizabethan Magus*, Londres, 1972.
FRY, L., *Waters Flowing Eastward, the war against the Kingship of Christ*, Londres, 1965.
Genealogy of Genevill of Trime, manuscrit à la British Library, Harley 1425, f. 127.
GÉRARD, P. et MAGNOU, É., *Cartulaire des Templiers de Douzens*, Paris, 1965.
GILLES, M., *Histoire de Sablé*, Paris, 1683.
GOODENOUGH, E.R., *Jewish Symbols in the Greco-Roman Period*, 12 vol., New York, 1953.
« Gospel of the Infancy of Jesus Christ », *The Lost Books of the Bible*, éd. Rutherford H. Platt, New York, 1974.
« Gospel of Peter », *The Lost Books of the Bible*, éd. Rutherford H. Platt, New York, 1974.
GOULD, R.F., *The History of Freemasonry*, 6 vol., Londres, n.d.

GOUT, P., *Le Mont-Saint-Michel*, 2 vol., Paris, 1910.
GRAVES, R., *The Greek Myths*, 2 vol., éd. augm., Harmondsworth, 1978.
GRAVES, R., *King Jesus*, 4e éd., Londres, 1960.
GRAVES, R., *The White Goddess*, éd. augm., Londres, 1977.
GRÉGOIRE DE TOURS, *Histoire des Francs*.
GREUB, W., « The Pre-Christian Grail Tradition of the Three Kings », *Mercury Star Journal*, vol. V, n° 2, 1979. Extrait de *Wolfram von Eschenbach und die Wirklichkeit des Grals*.
GROUSSET, R., *Histoire des Croisades et du royaume franc de Jérusalem*, 3 vol., Paris, 1934-1936.
GUILLAUME DE TYR, *Historia rerum transmarinarum*.
HAGENMEYER, H., *Le vrai et le faux sur Pierre l'Ermite*, trad. Furcy Raynaud, Paris, 1883.
HALEVI, Z., *Adam and the Kabbalistic Tree*, Londres, 1974.
HALSBERGHE, G.H., *The Cult of Sol Invictus*, Leyde, 1972.
HAY, R.A., *Genealogies of the Sainteclaires of Rosslyn*, Édimbourg, 1835.
HENDERSON, G.D., *Chevalier Ramsay*, Londres, 1952.
The Interlinear Greek-English New Testament, trad. Alfred Marshall, 2e éd., Londres, 1967.
IREMONGER, F.A., *William Temple, Archbishop of Canterbury, His Life and Letters*, Londres, 1948.
IRÉNÉE DE LYON, *Cinq livres contre les Hérésies*.
JACQUES DE VORAGINE, *Légende dorée*.
JAFFUS, F., *La cité de Carcassonne et les trésors des Wisigoths*, Carcassonne, 1867.
JEANTIN, J.F.L., *Les chroniques de l'Ardenne et des Woëpvres*, 2 vol., Paris, 1851.
JOHANN VON WÜRZBURG, *Description of the Holy Land, by John of Würzburg AD 1160-1170*, trad. Aubrey Stewart, *Palestine Pilgrims Text Society*, vol. V, Londres, 1897.
JOINVILLE, Jean, Sire de, *Histoire de Saint Louis*, Paris, 1874.

JOURDANNE, G., *Folk-Lore de l'Aude*, 2e éd., Paris, 1973.
JOYCE, D., *The Jesus Scroll*, Londres, 1975.
KING, F., *The Secret Rituals of the O.T.O.*, Londres, 1973.
KLAUSNER, J.G., *Jesus of Nazareth*, Londres, 1925.
LABOUISSE-ROCHEFORT, A. de, *Les Amours, à Éléonore*, 2e éd., Paris, 1818.
LABOUISSE-ROCHEFORT, A. de, *Voyage à Rennes-les-Bains*, Paris, 1832.
LACORDAIRE, J.B.H., *Sainte Marie Magdeleine*.
LALANNE, L., *Dictionnaire historique de la France*, Paris, 1877.
LANIGAN, J., *An Ecclesiastical History of Ireland*, 4 vol., 2e éd., Dublin, 1829.
LAUTH, F., « Tableau de l'au-delà », *Mémoires de la Société des arts et des sciences de Carcassonne*, 3e série, vol. V, Carcassonne, 1937-1940.
LECOY DE LA MARCHE, R.A., *Le roi René*, 2 vol., Paris, 1875.
LEES, B.A., *Records of the Templars in England in the Twelfth Century*, Londres, 1935.
LE FORESTIER, R., *La franc-maçonnerie occultiste*, Paris, 1928.
LE FORESTIER, R., *La franc-maçonnerie templière et occultiste aux XVIIIe et XIXe siècles*, Paris, 1970.
LE MAIRE, F., *Histoire et Antiquitez de la ville et duché d'Orléans*, 2 vol., 2e éd., Orléans, 1648.
LÉONARD, E.-G., *Introduction au cartulaire manuscrit du Temple*, Paris, 1930.
LÉPINOIS, E. de, « Lettres de Louis Fouquet à son frère Nicolas Fouquet », *Archives de l'art français*, 2e série, vol. II, Paris, 1861-1866.
LE ROY LADURIE, *Montaillou, village occitan*, Paris, 1975.
LEVILLAIN, L., « Les Nibelungen historiques », *Annales du Midi*, année 49, Toulouse, 1937, et année 50, Toulouse, 1938.
LILLEY, A.L., *Modernism : A Record and Review*, Londres, 1908.
LIZERAND, G., *Dossier de l'affaire des Templiers*, Paris, 1923.

LOBINEAU, G.A., *Histoire de Bretagne*, 2 vol., Paris, 1707.
LOOMIS R.S., *Arthurian Tradition and Chrétien de Troyes*, New York, 1949.
LOOMIS R.S., *The Grail*, Cardiff, 1963.
LOYD, L.C., *The Origins of some Anglo-Norman Families*, éd. C.T. Clay and D.C. Douglas, Leeds, 1951.
LUCIE-SMITH, E., *Symbolist Art*, Londres, 1977.
The Mabinogion, Harmondsworth, 1977.
MACCOBY, H., *Revolution in Judaea*, Londres, 1973.
MADDISON, R.E.W., *The Life of the Honourable Robert Boyle, F.R.S.*, Londres, 1969.
MANUEL, F.E., *A Portrait of Isaac Newton*, Cambridge, Mass., 1968.
MARIE, F., *Rennes-le-Château, étude critique*, Bagneux, 1978.
MAROT, P., *Le symbolisme de la Croix de Lorraine*, Paris.
MAZIÈRES, abbé M.R., « Une curieuse affaire du XIIe siècle, celle du "Puig des Lépreux" à Perpignan », *Mémoires de la Société des arts et des sciences de Carcassonne*, 4e série, vol. IV, Carcassonne, 1960-1962.
MAZIÈRES, abbé M.R., « Un épisode curieux, en terre d'Aude, du procès des Templiers », *Mémoires de la Société des arts et des sciences de Carcassonne*, 4e série, vol. V, Carcassonne, 1963-1967.
MAZIÈRES, abbé M.R., « Recherches historiques à Campagne-sur-Aude », *Mémoires de la Société des arts et des sciences de Carcassonne*, 4e série, vol. IV, Carcassonne, 1960-1962.
MAZIÈRES, abbé M.R., « La venue et le séjour des Templiers du Roussillon à la fin du XIIIe siècle et au début du XIVe dans la vallée du Bézu (Aude) », *Mémoires de la Société des arts et des sciences de Carcassonne*, 4e série, vol. III, Carcassonne, 1957-1959.
MELVILLE, M., *La vie des Templiers*, 2e éd., Paris, 1974.
MICHELET, M., *Procès des Templiers*, 2 vol., Paris, 1851.
MICHELL, H., *Sparta*, Cambridge, 1964.
The Nag Hammadi Library in English, trad. par la Coptic Gnostic Library Project of the Institute for Antiquity

and Christianity, dir. James M. Robinson, Leyde, 1977.
NANTES, G. de, *Liber Accusationis in Paulum Sextum*, Saint-Parres-les-Vaudes, 1973.
NELLI, R., *Les Cathares*, Toulouse, 1965.
NELLI, R., *Dictionnaire des hérésies méridionales*, Toulouse, 1968.
NELLI, R., *La philosophie du catharisme*, Paris, 1978.
NIEL, F., *Les Cathares de Montségur*, Paris, 1973.
NILUS, S., *Les protocoles des Sages de Sion*.
NODIER, C., *Contes*, éd. Pierre-Georges Castex, Paris, 1961.
NODIER, C., *Histoire des sociétés secrètes de l'armée*, Paris.
NODIER, C., *Voyages pittoresques et romantiques dans l'ancienne France, Normandy*, 3 vol., Paris, 1820-1878.
NOONAN, J.T., *Contraception*, New York, 1967.
OLDENBOURG, Z., *Le bûcher de Montségur*, Paris, 1959.
OLRY, M.E., « Topographie de la montagne de Sion-Vaudémont », *Mémoires de la Société d'archéologie lorraine*, 2e série, vol. X, Nancy, 1968.
ORR, J., *Les œuvres de Guiot de Provins*, Manchester, 1915.
ORT, L.J.R., *Mani : A Religio-historical Description of his Personality*, Leyde, 1967.
OURSEL, R., *Le procès des Templiers*, Paris, 1959.
PAGELS, E., *The Gnostic Gospels*, Londres, 1980.
PANGE, J. de, *L'auguste maison de Lorraine*, Lyon, 1966.
PAOLI, M., *Les dessous d'une ambition politique*, Nyon, 1973.
PARRINDER, G., *Jesus in the Qur'an*, Londres, 1965.
PEREY, L., *Charles de Lorraine et la cour de Bruxelles*, Paris, 1903.
Perlesvaus – Perceval le Gallois ou le conte du Graal, Bruxelles, 1866.
PEYREFITTE, R., « La lettre secrète », *Le Symbolisme*, n° 356, Paris, avr.-juin 1962.
PHIPPS, W.E., *The Sexuality of Jesus*, New York, 1973.
PHIPPS, W.E., *Was Jesus married ?*, New York, 1970.

PINCUS-WITTEN, R., *Occult Symbolism in France: Joséphin Péladan and the Salons de la Rose-Croix*, Londres, 1976.

PINGAUD, L., *La jeunesse de Charles Nodier*, Besançon, 1914.

PIQUET, J., *Des banquiers au Moyen Âge : les Templiers*, Paris, 1939.

PLOT, R., *The Natural History of Staffordshire*, Oxford, 1686.

PONSICH P., « Le Conflent et ses comtes du IXe au XIIe siècle », *Études roussillonnaises*, 1re année, n° 3-4, Perpignan, juil.-déc. 1951.

POULL, G., *La maison ducale de Bar*, vol. I, Rupt-sur-Moselle, 1977.

POUSSEREAU, *Le château de Barbarie*, Nevers, 1876.

POWICKE, F.M., *The Loss of Normandy*, 2e éd., Manchester, 1961.

PROCOPIUS DE CÉSARÉE, *Histoire des guerres*.

PRUTZ, H.G., *Entwicklung und Untergang des Tempelherrenordens*, Berlin, 1888.

QUATREBARBES, T. de, *Œuvres complètes du roi René*, 4 vol., Angers, 1845.

Queste del Saint Graal.

RABINOWITZ, J.J., « The Title *De Migrantibus* of the *Lex Salica* and the jewish *Herem Hayishub* », *Speculum*, vol. XXII, Cambridge, Mass., janv. 1947.

RAHN, O., *Croisade contre le Graal*, trad. Robert Pitrou, Paris, 1974.

RAHN, O., *La cour de Lucifer*, trad. René Nelli, Paris, 1974.

RENÉ D'ANJOU, *Le livre du cueur d'amours espris*, manuscrit à la bibliothèque nationale de Vienne, Cod. Vind. 2597.

REY, E-G., « Chartes de l'abbaye du Mont-Sion », *Mémoires de la Société nationale des antiquaires de France*, 5e série, vol. VIII, Paris, 1887.

REY, E-G., *Les familles d'outre-mer*, Paris, 1869.

RICHEY, M.F., *Studies of Wolfram von Eschenbach*, Londres, 1957.

ROBERT DE BORON, *Roman de l'Estoire dou Saint Graal.*
ROBERTS, J.M., *The Mythology of the Secret Societies*, St. Albans, 1974.
ROCHE, D., « La capitulation et le bûcher de Montségur », *Mémoires de la Société des arts et des sciences de Carcassonne*, 3e série, vol. VII, Carcassonne, 1944-1946.
ROETHLISBERGER, B., *Die Architektur des Graltempels im Jungen Titurel*, Nendeln, 1970.
ROGER DE HOVEDEN, *Les annales de Roger de Hoveden.*
RÖHRICHT, R., *Regesta Regni Hierosolymitani*, Innsbruck, 1893.
ROSNAY, F. de, *Le Hiéron du Val d'Or*, Paray-le-Monial, 1900.
ROUGEMONT, D. de, *L'amour et l'Occident*, Paris, 1939.
RUNCIMAN, S., *The Medieval Manichee*, Cambridge, 1969.
RUNCIMAN S., *A History of the Crusades*, 3 vol., Harmondsworth, 1978.
SABARTHÈS, A., *Dictionnaire topographique du département de l'Aube*, Paris, 1912.
SAINT-CLAIR, L.A. de, *Histoire généalogique de la famille de Saint-Clair*, Paris, 1905.
SAINTE-MARIE, L. de, *Recherches historiques sur Nevers*, Nevers, 1810.
SAINT-VENANT, *Les fouilles du vieux château de Barbarie*, Paris, 1906.
SAXER, V., *Le culte de Marie-Madeleine en Occident*, 2 vol., Paris, 1959.
SCHONFIELD, H.J., *The Passover Plot*, Londres, 1977.
SCHOTTMÜLLER, K., *Der Untergang des Templer-Ordens*, 2 vol., Berlin, 1887.
SÈDE, G. de, *L'or de Rennes*, Paris, 1967.
SÈDE, G. de, *Le trésor maudit.*
SÈDE, G. de, *La race fabuleuse*, Paris, 1973
SÈDE, G. de, *Signé : Rose + Croix*, Paris, 1977.
SÈDE, G. de, *Les Templiers sont parmi nous*, Paris, 1962.
SÈDE, G. de, *Le vrai dossier de l'énigme de Rennes*, Vestric, 1975.

SEWARD, D., *The Monks of War*, St. Albans, 1974.
SHAN, I., *The Sufis*, Londres, 1969.
SIMON, E., *The Piebald Standard*, Londres, 1959.
SMITH, M., *The Secret Gospel*, Londres, 1974.
SMITH, M., *Jesus the Magician*, Londres, 1978.
SOULTRAIT, G. de, *Dictionnaire topographique du département de la Nièvre*, Paris, 1865.
STALEY, E., *King René d'Anjou and his Seven Queens*, Londres, 1912.
STEEGMULLER, F., *Cocteau : a Biography*, Londres, 1970.
SUMPTION, J., *The Albigensian Crusade*, Londres, 1978.
TAYLOR, A.J.P., *The War Plans of the Great Powers, 1880-1914*, Londres, 1979.
THOMAS, K., *Religion and the Decline of Magic*, Harmondsworth, 1980.
THORY, C.A., *Acta Latomorum ou chronologie de l'histoire de la franche-maçonnerie française et étrangère*, 2 vol., Paris, 1815.
TILLIÈRE, N., *Histoire de l'abbaye d'Orval*, Orval, 1967.
TOPENCHARON, V., *Boulgres et Cathares*, Paris, 1971.
ULLMANN, W., *A History of Political Thought : the Middle Ages*, éd. augm., Harmondsworth, 1970.
VACHEZ, A., *Les familles chevaleresques du Lyonnais*, Lyon, 1875.
VAISSETE, J.-J., « Dissertation sur l'origine des Francs », *Collection des meilleures dissertations*, vol. I, Paris, 1826.
VAISSETE J.-J. et VIC C. de, *Histoire générale du Languedoc avec des notes et les pièces justificatives*, sous la direction d'Édouard Dulaurier Toulouse, 1872-1905.
VAZART, L., *Abrégé de l'histoire des Francs, les gouvernants et rois de France*, Paris, 1978.
VERMES, G., *The Dead Sea Scrolls in English*, 2e éd., Harmondsworth, 1977.
VERMES, G., *Jesus the Jew*, Londres, 1977.
VINCENT, le R.P., *Histoire de l'ancienne image miraculeuse de Notre Dame de Sion*, Nancy, 1698.

VINCENT, R.P., *Histoire fidelle de Saint Sigisbert XII roy d'Austrasie et III du nom. Avec un abrégé de la vie du Roy Dagobert son fils*, Nancy, 1702.
VOGÜÉ, M. de, *Les Églises de la terre sainte*, Paris, 1860.
WAITE, A.E., *The Hidden Church of the Holy Grail*, Londres, 1909.
WAITE, A.E., *A New Encyclopaedia of Freemasonry*, 2 vol., Londres, 1921.
WAITE, A.E., *The Real History of the Rosicrucians*, Londres, 1887.
WALKER, D.P., *The Ancient Theology*, Londres, 1972.
WALKER, D.P., *Spiritual and Demonic Magic from Ficino to Campanella*, Londres, 1975.
WALLAGE-HADRILL, J.M., *The Long-haired Kings*, Londres, 1962.
WARD, J.S.M., *Freemasonry and the Ancient Gods*, 2e éd., Londres, 1926.
WESTON, J.L., *From Ritual to Romance*, Cambridge, 1920. *William, Count of Orange*, éd. Glanville Price, Londres, 1975.
WIND, E., *Pagan Mysteries in the Renaissance*, éd. augm., Oxford, 1980.
WINTER, P., *On the Trial of Jesus*, Berlin, 1961.
YATES, F.A., *The Art of Memory*, Harmondsworth, 1978.
YATES, F.A., *Giordano Bruno and the Hermetic Tradition*, Londres, 1978.
YATES, F.A., *The Rosicrucian Enlightenmemt*, St. Albans, 1975.
YATES, F.A., *The Occult Philosophy in the Elizabethan Age*, Londres, 1979.
ZUCKERMAN, A.J.A., *A Jewish Princedom in Feudal France*, New York, 1972.

Index

C

D

M

N

O

P

Q

R

S

T

Table

PREMIÈRE PARTIE : *LE MYSTÈRE*

DEUXIÈME PARTIE : *LA SOCIÉTÉ SECRÈTE*

TROISIÈME PARTIE : *LA LIGNÉE*

Illustrations

1. Le village de Rennes-le-Château.
2. Château d'Hautpoul, à Rennes-le-Château.
3. Bérenger Saunière.
4. La villa Bethania.
5. Pilier wisigoth sculpté provenant de l'église de Rennes-le-Château.
6. Calvaire dans le cimetière de Rennes-le-Château.
7. La tour Magdala à Rennes-le-Château.
8. Le château de Montségur.
9. Gravure représentant Jérusalem (XVe siècle).
10. La tombe de David, abbaye de Notre-Dame du Mont de Sion, à Jérusalem.
11. Le Temple de Jérusalem.
12. La tour octogonale du château de Gisors.
13. Partie du mur du château d'Athlit en Palestine.
14. Église des Chevaliers du Temple à Londres.
15. Intérieur de l'église des Templiers à Londres.
16. Sceau de l'abbaye de Notre-Dame du Mont de Sion à Jérusalem.
    Sceau des Chevaliers du Temple (Angleterre, 1303).
17. Ruines de l'abbaye d'Orval.
18. La tombe, proche d'Arques.
19. *La fontaine de fortune*.
20. *Et in Arcadia Ego*, par Guercino.
21. *Et in Arcadia Ego*, par Poussin.
22. *Les bergers d'Arcadie*, par Poussin, 1640-1642.
23. *Le monument des bergers*, à Shugborough Hall (Staffordshire)
24. Tombe maçonnique du XVIIe siècle.

Crédits photographiques

36 : AGRACI, Paris. 16 (photo de gauche) : Archives nationales, Paris. 1, 2, 5, 6, 7, 14, 15, 18, 24, 25, 31, 32, 34 : Michael Baigent, Londres. 28, 29, 30 : Bibliothèque nationale, Paris. 4 : Michel Bouffard, Carcassonne. 11, 13 : W. Braun, Jérusalem. 9, 16 (photo de droite), 35 : British Library, Londres. 33 : British Museum, Londres (reproduit grâce à l'amabilité des conservateurs du British Museum). 10 : Institut d'Art Courtauld, Londres. 21 : Collection du Devonshire, Chatsworth (reproduit avec l'autorisation des conservateurs du Chatsworth Settlement). 8 : Jean Dieuzaide/YAN photo, Toulouse. 20 : Galerie nationale d'art antique, Rome. 23 : Patrick Lichfield, Londres. 3 : Henry Lincoln, Londres. 22 : Musée du Louvre, Paris. 19 : Vienne, Bibliothèque nationale. 12, 17 : H. Roger-Viollet, Paris. 27 : Louis Vazart, Paris.

À DÉCOUVRIR DANS LA MÊME COLLECTION

LE MESSAGE

Michael Baigent, Richard Leigh et Henry Lincoln

La suite de L'ÉNIGME SACRÉE
Devons-nous attendre la venue d'un messie ou celle d'un roi?

Si la preuve d'une descendance de Jésus était faite, quelles seraient les conséquences pour les religions, le monde, l'Europe en particulier ?

Après avoir levé le voile sur un secret jalousement gardé depuis deux mille ans, mais connu de plusieurs communautés et de hauts dirigeants religieux et politiques, les auteurs vont encore plus loin.

S'appuyant sur les plus récentes études bibliques et sur de nombreux documents inédits, ils apportent de nouvelles lumières sur l'évolution du christianisme, la survie de la descendance de Jésus, l'action souterraine du Prieuré de Sion et ses liens avec l'ordre de Malte, le Vatican, la C.I.A., les francmaçons...

Une passionnante enquête à travers les siècles qui lie l'histoire de la France et de l'Europe au destin du monde.

MICHAEL BAIGENT, RICHARD LEIGH & HENRY LINCOLN

Grands reporters et spécialistes des sociétés secrètes, ils dévoilent la face cachée de la civilisation judéo-chrétienne. Leurs travaux menés avec le plus grand sérieux ont inspiré de nombreux chercheurs. *L'énigme sacrée* et *Le message* sont des livres recommandés par Dan Brown, l'auteur de *Da Vinci Code*, best-seller mondial .

COLLECTION
AVENTURE SECRÈTE

La spiritualité, l'ésotérisme et la parapsychologie offrent des perspectives fascinantes au monde moderne. Les sciences d'aujourd'hui rejoignent les traditions d'hier : l'invisible et les pouvoirs de l'esprit sont une réalité.

« Aventure Secrète » vous invite à porter un regard neuf sur vous et sur l'univers en répondant aux plus grandes questions de tous les temps.

ENIGMES

Michael Baigent, Richard Leigh, Henry Lincoln • L'énigme sacrée
Edouard Brasey • L'énigme de l'Atlantide
Graham Hancock • Le mystère de l'arche perdue
Pierre Jovanovic • Enquête sur l'existence des anges gardiens
Chris Morton • Le mystère des crânes de cristal
Joseph Chilton Pearce • Le futur commence aujourd'hui
Lynn Picknett & Clive Prince • La révélation des templiers

EPANOUISSEMENT PERSONNEL

Melody Beattie • Les leçons de l'amour
Deepak Chopra • Les sept lois spirituelles du succès
Deepak Chopra • Les clés spirituelles de la richesse
Deepak Chopra • Les sept lois pour guider vos enfants sur la voie du succès
Deepak Chopra • Le chemin vers l'amour
Marie Coupal • Le guide du rêve et de ses symboles
Wayne W. Dyer • Les dix secrets du succès et de la paix intérieure
Joseph Murphy • Comment utiliser les pouvoirs du subconscient
Joseph Murphy • Comment réussir votre vie
Marianne Williamson • Un retour à l'Amour

PARANORMAL/DIVINATION/PROPHETIES

Édouard Brasey • Enquête sur l'existence des fées et des esprits de la nature
Jean-Charles de Fontbrune • Nostradamus, biographie et prophéties jusqu'en 2025
Dorothée Koechlin de Bizemont • Les prophéties d'Edgar Cayce
Maud Kristen • Fille des étoiles
Rupert Sheldrake • Les pouvoirs inexpliqués des animaux
Sylvie Simon • Le guide des tarots

POUVOIRS DE L'ESPRIT/VISUALISATION

Marilyn Ferguson • La révolution du cerveau
Shakti Gawain • Techniques de visualisation créatrice
Shakti Gawain • Vivez dans la lumière
Jon Kabat-Zinn • Où tu vas, tu es
Akain Kardec • Le livre des esprits
Dolores Krieger • Le guide du magnétisme
Bernard Martino • Les chants de l'invisible
Éric Pier Sperandio • Le guide de la magie blanche

LOBSANG T. RAMPA

Le troisième œil
Les secrets de l'aura
La caverne des Anciens
L'ermite

JAMES REDFIELD

La prophétie des Andes
Les leçons de vie de la prophétie des Andes
La dixième prophétie
L'expérience de la dixième prophétie
La vision des Andes
Le secret de Shambhala
(Avec Michael Murphy et Sylvia Timbers) Et les hommes deviendront des dieux

ROMANS ET RECITS INITIATIQUES

Deepak Chopra • Dieux de lumière
Laurence Ink • Il suffit d'y croire...
Gopi Krishna • Kundalinî – autobiographie d'un éveil
Shirley MacLaine • Danser dans la lumière
Shirley MacLaine • Le voyage intérieur
Shirley MacLaine • Mon chemin de Compostelle
Dan Millman • Le guerrier pacifique
Marlo Morgan • Message des hommes vrais
Marlo Morgan • Message en provenance de l'éternité
Michael Murphy • Golf dans le royaume
Scott Peck • Les gens du mensonge
Scott Peck • Au ciel comme sur terre
Baird T. Spalding • La vie des Maîtres

SANTE/ENERGIES/MEDECINES PARALLÈLES

Janine Fontaine • Médecin des trois corps
Janine Fontaine • Médecin des trois corps. Vingt ans après
Caryle Hishberg & Marc Ian Barasch • Guérisons remarquables
Caroline Myss • Anatomie de l'esprit
Pierre Lunel • Les guérisons miraculeuses
Dr Bernie S. Siegel • L'amour, la médecine et les miracles

SPIRITUALITES

Jacques Brosse • Le Bouddha
Deepak Chopra • Comment connaître Dieu
Deepak Chopra • La voie du magicien
Sa Sainteté le Dalaï-Lama • L'harmonie intérieure
Sam Keen • Retrouvez le sens du sacré
Thomas Moore • Le soin de l'âme
Scott Peck • Le chemin le moins fréquenté
Scott Peck • La quête des pierres
Scott Peck • Au-delà du chemin le moins fréquenté
Ringou Tulkou Rimpotché • Et si vous m'expliquiez le bouddhisme ?
Baird T. Spalding • Treize leçons sur la vie des Maîtres
Neale D. Walsch • Conversations avec Dieu
Neale D. Walsch • Présence de Dieu

VIE APRÈS LA MORT/REINCARNATION/INVISIBLE

Vicki Mackenzie • Enfants de la réincarnation
Daniel Meurois & Anne Givaudan • Récits d'un voyageur de l'astral
Raymond Moody • La vie après la vie
Raymond Moody • Lumières nouvelles sur la vie après la vie
Jean Prieur • Le mystère des retours éternels
James Van Praagh • Dialogues avec l'au-delà
Brian L. Weiss • Nos vies antérieures, une thérapie pour demain
Brian L. Weiss • Il n'y a que l'amour

7562

Composition Chesteroc Ltd
Achevé d'imprimer en France (La Flèche)
par Brodard et Taupin
le 4 avril 2005. 28813
Dépôt légal avril 2005. ISBN 2-290-34696-9

Editions J'ai lu
84, rue de Grenelle, 75007 Paris
Diffusion France et étranger : Flammarion